T0349488

Tobias Bleek

Im Taumel der Zwanziger
1923: Musik in einem Jahr der Extreme

Im Taumel der Zwanziger

Tobias Bleek

der Zwanziger

1923: Musik in einem Jahr der Extreme

Bärenreiter

Metzler

In Zusammenarbeit mit
BR-KLASSIK
Klavier-Festival Ruhr

Gedruckt mit freundlicher Unterstützung von
Ursula Reimann
Kunststiftung NRW
Landgraf-Moritz-Stiftung

Kunststiftung
NRW

landgrafmorıtzstiftung

Auch als eBook erhältlich (epdf):
ISBN 978-3-7618-7245-1

Bibliografische Information der Deutschen Nationalbibliothek
Die Deutsche Nationalbibliothek verzeichnet diese Publikation
in der Deutschen Nationalbibliografie;
detaillierte bibliografische Daten sind im Internet
über www.dnb.de abrufbar.

© 2023 Bärenreiter-Verlag Karl Vötterle GmbH & Co. KG, Kassel
Gemeinschaftsausgabe der Verlage Bärenreiter, Kassel,
und J. B. Metzler, Berlin
Umschlaggestaltung: +CHRISTOWZIK SCHEUCH DESIGN
(Bildausschnitt: Amerikanische Besatzungstruppen
tanzen am Rhein; Foto: Walter Gircke)
Lektorat: Jutta Schmoll-Barthel
Korrektur: Daniel Lettgen
Innengestaltung und Satz: Dorothea Willerding
Druck und Bindung: Beltz Grafische Betriebe GmbH, Bad Langensalza
ISBN 978-3-7618-2519-8 (Bärenreiter)
ISBN 978-3-662-66601-2 (Metzler)
www.baerenreiter.com ••• www.metzlerverlag.de

Inhalt

Im Taumel der Krisen

Selbsterneuerung eines Immigranten

Komponieren und kultureller Austausch in Zeiten des Nationalismus

»Deutsche Treue ... und deutscher Sang«
Zur politischen Vereinnahmung von Musik während der Ruhrbesetzung

Ein Beitrag zur »Hegemonie der deutschen Musik«?
Arnold Schönberg und die Entwicklung der Zwölftontechnik

Auftakt

1923 zählt zu jenen markanten Daten der deutschen Geschichte, die sich tief ins kollektive Gedächtnis eingeprägt haben. Wenige Jahre nach Kriegsende kam es zu einer kaum vorstellbaren Häufung von Krisen: Im Zuge der Hyperinflation löst sich nicht nur das Geld gleichsam in Luft auf, sondern auch die gesellschaftliche Ordnung und der Glaube an traditionelle Werte geraten ins Wanken. Die Besetzung des Ruhrgebiets stachelt den Nationalismus an und führt zu einer Welle völkischer Agitation. Rechte Extremisten und gewaltbereite Kommunisten wittern ihre Chance, schmieden Putschpläne und unternehmen Umsturzversuche. Im Westen Deutschlands versuchen Separatisten, das Rheinland und die Pfalz aus dem Deutschen Reich herauszulösen. In ihrem komplexen Zusammenspiel brachten all diese Ereignisse das Land an den Abgrund und hinterließen tiefe Spuren im Leben der Menschen. Wie groß das Interesse an dieser Zeit auch heute noch ist, bezeugen zahlreiche Bücher, die anlässlich des Jubiläums dieses Jahres der Extreme erschienen sind.[1] Sie bestätigen die ungebrochene Konjunktur der »Jahresbücher« und führen zugleich vor Augen, auf wie vielfältige Weise man ein solches Projekt angehen kann.[2]

Auch dieses Buch entspringt der Faszination, in einen begrenzten Zeitabschnitt tiefer einzutauchen. Im Zentrum stehen die Musik und das Musikleben, ein Bereich, von dem in den bereits vorliegenden Veröffentlichungen – wenn überhaupt – nur am Rande die Rede ist. Dass die Wahl auf 1923 fiel, hat verschiedene Gründe. Obwohl die krisenhaften Entwicklungen in der Weimarer Republik eine zentrale Rolle spielen, waren sie nur einer von mehreren Faktoren, die mich auf dieses Jahr gebracht haben. So führen die Streifzüge, die im Folgenden unternommen werden, weit über Deutschland hinaus in eine Welt, in der die Musik und das kulturelle Leben ebenfalls ins Taumeln geraten zwischen Krise und Aufbruch, Abschottung und Austausch, dem sehnsüchtigen Blick zurück und neuer Dynamik und Energie. Im besetzten Ruhrgebiet werden Lieder zu einem Mittel des politischen Kampfes. In ganz Deutschland versetzen die exponentielle Geldentwertung und die massive Wirtschaftskrise den gesamten Musikbetrieb in einen Ausnahmezustand. In den USA machen afroamerikanische Musikerinnen und Musiker wie Bessie Smith oder King Oliver's Creole Jazz-Band unter den Bedingungen einer gesellschaftlichen Rassentrennung ihre ersten Tonaufnahmen. In Wien vollendet Arnold Schönberg seine ersten Zwölftonwerke, träumt von der Wiederkehr der Habsburger und setzt sich gegen den wachsenden Antisemitismus zur Wehr. In Paris rührt Igor

Strawinsky mit einem Ballett über altrussische Hochzeitsrituale die russische Exilgemeinde zu Tränen und schockiert Teile seiner westlichen Anhängerschaft wenige Monate später mit einem neoklassizistischen Oktett für Blasinstrumente. In Budapest erhält Béla Bartók einen heiklen Kompositionsauftrag und setzt mit seiner *Tanz-Suite* ein Zeichen gegen den Nationalismus der Nachkriegsjahre. Und in Berlin beginnt auf dem Höhepunkt der Krise das Zeitalter des öffentlichen Rundfunks – eines Mediums, das die Produktion, Distribution und Rezeption von Musik im Lauf der nächsten beiden Dekaden tiefgreifend verändern wird. All diese Entwicklungen und Ereignisse sind nicht nur musikgeschichtlich bedeutsam, sondern verweisen zugleich auf zentrale Themen, um die dieses Buch kreist: die Rolle von Musik in Zeiten der Krise und des rasanten Wandels, ihre Einbettung in gesellschaftliche, soziale, wirtschaftliche und politische Strukturen und Prozesse sowie die Frage, wie dieses Zusammenspiel unterschiedlicher Faktoren jeweils beschaffen ist und was es uns über die Zeit und die Menschen, die daran beteiligt sind, verrät.

In die musikalische Welt des Jahres 1923 führen unzählige Wege. Und auch die Menge der möglichen Protagonisten und Protagonistinnen ist unüberschaubar. Als Auftakt bietet es sich an, bereits an dieser Stelle für einen Moment mitten ins Geschehen zu springen. Das ermöglicht es, anhand von zwei konkreten Situationen einen plastischen Eindruck zu vermitteln, um was es in diesem Buch geht. Das Scheinwerferlicht richtet sich dazu auf die Musikmetropolen New York und Paris. Hauptfiguren sind die französischen Musiker Darius Milhaud und Jean Wiéner, der Zeitpunkt ist der Beginn des neuen Jahres.

* * *

Zum Schlafen blieb Darius Milhaud wenig Zeit in jenen ersten Januartagen des Jahres 1923. Kurz vor Weihnachten hatte der Komponist Le Havre an Bord eines 160 Meter langen Ozeandampfers verlassen. Mit einer Höchstgeschwindigkeit von 30 Stundenkilometern brachte das Schiff 1500 Passagiere über den Atlantik und lief kurz nach Silvester in New York ein. In den USA erwartete den 30-jährigen Musiker ein dicht gedrängtes Programm und eine an französischer Kultur interessierte Öffentlichkeit. In seinem Heimatland war Milhaud Teil eines Kreises junger Musiker und Musikerinnen, die sich um den scharfzüngigen Schriftsteller Jean Cocteau scharten, den originellen Sonderling Erik Satie als eine Art Leitfigur betrachteten und eine grundlegende Erneuerung der französischen Musik anstrebten. In schöpferischer Auseinandersetzung mit der modernen Welt, der Alltagskultur und der Popularmusik wollten sie auf je eigene Weise die als überlebt empfundene Klang- und Ausdruckssprache des 19. Jahrhunderts endgültig hinter sich lassen und zu einer neuen Einfachheit und Modernität finden. Dass Musik aus Amerika in diesem Zusammenhang eine zentrale Bedeutung zukam, stand für Milhaud außer Frage. Gleich nach der Ankunft in New York erklärte er in einem Interview: »Eine Sache möchte ich ganz besonders hervorheben, und zwar den positiven Einfluss des Jazz auf die gesamte Musik. Er war enorm und meiner Meinung nach ein Einfluss zum Guten.«[3] Dass er mit dieser Überzeugung eine Position vertrat, die innerhalb der weißen kulturellen Elite der USA aus verschiedenen Gründen alles andere als mehrheitsfähig war, wurde dem europäischen Komponisten rasch bewusst. So schrieb der Autor eines Artikels mit dem reißerischen Titel »Jazz, says Darius Milhaud, is the most significant thing in music today«: »Wir wären gerne dabei, wenn Darius Milhaud in einen Streit mit einer der Anti-Jazz-Fraktionen geraten sollte, die meinen, dass das Land wegen des Jazz musikalisch vor die Hunde geht.«[4]

Das eigentliche Ziel von Milhauds erster USA-Tournee war es, Werke Erik Saties und der jungen französischen Komponisten zu präsentieren, für sein eigenes Schaffen ein neues Publikum zu erschließen und in Vorträgen über Entwicklungen der modernen Musik in Paris und Wien zu sprechen.[5] Dass er den sechswöchigen Nordamerika-Aufenthalt überdies dazu nutzen wollte, den Jazz im Kontext seiner Herkunftskultur zu studieren und Material zu sammeln, stand schon vor Reiseantritt fest. Seit der Rückkehr aus Brasilien, wo er ab Anfang 1917 für zwei Jahre als Kulturattaché der französischen Botschaft gewirkt hatte, begeisterte er sich für amerikanische Popularmusik. Als Franzose befand er sich dabei in einer günstigen Ausgangslage: Während der transatlantische Austausch zwischen den USA und Deutschland erst nach dem Krisenjahr 1923 wieder an Fahrt aufnahm, hatten sich die politischen, ökonomischen und kulturellen Netzwerke zwischen Nordamerika und den Alliierten seit dem Kriegseintritt der USA im Mai 1917 kontinuierlich verstärkt. Ausgehend von der mythenumwobenen Frankreich-Tournee der Hellfighters, einer aus afroamerikanischen Musikern bestehenden Militärband, waren unterschiedliche Spielarten des Jazz und amerikanisch geprägter Popularmusik zu wichtigen Bestandteilen der Unterhaltungskultur der Weltstadt Paris geworden. Unter den Akteuren befanden sich dabei nicht nur weiße Gruppierungen, sondern auch afroamerikanische Ensembles. Milhaud besuchte ihre Auftritte, stand mit einigen Musikern in direktem Austausch und komponierte von amerikanischer Popularmusik inspirierte Stücke wie den stilisierten Shimmy *Caramel mou* (1920) oder die *Trois Rag-Caprices* (1922).

Was unter Jazz zu verstehen sei, glaubte der französische Komponist also zu wissen, als er Anfang 1923 in den USA eintraf. Doch bereits kurz nach der Ankunft machte er im New Yorker Stadtteil Harlem eine Entdeckung, die ihm zeigte, dass er sich offenbar getäuscht hatte. Knapp zwei Kilometer nördlich von seiner Unterkunft an der Columbia University hörte Milhaud eine Musik, die ihn fesselte und dazu veranlasste, sein Schlafpensum drastisch zu reduzieren. Schon in der ersten Woche brach er abends so oft wie möglich nach Harlem auf. Dort durchstreifte er zum Teil bis 5 Uhr morgens »Bistrots«, in denen afroamerikanische Bluessängerinnen auftraten, und größere Etablissements wie den Capitol Palace, in dem sich Mitglieder schwarzer Bands nach ihren Auftritten in anderen Clubs trafen, um in Jam-Sessions bis in die frühen Morgenstunden in unterschiedlichen Konstellationen zu spielen und zu improvisieren.[6] »Es ist unerhört«, berichtete er seinem jazzbegeisterten Pariser Freund Jean Wiéner am 9. Januar 1923: »Ich träume davon.«[7] Milhauds Faszination war so groß, dass er seinen ohnehin schon vollen Zeitplan erweiterte. Neben seiner offiziellen Agenda als Repräsentant der jungen französischen Musik und als Fürsprecher der europäischen Avantgarde war er fortan auch als eine Art Forschungsreisender in Sachen Jazz unterwegs – eine Mission, die ihn fernab vom institutionalisierten Konzertleben und jenseits akademischer Zirkel in ein »anderes« Amerika führte. Der italienische Komponist Alfredo Casella, der Milhaud bei einigen dieser nächtlichen Ausflüge nach Harlem begleitete, war von der Originalität, Dynamik und Energie der dort gespielten Musik ebenfalls überwältigt. Im Gespräch mit einem amerikanischen Journalisten vertrat er die Meinung, dass es unmöglich sei, »zu erklären, was Jazz ist.« Zugleich konstatierte er, dass fast alles, was man in Europa mit dem Etikett »Jazz« versehe, »nicht einmal ansatzweise eine Vorstellung von dieser höchst eigenartigen Musik« zu geben vermöge, die er in Harlem erstmals gehört hatte.[8]

Für den 26-jährigen Pianisten und Komponisten Jean Wiéner begann das Jahr 1923 in Paris weniger erquicklich. Während sein Freund Milhaud durch Harlem zog und jede freie Minute dazu nutzte, um neue Formen der amerikanischen Popularmusik kennenzulernen, musste er sich in den ersten Januartagen mit nationalistischen Anfeindungen auseinandersetzen, die sich gegen seinen Einsatz für die internationale Moderne und den Jazz richteten. Unterstützt von Milhaud hatte Wiéner Ende 1921 unter seinem Namen eine eigene Konzertreihe ins Leben gerufen.[9] Die experimentelle Programmgestaltung jenseits von nationalen, kulturellen und ästhetischen Schranken zeigte sich bereits in den ersten Konzerten. So kombinierte er am Eröffnungsabend einen einstündigen Auftritt von Billy Arnolds Jazz-Band mit einem Kammermusikwerk von Milhaud. Dazwischen erklangen Auszüge aus Strawinskys *Le Sacre du printemps*, die der Komponist für mechanisches Klavier bearbeitet hatte. In den nächsten beiden Konzerten erfolgte die von progressiven Kreisen lange ersehnte französische Erstaufführung von Schönbergs Melodram *Pierrot lunaire*.[10] Als die erste Saison im Frühling mit einem internationalen Programm zu Ende gegangen war, resümierte ein einflussreicher Kritiker voller Anerkennung, Wiéner sei es gelungen, eine Konzertreihe zu schaffen, »die zu den originellsten des Jahres zählt«.[11]

Bestärkt durch den großen Zuspruch wechselte der junge Konzertveranstalter im Herbst 1922 von dem relativ kleinen Saal, in dem die ersten Konzerte stattgefunden hatten, ins renommierte Théâtre des Champs-Élysées mit seinen fast 2000 Plätzen. Mit fünf Porträtkonzerten festigte er den Ruf der Concerts Jean Wiéner, eine Plattform des kulturellen Austausches zu sein und unterschiedliche Strömungen der zeitgenössischen Musik einem extrem heterogenen Publikum zu präsentieren. Im zweiten Konzert wurde Mitte Dezember 1922 der Blick erneut nach Österreich gerichtet. Nach einem Streichquartett von Webern und Schönbergs Klavierstücken op. 19 erklang unter Leitung von Milhaud bereits zum dritten Mal *Pierrot lunaire*. Als Kehraus brachte Wiéner einen Walzer von Josef Strauß zu Gehör und ließ sich von einem amerikanischen Zuhörer, der begeistert von seinem Sitz aufgesprungen war, dazu überreden, als Zugabe auch noch den *St. Louis Blues* zu spielen. »Ein glückliches, zufriedenes Haus von Liebhabern anspruchsvoller Musik«, berichtete der Frankreich-Korrespondent der *New York Tribune* mit sichtlichem Stolz: »Ruhm den Schwarzen, die Amerika eine weltweit anerkannte Kunstform geschenkt haben – den Jazz.«[12]

Für den konservativen französischen Kritiker und Komponisten Louis Vuillemin war dieser Abend hingegen der Tropfen, der das Fass zum Überlaufen brachte. Am 1. Januar 1923 veröffentlichte er in einem renommierten Musikjournal einen Artikel, in dem er mit Wiéners Unternehmen – ohne es namentlich zu nennen – erbarmungslos abrechnete.[13] Bereits die Überschrift »Concerts métèques« – ein herabwürdigendes Wort für Ausländer mit rassistischen Konnotationen – setzte den Ton und markierte die Zielrichtung von Vuillemins Attacke. So diffamierte er den Veranstalter und seine Gesinnungsgenossen als »Dadaisten der Musik« und warf ihnen vor, »unseren Organismus zu vergiften«, indem sie all das, »was der schlechte internationale Geschmack hervorgebracht hat«, in die französische Hauptstadt importieren würden. Besonders erbost war er dabei über die Förderung von Musik aus dem deutschen Kulturraum – eine »Zumutung«, die ihn dazu veranlasste, Wiéner in einem Vokabular mit antisemitischen Untertönen zu karikieren und als

»boche« zu verunglimpfen – ein damals weit verbreitetes Schimpfwort für »Deutsche«. In den folgenden Wochen und Monaten entzündete sich an Vuillemins Hasstirade und seinen Vorwürfen eine heftige Debatte. Während im Zuge der Besetzung des Ruhrgebiets durch französische und belgische Truppen der allgemeine Nationalismus auf beiden Seiten des Rheins kräftig geschürt wurde, gab es erstaunlich viele Stimmen, die im Feld der Musik eine rhetorische Abrüstung und eine Entpolitisierung der Diskussion forderten. Zu den prominenten Komponisten der älteren Generation, die sich mit Wiéners grenzüberschreitender Programmgestaltung solidarisierten, gehörten Maurice Ravel, Paul Dukas und André Caplet. In einem offenen Brief, der am 1. April 1923 veröffentlicht wurde, erklärten sie, sie seien »glücklich, dank Herrn Jean Wiéner den *Pierrot lunaire* von Arnold Schönberg und eine Reihe neuer französischer und ausländischer Werke gehört zu haben, über deren Tendenz man streiten kann, nicht aber über deren künstlerische Bedeutung.« Zugleich sei die Angelegenheit ein willkommener Anlass, um öffentlich den Wunsch zu äußern, »dass der Patriotismus sich etwas weniger in ein Gebiet verirren möge, in dem es nichts zu gewinnen, aber alles zu verlieren gibt.«[14]

Milhauds Nordamerikatournee und die Diskussion über die Concerts Jean Wiéner lenken den Blick auf einige jener Phänomene, Themen und Fragen, die im Zentrum der folgenden Streifzüge durch ein Jahr der Extreme stehen: das Nebeneinander verschiedener musikalischer Welten, die internationalen Netzwerke, die kontroversen Debatten über länderübergreifenden Kulturaustausch oder nationale Abschottung sowie die Auseinandersetzung über den Wert verschiedener Musikstile und die dahinterstehenden kulturpolitischen Überzeugungen und rassistischen Vorurteile. Zugleich vermittelt Milhauds rastloses Pendeln zwischen verschiedenen Aktivitäten und Sphären einen ersten Eindruck von der extremen Dynamik und Atemlosigkeit der Zeit. Schließlich ist der Kosmopolit Milhaud auch eine Art Bindeglied zwischen Personen, Musiken und Ereignissen, die im Folgenden eine wichtige Rolle spielen. Als Dirigent leitete er 1923 die belgische und englische Erstaufführung von Schönbergs *Pierrot lunaire*. Als Musikkritiker besprach er die Uraufführung von Strawinskys Bläseroktett sowie die französische Erstaufführung von Bartóks Orchesterstücken op. 12. Außerdem stand er mit allen drei Komponisten auch persönlich in Verbindung. Über seine Erfahrungen mit afroamerikanischem instrumentalem Jazz und Bluesgesang in Harlem schrieb er – aus der Perspektive eines von kolonialen Denkmustern und zeittypischen Afrika-Bildern beeinflussten Europäers – unmittelbar nach seiner Rückkehr einen gewichtigen Aufsatz.[15] Bei seinen Vorträgen zu diesem Thema präsentierte er Schallplatten des afroamerikanischen Labels Black Swan, die er eigens aus Amerika mitgebracht hatte, da sie in Europa zu dieser Zeit noch nicht im Handel waren.[16]

* * *

Obwohl die Musik und das Musikleben des Jahres 1923 im Mittelpunkt dieses Buches stehen, versteht es sich nicht als eine kalendarische Musikgeschichte dieses Zeitraumes. So geht es im Folgenden nicht darum, mithilfe eines »synchronen Schnitts« ein buntes Panorama aufzufächern, das Ereignisse, Entwicklungen und Akteure, die mir bedeutsam und zeittypisch erscheinen, in ihrer großen Vielfalt und enormen Bandbreite möglichst umfassend darstellt. Verfolgt wird vielmehr ein Weg, der auf Mut zur Lücke und exemplarische Fokussierung setzt. Als kulturelles, ästhetisches und historisches Phänomen und als soziale Praxis ist Musik in unterschiedliche gesellschaftliche Strukturen und Handlungszusammenhänge eingebunden und mit zahlreichen Diskursen verflochten. In Zeiten der Krise und des rasanten Wandels treten diese Verflechtungen besonders deutlich zutage. So spiegeln sich im Musikleben und in der Musik des Jahres 1923 zentrale Erschütterungen und Debatten der Zeit auf vielfältige Weise: die wirtschaftliche und politische Instabilität, die Auseinandersetzung mit der eigenen kulturellen Identität und das Verhältnis zum »Fremden«, die Beziehung der Geschlechter, der Umgang mit den Erblasten des Ersten Weltkriegs, aber auch der technische und mediale Wandel. Was das konkret bedeutet, möchten die Kapitel dieses Buches anhand aussagekräftiger Beispiele veranschaulichen. Dabei wird zum einen untersucht, wie Musik in dieser Zeit komponiert und aufgeführt, gehört und diskutiert, produziert und verkauft, politisch und gesellschaftlich instrumentalisiert, medial aufgezeichnet und übertragen wurde. Zum anderen geht es darum, ausgewählte Akteure und Akteurinnen vorzustellen, die Wirkung und Rezeption von Musik und musikkulturellem Handeln zu thematisieren und dabei auch Bezüge zur Gegenwart sichtbar zu machen. Sowohl geographisch als auch inhaltlich ist das Spektrum breit. So führen die Streifzüge nicht nur in die Metropolen, sondern auch in die Städte des besetzten Ruhrgebiets, nach Biarritz und Chattanooga (Tennessee) oder in die Waldsiedlung Finkenstein im Böhmerwald. Die Spannweite der behandelten Musiken reicht von komplexer Zwölftonmusik bis zu Inflationsschlagern, von Louis Armstrong und Lillian Hardin bis zu Igor Strawinsky, von Beethovens *Eroica* bis zu Leo Falls Operette *Madame Pompadour* und spiegelt die Vielfalt des damaligen Musiklebens, die in traditionellen musikgeschichtlichen Darstellungen oft nicht in dieser Bandbreite präsent ist.

Eine Geschichtsschreibung, die das Verfahren des historischen Querschnitts nutzt, um für einen eng begrenzten Zeitraum eine »Geschichte der Gleichzeitigkeit« zu entwerfen, öffnet den Blick für das Nebeneinander unterschiedlicher Phänomene und die »Koexistenz und Kopräsenz des Disparaten.«[17] Ein besonderer Reiz, der die Popularität von »Jahresbüchern« im Zeitalter von »Immersion« und »virtueller Realität« erklärt, ist die damit verbundene Idee, eine vergangene Welt zu vergegenwärtigen und so darzustellen, dass die Leserinnen und Leser den Eindruck bekommen, gleichsam in sie eintauchen zu können. In seinem Buch *1926. Ein Jahr am Rand der Zeit* hat der Romanist Hans Ulrich Gumbrecht diesen Versuch besonders konsequent verfolgt. Auch ich möchte möglichst tief in das Jahr 1923 vordringen und den »Erfahrungs- und Handlungsraum«, in dem sich die Menschen damals bewegten, zu einem wichtigen Bestandteil der Erzählung machen. So nutzt dieses Buch den Modus dichter Beschreibung sowie zahlreiche Zitate, um konkrete Situationen und Handlungszusammenhänge darzustellen und danach zu fragen, wie die Zeitgenossen ihre Gegenwart wahrgenommen, beschrieben und interpretiert haben. Herangezogen werden dazu eine Vielzahl historischer Quellen: Briefe, Tagebücher und andere private Aufzeichnungen, Artikel aus Zeitungen und Journalen, Fotografien und Bilder, Schallplatten, historische Notendrucke und Musikmanuskripte, Programmzettel, Annoncen, Eintrittskarten und – wenn es sinnvoll oder notwendig erschien – auch spätere Erinnerungen und Berichte. Gepaart ist dieses letztlich unerfüllbare Verlangen nach erlebter Vergangenheit und der Versuch einer fragmentarischen (Re-)Konstruktion eines vergangenen Erfahrungs- und Handlungsraumes allerdings mit dem Wunsch nach historischem Verstehen. Wer der Frage nachgeht, wie Musik mit dem politischen, gesellschaftlichen und kulturellen Leben des Jahres 1923 verflochten war, und sich für dessen spezifische musikgeschichtliche Physiognomie interessiert, muss zwangsläufig analysieren, kontextualisieren und dabei auch größere zeitliche Zusammenhänge in den Blick nehmen. Deswegen wird im Folgenden der synchrone Blick immer wieder aufgebrochen und die Perspektive auch auf die Zeit vor und nach 1923 geweitet. Statt einen strikten kalendarischen Rahmen zu setzen, ist das Jahr 1923 in diesem Buch eine Art Kristallisations- und Knotenpunkt, ein Zeitabschnitt, in dem Phänomene und Entwicklungen sich besonders deutlich zeigen, sich verdichten, ihren Anfang nehmen oder kulminieren, deren Eigenheiten und deren Tragweite man erst dann wirklich ermessen kann, wenn man ihre Vorgeschichte und Weiterentwicklung kennt. So wird beispielsweise erst dann klar, welche Bedeutung Strawinskys Ballett *Les Noces* für die künstlerische Entwicklung des Komponisten hatte und inwiefern es den Wandel seiner Lebensumstände als Migrant widerspiegelt, wenn man die zehnjährige Genese des Werkes und seine mehrfache Verwandlung berücksichtigt. Die Bedeutung des 29. Oktober 1923 als Schlüsseldatum der deutschen Mediengeschichte wird hingegen erst dann ersichtlich, wenn man die rasante Entwicklung verfolgt, die der öffentliche Rundfunk in den folgenden Jahren durchlief.

Überschattet war das Jahr 1923 nicht nur in Deutschland von den Erblasten und Hypotheken des Ersten Weltkriegs.[18] Seine massiven Auswirkungen und die mit dem Krieg verbundenen Erfahrungen waren in vielen Teilen Europas und auch auf anderen Kontinenten omnipräsent, prägten Politik, Ökonomie und Gesellschaft, aber auch den Kulturbetrieb und das Musikleben und spiegelten sich überdies im Denken, Empfinden und Handeln vieler Menschen, von denen im Folgenden die Rede sein wird.[19] Von besonderer Virulenz sind dabei der Zerfall der alten Imperien und multiethnischen Großreiche und die damit verbundene Delegitimierung traditioneller Herrschafts- und Ordnungssysteme: die Auflösung der Doppelmonarchie Habsburg-Ungarn, der Untergang des Russischen Zarenreichs und der Sturz der Monarchie in Deutschland. Diese radikalen Umwälzungen erzeugten bei vielen Menschen das Gefühl von Entwurzelung und Heimatverlust und führten zu Desillusionierung sowie zu Ressentiments gegenüber den neuen Regierungsformen und Nationalstaaten. Zugleich begünstigten sie die massive Zunahme eines zum Teil ethnisch-rassistisch geprägten Nationalismus. Das Jahr 1923 bildet in Deutschland den krisenhaften Höhepunkt dieser langen Phase des Übergangs zwischen Krieg und Nachkriegszeit, die in der jüngeren Geschichtsschreibung als Zeit des »überforderten« bzw. »turbulenten« Friedens eingehend untersucht und beschrieben worden ist.[20]

Die Streifzüge durch das Jahr 1923 und die Turbulenzen der Zwanziger kreisen um spezifische Themenfelder, die in meinen Augen repräsentativ für die Zeit sind. Fünf Kapitel, in denen der Fokus auf einer oder mehreren Hauptfiguren liegt, sind mit drei Kapiteln verzahnt, in deren Zentrum Entwicklungen im Deutschland des Jahres 1923 stehen. Das Eröffnungskapitel »Im Taumel der Krisen« untersucht den massiven Einfluss, den die Hyperinflation auf das Musikleben hatte, und beleuchtet zugleich die existenzielle Funktion von Musik in Krisenzeiten als Rückzugsraum, Fluchtort und Kraftquelle. Vor Augen geführt werden dabei das Pendeln zwischen Extremen, die Unübersichtlichkeit und »Pluritemporalität« der Zeit, die Diskussionen über den befürchteten Zusammenbruch des Konzertlebens, aber auch die erstaunlichen Aufbrüche in der Hochphase der Krise wie die Gründung des Bärenreiter-Verlags durch den noch nicht volljährigen

Buchhandelsgehilfen Karl Vötterle. Der Abschnitt zur Ruhrbesetzung untersucht, wie Musik im Deutschland des Jahres 1923 politisch vereinnahmt wurde. Die Kapitel zu Igor Strawinsky, Béla Bartók und Arnold Schönberg lenken den Blick auf drei Protagonisten der neuen Musik und ihr jeweiliges Umfeld. Für alle drei war 1923 sowohl in künstlerischer als auch persönlicher Hinsicht ein entscheidendes Jahr. In den Werken, die sie in dieser Zeit schrieben bzw. fertigstellten, spiegeln sich auf je eigene Weise die Auswirkungen der geopolitischen Katastrophe des Ersten Weltkriegs. Auch für Bessie Smith, Louis Armstrong und Lillian Hardin war 1923 privat, künstlerisch und hinsichtlich ihrer Karriere ein Jahr von herausgehobener Bedeutung. Im Rahmen der sogenannten »Race records« spielten sie ihre ersten Aufnahmen ein und wurden auf diese Weise erstmals für ein größeres Publikum hör- und sichtbar. Die Frage, wie Technologien und neue Medien den Umgang mit Musik bestimmten und auf welche Weise sie eingesetzt wurden, durchzieht auch das Schlusskapitel. In seinem Zentrum steht der Anbruch des Zeitalters des öffentlichen Rundfunks in Deutschland.

Zugrunde liegt diesem Buch die Faszination für die Musik dieser Zeit in ihrer ganzen Vielfalt. Darüber möglichst anschaulich und präzise zu schreiben, war eine der größten Herausforderungen dieses Projekts. Heute ist es glücklicherweise leichter denn je, sich die musikalische Welt des Jahres 1923 akustisch zu vergegenwärtigen und bekannte, aber auch fast vergessene Stücke zu hören. Digitale Plattformen wie Spotify, YouTube oder die Discography of American Historical Recordings, CDs und Schallplatten, aber auch das Medium Radio bieten hierfür zahllose Möglichkeiten. Von besonderem Reiz sind die historischen Aufnahmen, die im Jahr 1923 entstanden sind. Sie vermitteln einen Eindruck von der spezifischen »Soundscape« dieser Zeit und suggerieren, direkt in die vergangene Klangwelt eintauchen zu können. Ihr Rauschen und Knacksen, der verzerrte Instrumentalklang und die unzureichende Balance erinnern uns allerdings daran, dass es sich auch bei diesen akustischen Zeitreisen um Projektionen handelt. Mit unseren heutigen Ohren hören wir historische Klangdokumente, die – wie alle Tonaufnahmen – Musik nicht ungefiltert reproduzieren, sondern im Zuge des Aufnahmeprozesses zugleich verändern. Ist man sich dessen bewusst, so werden sie zu Quellen von unschätzbarem Wert, die die Lektüre dieses Buches bereichern und mit ästhetischen Erfahrungen verbinden können.

Im Taumel der Krisen
Musikleben im Deutschland der Hyperinflation

»Verrückt gewordenes Leben«: Deutschland 1923 ••• »Wahnwitzige Schein-
zahlen«: Eine Opernkarte für vier Billionen Mark ••• Instrumente im
Tausch gegen ein geschlachtetes Schwein: Laienmusizieren im Zeichen
der Krise ••• Die »musikalische Internationale« auf deutschen Bühnen:
Eine kontroverse Debatte ••• »Letztes Konzert vor Amerikareise«:
Deutsche Musiker und Musikerinnen auf Auslandstournee ••• »Berlin
im Taumel der Verzweiflung«: Ein Herbst der Extreme ••• Zwischen
Depression und Wagemut: Die Wintersaison 1923/24 ••• Getröstete und
Ausgeschlossene: Der Konzertsaal als Flucht- und Sehnsuchtsort •••
»Die deutsche Reichsmark tanzt: wir tanzen mit!« ••• »Ausgerechnet
Bananen« und andere Hymnen der Inflationszeit ••• Der »Ungeist« der
Zeit: Walther Hensels Kampf »wider das falsche deutsche Lied« •••
Gegenwelten: Die Finkensteiner Singwoche ••• Aufbruch in »wirtschaft-
lich schlimmster Zeit«: Karl Vötterle gründet den Bärenreiter-Verlag

»Adieu 1923; du warst nicht schön«, notierte Hedwig Pringsheim am
letzten Tag des Jahres in ihr Tagebuch und setzte dahinter zwei lange
Gedankenstriche.[1] Wie viel Understatement in dieser lakonischen Bemerkung mitschwingt, lässt sich erahnen, wenn man im Journal der
Literatur-, Kunst- und Musikliebhaberin 365 Tage zurückblättert. So
hatte die einstige Schauspielerin, Mutter des Dirigenten Klaus Pringsheim und Schwiegermutter von Thomas Mann am 31. Dezember 1922
das anbrechende neue Jahr mit dem Stoßseufzer begrüßt: »Möge 1923
besser werden, als dies nach jeder Richtung schlimmste 1922. Amen!«[2]
Von dem sehnlichen Wunsch, dass »das Jahr 1923 endlich die große
Wandlung, den Weg zum Besseren bringen möge«, waren laut *Vos-*
sischer Zeitung auch zahlreiche Berlinerinnen und Berliner erfüllt.[3] Am
31. Dezember 1922 feierten sie in der drittgrößten Stadt der Welt, in der
damals 3,9 Millionen Menschen lebten, ein ungestümes Silvesterfest.
An einem untypisch warmen Abend vom »Gepräge einer italienischen
Sommernacht« waren »die Hauptstraßen der Stadt von Zehntausenden
von Menschen überflutet, von denen die Mehrzahl [...] aus Pistolen und
anderen Knallwerkzeugen ihrem übervollen Herzen Luft machten«. Es
wurde »unheimlich getrunken«, die Gaststätten und Kneipen waren
»alle bis zum Platzen gefüllt«, und statt sich an die »3-Uhr-Polizeistunde«
zu halten, ließen sich viele erst nach »Anbruch des ersten Januar-
morgens« dazu bewegen, mit dem Feiern aufzuhören und nach Hause

zurückzukehren. Für den namentlich nicht genannten Autor des Berichts stand fest, dass dieses exzessive Verhalten Ausdruck eines den besonderen Zeitumständen geschuldeten kollektiven Befindens war. Dahinter stehe das »Gefühl, daß das endlich zu Grabe getragene alte Jahr eine kaum mehr ertragbare Last von Unglück gebracht hat«, der Gedanke, »daß es schlimmer im neuen Jahre unmöglich kommen könne«, und der besagte Wunsch nach einem grundsätzlichen Wandel der Verhältnisse. Doch es gab auf den Berliner Straßen neben den ausgelassen Feiernden auch die hoffnungslos Verzweifelten. »Auffallend groß war die Zahl der Selbstmörder, die sich wie auf Verabredung auf die Minute zwölf Uhr das Leben nahmen«, heißt es im selben Artikel. Einer von ihnen, der Arbeiter Wilhelm Tornow, ertränkte sich in der Spree. In der Tasche seiner am Ufer zurückgelassenen Hose »lag ein Zettel, auf dem zu lesen war: ›Ihr denkt doch nicht daran, daß ich 1923 mitmache!‹«[4]

Bekanntlich erwiesen sich die Hoffnungen der Feiernden auf eine Besserung der allgemeinen Lage als Illusion, und man darf wohl davon ausgehen, dass sich viele von ihnen schon bald die Zustände des Jahres 1922 zurückgewünscht hätten. Während die Leserinnen und Leser der Silvesterbilanz der *Vossischen Zeitung* am 2. Januar 1923 für die Morgenausgabe noch 40 Mark bezahlten, hatte sich der Preis des Blatts vier Wochen später mit 100 Mark bereits mehr als verdoppelt. Ende Juli, als der Kurs des US-Dollars die symbolische Eine-Million-Mark-Marke überschritt, konnte die Morgenausgabe für günstige 4.000 Mark erworben werden. Am 2. Oktober kostete sie vier Millionen, und am 20. November war der Preis auf sagenhafte 100 Milliarden geklettert.

»Verrückt gewordenes Leben«: Deutschland 1923

Als Phänomen war die Inflation nicht neu, sondern ein prägendes Moment der Dekade zwischen 1914 und 1924. »Vor ihrem Hintergrund, von ihr beeinflusst und selbst wiederum auf sie einwirkend, gruppierten sich die gesellschaftlichen Strukturen tiefgreifend um.«[5] Da das Deutsche Kaiserreich die horrenden Kosten des Ersten Weltkriegs nicht mit Steuern, sondern durch Anleihen und eine Erhöhung der Geldmenge finanziert hatte, war Ende 1918 bereits sechsmal mehr Geld im Umlauf als zu Kriegsbeginn und die Staatsverschuldung enorm gestiegen.[6] Statt in den Nachkriegsjahren die finanzpolitische Wende einzuleiten und den Haushalt der neu entstandenen Republik zu sanieren, wurde der eingeschlagene Kurs der zunehmenden Verschuldung jedoch fortgesetzt. Dies brachte zwar kurzfristig wirtschaftliche Vorteile und führte dazu, dass in Deutschland im Gegensatz zu Großbritannien oder den Niederlanden die Arbeitslosigkeit zunächst niedrig blieb, Löhne und Gehälter stiegen und auch die Sozialleistungen ausgebaut werden konnten.[7] Mittelfristig führte diese inflationäre Politik jedoch zu einer immer prekärer werdenden Situation, die durch die wirtschaftlichen und finanziellen Verpflichtungen des Versailler Vertrags noch zugespitzt wurde. In einem schubweisen Prozess verlor die Mark an Wert und Kaufkraft. Während man vor dem Krieg für einen Dollar 4,2 Reichsmark bezahlt hatte, waren es Ende 1921 schon über 200 Mark. Im Herbst 1922 schwankte der Kurs dann innerhalb weniger Wochen zwischen 6.000 und mehr als 9.000 Mark. »Wie die Fiebertemperatur eines Schwerkranken zeigt der Dollarstand täglich den Fortschritt unseres Verfalls an«, konstatierte Henry Graf Kessler am 7. November in einem Tagebucheintrag.[8] Als die Reichsregierung nach Beginn der Ruhrbesetzung Mitte Januar die Politik des »passiven Widerstands« ausrief und es zu massiven Produktionsausfällen und Handelseinbußen kam, brachen endgültig alle Dämme. Die Kurve der Geldentwertung stieg steil nach oben, die Preissprünge wurden immer absurder, das Vertrauen in die Handlungsfähigkeit des Staates kontinuierlich geringer und die Not breiter Schichten der Bevölkerung von Tag zu Tag größer.

Von so massiver Wirkung war die unvorstellbare Geldentwertung, weil sie nicht nur die politische, ökonomische und gesellschaftliche Ordnung an den Rand des Zusammenbruchs brachte, sondern auch das individuelle Leben der meisten Menschen tiefgreifend prägte und erschütterte: ihre Weltwahrnehmung und ihr Lebensgefühl, aber auch ihr Denken und Handeln. So konstatierte der Romanistikprofessor Victor Klemperer am 14. Oktober 1923, seinem Geburtstag: »Ich bin heute 42 Jahre u. eigentlich in jeder Beziehung ziemlich abgewirtschaftet, desillusioniert u. heruntergekommen. [...] Unheimlich schrittweise geht Deutschland zu Grunde. [...] Der Dollar steht über 800 Millionen, er steht täglich 200 Mill. über dem Vortag. All das ist nicht Zeitung, sondern unmittelbarer Griff an das eigene Leben. Wie lange noch werden wir zu essen haben? Welches wird unsere nächste Einschränkung sein? Usw. Usw. [...] Bei jedem Kinobesuch, bei jeder Straßenbahnfahrt dieses ›Wie lange noch?‹«[9]

Während Klemperer und seine Frau, die Musikerin und Malerin Eva Schlemmer, die Hochphase der Inflation in Dresden erlebten, beobachtete der Maler, Zeichner und Karikaturist George Grosz die verschiedenen Stadien der Hyperinflation in Berlin. »Oft erscheint mir alles, was ich damals sah und erlebte, wie ein phantastischer Traum«, schreibt er rückblickend über diese brutale Zeit: »Aber komisch, je höher die Preise stiegen, umso höher stieg die Lebenslust.«[10] In zahlreichen gesellschaftskritischen Zeichnungen und Aquarellen hat der »fanatische

Moralist« die Schrecken des Krieges, das Elend der Nachkriegsjahre und die irrwitzige Zeit der Inflation »mit ihren Lastern und ihrer Sittenlosigkeit« auf provokative Weise porträtiert.[11] Um den Jahreswechsel 1922/23 erschien im Malik-Verlag unter dem Titel *Ecce Homo* eine aufsehenerregende Sammlung von mehr als 100 Arbeiten des 30-Jährigen. Wegen der schonungslosen Darstellung des Großstadtlebens – zu sehen waren neben Kriegsgewinnlern, Kriegsversehrten, Profitgeiern und Spießbürgern auch Prostituierte und entblößte weibliche Körper – wurde die Mappe jedoch schon bald zensiert. Grosz und seine Verleger erhielten eine Anklage wegen »Angriffs auf die öffentliche Moral« und wurden im Februar 1924 vom Berliner Landgericht zu einer Geldstrafe verurteilt. Während der »unsittliche« Künstler – unterstützt von prominenten Fürsprechern wie Reichskunstwart Dr. Redslob und dem Malerkollegen Max Liebermann – darauf pochte, dass es ihm nur darum gegangen sei, »die Wahrheit rücksichtslos« zu enthüllen, blieb das Gericht bei der Auffassung, dass die Mappe Darstellungen enthalte, die »das *Scham- und Sittlichkeitsgefühl des normal empfindenden Menschen*« verletzen würden.[12]

Der Verlauf der Hyperinflation, ihre Ursachen und Wirkungen sowie die kulturellen, emotionalen und mentalitätsgeschichtlichen Dimensionen dieser vielleicht folgenreichsten Krise der Weimarer Republik, die sich tief ins kollektive Gedächtnis eingebrannt hat, sind bereits unzählige Male beschrieben worden.[13] Umso erstaunlicher ist es, dass bislang kaum untersucht worden ist, welche Auswirkungen die rasante Geldentwertung auf das Musikleben dieses Jahres der Extreme hatte. Wer wissen möchte, wie Musik unter den herausfordernden Bedingungen der Hyperinflation gespielt und aufgeführt, gehört und empfunden, verkauft und diskutiert wurde, kann sich also nicht auf bereits vorhandene umfangreiche wissenschaftliche Studien stützen, sondern muss sich selbst in die zahllosen Quellen vertiefen. Begibt man sich auf diese Erkundungsreise, so öffnet sich ein faszinierendes Feld, das eine umfassende und systematische Erforschung verdienen würde. Denn auch das deutsche Musikleben geriet 1923 ins Taumeln, spiegelte auf vielfältige Weise die Erschütterung der ökonomischen und gesellschaftlichen Ordnung, oszillierte zwischen Stagnation und Aufbruch und bot den Menschen Räume, um sich zu vergnügen, sich zu trösten oder neue Kraft zu sammeln. Erstaunlich ist, wie viel Neues gerade auf dem Höhepunkt der Krise entstand. Spielstätten wurden eröffnet, anspruchsvolle Konzert- und Musiktheaterprojekte realisiert, in Berlin begann am 29. Oktober 1923 das Zeitalter des öffentlichen Rundfunks, und in Augsburg gründete der 20-jährige Buchhandelsgehilfe Karl Vötterle den Bärenreiter-Verlag.[14]

»Wahnwitzige Scheinzahlen«:
Eine Opernkarte für vier Billionen Mark

»Es unterliegt keinem Zweifel mehr, daß sich der deutsche Musikbetrieb umstellen muß«, konstatierte Gerhard Tischer am 24. Februar 1923 in der *Rheinischen Musik- und Theater-Zeitung*.[15] In einer Artikelserie diskutierte der Herausgeber des konservativ ausgerichteten Periodikums die Auswirkungen der massiven Geldentwertung auf das Konzertleben und berichtete von den Sorgen der Veranstalter: »Die Konzertunkosten wachsen ins Riesenhafte. Ausgaben für Konzertraum, Licht, Heizung, Flügeltransport, Reklame, Drucksachen verschlingen die ganzen Einnahmen; es bleibt bei ausverkauftem Saale für den Konzertgeber oftmals nichts mehr übrig; bedarf es zur Ausführung des Konzerts etwa gar eines Orchesters und einer Reihe von Solisten, wie z. B. bei einer Oratorienaufführung, so ist ein gewaltiges Defizit unvermeidlich.«[16] Unter dem Titel »Was darf ein Konzertplatz kosten?« befasste sich die in Berlin erscheinende *Vossische Zeitung* mit derselben Problematik. Im Fokus standen dabei nicht nur die Nöte der Veranstalter, sondern auch das »Elend der Musikerhonorare«: »Die Eintrittspreise der Berliner Konzerte [...] betragen im Durchschnitt kaum mehr als etwa 800 Mark, also etwa das 250fache des Friedens. Hiervon müssen bezahlt werden alle die Riesenkosten, die entsprechend der allgemeinen Entwertung auf das 2–3 tausendfache, teilweise auch noch mehr gestiegen sind [...]. Was kann da selbst für einen sehr großen Künstler übrig bleiben? Ein ausverkaufter Beethovensaal, der drittgrößte in Berlin, deckt noch nicht einmal die Kosten eines Orchesterkonzerts, von kleineren Sälen gar nicht zu sprechen.«[17]

Dass die sich beschleunigende Geldentwertung und die Unvorhersehbarkeit der Entwicklung auch das System des Vorverkaufs infrage stellte, liegt auf der Hand. So erklärte Erich Sachs, seit dem Ersten Weltkrieg Teilhaber der marktbeherrschenden Berliner Konzert-Direktion Hermann Wolff & Jules Sachs, Mitte Februar: »Der Vorverkauf beginnt gewöhnlich drei Wochen vor dem Konzertabend, und wenn dann plötzlich eine Teuerungswelle kommt, können die Eintrittspreise nicht mehr angepaßt werden, weil sich niemand dazu verstehen wird, auf ein bereits bezahltes Billett noch einen Zuschlag zu leisten.« Zugleich beklagte der Konzertagent, dass die Verhältnisse in Berlin besonders schwierig seien: »Eine Sanierung der desolaten Zustände kann nur erfolgen, wenn die Preise gründlich hinaufgesetzt werden. In Wien ist ein Preis von 50.000 Kronen für ein Konzertbillett nichts Ungewöhnliches. In Berlin übersteigen schon 2.000 M. das Fassungsvermögen eines Publikums, das die Preissteigerungen auf allen Gebieten, nur nicht auf einem so lebenswichtigen, wie dem der Kunst und Musik, hinnimmt.«[18]

Ob das Publikum in der deutschen Hauptstadt tatsächlich unwilliger war, Preiserhöhungen im kulturellen Bereich hinzunehmen als anderswo, und welche Faktoren in diesem Zusammenhang eine Rolle spielten, müsste man genauer untersuchen. Fest steht jedoch, dass die Kurve der Kartenpreise im Jahresverlauf steil nach oben ging und die Veranstalter dazu zwang, unorthodoxe Maßnahmen zu ergreifen. Exemplarisch studieren lässt sich diese Entwicklung anhand der Konzerte des Berliner Philharmonischen Orchesters.[19] Bei den populären Volkskonzerten unter Leitung von Richard Hagel, bei denen es nur zwei Preiskategorien gab, war man um eine moderate Preissteigerung bemüht und legte offensichtlich Wert darauf, auch unter zunehmend schwieriger werdenden ökonomischen Bedingungen die Schwelle für den Konzertbesuch nicht zu hoch zu setzen. Zwischen dem 3. Januar und dem 29. April verzehnfachten sich die Preise zwar: von 100 auf 1.000 Mark für die Balkone und das Proszenium sowie von 150 auf 1.500 Mark für diejenigen, die sich einen Logenplatz leisten wollten. Zieht man allerdings in Betracht, dass der »Zweckverband der Bäckermeister« kurz vor dem letzten Volkskonzert der Saison angekündigt hatte, den Brotpreis ab dem 30. April von bisher 1.750 auf 2.000 Mark zu erhöhen, war es nach wie vor verhältnismäßig günstig, sich in der Alten Philharmonie in der Bernburger Straße einen der über 2500 Sitzplätze zu sichern, um die Philharmoniker in einem ihrer niedrigpreisigen populären Konzerte zu hören.[20] Gelockt wurde das Publikum in die zum Konzertsaal umgebaute ehemalige Rollschuhbahn an diesem letzten Sonntagabend im April mit einem Mischprogramm. Es kombinierte die heute völlig unbekannte *Festouvertüre über ein thüringisches Volkslied* des dänisch-belgischen Komponisten Eduard Lassen mit Evergreens der Klassischen Musik: Griegs zweiter *Peer-Gynt-Suite*, Webers *Freischütz*-Ouvertüre, Bruchs Violinkonzert und Wagners »Waldweben« aus *Siegfried*.

Nach der Sommerpause gab es dann kein Halten mehr. Ein Platz im ersten Philharmonischen Volkskonzert am 2. September kostete schon in der billigsten Kategorie eine Million Mark. Die Menschen, die drei Wochen später in die Staatsoper Unter den Linden strömten, um dort am 24. September Verdis *Maskenball* zu erleben, bezahlten zwischen zweieinhalb und 140 Millionen. Am folgenden Tag gab die Opernleitung bekannt, dass die Preise bis auf Weiteres »aus der an der Theaterkasse befindlichen Übersicht zu ersehen« seien.[21] Und auch in der *Berliner Philharmonie-Zeitung* wurden ab dem 30. September keine Preisangaben mehr abgedruckt. Das traditionelle Vorverkaufssystem war damit endgültig erledigt, und die Preise konnten – wie auch in vielen anderen Bereichen – bei Bedarf stündlich erhöht werden. Kurz nach Einführung der »Rentenmark«, mit deren Hilfe es der Reichsregierung ge-

lingen sollte, die lang ersehnte Wende in der Inflationskrise einzuleiten, erreichte die Spirale der »wahnwitzigen Scheinzahlen«[22] ihren
Endpunkt. Wer am 20. November 1923 noch in der Lage war, sich in
der vormals Mitgliedern des Bayerischen Königshauses vorbehaltenen
Proszeniumsloge des Münchner Nationaltheaters einen Sessel zu leisten, bezahlte dafür vier Billionen Papiermark. Wer bereit war, auf jegliche Sitzgelegenheit zu verzichten, konnte an diesem Dienstagabend
die »glänzende« Neueinstudierung von Smetanas *Die verkaufte Braut*
unter Leitung des 29-jährigen Karl Böhm für 180 Milliarden stehend
auf der Galerie verfolgen.[23] Der Reichsbank war es übrigens just an
diesem Tag gelungen, durch eine abermalige »scharfe Heraufsetzung
der Devisenkurse« den Dollar bei 4,2 Billionen Papiermark zu stabi-
lisieren.[24] Einen skeptischen Bericht dazu brachten am folgenden Morgen die *Münchner Neuesten Nachrichten*, deren Einzelausgabe stattliche
100 Milliarden Papiermark kostete – etwas mehr als halb so viel wie der
billigste Opernplatz.[25]

Instrumente im Tausch gegen ein geschlachtetes Schwein: Laienmusizieren im Zeichen der Krise

Die absurden Preissteigerungen und die Notwendigkeit, auf die exponentielle Geldentwertung zu reagieren, betraf natürlich nicht nur den
Konzert- und Opernbetrieb, sondern das gesamte Musikleben. Anfang
Februar berichtete die in Paris erscheinende angesehene musikalische
Wochenzeitung *Le Ménestrel*, der Verband der deutschen Musiklehrer
habe aufgrund des Werteverlusts der Mark das Stundenhonorar für den
instrumentalen Anfängerunterricht auf 500 bis 1.000 Mark erhöht.[26]
Bedenkt man, dass die Anpassung der Gehälter und Löhne häufig zeit-
verzögert erfolgte und in vielen Fällen den enormen Kaufkraftverlust
bei Weitem nicht zu kompensieren vermochte, lässt sich ausmalen, was
diese Entwicklung für den Bereich der musikalischen Bildung bedeutete. Aufgrund der komplexen Situation sind generalisierende »Aussagen
über die Auswirkungen der Geldentwertung auf soziale Klassen und
Schichten« zwar problematisch,[27] fest steht jedoch, dass sich in der großen Gruppe der Verlierer neben Rentnern und Teilen des einst finanz-
kräftigen Bildungsbürgertums ebenfalls zahlreiche bildungsorientierte
Mittelstandsfamilien befanden. Sie litten unter den einschneidenden
Verdienstausfällen, hatten zugleich ihre Ersparnisse verloren und waren
deswegen nicht mehr in der Lage, die (musikalische) Ausbildung ihrer
Kinder zu finanzieren – eine Entwicklung, die zugleich die Musiklehre-
rinnen und Musiklehrer in Existenznöte brachte.[28]

In seinen Leitartikeln zur Krise des »deutschen Musikbetriebes« hatte der Herausgeber der *Rheinischen Musik- und Theater-Zeitung* bereits Anfang Februar ein verstärktes kommunales und staatliches Engagement im Bereich der Musik verlangt, wobei er gemäß seiner kulturpolitischen Überzeugungen präzisierte, dass es ihm ausschließlich um die Förderung »kulturell wertvoller Musikübung« gehe.[29] In ihrer nächsten Ausgabe konnte die Halbmonatsschrift melden, dass eine »sehnsüchtig erwartete Fahrpreisermäßigung für Künstler, die sich auf Gastspiel- und Konzertreise befinden«, beschlossen worden war. »Mitglieder von Theaterunternehmungen (Wandertheater, Städtebundtheater u. dergl.) und Orchestervereinigungen«, deren Auftritte der »Kunstpflege oder der Volksbildung« dienten, könnten schon bald zum halben Preis mit der Bahn reisen.[30] Neben solchen durch die öffentliche Hand finanzierten Maßnahmen gab es auch private Initiativen. Der Verein der deutschen Musikalienhändler rief im Herbst seine Mitglieder dazu auf, »für hilfsbedürftige Musiklehrer und Schüler Notenmaterial kostenfrei zu spenden«. In Berlin förderte der unter anderem von dem Geiger Carl Flesch wenige Jahre zuvor gegründete Hilfsbund für deutsche Musikpflege »Musiker, die in der augenblicklich schweren Zeit einer Unterstützung bedürfen«.[31] Und in Leipzig rief die »Robert Schumann-Stiftung zum Besten notleidender Musiker« im August 1923 »Freunde der Stiftung« dazu auf, »uns schnellstens weitere Adressen unterstützungswürdiger bedürftiger Musiker zukommen zu lassen, da die katastrophale Entwertung der Mark eine sofortige Auszahlung« der eingegangenen Spendengelder notwendig mache.[32]

Der Druck, den die Inflation auch im Bereich des Laienmusizierens erzeugte, lässt sich am Beispiel des Deutschen Arbeiter-Sängerbunds (DAS) studieren.[33] Der 1908 gegründete Dachverband war eine wichtige Säule der Arbeiterbildungsbewegung und damit eine Art Gegenpol zum bürgerlich geprägten Deutschen Sängerbund und hatte 1923 mehr als 260 000 Mitglieder, die in ganz Deutschland in insgesamt 5 166 Chören aktiv waren. Das Spektrum der Sängerinnen und Sänger war dabei breit gefächert, umfasste unterschiedliche Berufsgruppen, wobei die Facharbeiterschaft den Kern der Bewegung darstellte.[34] Maßgeblich geprägt durch die Kultur des seit dem 19. Jahrhundert boomenden Männerchorgesangs war der DAS nach wie vor männlich dominiert. Allerdings wuchs der Frauenanteil seit 1914 beständig, betrug 1920 bereits 22 Prozent und kletterte Ende der 1920er-Jahre sogar auf über 30 Prozent. Dass der Prozentsatz aktiver Frauen ausgerechnet im Inflationsjahr kurzzeitig leicht zurückging, ist kein Zufall, sondern Ausdruck einer allgemeinen Tendenz, die auch in anderen Verbänden zu beobachten ist. In einer Situation, in der die Sicherung der materiellen Existenz insbesondere für Familien einen erheblichen Mehraufwand an Zeit und Energie erforderte, sahen sich gerade Mütter oft dazu gezwungen, ihre Freizeitaktivitäten extrem einzuschränken oder vollständig aufzugeben.[35] »Ganz besonders leiden die Frauen, die Mütter«, konstatierte im August 1923 ein Redakteur des sozialdemokratischen *Vorwärts* und präzisierte: »Ich kenne Fälle, in denen die Frau um 5 Uhr morgens aufstand, um 5½ Uhr schon vor der Meierei sich in der Polonäse mit anstellte und glücklich gegen 12 Uhr nach Hause kam, weinend, zusammengebrochen, weil gerade kurz vor ihr die Margarine ausverkauft war.«[36] Dennoch gab es laut der Statistik des Deutschen Arbeiter-Sängerbunds 1923 rund 60 000 Frauen, die in »743 gemischten und 691 Frauenchören« sangen.[37]

Dass der sozialistische Verband darum bemüht war, die Mitgliederbeiträge gerade in diesem schwierigen Jahr gering zu halten, liegt auf der Hand. Im Juni 1923 betrug der monatliche Beitrag noch 30 Mark. Bis November war er auf 250.000 Mark gestiegen, lag damit aber immer noch weit unter dem Preis einer Tageszeitung. Aufgrund der Einnahmeverluste sah sich der Dachverband gezwungen, die Verbandszeitschrift einzustellen, und war zwischenzeitlich auch nicht mehr in der Lage, das für ihn arbeitende Personal zu bezahlen. Dass die Mitgliedsbeiträge trotzdem nicht stärker angehoben wurden, war zweifellos auch der Tatsache geschuldet, dass auf die Sängerinnen und Sänger vor Ort noch weitere Kosten zukamen. Da viele Kommunen den sozialistischen Arbeiterchören nicht gestatteten, in Schulräumen zu proben, traf man sich häufig in Gaststätten und war angehalten, dort auch etwas zu trinken oder zu verzehren. Hinzu kamen neben den Aufführungskosten bei Konzerten insbesondere die Dirigentenhonorare. Während die Chöre in ländlichen Gebieten häufig von Volksschullehrern geleitet wurden, handelte es sich in den Städten oft um Berufsmusiker, die entsprechend honoriert werden wollten. Mit welchem Engagement man sich im Bereich der Laienmusik darum bemühte, die musikalischen Aktivitäten inmitten der Krise weiterführen zu können, und wie erfinderisch man dabei zum Teil war, zeigt der Blick auf die Musikvereinslandschaft. Im niedersächsischen Schnelten schickte der örtliche Musikverein offensichtlich ein geschlachtetes Schwein an ein Musikhaus aus Oldenburg, um dafür neue Musikinstrumente zu erhalten. Den Dirigenten, einen ehemaligen Militärmusiker, bezahlten die Mitglieder mit Butter und Eiern.[38] Im bayerisch-schwäbischen Pfarrdorf Unterreitnau initiierte die dortige Musikkapelle eine Holz- und Schnapssammlung. Die zusammengekommenen Naturalien ermöglichten dem Verein unter anderem, Notenmaterial zu erwerben und Instrumente zu reparieren bzw. neu zu kaufen.[39] Praktiziert wurde hier also der Rückgriff auf eine Form

des Tauschhandels, der auf dem Höhepunkt der Inflation auch in vielen anderen Bereichen (etwa bei Ärzten) gang und gäbe war.

Die »musikalische Internationale« auf deutschen Bühnen: Eine kontroverse Debatte

Wie emotional über die Auswirkungen der massiven Geldentwertung auf das Musikleben diskutiert wurde und in welchem Maße die Debatte politisch geprägt und ideologisch aufgeladen war, zeigen zwei Besprechungen einer Aufführung von Beethovens *Missa solemnis* durch den Chor der Berliner Sing-Akademie und die Berliner Philharmoniker Ende Februar 1923. Am Pult stand Georg Schumann, seit 1900 Direktor der traditionsreichen Chorvereinigung, die in Berlins Mitte über ein repräsentatives Gebäude mit eigenem Konzertsaal verfügte. Schauplatz der »wundervollen Wiedergabe« von Beethovens großformatiger Messe war diesmal allerdings nicht das Stammhaus der Sing-Akademie am Kastanienwäldchen, sondern die »bis auf den letzten Platz gefüllte« Philharmonie. Max Chop, Chefredakteur der konservativen *Signale für die Musikalische Welt*, sah in dieser »Dislokation« einen berechtigten Schritt – »nach künstlerischen wie wirtschaftlichen Gesichtspunkten«. »Der Chor ist im Verlaufe der Jahrzehnte zu einem großen Klangkörper herangewachsen, die Singakademie mit ihrer feinen, auf intimere Wirkungen eingestellten Akustik wurde zu klein. [...] Nebenbei ist auch die Besucherzahl, die dort Unterkunft finden kann, eine mässige, der Andrang zu den Konzerten aber ein sehr starker.«[40] Der Kritiker Otto Steinhagen hingegen deutete die Verlegung im renommierten Feuilleton der *Berliner Börsen-Zeitung* als Akt der Vertreibung und als Menetekel eines drohenden kulturellen Niedergangs. Er behauptete, dass der Ortswechsel nur vollzogen worden sei, weil man »im eigenen Heim selbst bei ansehnlichen Eintrittspreisen« nicht mehr in der Lage gewesen wäre, »die Unkosten aufzubringen«. Die katastrophale ökonomische Lage bedrohe nicht nur die kulturelle Infrastruktur, sondern begünstige Entwicklungen, die der deutschen Kultur zum Verhängnis werden könnten: »Was wird aus unseren großen Chören, den wenigen, die wir noch haben, aus unseren großen Chorwerken, die uns wertvolles Kunstgut sind? [...] Likörstuben, Spielbanken, Kinos sind zu Tausenden wie Pilze aus der Erde aufgeschossen. Ausländer beherrschen die Konzertsäle, sind Hausbesitzer ganzer Stadtteile. Eben hatte sich die Erkenntnis durchgesetzt, daß die Kunst nicht Genußmittel, sondern als sozialer

Mit Naturalien bezahlt wurde im Herbst 1923 auch in einigen Theatern. Wer im September ins Schlosstheater Steglitz ging, kam nicht mit der Geldbörse, sondern mit einem Eierkarton.

Besitz Kulturbedürfnis ist, eben hatte man angefangen, der Kunst in Schulen und Volkshochschulen die breite Basis zu geben, die ihr zukommt und schon soll alles zusammenbrechen?«[41]

Steinhagens kulturpessimistische Kritik lenkt den Blick auf eine Thematik, die im Krisenjahr 1923 besonders hitzig diskutiert wurde: die Präsenz ausländischer Musikerinnen und Musiker im deutschen Musikleben. Aufgrund des exponentiellen Wertverlusts der Mark war Deutschland für all jene, die über ausreichend Devisen verfügten, zumindest in manchen Aspekten zu einer Art »Paradies« geworden: »Hier war für sie der Himmel offen. Für sie floß hier Milch und Honig und Sekt und alles Gute in Hülle und Fülle.«[42] Bereits zu Jahresbeginn bemerkte Max Marschalk in der liberalen *Vossischen Zeitung*: »Die Zeitverhältnisse bringen es so mit sich, daß sich die Musik des Auslandes in unseren Konzertsälen breiter macht als jemals.« Zugleich unterstrich er die positiven Aspekte, die diese wirtschaftlich bedingte Entwicklung habe: »Kunst und Künstler fremder Nationen treten uns nahe, und aus den Bekanntschaften, die wir machen, aus den Uebersichten, die wir gewinnen, ergeben sich uns wertvolle Anregungen.«[43] Ähnlich argumentierte der einflussreiche Musikkritiker Adolf Weißmann in einem Beitrag für die wöchentlich erscheinende »Ausland-Ausgabe« der *Vossischen Zeitung*. In einer Besprechung von zwei Konzerten, die die Berliner Philharmoniker unter Leitung des Schweizer Dirigenten Ernest Ansermet und seines englischen Kollegen Eugène Goossens gespielt hatten, würdigte er die Aktivitäten der »musikalischen Internationale« in Berlin. Zugleich beschrieb er für die internationale Leserschaft eindrücklich jene ambivalenten Gefühle, mit der viele Deutsche (und wohl auch er selbst) auf diese Entwicklung blickten – insbesondere dann, wenn sie von der »Einzigartigkeit« oder gar »Überlegenheit« der eigenen musikalischen Kultur überzeugt waren: »Heute freilich, wo die einheimischen Künstler das Geld für eigene Konzerte nicht aufbringen können, wo überhaupt das Konzertieren in Deutschland für sie nicht lohnt, mag es bitter sein, zu sehen, dass Ausländer sich das Orchester mieten und ihre Werke aufführen dürfen. Aber warum tun sie's? Doch wohl nur, weil sie in Deutschland, das noch immer als Land der Musik gilt, anerkannt sein möchten.«[44]

Auf der Seite der Kritiker gab es ebenfalls unterschiedliche Einschätzungen. Während die einen den Untergang des deutschen Musiklebens heraufziehen sahen, beklagten andere, dass nun »mittelmäßige Ausländer aus valutastarken Ländern« das deutsche Konzertleben überfluteten.[45] Hinzu kamen »pragmatischere« Stimmen, die betonten, dass die »Ausländerei« – wie es in einem Bericht despektierlich heißt – durchaus auch ihre »guten Seiten« habe. So würden ausländische Musikerinnen und Musiker, die ein deutsches Orchester für ihre Konzerte mieteten, mit ihrem finanziellen Engagement dazu beitragen, »den Konzertbetrieb aufrechtzuerhalten«. Als Gewährsmann wurde dabei unter anderem der bereits erwähnte Berliner Konzertagent Erich Sachs angeführt: »Ausländer zahlen beispielsweise für das Philharmonische Orchester 2½ Millionen und ermöglichen ihm dadurch, für Inländer ermäßigte Sätze anzuwenden.«[46]

Es ist zweifellos kein Zufall, dass einer der ausgewogensten und differenziertesten Beiträge zu dieser erregten Debatte von einem »Ausländer« stammt. Autor der »Betrachtungen«, die Ende März in der *Rheinischen Musik- und Theater-Zeitung* unter dem Titel »Valuta-Konzerte« erschienen, war Niels Otto Raasted.[47] Der dänische Komponist und Organist hatte in Leipzig bei Max Reger und dem Thomaskantor Karl Straube studiert und kannte das deutsche Musikleben aus eigener Anschauung. Seit 1915 wirkte er als Organist im dänischen Odense, blickte mit einer Außenperspektive auf die Geschehnisse und Diskussionen im Nachbarland und beobachtete zugleich ihre Auswirkungen auf das eigene Musikleben. In seinem Artikel zeigt Raasted durchaus Verständnis für die Klagen und die Verbitterung »mancher deutscher Künstler«. Zugleich wandte er sich vehement gegen den Begriff der »Valuta-Konzerte«, seine inflationäre Verwendung und die damit zum Ausdruck gebrachte Fremdenfeindlichkeit. Mittlerweile sei es in Deutschland leider gang und gäbe, »Veranstaltungen der Ausländer von vornherein geringschätzig« mit dieser Bezeichnung abzufertigen. Dass der »Vorteil der Valuta nicht ausschließlich auf seiten der ausländischen Künstler« liege, würde in der einseitigen deutschen Diskussion hingegen kaum thematisiert: »Wie groß ist die Zahl der deutschen und österreichischen Künstler, die in letzter Zeit in den nordischen Ländern konzertieren! Sie kommen oftmals her mit Hilfe und Unterstützung ihrer ausländischen Kollegen, erhalten Honorare, die nach ausländischen Verhältnissen beurteilt vielleicht bescheiden sind, an deutschen Summen gemessen aber stattliche Beträge ergeben.« Diese Entwicklung habe nicht nur in Dänemark erhebliche Konsequenzen für das Musikleben, denn in »den hochvalutarischen Ländern ist bekanntlich die allgemeine Geschäftslage schlecht: der Konzertbesuch läßt infolgedessen so wie so nach. Kommen nun noch in Scharen deutsche Künstler her, so nehmen sie den einheimischen das Brot. In der Schweiz, in Holland soll die Lage durchaus die gleiche sein. [...] Trotzdem wehren wir uns nicht gegen die deutschen Musiker, sondern helfen ihnen, wo wir können, weil wir eben wissen, wie es in Deutschland aussieht.« Im Gegenzug sei es legitim zu erwarten, dass Auftritte ausländischer Musikerinnen und Musiker, die »mit Hilfe ihrer Valuta den darniederliegenden deutschen Konzertbetrieb ein wenig beleben und zum mindesten wirtschaftlich stärken«, eine »vorurteilslose Beurteilung« fänden und »nicht von vornherein als ›Valutakonzerte‹ geringschätzend und das Publikum irreführend abgetan werden.« In seinem abschließenden Plädoyer nahm Raasted kein Blatt vor den Mund: »Gerade auf dem Gebiete der Kunst ist es [am] ehesten möglich, die zerrissenen Fäden zwischen den Völkern Europas wieder anzuknüpfen [...]. Dazu aber gehört Gegenseitigkeit, zum mindesten aber vorurteilslose Gerechtigkeit, die der Ausländer zur Zeit in Deutschland nicht immer findet.«[48]

»Letztes Konzert vor Amerikareise«: Deutsche Musiker und Musikerinnen auf Auslandstournee

Dass der Wunsch nach Auslandsdevisen im Zuge der Inflationskrise immer massiver wurde und die Reisetätigkeit deutscher Musikerinnen und Musiker befeuerte, ist nicht erstaunlich. Im Vergleich zu anderen Kulturschaffenden waren sie dabei klar im Vorteil. Sie verkauften ein Produkt (die Musik), das nicht an Sprachgrenzen gebunden war, repräsentierten eine musikalische Kultur, die im Ausland trotz aller Kritik nach wie vor eine hohe Symbolkraft besaß, und agierten in einem Feld, das international auf vielfältigste Weise vernetzt war. Im Bereich der Literatur gehörten Schriftsteller wie Thomas Mann, der 1923 für das angesehene amerikanische Magazin *The Dial* Beiträge schrieb und pro Text das für deutsche Verhältnisse enorme Honorar von 25 Dollar erhielt, eher zu den Ausnahmen.[49] Im Musikbetrieb war es hingegen keine Seltenheit, dass sich mehrere Interpreten in ein und derselben Stadt die Klinke in die Hand gaben oder sogar zeitgleich auftraten. In Rom waren um den Jahreswechsel 1922/23 zum Beispiel innerhalb weniger Tage die deutschen Dirigenten Hermann Scherchen, Oskar Fried und Otto Klemperer zu erleben.[50] Im April unternahm der 37-jährige Klemperer, der damals als Generalmusikdirektor in Köln wirkte, dann mit dem Gürzenich-Orchester eine kurze Reise nach Luxemburg und in die Niederlande. Die Aufführungen von Mozarts *Figaro* in Nimwegen und Arnheim sowie von Eugen d'Alberts Musikdrama *Tiefland* in Venlo dienten primär der Devisenbeschaffung. So erhielt jedes Orchestermitglied pro Tag fünfeinhalb holländische Gulden, umgerechnet mehr als 40.000 Mark.[51]

Die Berliner Philharmoniker brachen am 4. Mai zu einer zweiwöchigen Auslandstournee auf. Unter Leitung des Schweizer Dirigenten Volkmar Andreae spielten sie eine Vielzahl von Programmen, die neben dem »deutschen« Kernrepertoire (Beethoven, Brahms, Wagner, Bruckner) auch Werke von Vivaldi, Cherubini und Busoni umfassten.[52] Die Destination Schweiz – dort fanden Auftritte in neun verschiedenen Städten statt – garantierte den finanziellen Erfolg der Reise. Die beiden Konzerte in Mailand am 9. und 10. Mai verliehen der Unternehmung symbolische Bedeutung, denn laut *Berliner Volkszeitung* handelte es sich um die ersten Konzerte eines deutschen Orchesters »in einer Stadt des ehemals feindlichen Auslandes«.[53] Ende Juni machte sich dann die Konkurrenz aus Wien mit Staatsoperndirektor Richard Strauss auf den Weg nach Südamerika, um dort von den »außerordentlichen Verdienstmöglichkeiten« zu profitieren.[54] Auf der zweieinhalbmonatigen Tournee spielten die Wiener Philharmoniker knapp 50 Konzerte in Buenos Aires, Rio de Janeiro, São Paolo, Montevideo und La Plata und bestritten unter anderem die südamerikanische Erstaufführung von Mahlers 1. Sinfonie. Finanziell war das Unternehmen allerdings nicht so erfolgreich wie die große Südamerikatournee des Orchesters im Vorjahr. Und in Buenos Aires wurde die Residenz des Orchesters im Teatro Colón mit 20 Konzerten und zwei Opernaufführungen (*Salome* und *Elektra*) von einem Teil der Presse als »Invasion ausländischer Künstler« kritisiert.[55]

Durch die massive Verschärfung der Krise im Herbst wurde der Drang nach Auslandstourneen weiter angeheizt. »Noch immer wollen die Konzert-Ankündigungen mit dem Motto ›Einziges (oder letztes) Konzert vor Amerikareise‹ kein Ende nehmen«, berichtete die *Berliner Börsen-Zeitung* zum Auftakt der Wintersaison: »Von unseren Großen im Reiche der Tonkunst flüchtet einer nach dem anderen vor den Schrecknissen der deutschen Valuta über den Atlantic.«[56] Unter den zahlreichen »Amerikafahrern« befand sich neben der ehemaligen Hofopernsängerin Claire Dux, die sich vom Berliner Publikum im »überfüllten Philharmonie-Saal« mit Brahms-Liedern und Opernarien verabschiedete, auch Claudio Arrau. Das Abschiedsprogramm des 20-jährigen Pianisten, der in Berlin bereits über eine »große Gemeinde« verfügte, war gewagter als jenes der Sopranistin und enthielt Schönbergs *Drei Klavierstücke* op. 11. Nach ihrer Aufführung »erhob sich der übliche Schönbergrummel, ohne den es in unseren Konzertsälen scheinbar nicht abgeht«, konstatierte Max Marschalk in der *Vossischen Zeitung* und ergänzte entnervt: »Es müssen sich Freund und Feind lärmhaft befehden, selbst wenn ein sachlicher Grund nicht vorliegt.«[57] Unter den Reisenden befanden sich viele heute noch bekannte Interpreten: Bruno Walter dirigierte im Oktober in Amsterdam und brach nach Weihnachten zu einer Nordamerikatournee auf. Fritz Busch präsentierte sich laut einem deutschen Journal in Kopenhagen als »Orchester-Bismarck« und war mit seinem Auftreten anscheinend so erfolgreich, dass er eingeladen wurde, »dort in der zweiten Hälfte des Winters einen Zyklus« zu dirigieren.[58] Und der Geiger Fritz Kreisler tourte zunächst durch England und spielte anschließend eine Reihe von Konzerten in Skandinavien. Eine Liste, die sich nicht nur beliebig fortsetzen, sondern auch auf andere Sparten ausdehnen ließe.[59] So resümierte der Schriftsteller Joseph Roth, der im Sommer 1923 nach drei Berliner Jahren von der sich zuspitzenden Krise nach Österreich vertrieben worden war, am 9. Dezember in einem Gastbeitrag für die *Frankfurter Zeitung*: »Ich komme aus dem *glücklichen Ausland* [...], wo Deutschlands beste Schauspieler auftreten, nicht zum Ruhm sondern um raschelnde Valuta zu ernten.«[60]

Für das deutsche Konzert- und Opernleben blieb diese Abwanderungsbewegung nicht folgenlos. Insbesondere Institutionen von internationaler Strahlkraft wie die Staatsoper Unter den Linden befanden sich in einer Zwickmühle. Um bekannte Sängerinnen und Sänger wie Frida Leider oder Friedrich Schorr langfristig an sein Haus zu binden, musste Staatsopernintendant Max von Schillings ihre Wünsche nach Auslandsgastspielen erfüllen. Die Lücken, die durch ihre Abwesenheit entstanden, wurden mit Gästen gefüllt, die dafür sorgten, dass der reguläre Spielbetrieb weitergeführt werden konnte. Der Preis für diese Vorgehensweise war allerdings hoch. Im Vergleich zu den langfristigen Vereinbarungen, die mit dem Ensemble bestanden, waren die Fristverträge für Gastspiele extrem kostspielig und führten zu einer weiteren Vergrößerung des bereits gravierenden Haushaltsdefizits der Staatsoper.[61] Hinzu kam auf dem Höhepunkt der Krise eine deutliche Abnahme jenes Stroms ausländischer Musikerinnen und Musiker, deren Aktivitäten in deutschen Konzertsälen man über Monate so kontrovers diskutiert hatte. Vor Saisonbeginn hatte der konservative Dresdner Musikkritiker Friedrich Adolf Geissler noch prognostiziert, »die valutastarken Leute, die uns im Sommer überfluteten, dürften zum großen Teil auch im Winter uns mit ihrer Gegenwart beglücken.«[62] Ende Oktober erschien in der *Vossischen Zeitung* dann ein Artikel mit dem Titel »Konzertflucht. Das Fehlen der Ausländer«. Auf der Grundlage eines Vergleiches mit der Konzertstatistik des Vorjahres heißt es dort: »Die Zugvögel meiden unser Land. [...] Nicht ein Fünftel der Ausländer ist zurückgekommen.« Verantwortlich dafür sei allerdings wohl eher »die Unsicherheit der öffentlichen Verhältnisse« in Deutschland als die enorme Preissteigerung: »Inter arma silent musae‹, denken sie.«[63] (»Unter Waffen schweigen die Musen.«)

»Berlin im Taumel der Verzweiflung«: Ein Herbst der Extreme

Während die Zeitungen im Herbst 1923 ausführlich über die »Amerikafahrer« berichteten, erfährt man über die zahlreichen Musikerinnen und Musiker, die vergeblich versuchten, Engagements im Ausland zu finden, bei der Lektüre dieser Quellen nur wenig. Einer von ihnen war der 20-jährige Cellist Gregor Piatigorsky. 1903 im ukrainischen Teil des russischen Zarenreiches in eine jüdische Musikerfamilie geboren, war der herausragende Instrumentalist nach der Revolution auf abenteuerliche Weise nach Polen geflohen, hatte in Deutschland bei zwei der berühmtesten Cellisten der Zeit studiert (Julius Klengel und Hugo Becker) und lebte nun als freischaffender Musiker in Berlin. Deprimiert saß er dort Anfang November, hätte vermutlich nur müde gelächelt, wenn ihm jemand vorausgesagt hätte, dass er im Juni des Folgejahres auf Wunsch Furtwänglers Solocellist bei den Berliner Philharmonikern werden würde, und träumte von Amerika. »Ich lebe unter fürchterlichen Bedingungen«, schreibt er einem befreundeten russischen Geiger, der es geschafft hatte, von Berlin nach New York überzusiedeln: »Die Konzerte, die in Polen stattfinden sollten, wurden auf unbestimmte Zeit verschoben [...]. Ich bin also völlig arbeitslos und damit natürlich auch ohne Geld; und der Geldmangel ist hier mittlerweile schlimmer als je zuvor. Das gesamte Leben ist furchtbar teuer geworden, in Berlin herrscht fürchterliche Panik, Unruhen, Hunger, Pogrome [...]. Der einzige Ausweg ist natürlich die sofortige Ausreise nach Amerika. Selbst wenn ich wüsste, dass ich dazu verdammt wäre, jahrelang in Kneipen zu spielen, würde ich nicht eine Minute zögern.«[64]

Tatsächlich war die Situation seit dem Sommer desaströs und wurde von Woche zu Woche schlimmer. Schon im August hatte Joseph Roth den Leserinnen und Lesern der *Wiener Sonn- und Montagszeitung* unter dem Titel »Berlin im Taumel der Verzweiflung« berichtet: »Die Schnelligkeit, mit der sich der Untergang – der moralische, geistige, materielle – der Berliner Bevölkerung vollzieht, wird durch die Dollarkurstabelle ebensowenig veranschaulicht wie durch die lebhaft aufwärtsschnellenden Preise [...]. Niemals war in Wien die Not so schroff, der Sturz weiter Volksschichten so jäh und steil. In Wien glitt man verhältnismäßig sachte abwärts. In Berlin stürzt man [...] rapid in den Abgrund.«[65] Anfang Oktober gab es dann kein Halten mehr. Der Dollarkurs verzehnfachte sich innerhalb von acht Tagen. Die Reallöhne sanken kontinuierlich. Die Arbeitslosenrate schnellte nach oben. Und der sprunghafte Anstieg der Lebensmittelpreise sowie eine temporäre »Zurückhaltung der Ware« führten zu Hunger, Perspektivlosigkeit und gewalttätigen Plünderungen. »Infolge der ungeheuren Brotpreiserhöhung von 620 Millionen auf eine Milliarde Mark, versuchten gestern Abend zahlreiche Personen noch Brot zu den alten Preisen zu kaufen«, berichtete das *Berliner Tageblatt* am 20. Oktober. Vor einer Bäckerei in Friedrichshain verlangten »noch etwa 1000 Personen, als der Laden um 7 Uhr geschlossen werden sollte, stürmisch den Weiterverkauf von Broten. Ihre Haltung wurde so drohend, daß der Geschäftsinhaber Polizei herbeirief.« Eine Stunde zuvor war es in Charlottenburg bereits zu ersten Übergriffen gekommen: »Die Menge stahl von einem Wagen, der vor der Tür stand, mehrere Brote und versuchte dann gewaltsam in den Laden einzudringen.«[66] Drei Tage später konstatierte die *Börsen-Zeitung* unter der Schlagzeile »Ein Brot 5,5 Milliarden«: »Die Praxis der 100prozentigen Brotpreisheraufsetzung, die in den letzten Tagen Platz gegriffen hatte, setzt sich infolge der rasenden Markentwertung auch jetzt noch fort, und es läßt sich gar nicht absehen, wann diese Preissteigerungen, denen Löhne und Gehälter auch nicht im entferntesten zu folgen vermögen, zum Stehen kommen werden.«[67]

Um die Not der Hungernden zu lindern und die Bevölkerung zu beruhigen, wurden die Volksspeisungen auf Berliner Plätzen und Straßen ausgeweitet. Zu den Spendern, die die von der Heilsarmee und anderen Organisationen betriebenen Feldküchen finanzierten, gehörten auch Musikerinnen und Musiker. So veranstalteten die Berliner Philharmoniker am 22. Oktober einen »Beethoven-Abend zu Gunsten der Speisung Bedürftiger«. In der »zwar nicht lückenlos, aber recht ansehnlich gefüllten Philharmonie« spielte Edwin Fischer mit dem Orchester Beethovens 1. und 5. Klavierkonzert.[68] Am 26. Oktober meldete das *Berliner Tageblatt*, dass für die von der Zeitung ermöglichte Essensausgabe im Prenzlauer Berg bislang 18 Billionen Mark an Spenden eingegangen seien, davon eine Billion von »Herrn Pianisten Edwin Fischer« aus Berlin-Wilmersdorf.[69] Am Vortag hatte sich der neue Reichsernährungsminister »mit der Stadt, den Mühlen und den Bäckern« geeinigt, »ab sofort reichlich Mehl auf den Markt« zu werfen und den Brotpreis »wenigstens eine Woche lang auf 10 Milliarden Mark« zu begrenzen.[70]

Es ist nicht verwunderlich, dass in jenen Herbstwochen, in denen der vollständige Kollaps des Finanzsystems drohte, Hunger und teils gewalttätige Ausschreitungen an der Tagesordnung waren und die Häufung der politischen Krisen einen Zusammenbruch der öffentlichen Ordnung und des Staates befürchten ließ, auch im Musikleben die Hiobsbotschaften und Untergangsprognosen zunahmen. Zu Saisonbeginn hatte Max Marschalk in der *Vossischen Zeitung* noch daran erinnert, dass man seit zehn Jahren »zu Beginn der Konzertsaison mit Sorgen in die Zukunft blicke« und »ein völliger Zusammenbruch« bereits im vergangenen Jahr prophezeit worden sei. Es gebe deshalb berechtigten Anlass zu hoffen, dass »auch die Schwarzseher von heute nicht recht behalten werden.«[71] Einen Monat später teilte dieselbe Zeitung ihrer Leserschaft allerdings mit, dass mit Beginn der Heizsaison die »krasse Notlage unseres Konzertlebens [...] aufs deutlichste in Erscheinung treten« werde: »Nach unseren Informationen wird in diesem Winter in

Berlin mit mehreren *konzertfreien Abenden* in der Woche ernsthaft zu rechnen sein.«[72] Vermutlich Ende November verfasste Alfred Einstein unter dem Titel »Die Not der Deutschen Musiker und Deutschen Musik« dann eine alarmierende Zustandsbeschreibung: »Wir haben Anfang September noch von großen Plänen gehört und die Ankündigungen der schönsten Dinge gelesen: heute ist es ganz still geworden und die Durchführung des Normalen, Minimalen wird schon als ein halsbrechendes Kunststück betrachtet.«[73] Für den Münchner Musikhistoriker, Privatgelehrten und Kritiker zeigte sich der Niedergang in allen Bereichen. Die Anzahl der Konzerte sei extrem zurückgegangen. Ensembles wie das berühmte Busch-Quartett, das in München in der vergangenen Wintersaison noch »zehn überfüllte Abende geben konnte«, spielten dort mittlerweile vor leeren Sälen. Ein Großteil des alten Publikums sei nicht mehr in der Lage, ins Konzert zu gehen. Und auch die Existenz zahlreicher Musikinstitutionen stehe auf dem Spiel. »Es gibt kein Operninstitut in Deutschland, das sich nicht am Rand des Abgrunds bewegt [...]. Eine Reihe von Orchestervereinigungen ist bereits aufgelöst worden: von den übriggebliebenen gibt es keine, für deren Weiterbestehen nicht schon verzweifelte Notrufe an die Öffentlichkeit gelangt wären.«[74]

Zwischen Depression und Wagemut: Die Wintersaison 1923/24

Alfred Einsteins düstere Situationsbeschreibung zeugt von einer Untergangsstimmung, die damals gerade unter Intellektuellen weit verbreitet war. In seinen Tagebuchnotizen hat sie Victor Klemperer eindrücklich beschrieben. Mitte November bemerkte er: »Man meint immer, nun müsse die Katastrophe kommen, u. es geht immer wieder jämmerlich fort.«[75] Verzweiflung und Hoffnungslosigkeit waren dabei häufig mit einem kulturpessimistischen Blick auf die Krise und ihre vermuteten Folgen gepaart. So schloss Einstein seinen Lagebericht mit dem Fazit: »Die Not korrumpiert, stumpft ab, vernichtet [...]. Nicht das Notwendige, das Gute wird bei diesem Prozeß übrigbleiben, sondern das Zäheste, das von der Masse am meisten Kultivierte, das Schlechte.«[76] Dass das deutsche Musikleben insbesondere im letzten Viertel des Jahres 1923 einer enormen Belastungsprobe ausgesetzt war, steht außer Frage. Dennoch kam es nicht zu jenem institutionellen Kahlschlag und kulturellen »Zusammenbruch«, den Einstein und andere befürchteten. Vielmehr scheint auch in diesem Feld grundsätzlich zu gelten, was Stefan Zweig in seinen *Erinnerungen* als ein zentrales Merkmal der Zeit beschrieben hat: »Man gewöhnte sich, man paßte sich dem Chaos an. [...] Der Wille zur Kontinuität des Lebens erwies sich stärker als die Labilität des Geldes.«[77]

Vertieft man sich in die Zeitungen und Zeitschriften jener Monate, wird rasch deutlich, wie vielschichtig und heterogen die Situation war. Auf der einen Seite finden sich gerade im November und Dezember gehäuft Berichte, die den Aderlass im Konzertleben bestätigen. In den Konzertsälen sei es still geworden, heißt es aus Nürnberg.[78] Die Sinfoniekonzerte würden »von Fall zu Fall schwächer besucht«, konstatierte ein Kritiker aus Stuttgart.[79] Und auch aus Hannover wurde berichtet, dass die »schwere Not der Zeit doch merklich auf dem Konzertleben« laste, »das nach frischem Einsatz im Herbst allmählich der Stagnation verfällt.«[80] Auf der anderen Seite gibt es überraschend viele Artikel, die von gut besuchten oder sogar ausverkauften Veranstaltungen berichten und den »Wagemut und das unerschrockene Fortarbeiten auch kleiner deutscher Bühnen« preisen.[81] In Köln bot sich beim ersten Saisonkonzert des Gürzenich-Orchesters »das altgewohnte Bild der letzten Jahre: ausabonniert«, und auch die städtische Oper machte »trotz fast täglich steigender Eintrittspreise, für die der Lohntarif der städtischen Arbeiter als Maßstab genommen wird [...], volle Häuser«.[82] Im benachbarten Duisburg veranstaltete man in der Wintersaison unter der Ägide von Generalmusikdirektor Paul Scheinpflug trotz der anhaltenden Ruhrbesetzung »nicht weniger als 16 Symphoniekonzerte in doppelten Aufführungen und 17 Kammermusikabende«.[83] Aus Magdeburg wurde stolz berichtet, dass im November am selben Abend ein Konzert des Städtischen Orchesters und ein Gastspiel der Berliner Philharmoniker in vollbesetzten Sälen stattgefunden hätten.[84] In der Hauptstadt begann der Winterzyklus der Philharmoniker unter der Leitung ihres Chefdirigenten Wilhelm Furtwängler – trotz insgesamt rückläufiger Zahlen – in der »bis auf den letzten Podiumsplatz« gefüllten Philharmonie.[85] Und in Hamburg gelang es zumindest dem Philharmonischen Orchester, bei den Konzerten mit ihrem Chefdirigenten Karl Muck sowie bei den populären »volkstümlichen Konzerten unter Eugen Papst« vor großem Publikum zu spielen.[86]

Bemerkenswert ist im Rückblick nicht nur das Durchhaltevermögen vieler Akteure, sondern auch der Wille, Neues in Angriff zu nehmen. So wurden trotz der extrem schwierigen Rahmenbedingungen einige ambitionierte künstlerische Projekte umgesetzt, neue Strukturen und Institutionen geschaffen und Spielstätten neu bzw. wiedereröffnet. Unter Leitung von Klaus Pringsheim bestritten die Berliner Philharmoniker einen großen Gustav-Mahler-Zyklus. Zwischen September 1923 und April 1924 gelangten die Sinfonien Nr. 1 bis 7, das *Lied von der Erde* sowie ausgewählte Orchesterlieder zur Aufführung. Ziel des politisch engagierten Dirigenten, der der Sozialdemokratie nahestand, war es dabei erklärtermaßen, Zugänge zu Mahlers nach wie vor umstrittener Musik zu schaffen und den Komponisten zugleich als »Musiker der deutschen Demokratie« zu feiern.[87] Vier der insgesamt acht Abende fanden bis zum Jahresende – also in der Hochzeit der Krise – statt. Hedwig Pringsheim, die zu den ersten beiden Konzerten ihres Sohnes eigens aus München angereist war, berichtet, dass in einem »vollen« bzw. »fast ausverkauften« Saal gespielt wurde. Nach der Aufführung der 2. Sinfonie am 1. Oktober feierte man den Erfolg im Familienkreis »standesgemäß« mit einem exquisiten Souper: »Tee, köstliche Brödchen u. Kuchen, Schnäpse u. Cigaretten: teuer u. piquenobel. Wir gingen um ½ I.«[88]

Wenige Tage später begann in Hannover ein vielbeachtetes Händel-Fest. Ziel der künstlerischen Initiatoren um Hans Niedecken-Gebhard, damals Oberregisseur der Oper in Hannover, war die Kreation eines neuen Aufführungsstils, um »das, was vom Werke Händels in die Zukunft weist, der deutschen Bühne lebendig zu machen«.[89] Die zentralen Stichworte in diesem Zusammenhang lauteten Aktualisierung, spartenübergreifende Zusammenarbeit und die Sehnsucht nach Monumentalität und einem »neuen Kunsterleben«. In exemplarischer Weise umgesetzt wurden diese Bestrebungen in einer szenischen Aufführung von Händels Oratorium *Saul*, mit der das Fest am 6. Oktober eröffnet wurde. Schauplatz war der kurz vor dem Ersten Weltkrieg erbaute, dem Pantheon nachempfundene neoklassizistische »Kuppelbau der Hannoverschen Stadthalle« mit seinen mehr als 3500 Plätzen.[90] Das Orchester und ein großer gemischter Chor befanden sich wie üblich auf der Bühnenfläche in der Mitte des Rundbaus. Die anderen Akteurinnen und Akteure hatte man hingegen an unterschiedlichen Raumorten »bis zur hochgelegenen Orgelnische hinauf« platziert. Zu den Einzeldarstellern und einem »zweiten, in die Handlung eingreifenden Gesangschor« kam als Besonderheit noch »ein großer nichtsingender, nur dem körperlich-räumlichen Ausdruck der Musik hingegebener Bewegungschor« hinzu. Die Aufgabe dieses durch die Bewegungssprache des modernen Ausdruckstanzes geprägten Ensembles bestand darin, »den dramatischen Verlauf sichtbar« zu machen: »keinerlei Dekoration, nur Scheinwerferlicht über dem Ganzen oder über Teilen des Raumes, wie es der Wechsel der Szenen forderte.«[91] In den *Musikblättern des Anbruch* resümierte der Komponist und Schönberg-Schüler Egon Wellesz begeistert: »Jeder Statist war von der Wichtigkeit dessen, was er zu leisten hatte, durchdrungen, das Ballett unermüdlich in den Proben und durch Schüler von Laban und Mary Wigman mit neuem Geist erfüllt, die Sänger stark im Ausdruck und groß in der Geste, ein wirkliches Ensemble bildend. Und all dies das Werk weniger Monate, inmitten einer chaotischen Zeit.«[92]

Auf Größe und Modernität setzten auch einige der Spielstätten, die in der Wintersaison 1923/24 ihre Türen öffneten. Mit Auszügen aus

Wagners *Meistersingern* und einer Ansprache von Oberbürgermeister Konrad Adenauer wurde in Köln-Deutz am 22. Oktober eine neue Festhalle eingeweiht. Die »72 Meter lange und 3000 Kubikmeter umfassende« Eisenkonstruktion verfüge nicht nur über eine »glänzende Akustik«, sondern biete zudem Raum für »mehr als 4000 Besucher« und sei damit »dreimal so groß [...] als der Gürzenichsaal«, heißt es in einem der vielen enthusiastischen Berichte.[93] Und die *Berliner Börsen-Zeitung* resümierte: »Daß gerade in diesen unheilvollen Tagen die Stadt Köln die große Festhalle im Messegelände der Öffentlichkeit übergibt, zeugt von Weitblick und Wagemut. [...] Mögen auch in den kommenden Tagen alle so fest zusammenstehen, wie heute in dem Riesensaal beim Erklingen des Deutschlandliedes.«[94] (Am Vorabend hatten Separatisten im benachbarten Aachen eine »Rheinische Republik« ausgerufen.[95]) Als nächstes »Großereignis« folgte kurz vor Weihnachten die Wiedereröffnung des Wiesbadener Stadttheaters mit einer Festwoche. Das im Frühjahr 1923 durch eine Brandkatastrophe zerstörte Haus hatte man »mit einem Kostenaufwand von mehreren Millionen Goldmark« nicht nur innerhalb von neun Monaten wieder instand gesetzt, sondern zugleich zu einer »nach neuesten Erfahrungen eingerichteten Musterbühne« umgebaut. Gemäß der politischen Lage – Wiesbaden war ebenfalls Teil des besetzten Rheinlands – wurde auch hier die Eröffnung mithilfe eines Werkes von Richard Wagner kulturpolitisch aufgeladen. So begann man mit *Lohengrin* in einer neuen Inszenierung, die darauf abzielte, die Oper zu einem »Symbol nationaler Selbstbehauptung« zu verklären und damit zumindest unterschwellig gegen die französische Besatzungsmacht zu demonstrieren.[96] Und auch die dritte spektakuläre Eröffnung der Wintersaison erfolgte mit einer Oper Richard Wagners. In Berlin weihte Erich Kleiber, seit Herbst 1923 Chefdirigent der Staatsoper Unter den Linden, die als Volksopernhaus umgebaute Kroll-Oper am 1. Januar 1924 mit einer *Meistersinger*-Aufführung ein. »Das Theater faßt 2400 Personen, ist trotz der Größe des Raumes warm, behaglich, fast intim gehalten«, berichteten die *Musikblätter des Anbruch*: »Die Mittel zu dem Umbau hat die Volksbühne aufgebracht, deren Mitglieder, meist der arbeitenden Bevölkerung angehörend, nun Musik in bester Vorführung durch die Staatsoper geboten bekommen.«[97] Der Herausgeber der Zeitschrift, Paul Stefan, resümierte im selben Heft begeistert: »Die letzten Monate haben viel geschadet, aber niemand in Deutschland hat sich der künstlerischen Gewissenspflicht entzogen, lebendig zu bleiben.«[98]

Getröstete und Ausgeschlossene:
Der Konzertsaal als Flucht- und Sehnsuchtsort

Die große Bedeutung, die Musik und andere kulturelle Aktivitäten im Krisenjahr 1923 für viele Menschen hatten, ist vielfach beschrieben worden. In einer Zeit, in der die Welt »verrückt geworden« war und die Geldnot viele dazu zwang, immer mehr Zeit und Kraft für die Sicherung der materiellen Grundbedürfnisse aufzubringen, konnte man in Konzertsaal, Theater oder Kino dem »entsetzlich ermüdenden« Alltag zumindest für ein paar Stunden entfliehen. »Erholung war nur immer wieder das Kino«, konstatierte der leidenschaftliche Cineast Victor Klemperer bereits im März. Ein halbes Jahr später notierte er auf dem Höhepunkt der Krise: »Alles schwankt in Deutschland, wirtschaftlich u. politisch. [...] Gestern saßen wir auch am Nachm. wieder tröstlich im Kino, u. am Abend musicierte Schelesowa hier. Heute war nichts als Verzweiflung und Leere.«[99]

Während der Dresdner Romanist und seine Frau Tröstung im Kino fanden, stürzte sich Kurt Weill im Oktober 1923 ins Berliner Konzertleben. Seine Eindrücke beschreibt der 23-jährige Komponist, seit Anfang 1921 Schüler von Ferruccio Busoni an der Akademie der Künste, in einem Brief an den »verehrten Meister«: »Ein Blick auf das Publikum der Konzertsäle genügt, um zu erkennen, dass dieses Berlin die Musik nicht aufgeben wird. Freilich sitzen in den Philharmonischen Konzerten noch die Scharen, die bei Mozart ›niedlich‹, bei Beethoven heroisch und bei Bach streng auszusehen versuchen; das linke Bein klopft die Viertel dazu und die rechte Hand klimpert die Achtel. Aber allen Gesichtern gemeinsam ist ein rührender Ausdruck von Glückseligkeit, dass sie bei allem Geschehen noch in einem erleuchteten Konzertsaal sitzen und Musik hören dürfen. Dadurch wird das Urteil des Laien naiver, aufrichtiger und – wertvoller für den Künstler. Und an den Kassen hört man Fantasiepreise für Billets. (Bis zu einer Milliarde am Montag abend).«[100]

Die Intensität des Konzerterlebens, die Weill – noch ganz unter dem Einfluss des Busoni-Zirkels – auf der Grundlage elitärer Denkmuster beschreibt, wird auch in vielen anderen Schilderungen hervorgehoben. Hinter dem Hunger nach gemeinsamen Musikerlebnissen stehe dabei nicht nur das Verlangen, dem Alltag zu entfliehen, und die »Sehnsucht nach Betäubung«, sondern auch der Wunsch, neue Kraft zu sammeln und sich seelisch zu erbauen.[101] In seinen Lebenserinnerungen hat Stefan Zweig diese existenziellen Dimensionen von Kunst in Krisenzeiten mit emphatischen Worten beschrieben: »Nie werde ich zum Beispiel eine Opernaufführung vergessen aus jenen Tagen der äußersten Not. Man tastete sich durch halbdunkle Straßen hin, denn die Beleuchtung mußte wegen der Kohlennot eingeschränkt werden, man zahlte seinen Galerieplatz mit einem Bündel Banknoten, das früher für das Jahresabonnement einer Luxusloge ausgereicht hätte. Man saß in seinem Überzieher, denn der Saal war nicht geheizt, und drängte sich gegen den Nachbarn, um sich zu wärmen [...]. Niemand wußte, ob es möglich sein würde, nächste Woche die Oper noch fortzuführen, wenn der Schwund des Geldes weiter andauerte und die Kohlensendungen nur eine einzige Woche ausblieben. [...] Aber dann hob der Dirigent den Taktstock, der Vorhang teilte sich und es war herrlich wie nie.«[102]

Die Möglichkeiten zu Flucht, Tröstung und Erbauung, die die Kultur bot, waren allerdings nicht jedem vergönnt. So wuchs im Zuge der exponentiellen Geldentwertung die Gruppe derer, die sich einen Konzert-, Opern- oder Theaterbesuch schlichtweg nicht mehr leisten konnten. Dies betraf insbesondere Musik- und Kunstliebhaber aus der alten kulturellen Elite, die als Sparer oder Hypothekenbesitzer ihr Vermögen verloren hatten, als Beamte unter erheblichen Gehaltseinbußen litten oder als Rentner und Selbstständige kaum noch über die Runden kamen. »Längst ohne Theater, auf das Kino allein angewiesen, sind wir jetzt auf das Vorstadtkino beschränkt«, notierte Victor Klemperer Ende August in seinem Tagebuch.[103] Unter dem Titel »Die Not der geistigen Arbeiter« diskutierte Alfred Weber diese wachsende Verarmung der »Arbeitsintellektuellen« kurz darauf in einem berühmten Vortrag. Der in Heidelberg lehrende Soziologe konstatierte eine zunehmende Trennung von Bildung und Besitz, befürchtete, dass es im Zuge dessen zu einer intellektuellen Verarmung der Gesellschaft kommen werde, und warnte vor der Gefahr einer Kommerzialisierung des Geisteslebens.[104] (Nach Weber verdienten höhere Beamte nicht mehr als anderthalbmal so viel wie ein ungelernter Arbeiter.)

In der (musikalischen) Presse wurden diese Entwicklungen besonders emotional verhandelt. Viele Äußerungen lassen sich dabei als Teil der langanhaltenden Debatte über eine »Krise des Konzertwesens« verstehen, deren Anfänge ins späte 19. Jahrhundert zurückreichen.[105] Beeinflusst von allgemeinen Diskussionen über kulturellen und gesellschaftlichen Niedergang und die Kehrseiten der Moderne wurden auch im Bereich des Konzertes Verfallserscheinungen diagnostiziert und beklagt. Im Zuge der Neuordnung des Musiklebens, die der Systemwechsel von der Monarchie zur Republik mit sich brachte, und der massiven gesellschaftlichen Veränderungen, die durch den Krieg in Gang gesetzt bzw. beschleunigt worden waren, nahm die normativ aufgeladene Debatte in den frühen 1920er-Jahren Fahrt auf. Als sich die Bedingungen im Zuge der Hyperinflation weiter verschlechterten, sahen sich insbesondere kulturkritische Kommentatoren in ihrer allgemeinen Krisendiagnose und ihren Mutmaßungen über einen Verfall der Konzertkultur bestätigt. So erklärte Alfred Einstein in seiner düsteren Bilanz des Herbstes 1923 apodiktisch: »›Das Publikum‹ – es existiert nicht mehr. Schon der Krieg hat die Gemeinschaft der Zuhörer, denen gute Kammer- oder Orchestermusik Lebensbedürfnis war, dezimiert [...]. Die besten dieser Gemeinschaft, die ohnedies nie auf den besten Sitzen saßen, sind allmählich auf die Stehplätze und endlich aus dem Konzertsaal, aus dem Opernhaus ganz hinausgedrängt worden, sie sitzen zuhause und brüten über die Beschaffung des Notwendigsten für den kommen- den Tag, ihr Leben ist kunstleer geworden.«[106] Auch für den Dresdner Musikkritiker Friedrich Adolf Geissler stand fest, dass die Hyperinfla- tion zu einer tiefgreifenden Veränderung bei der Zuhörerschaft geführt habe: »Der kunstliebende Mittelstand, auf den sich einst alle Veranstal- tungen in der Hauptsache stützen konnten, ist ausgeschaltet, denn er kann einerseits die dem heutigen Geldwert entsprechenden Einlaßpreise nicht zahlen, ist aber andererseits von den allenthalben üblichen Volks- aufführungen ausgeschlossen, da die Karten zu diesen, einem bedauer- lichen sozialen Irrtum zufolge, meist nur durch die Gewerkschaften ausgegeben werden, mit denen er in keiner Verbindung steht. Sogar Freikarten muß der Arme aus dem Mittelstande jetzt vielfach resigniert ablehnen, weil die Nebenkosten für Straßenbahn, Kleiderablage und Zettel schon über seine Kräfte gehen.«[107] Berlin sei »jetzt die Stadt der Fahrräder geworden«, berichtete zur selben Zeit das *Berliner Tageblatt*, da sich kaum einer mehr die Straßenbahnfahrt leisten könne.[108]

Gekoppelt waren diese kulturkritischen Diagnosen oft mit einer Klage über die Verhaltensweisen des neuen Publikums, das sich »erfah- rungsgemäß weder durch Kunstbedürfnis noch durch Geschmack« aus- zeichne.[109] So monierte der Kritiker Fritz Jaritz in den *Signalen für die Musikalische Welt* bereits im April 1923: »Während Musikhungrige sich den Betrag für einen Konzertbesuch oftmals vom Munde abdarben, um in der Ausdeutung der Musik Ablenkung zu finden und neue Kraft für den so schweren Daseinskampf aus ihr zu schöpfen, machen es sich in den vor- dersten Sitzen juwelengeschmückte Finger zur Hauptaufgabe, mit Papie- ren zu knistern, bei Beethoven-Symphonien Bonbons und Schokolade zu knabbern oder sich während des Vortrages in halblautem Ton über The- men zu unterhalten, die mit Kunst ganz gewiss nichts zu tun haben.«[110] Wie massiv der Schwund des alten Stammpublikums im Inflationsjahr tatsächlich war, ist schwer zu ermessen, da es hierzu keine verlässlichen Zahlen gibt. Allerdings besteht kein Zweifel daran, dass die Hyperinfla- tion die Umschichtungsprozesse im Konzertsaal weiter vorantrieb und das Bürgertum auch in diesem angestammten Feld auf schmerzhafte Weise mit seinem ökonomischen und gesellschaftlichen Statusverlust konfrontierte. »Die Einheitlichkeit von damals war verschwunden«, erinnerte sich der Berliner Komponist Max Butting: »Das drückte sich schon im äußeren Bild aus. Da kam der arme Inflationsverlierer im Straßenanzug und saß neben dem Gewinnler im großen Abendanzug.«[111]

»Die deutsche Reichsmark tanzt: wir tanzen mit!«

In Relation zur Gesamtbevölkerung war die Gruppe derer, die 1923 Tröstung im Konzertsaal fanden oder ersehnten, eine Minderheit. Dem tristen Alltag tanzend zu entfliehen, war hingegen eine Praxis, die in allen Gesellschaftsschichten weit verbreitet war. So fehlt in kaum einer Beschreibung der Inflationszeit der Verweis auf die Tanzwut, die das ganze Land damals erfasste.[112] »Die deutsche Reichsmark tanzt: wir tanzen mit!«, konstatierte Klaus Mann in einer vielzitierten Passage aus seinem »Lebensbericht« *Der Wendepunkt*: »Millionen von unterernährten, korrumpierten, verzweifelt geilen, wütend vergnügungssüchtigen Männern und Frauen torkeln und taumeln dahin.«[113] Im Alter von 16 Jahren hatte der älteste Sohn von Thomas und Katia Mann in München und Berlin aus privilegierter Perspektive beobachtet, wie die Welt zunehmend »aus den Fugen« geriet. Knapp zwei Jahrzehnte später blickte er aus dem amerikanischen Exil auf den »makabren Jux der Inflation« zurück: »Ein geschlagenes, verarmtes, demoralisiertes Volk sucht Vergessen im Tanz. Aus der Mode wird die Obsession; das Fieber greift um sich, unbezähmbar, wie gewisse Epidemien und mystische Zwangsvorstellungen des Mittelalters. Die Symptome der Jazz-Infektion, die Zeichen der hüpfenden Sucht lassen sich im ganzen Land bemerken: am gefährlichsten betroffen aber ist das schlagende Herz des Reiches, die Hauptstadt. [...] Wenn das Berlin der Kaiserzeit die aggressive Dynamik des jungen deutschen Nationalismus säbelrasselnd zur Schau gestellt hatte, so spiegelt das Berlin der ersten Nachkriegsjahre mit demselben Eklat die apokalyptische Gemütsverfassung der besiegten Nation.«[114]
Besinnungslos getanzt wurde bereits direkt nach Kriegsende. So heißt es in einem Zeitungsbericht über die Jahreswende 1918/19: »Mit dem Fallen des Tanzverbots stürzte sich das Volk wie ein Rudel hungriger Wölfe auf die langersehnte Lust und nichts kann ihm seine Festfreude stören. [...] Nie ist in Berlin so viel, so rasend getanzt worden.«[115] Vier Jahre später berichtete die Musikzeitschrift *Le Ménestrel*: »Der Komponist Paul Hindemith veröffentlichte eine Sammlung von Tänzen mit dem Titel *1922*, die einen Marsch, einen Shimmy, einen Boston und einen Rag-Time enthält. [...] Titel und Charakter dieser Sammlung sind bezeichnend: Das Jahr 1922 stand in Deutschland wie

in Frankreich ganz im Zeichen des Tanzes.«[116] Im Lauf des Jahres 1923 nahm die Tanzbegeisterung dann erneut obsessive Züge an. Getanzt wurde in Cafés, Restaurants, Bars, Tanzpalästen und geheimen Nachtlokalen, auf den Straßen, in Parks, am Flussufer oder im Strandbad, bei privaten Festen und im Familienkreis, im Kabarett, im Revuetheater sowie auf zahlreichen anderen Bühnen, aber auch in Kinofilmen oder in der autobiographisch gefärbten Novelle *Unordnung und frühes Leid*, in der Thomas Mann 1925 auf die Inflationszeit zurückblickte. Einige solcher Tanzszenen in seinem eigenen Milieu hat Victor Klemperer eindrücklich beschrieben. Anfang März 1923 erlebte er gemeinsam mit seiner Frau ein privates Fest in einer prunkvollen Villa in Dresden: »Oben ist eine ›Diele‹ [...]. Dort haben sie ein Grammophon, u. dort tanzen sie, die Ehepaare für sich u. unter sich [...]. Die amerikanischen, exotisch-erotisch-wehmütigen Tänze, die Melodien, die uns vom Kino her vertraut sind.«[117] Zwei Monate später begab sich der Romanistikprofessor im Anschluss an eine akademische Feier für die Ehrensenatoren der technischen Hochschule Dresden mit einem Teil der Gesellschaft in die Regina-Diele: »Erst Tänzerinnen, Tanzpaare, Soubrette«, notiert er nach dem Besuch der »eleganten Cabareteinrichtung«: »Das eigentlich Neue aber war mir, daß dann das Publikum selber tanzte. Sehr gedrängt. Sehr ernst, sehr langsam. Amerikanismen im Schritt und dicht beieinander. So ist der Tanz noch wollüstiger als in großer Geschwindigkeit.«[118] Die Musik, die dazu erklang, hatte allerdings mit jenem instrumentalen Jazz, der zeitgleich in den Tanzsälen amerikanischer Metropolen von Ensembles wie King Oliver's Creole Jazz Band gespielt wurde, außer dem Namen nur wenig gemeinsam. Während sich der transatlantische Austausch zwischen den Alliierten im Zuge des Ersten Weltkriegs intensiviert hatte und (afro-)amerikanische Bands und Musiker regelmäßig in Frankreich und Großbritannien auftraten, war man in der Weimarer Republik bis 1924 aufgrund der politischen und ökonomischen Isolation von diesen neuen Strömungen weitgehend abgeschnitten. Geleitet von berühmten osteuropäischen »Stehgeigern« wie Dajos Béla, Marek Weber oder Efim Schachmeister entwickelten viele Ensembles im Deutschland der frühen 1920er-Jahre eine Art Phantasie-Jazz, indem sie ihre eigene Tradition der Tanz-, Salon- und Kaffeehausmusik mit tatsächlichen und vermeintlichen Merkmalen der neuen amerikanischen Tanzmusik »modernisierten«.[119]

Schon Zeitgenossen haben betont, dass das Tanzfieber der Inflationszeit als sozialpsychologische Reaktion auf das »verrückt gewordene Leben« zu verstehen sei. Anfang August 1923 erklärte der Direktor der Psychiatrischen Universitätsklinik Tübingen in einem Gastbeitrag für das *Berliner Tageblatt*: »Die wilde Gier nach den Genüssen des Lebens

Ein Sonntag-Nachmittag i

Badeleb

x

46 ···

Ein Sonntag-Nachmittag i

Badeleb

46 ···

ad Wannsee bei Berlin.

ande.

N.V.F.
2080

Tanzen konnte man im Berlin der Hyperinflation nahezu überall. Wer sich direkt nach dem Tanzvergnügen abkühlen wollte, ging im Sommer ins beliebte Strandbad Wannsee.

ist nur das Negativ der heimlich wühlenden Angst vor dem kommenden Unbekannten.«[120] Und Klaus Mann schrieb mit historischem Abstand über die Situation im Deutschland der frühen 1920er-Jahre: »Es war nicht Besinnung, wonach diese ausgepumpte, decontenancierte Gesellschaft verlangte; vielmehr wollte man vergessen – das gegenwärtige Elende, die Angst vor der Zukunft, die kollektive Schuld ...«[121] Doch die Tanzbegeisterung allein als Mittel der Weltflucht zu verstehen, wäre verkürzt. So wurde nicht nur getanzt, um zu verdrängen und zu vergessen, sondern auch um sich ausgelassen zu vergnügen, zu genießen, zu provozieren, Geschlechterkonventionen zu durchbrechen und beim Tanzen neue erotische Freiräume zu erkunden. In der Metropole Berlin war die Vielfalt an Angeboten und die Möglichkeit, sich frei zu bewegen und seine Wünsche und Phantasien auszuleben, wie zu erwarten größer als anderswo und nahm in den folgenden Jahren noch weiter zu. Hier fand man nicht nur die üblichen Tanzdielen, sondern auch Ballsäle für homosexuelle Paare, Travestie-Revuen und Etablissements, in denen unbekleidet getanzt wurde.[122] Besondere Berühmtheit erlangte die Schauspielerin, Nackttänzerin und Trendsetterin Anita Berber. Bekannt für ihre skandalträchtigen Auftritte, ihren exzessiven Alkohol- und Drogenkonsum und ihr unerschrockenes Spiel mit Geschlechterrollen und sexueller Identität, trat die 24-Jährige Anfang April 1923 im Berliner Hotel Esplanade »fast hüllenlos« als Liebesgöttin Astarte in Erscheinung. Im Szenekabarett Weiße Maus konnte das teils maskierte Publikum »die Berber« hingegen mit nackten Phantasietänzen erleben.[123]

Provokativ waren die neuen Tänze aber nicht nur deshalb, weil sie ermöglichten, einen »*neuen Realismus* der Liebe«[124] zu erproben und zu leben. So pries der sozialistische Schriftsteller und Journalist Hans Siemsen in einem ironischen Artikel in der *Weltbühne* die »Würdelosigkeit« des »Jazz« und der aus Amerika importierten Tänze als probates Mittel im Kampf gegen das Preußentum: Der Jazz »schlägt jeden Ansatz von Würde, von korrekter Haltung, von Schneidigkeit, von Stehkragen in Grund und Boden. Wer Angst davor hat, sich lächerlich zu machen, kann ihn nicht tanzen. [...] Wären doch alle Minister und Geheimräte und Professoren und Politiker verpflichtet, zuweilen öffentlich Jazz zu tanzen! Auf welch fröhliche Weise würden sie all ihrer Würde entkleidet.«[125]

Dass die Tanzwut und Vergnügungssucht in Zeiten der politischen Krise heftig kritisiert wurden, ist nicht erstaunlich. So unternahm der parteilose Reichskanzler Wilhelm Cuno, ein politisch konservativ gesinnter Hamburger Kaufmann, bereits unmittelbar nach Beginn der Ruhrbesetzung einen ersten Reglementierungsversuch.[126] In einem Rundschreiben forderte er die Landesregierungen auf, mithilfe von Verordnungen und anderen Maßnahmen gegen »Schlemmerei, Genußsucht und Alkoholmißbrauch« vorzugehen, die den »notleidenden« und »anständig gesinnten« Kreisen des deutschen Volkes nicht länger zuzumuten seien.[127] Auf die Verbotsliste sollten dabei auch »öffentliche Tanzlustbarkeiten« gesetzt werden. Als alternative »Freuden« wurden »Leibesübungen« und die »Einkehr bei den Geistesschätzen alter deutscher Kultur« vorgeschlagen, denn »das deutsche Volk und namentlich unsere Jugend hat ein Recht auf Freude, aber sie soll in würdiger Weise gesucht und gefunden werden.« Und auch im privaten Raum müsse man darauf hinwirken, dass das »Leben wieder rein und deutsch werde«: »Die deutschen Frauen sollten sich freihalten von Schmuck und Tand«. Am 18. Januar meldete die *Vossische Zeitung*, dass in Berlin und ganz Preußen ab dem folgenden Tag die Polizeistunde »von 1 Uhr nachts auf 23 Uhr vorverlegt« werde und zudem »ein polizeiliches Verbot sämtlicher Tanzlustbarkeiten« in Kraft trete.[128] Mit dieser Maßnahme zog die Politik nicht nur den Zorn der Arbeitgeber- und Arbeitnehmerverbände auf sich, sondern erreichte zugleich das Gegenteil des gewünschten Effekts. Wie das *Berliner Tageblatt* am 20. Februar berichtete, entstand innerhalb kürzester Zeit eine »Industrie der geheimen Nachtlokale« in Privatwohnungen. Nach amtlichen Schätzungen wurden diese privaten Tanzclubs bereits Mitte Februar täglich von etwa 200 000 Personen besucht, überwiegend »vermögende Ausländer, die in Berlin gern ein Abenteuer erleben möchten«, aber – wie der Autor des Artikels einräumen musste – »leider [...] auch Deutsche«. Die ständig wechselnden Musiker und Kellner für die »geheimen Nachtlokale« rekrutierte man kurz vor Beginn der Sperrstunde aus den Gaststätten. Da sie unter erheblichen Einnahmeausfällen litten, waren viele bereit, sich in den illegalen Clubs »noch ein paar Zehntausender« hinzuzuverdienen. Um den Alkoholkonsum anzukurbeln, gab es laut *Berliner Tageblatt* noch eine weitere Attraktion: »Unentbehrlich für den verbotenen Nachtbetrieb ist die sogenannte *Nackttänzerin*. Den Aussagen verhafteter Wirte ist zu entnehmen, daß der Sektkonsum nach der Tanzvorführung sich verdoppelt.«[129]

»Ein bißchen drüber und gar nichts drunter«

Trotz aller moralischen Appelle und zeitweiliger Verbote wurde auch in jenen Teilen des Volkes weitergetanzt, auf deren »anständige« Gesinnung sich Cuno in seiner Begründung meinte berufen zu können. Die Scheinheiligkeit, die dabei im Spiel war, hat Joseph Roth drei Wochen nach dem »Essener Blutsamstag«, an dem 13 Arbeiter bei einer Konfrontation mit der französischen Besatzungsmacht ums Leben kamen, unter dem Titel »Ruhr-Totenfeier mit Shimmyklang« im *Vorwärts* angeprangert: »Hart am UT-Kino am Kurfürstendamm grenzt der große Tanzpalast, in dem die Einheitsfront des Bürgertums dreimal in der Woche ihre patriotische Betrübnis an der Garderobe ablegt, um unbeschwert von traurigen Ruhrgedanken das geflügelte Shimmybein zu schwingen. Nur eine dünne Wand trennt den Palast vom Vorführungsraum des Kinotheaters.« Während dort ein Film über »das Begräbnis der Ruhropfer« läuft und die Kinokapelle andächtig schweigt, hört man »den *Shimmy von nebenan*; gedämpft, aber deutlich genug, um symbolisch zu sein: für diesen Kurfürstendamm [...], für dieses nationale Bürgertum, das mit einem heiteren Bein und einem nassen Aug' Miterleber des schrecklichen Proletariertodes ist.«[130]

Als sich die Krise im Spätsommer zuspitzte, unternahm man in der Reichshauptstadt einen neuen Anlauf, um das »Scham- und Sittlichkeitsgefühl« der Bevölkerung zu schützen. So berichtete das *Berliner Tageblatt* Anfang September, dass in Kürze eine neue Polizeiverordnung in Kraft trete. Verboten seien ab dem 1. Oktober neben »Damenboxkämpfen« auch »Nacktttänze« und »andere Nacktdarstellungen«, »sofern nicht bei ihnen ein künstlerisches, sportliches oder artistisches Interesse« überwiege. Wer Zweifel habe, ob seine Darbietungen diese Kriterien erfüllten, könne »vor dem behördlichen Einschreiten« ein »Sachverständigenurteil« einholen.[131] Wenige Tage nach dieser Meldung begann im Admiralspalast mit der Premiere von *Drunter und Drüber* die Dekade der sogenannten Haller-Revuen. Der gleichnamige Berliner Theatermacher und Bühnenautor, bis 1923 Direktor des Theaters am Nollendorfplatz, hatte die Spielstätte an der Friedrichsstraße als Pächter übernommen und zu einem Revuetheater mit mehr als 2000 Plätzen umgebaut. Die Ausstattungsrevuen, die er dort bis 1932 jährlich präsentierte, setzten auf Sinnesrausch, Monumentalität und Unterhaltung und versuchten, ein breites Publikum anzusprechen. Gemäß der Gepflogenheiten der Gattung ging es dabei nicht um die Entwicklung einer durchgehenden Handlung, sondern um die kaleidoskopartige Kombination unterschiedlicher Szenen und Attraktionen. »Eine Revue ist schon deshalb den meisten anderen dramatischen Gattungen vorzuziehen, weil keine Handlung drin vorkommt, womit auch der größte Teil des Dialoges wegfällt«, bemerkte Paul Schlesinger, nachdem er sich die »32 Bilder« angesehen hatte, in der *Vossischen Zeitung*: »Man gibt sich dem Augenblick hin, auch wenn er 3½ Stunden dauert.«[132]

Gefüllt wurden diese dreieinhalb Stunden mit einer Bildfolge, die darauf abzielte, möglichst viele Bedürfnisse zu befriedigen: patriotische Gefühle und die Sehnsucht nach den guten alten Zeiten, den Wunsch, über die Gegenwart zu lachen, und das (geheime) Vergnügen am (nahezu) unverhüllten weiblichen Körper. So schrieb Schlesinger in seiner ironischen Premierenkritik über die Arbeit des Ausstatters Emil Birchan: »Sehr fruchtbar war sein Bemühen im Entwerfen von Kostümen, die keine sind. Eigentlich müsste die Revue heißen: ›Ein bißchen drüber und gar nichts drunter‹, aber ich gebe zu, daß das zu lang wäre.« Die Verantwortung für diesen aufregendsten Teil des Abends hatte man wohl nicht zufällig in ausländische Hände gelegt. Eigens aus London nach Berlin gekommen waren »Mr. Alfred Jackson vom Alhambra-Theater mit seinen Girls«. Da die Haller-Revue die Saison über erfolgreich lief, darf man wohl davon ausgehen, dass bei den erotischen Auftritten das »künstlerische Interesse« überwog und das »Scham- und Sittlichkeitsgefühl« nicht ungebührlich strapaziert wurde. Eine Einschätzung, zu der auch der Kritiker des *Berliner Tageblatts* kam: »Man sieht ein bisschen Nacktkultur, aber keine Schweinereien.«[133] Hilfreich für die Vergabe des Unbedenklichkeitssiegels war möglicherweise auch die nationale Färbung des gesamten Unternehmens. So heißt es im *Berliner Tageblatt* in Anspielung auf die Farben der Flaggen des untergegangenen Kaiserreichs und der neuen Republik: »Die Gesinnung der Väter: schwarzweißrot zu 75 Prozent, schwarzrotgold zu 25 Prozent. [...] Man schmilzt vor Wonne in der Erinnerung früherer Zeiten. [...] Friderizianische Garden marschieren auf, sehr mickrige Herrchen übrigens, – das Halloh könnt ihr euch denken. Die Republik selbst wird nicht verspottet, man ist ja viertelrepublikanisch. Aber ihr Elend wird verhöhnt.« Marschiert wurde dabei zu den Klängen von Walter Kollos *Linden-Marsch*, dem noch heute bekannten Erfolgsschlager der Produktion. Der Refrain des von Hermann Haller und Fritz Oliven (alias Rideamus) verfassten Texts steht exemplarisch für jene Mischung aus Nostalgie, Lokalpatriotismus und Selbstvergewisserung, die einen Großteil des Publikums inmitten der Krise begeisterte.

> »Solang noch ›Untern Linden‹
> Die alten Bäume blüh'n,
> Kann nichts uns überwinden,
> Berlin bleibt doch Berlin.

> Wenn keiner treu dir bliebe,
> Ich bleib' dir ewig grün,
> Du meine alte Liebe,
> Berlin bleibt doch Berlin.«

In seiner 1931 veröffentlichten *Sittengeschichte der Inflation* hat Hans Ostwald der Musik, die das Tanzfieber befeuerte, ein eigenes Kapitel gewidmet. Wie in seinen zahlreichen anderen Studien verfolgte der Berliner Schriftsteller und Kulturhistoriker mit dem Buch das Projekt einer Kulturgeschichte »von unten«, die das Augenmerk auf die Popularkultur und die ganze Bandbreite der Gesellschaft richtete. In seinen Augen waren die Tanzlieder für dieses Unterfangen eine besonders ergiebige Quelle, da sich in ihnen charakteristische Merkmale der Zeit widerspiegelten und sie zugleich Auskunft über das kollektive Empfinden gaben: »Nichts kann ein besseres Bild vom Wesen und der Verfassung der Tänzer und Tänzerinnen und damit auch der Gesamtbevölkerung geben, als die Lieder, die in den Sälen [...], Bars und Kaffeehäusern von den Jazzkapellen [gespielt], in der Küche von den Dienstmädchen beim Abwaschen mitgesungen und auf der Straße von den Jungen gepfiffen werden.«[134]

Das Spektrum der Tanzlieder und Musikstücke, die in der Hochphase der Inflation besonders beliebt waren, umfasste verschiedene Themenkreise und Register. Auf der einen Seite standen Nummern wie *Solang noch »Untern Linden«* oder der aus dem 19. Jahrhundert stammende *Fridericus-Rex-Marsch*, der im Zuge des durchschlagenden Erfolgs der gleichnamigen monumentalen Filmtetralogie über Friedrich den Großen neue Popularität erlangte.[135] Sie appellierten an den Lokalpatriotismus, verklärten die Vergangenheit und beförderten neben nostalgischen auch chauvinistische Gefühle. Auf der anderen Seite gab es eine Vielzahl von Liedern, die in unterschiedlichen Genres auf das Zeitgeschehen Bezug nahmen. Die Palette reichte von vulgären Gassenhauern wie *Wir versaufen unser Oma ihr klein Häuschen* bis zu satirischen Chansons. So präsentierte sich die Diseuse Margo Lion im September 1923 im berühmten Kabarett Die Wilde Bühne mit dem Chanson *Die Linien der Mode* auf einen Text ihres Lebensgefährten Marcellus Schiffer. Vor dem Hintergrund der Nöte der Zeit spielte sie bei ihrer szenischen Interpretation des Chansons auf ironische Weise mit neuen Weiblichkeitsbildern und dekonstruierte diese auf der Grundlage einer »Ästhetik des Hässlichen, der Dekadenz und des Grotesken«.[136] So heißt es im Refrain: »Wer ist dieses Ausrufungszeichen der Not? / Welch' Abgesandter vom Tode? / Man weiß nicht – ist es der Hungertod? / Oder die neueste Linie der Mode?«[137] Im Kabarett Nachtlicht in Berlin Mitte sowie auf Schallplatte trug Otto Reutter, in der Presse als König der Humoristen apostrophiert, seine Couplets über die Absurditäten des Alltags in Zeiten der exponentiellen Geldentwertung vor (»Es geht vorwärts«, »Wir hab'n uns eingedeckt« usw.).[138] Die wohl größte Gruppe bildeten jedoch jene Schlager, die um die Liebe in Zeiten wirtschaftlicher, politischer und mentaler Instabilität kreisten. Hierunter fielen Operettenhits wie »Wer wird schon weinen, wenn man auseinandergeht, / Wenn an der nächsten Ecke schon ein anderer steht?« aus dem »Schwank« *Die Scheidungsreise* (1919) von Hugo Hirsch (Musik) und Leo Walther Stein (Texte) oder die Nummer »Und zum Schluss ... schuf der liebe Gott den Kuss« aus Hirschs im Februar 1923 in Berlin uraufgeführter Erfolgsoperette *Der Fürst von Pappenheim.* »Sollte auch die Erde beben, unsre Mädels küssen eben«, heißt es dort voller Zuversicht. Auf den Punkt gebracht wurden damit Erfahrungen, die Sebastian Haffner in seinen *Erinnerungen* mit der Formel eines »*neuen Realismus* der Liebe« beschrieben hat: »Überall war jeder mit der Liebe beschäftigt mit Hast und Lust. Ja die Liebe selbst hatte einen inflationären Charakter angenommen. Die Gelegenheit musste ergriffen werden.«[139]

Auf die Frage, was die Popularität eines Schlagers begünstigte, gab Hans Ostwald in seiner *Sittengeschichte der Inflation* eine klare Antwort: das Spiel mit erotischen Andeutungen, zweideutigen Formulierungen oder – wie er selbst es nannte – »galanten Nebengedanken«. Als Beispiel für einen solchen »Megahit« führte er das »Bananenlied« an, das auch der jugendliche Klaus Mann bei seinen Streifzügen durch das Berliner Nachtleben hörte.[140] Mit seiner frivol-erotischen Note steht es für den Hunger nach sexuellem Abenteuer und schneller Liebe. Zugleich verkörpert es in exemplarischer Weise charakteristische Merkmale und Funktionen des modernen Schlagers, der in den 1920er-Jahren mithilfe der Schallplatte, des Rundfunks und (etwas später) des Tonfilms als kommerzielles Massenprodukt ein Millionenpublikum erreichte. Schließlich spiegelt die Genese des aus den USA importierten und von Fritz Löhner-Beda neu textierten Songs die internationalen Verflechtungen des Musikmarktes wider und die massiven Bedeutungsverschiebungen, die im Prozess des Kulturtransfers mitunter entstehen.

Yes! We Have No Bananas von Frank Silver (Musik) und Irving Cohn (Text) wurde 1922 für die Revue *Make It Snappy* des amerikanischen Broadway-Stars Eddie Cantor geschrieben.[141] Im März des Folgejahres erschien der Song erstmals als Notendruck und wurde in kürzester Zeit zu einem Bestseller. So entstanden 1923 allein in den USA sechs verschiedene Einspielungen, die zum Teil für mehrere Wochen die Charts anführten. In Großbritannien verkaufte man angeblich innerhalb eines Monats 500 000 Notendrucke, und auch in anderen europäischen Ländern erfreute sich der Song rasch großer Beliebtheit. Für den deutschsprachigen Raum sicherte sich der Eigentümer des Wiener Bohème-Verlags Otto Hein die Verwertungs- und Aufführungsrechte und beauftragte

Fritz Löhner-Beda, schnellstmöglich eine deutsche Fassung zu erstellen. Der vielseitige Autor war eine der bekanntesten Figuren der Wiener Kleinkunstszene, arbeitete für Kabarettbühnen, verfasste lyrisch-satirische Zeitschriftenbeiträge und Drehbücher für Stummfilme und hatte sich auch schon als Operettenlibrettist, Schlagertexter und Übersetzer hervorgetan. Seine Arbeit veröffentlichte er dabei häufig unter dem Pseudonym »Beda«. Dass ihm die Neutextierung von *Yes! We Have No Bananas* nicht leicht von der Hand ging, hat er rückblickend im *Neuen Wiener Journal* beschrieben: »Durch die Flut amerikanischer Tanzmusik, die nach dem Krieg Europa beglückte, wurde die Arbeit in der ›Textierbranche‹ noch erheblich erschwert. Der synkopierte Rhythmus, vielfach für die englische Sprache geeignet, ist für den deutschen Worteverfasser ein dorniges Problem. [...] Und doch ist dieser schwer zu konstruierende Text, insbesondere seine erste Zeile, von eminenter Wichtigkeit für den Erfolg der Musik. [...] Der Einfall für die erste, wichtige Textzeile entsteht sehr oft durch eine zufällige Wendung des Gesprächs, einen Glücksfall der Stimmung oder gar durch einen Irrtum. [...] Als ich zehn Texte auf den amerikanischen Bananenschlager konzipiert hatte und der Verleger alle zurückwies, weil das Wort ›Bananen‹ nicht vorkam, rief ich etwas verärgert: ›Ausgerechnet Bananen verlangt er von mir!‹ und hatte damit die Schlagzeile des Weltliedes.«[142]

Löhners Geschichte klingt fast zu schön, um wahr zu sein.[143] Fest steht jedoch, dass es ihm mit der Titelformulierung gelang, ein Übersetzungs- und musikalisches Textierungsproblem zu lösen und zugleich eine Wendung zu prägen, die aufgrund ihrer Prägnanz und Eingängigkeit bald in aller Munde war. Ein weiterer entscheidender Faktor für den Erfolg war die inhaltliche Transformation des Songs. Protagonist der amerikanischen Originalfassung ist ein griechischer Gemüse- und Obsthändler, der in Zeiten der Bananenknappheit mithilfe des komischen Yes/No-Wortspiels versucht, seine Kundschaft zum Kauf anderer Produkte zu animieren. In der deutschen Version hat Löhner-Beda diese beliebte Figur des amerikanischen Vaudeville-Theaters durch einen nicht weniger skurrilen Protagonisten ersetzt: einen »Don Juan« namens Meier. Er meint zwar, Bescheid zu wissen, wie man »bei der Weiblichkeit« zum Ziel kommt, scheitert jedoch, weil die Frau seiner Begierde nicht an seinen Avancen und zahlreichen Angeboten interessiert ist (»Ich hab' Salat, Pflaumen und Spargel, / auch Olmützer Quargel ...«). Statt sich seinem Werben zu ergeben, verlange sie unerbittlich ausgerechnet das von ihm, was er nicht zu bieten hat. So heißt es in der Schlussstrophe:

»Ausgerechnet Bananen,
Bananen verlangt sie von mir!
Was braucht man beim Küssen
Von Obst was zu wissen,
Da ist doch nicht Zeit dafür!
Ich will die Welt liebend vergessen,
Sie möcht' dabei essen!
Grad ausgerechnet Bananen,
Bananen verlangt sie von mir!«

Löhner-Beda macht aus dem Original, in dem Erotik keinerlei Rolle spielt, einen Song voller Anspielungen und Doppeldeutigkeiten (Spargel und Bananen als Phallussymbole, unerfülltes sexuelles Verlangen etc.), der die Menschen nicht nur zum Singen und Tanzen brachte, sondern sie zugleich auch zum Phantasieren und Lachen animierte.[144] Während man in Budapest den neuen Gassenhauer »wegen des unsittlichen Inhalts« verbot und die Polizei in einem Kaffeehaus den Kapellmeister dazu

Notendruck des »Bananen«-Lieds (1923). Über dessen Erfolg schrieb Beda ironisch: »Könnt' ich wissen, könnt' ich ahnen, / Dass die Welt ins Irre hopst / Ausgerechnet durch Bananen, / Dieses harmlos-dumme Obst?!«

zwang, das Lied mitten im Spiel abzubrechen, wurde *Ausgerechnet Bananen* in Österreich und im inflationsgezeichneten Deutschland schon bald zu einer Art »neuem Nationalgesang«.[145] Besonders heftig war der Bananen-Taumel in der Reichshauptstadt. »Der Berliner hat nun einmal unleugbar eine besondere Vorliebe für erotisch gefärbte, allzu deutliche Texte, während anderswo – und vor allem in Wien – Wert gelegt wird auf Grazie und Delikatesse«, konstatierte das *Neue Wiener Journal*, das der Tanzepidemie im Nachbarland einen umfangreichen Artikel widmete: »In jeder Wohnung singt, tanzt, spielt oder pfeift man ›ausgerechnet Bananen!‹ und schließlich ist es im täglichen Leben zum geflügelten Wort avanciert, Straßenhändler mit Obstkarren benützen es als höchst wirksamen Ausruf, um Passanten anzulocken und ein findiger Fabrikant hat die Konjunktur erfaßt und stellt täuschend imitierte Bananen als Seife her. Zum Erfolg des Liedes bei uns hat neben dem packenden Rhythmus die schlagende Übersetzung des Textes viel beigetragen.«[146]

Der internationale Schlager *Ausgerechnet Bananen* kam erst in der Endphase der Hyperinflation nach Deutschland. Der populäre Gassenhauer *Wir versaufen unser Oma ihr klein Häuschen* war hingegen schon seit 1922 im Umlauf und avancierte rasch zu einer weit verbreiteten Hymne der Inflationszeit. Gesungen, gegrölt, geträllert oder geschmettert wurde das Stimmungslied nicht nur in Kneipen und auf Straßen, sondern auch von »würdigen Gästen auf Silberhochzeiten« oder von Eltern und Kindern »bei der abendlichen Heimkehr von sonntäglichen Familienausflügen«.[147] Der von dem Humoristen, Komiker und Autor Robert Steidl ursprünglich für den Kölner Karneval verfaßte Text thematisiert im Medium eines Trinklieds den ökonomischen und moralischen Werteverfall und das erschütterte Generationenverhältnis.[148] Eine ebenso scharfsinnige wie ironische Interpretation lieferte bereits im Dezember 1922 Kurt Tucholsky. Unter dem Titel »Ein deutsches Volkslied« veröffentlichte er in der *Weltbühne* einen Artikel, in dem er sich »mit deutscher Gründlichkeit« die Schlüsselzeilen »Wir versaufen unser Oma ihr klein Häuschen / [...] und die erste und die zweite Hypothek!« vorknöpfte: »Das kleine Lied enthält klipp und klar die augenblickliche volkswirtschaftliche Lage: Wir leben von der Substanz. [...] Man beachte, mit welcher Feinheit die beiden Generationen einander gegenübergestellt sind: die alte Generation der Großmutter, die noch ein Häuschen hat, erworben von den emsig verdienten Spargroschen – und die zweite und dritte Generation, die das Familienvermögen keck angreifen und den sauern Schweiß der Voreltern durch die Gurgel jagen! [...] Ist dies ein Volkslied –? Es ist seine reinste Form. Man darf freilich nicht an früher denken. Früher sang wohl der Wanderbursch sein fröhlich Liedchen von den grünen Linden und den blauäugigen

Wir versaufen uns'rer Oma ihr klein Häuschen

EIN
STIMMUNGSLIED
TEXT UND
MUSIK VON

ROBERT STEIDL

Fidelio Verlag
Berlin SW.19.
Leipzigerstr. 63.
(Spittelmarkt)

Mägdelein – weil das sein Herz bewegte. Nun, auch dieses Lied singt von dem, was unser Herz bewegt: von den Hypotheken. [...] Es soll uns nicht wunder nehmen, wenn nächstens in einem schlichten Volkslied das Wort ›Teuerungszulage‹ oder ›Weihnachtsgratifikation‹ vorkommt – denn dies allein ist heute echte, unverlogene Lyrik.«[149]

Der Zylinder war ein Markenzeichen Robert Steidls. In den 1920er-Jahren nutzten emanzipierte Frauen wie Marlene Dietrich dieses Attribut weltgewandter Männlichkeit für ein ironisches Spiel mit Geschlechter-identitäten.

Der »Ungeist« der Zeit: Walther Hensels Kampf
»wider das falsche deutsche Lied«

Wie weit verbreitet die »unverlogene Lyrik« der Inflationszeit war, erfährt man aus einem Brief des Dirigenten Hermann Scherchen. Auf dem
Weg zwischen seinen Wirkungsstätten Frankfurt am Main und Winterthur machte der leidenschaftliche Förderer neuer Musik Ende Juli 1923
einen Abstecher ins geographisch entlegene Donaueschingen, um bei den
dortigen »Kammermusiktagen« einige Uraufführungen zu hören. Nach
einer Fahrt im überfüllten »Donaueschinger Lokalzug (nur IV.! Klasse)
« berichtete er seiner Frau: »Mit mir im Coupé Schwarzwaldjugend: Jungen u. Mädchen. Ganz gut gekleidet, 15–18jährig, machten sie den Eindruck von Fabrikjugendlichen. Im Zug benahmen sie sich, daß man
nachdenklich werden mußte: gemeinsam wurden Lieder gesungen mit
eingeschobenen eindeutigen Textzotereien. Vom Volkslied keine Spur:
Parodien auf solche, Fußballklubhymnen oder ›wir versaufen unser
Omama klein Häuschen‹ – – – Auch wir waren ähnlich, aber nicht in
dem Maß; u. wir waren immerhin Berliner!«[150]

Aus Scherchens Bericht spricht die Irritation eines Großstädters,
der sich darüber wundert, dass das musikalische Verhalten der Schwarz-
waldjugend nicht seinem Klischee entspricht und die »Hymnen« der
Inflationszeit bereits in die »Provinz« vorgedrungen sind. Hätte der
Philologe, Volksliedsammler, Chorleiter und »Volkserzieher« Walther
Hensel (eigentlich Julius Janiczek) denselben Zug genommen, wäre
seine Reaktion zweifellos weitaus heftiger ausgefallen. Aufgewachsen im
Schönhengstgau, einer »deutschen Sprachinsel im böhmisch-mährischen
Grenzwald mit einer zum großen Teil bäuerlichen Bevölkerung«,[151]
hatte der 35-Jährige kurz zuvor unter dem Titel *Lied und Volk* eine
»Streitschrift wider das falsche deutsche Lied« im Böhmerland-Verlag
veröffentlicht. Auf der Basis einer grundsätzlichen Moderne- und Ge-
sellschaftskritik stimmte er dort eine Klage über den allgemeinen Kultur-
und Geschmacksverfall an: »Unser Zeitgeist ist ein Zeit-Ungeist. [...] In
dem Maße, als die Technik fortgeschritten ist, ist es anscheinend mit
dem Kunstgeschmack bergab gegangen. Vielleicht war auch der steigende
Reichtum mit daran schuld, der Reichtum des Geldraffers und Empor-
kömmlings, des krassen Kapitalismus, der immer die Not der anderen
zur Folge hat und vor allem sich nicht über das materielle Dasein zu
erheben vermag. [...] Was hat man aus der erhabenen Musik gemacht?
Ein Werkzeug gemütlicher Geselligkeit, einen Unterhaltungsartikel«.[152]
Diese Situation gefährde nicht nur das Überleben der deutschen Kultur,
sondern auch die Existenz des deutschen Volkes als Kulturnation. Deswegen sei es dringend geboten, dem »geistigen Sumpf« zu entkommen:

»Heraus aus der Verflachung, aus dem Materialismus, erkennen wir doch endlich auch geistige, künstlerisch aufbauende Kräfte an! Erwecken wir sie und lassen wir uns durch sie erwecken!«[153] Für Hensel schlummerten diese »aufbauenden Kräfte« in der Musik vergangener Epochen und vor allem im »echten« deutschen Volkslied. Dieses gelte es wiederzuentdecken, gemeinsam zu pflegen, zu verbreiten und als Quelle für eine kulturelle, gesellschaftliche und nationale Erneuerung zu nutzen. Sinnbildlich für dieses Programm und die dahinterstehende Vergangenheitsverklärung steht Julius Janiczeks Künstlername Walther Hensel: eine Geste der Reverenz gegenüber zwei Hausheiligen. So verweist der geänderte Vorname auf den berühmten Minnesänger Walther von der Vogelweide. Der neue Nachname – »Hensel« (kleiner Hans) statt »Janiczek« (kleiner Jan) – lässt sich hingegen als Anspielung auf den Nürnberger Meistersinger Hans Sachs verstehen.[154]

Hensels Projekt war Teil einer breiten Bewegung zur »Erneuerung der Jugend«, die im späten 19. Jahrhundert eingesetzt hatte. Eine zentrale Rolle spielten dabei die Wandervögel-Bünde, die sich ausgehend von Berlin (Steglitz) im gesamten Deutschen Reich, aber auch in der Schweiz und im deutschsprachigen Teil der Habsburger Doppelmonarchie bildeten.[155] Ernüchtert von der »bürgerlichen Lebensführung«, der »großstädtischen Zivilisation« und der fortschreitenden Industrialisierung flüchteten junge Menschen in die Natur, um bei Wanderungen und anderen Aktivitäten in romantischen Phantasien zu schwelgen, Abenteuer zu erleben, alternative Lebensformen gemeinschaftlich zu erproben und sich unabhängig vom Elternhaus und von der Schule einem freiwilligen »Selbsterziehungsprozess« zu unterziehen. Das gemeinsame Singen von Liedern beim Wandern, am Lagerfeuer oder im Zug – um in die Natur zu kommen, musste man sich moderner Verkehrsmittel bedienen – spielte dabei von Anfang an eine wichtige Rolle. Als Quelle diente ab 1909 der *Zupfgeigenhansl*, eine von Hans Breuer herausgegebene Liedsammlung, die rasch zur musikalischen Bibel vieler Wandervögel wurde und 1920 bereits in 500 000 Exemplaren vorlag.

Im Zuge des Ersten Weltkriegs und seiner Folgen kam es innerhalb der Jugendbewegung, die sich zunächst als parteiunabhängig und »unpolitisch« verstand, zu einem Prozess zunehmender Politisierung. Ein Beispiel hierfür ist die böhmische Sektion des österreichischen Wandervogels, die 1911 von Walther Hensel mitbegründet wurde und den Beginn der sudetendeutschen Jugendbewegung markiert. Nach dem Zerfall Österreich-Ungarns und der Proklamation der Tschechoslowakei als binationaler Republik mit den Amtssprachen Tschechisch und Slowakisch waren die auf dem Gebiet des neuen Nationalstaats lebenden Deutschböhmen, -mährer und -schlesier zu einer Minderheit geworden. Viele von ihnen hätten sich lieber mit Deutschösterreich vereinigt, waren erbost, dass die Alliierten den Autonomiebestrebungen der deutschen Gebiete mit dem Pariser Friedensvertrag von Saint-Germain eine Absage erteilten und fühlten sich in der »Tschecho-Slowakischen Republik« nicht adäquat repräsentiert und zum Teil auch bevormundet und diskriminiert.[156] Bereits kurz nach der Proklamation der binationalen Republik formierten führende Wandervogelmitglieder, darunter Hensel und der Verleger und Gymnasiallehrer Johannes Stauda, die »Böhmerland-Bewegung«. Programm war die Stärkung der eigenen Sprache und Kultur sowie eine Erneuerung des Deutschtums jenseits aller Parteien mithilfe der Jugend. Zentrale Säulen dieses konservativen kulturpolitischen Projekts bildeten der Bereich der Volksbildung und die »Pflege des heimischen Volksliedes«, das in Hensels Augen mittlerweile doppelt gefährdet war: auf der einen Seite von der »modernen Unkultur«, auf der anderen von der veränderten geopolitischen Lage.[157] Ausdruck findet dieses Bestreben in einem »national, völkischen Unterton«, der Hensels Wirken und seine Schriften nachhaltig prägte und der auch von vielen seiner Bewunderer und Anhänger aufgegriffen wurde.[158] Beim gemeinsam Singen sollte sich jene deutsche »Volksgemeinschaft« bilden und stärken, deren politische Realisierung auf nationalstaatlicher Ebene Hensel und viele andere Sudetendeutsche damals heiß ersehnten.

Gegenwelten: Die Finkensteiner Singwoche

In musikinteressierten Kreisen des Wandervogels war Walther Hensel in den frühen 1920er-Jahren ein Name unter anderen. Obwohl er enorm umtriebig war, zahlreiche Vortragsreisen unternahm und regelmäßig Volksliedsammlungen und Schriften publizierte, war er in den ersten Nachkriegsjahren weitaus weniger bekannt als Fritz Jöde. Der Hamburger Volksschullehrer hatte mit seinem Buch *Musikalische Jugendkultur* 1918 den Grundstein der Jugendmusikbewegung gelegt, gab die einflussreiche Zeitschrift *Die Laute. Monatsschrift zur Pflege des deutschen Liedes und der guten Hausmusik*, heraus (1922 in *Die Musikantengilde* umbenannt) und wurde 1923 auf eine Professur für »Chorleitung und Volksmusikerziehung« an der Berliner Akademie für Kirchen- und Schulmusik berufen.[159] Dass es Hensel gelang, neben Jöde zu einer der beiden zentralen Figuren der Jugendmusikbewegung aufzusteigen, lag im Wesentlichen an einer Singwoche, die er Mitte Juli 1923 gemeinsam mit seiner Frau, der Stimmbildnerin Olga Hensel (geb. Pokorny), in unmittelbarer Nähe seiner Heimatstadt Mährisch-Trübau (Moravská

Třebová) durchführte. Was den Veranstaltern vorschwebte, wird in einer detaillierten Ankündigung formuliert. Der in strengem Tonfall verfasste Text macht unmissverständlich klar, dass in Finkenstein, einer aus ein paar einfachen Häusern bestehenden Waldsiedlung, weder die aufmüpfige Schwarzwaldjugend noch genusssüchtige Großstädter willkommen waren, sondern lediglich jene, die – »getragen vom Bewußtsein gemeinsamer Verantwortung« – bereit seien, sich freiwillig »selbst auferlegten Geboten« unterzuordnen.[160] Klösterliche Abgeschiedenheit statt Taumel der Großstadt. »Ernsthafte Arbeit« statt blinder Vergnügungssucht. Strikte Ordnung statt zügellosem Treiben. Geschlechtergetrenntes sauberes Strohlager statt weichen Betten. Abstinenz von Alkohol, Tabak und anderen Suchtmitteln sowie fleischlose Küche statt Drogenrausch und Völlerei. Etwa 80 junge Frauen und Männer »aus allerlei Berufen« folgten diesem Aufruf und fanden sich am 11. Juli 1923 in Mährisch-Trübau ein. Einer von ihnen war der 20-jährige Buchhandelsgehilfe Karl Vötterle aus dem inflationsgebeutelten Deutschland, der mit seinem kurz darauf gegründeten Bärenreiter-Verlag schon bald zu einem wichtigen Motor der gesamten Bewegung werden sollte. Ausgestattet mit Geige, Rucksack und Taschenlampe hatte er bei Nacht heimlich die tschechoslowakische Grenze überquert – die Beantragung eines Reisepasses überstieg seine finanziellen Möglichkeiten – und die von den Eltern als Reisegeld erhaltenen 50.000 Papiermark, bevor es zu spät war, rasch in sichere tschechische Kronen umgetauscht.[161] Die Teilnahmegebühr von 95 tschechischen Kronen wurde ihm erlassen, da er in die Kategorie »ganz Arme oder Reichsdeutsche« fiel.[162] Nach eintägiger Wartezeit – die Singwoche war zwischenzeitlich von den tschechischen Behörden verboten worden, die darin (wohl zu Recht) einen politischen Akt sahen – brach man singend nach Finkenstein auf.

In der Waldsiedlung erwartete die Teilnehmer ein umfangreiches, streng durchgetaktetes Programm.[163] Im Zentrum stand die ernsthafte musikalische Arbeit: täglich zwei Blöcke von insgesamt sechseinhalb Stunden, bestehend aus Stimmbildung, Harmonie- und Melodielehre, »Musikdeutung«, Instrumentalspiel sowie als Höhepunkt vor-

Der »Wandervogel« Karl Vötterle 1924 in der Natur.

und nachmittags ein bis zwei Stunden Chorgesang. Unter Hensels charismatischer Leitung wurden Chorsätze des 16. bis 18. Jahrhunderts (zum Beispiel Bachs Choral *Wie schön leuchtet der Morgenstern*) sowie alte Volkslieder in mehrstimmigen Sätzen einstudiert. Hinzu kamen einige Stücke mit politischen Konnotationen: Das »alte Kampflied« *Ein feste Burg ist unser Gott* in einem historisierenden Satz im Stil des 16. Jahrhunderts sowie zwei Chorsätze, die Hensel auf von pseudoreligiösem Nationalpathos triefende Texte des sudetendeutschen Dichters Ernst Leibl komponiert hatte: »Nun Gottes Deutschland wache auf!« und »Wir heben unsre Hände / aus tiefer bittrer Not. / Herr Gott, den Führer sende, / der unseren Kummer wende / mit mächtigem Gebot ...« An den Abenden wurde in einem benachbarten Schulhaus oder im Freien in unterschiedlichen Besetzungen gesungen und musiziert: Chorsätze, aber auch Kunstlieder und Kammermusikwerke des klassischen Repertoires. Eine wichtige Rolle spielten Aktivitäten in der freien Natur und die Beschwörung einer goldenen Vergangenheit. Morgens um 5.30 Uhr und abends um 10 Uhr erschallten aus dem Wald Trompetenrufe, um den Beginn und das Ende des Tages zu markieren. Direkt nach dem Aufstehen gab es Leibesübungen, ein kaltes Bad und eine Morgenandacht im Freien. Außerdem wurden mehrfach »Hans-Sachs-Spiele« veranstaltet, bei denen der Meistersinger höchstpersönlich in Erscheinung trat, mit »Staunen und Schmerz« von den gegenwärtigen Nöten der Deutschen erfuhr, wieder »frohen Mut« fasste, als er von den Finkensteiner Bestrebungen »nach einer Erneuerung unseres Volkes« hörte, und es sich nicht nehmen ließ, Walther Hensel abschließend zum »Meister« zu krönen.[164] Dass solche historischen Projektionen nicht nur dazu dienten, aus einer als defizitär empfundenen Gegenwart zu fliehen, sondern die imaginierte Vergangenheit zugleich als Mittel der kulturellen Selbstvergewisserung und als Legitimationsinstanz zu nutzen, ist offensichtlich.

In der Ankündigung hatte Hensel mit missionarischem Eifer verkündet: »Finkenstein soll kein bloßer Versuch bleiben, es soll ein begeisterter Anfang sein« – und auf der Grundlage seiner eigenen kulturpolitischen Überzeugungen hinzugesetzt: ein begeisterter Anfang »zur Befreiung des Urdeutschen, des Göttlichen in uns, vom Schutte der Unkultur durch die schöpferische Gemeinschaftskraft der Musik.«[165] Und tatsächlich wurde die Singwoche im Böhmerwald zum Ausgangspunkt einer dynamischen Bewegung, die schon bald in Deutschland Fuß fasste und neben den Aktivitäten der »Musikantengilden« um Fritz Jöde zum zweiten wichtigen Strang der deutschen Jugendmusikbewegung wurde.[166] Die Teilnehmer und Teilnehmerinnen der ersten wie auch späterer Singwochen waren zumeist musikalische Laien aus dem Mittel-

stand: Handwerker, Selbstständige, Bauern, Ärzte, Pfarrer, Studenten. Sie bildeten keine weltanschaulich homogene Gruppe, hatten unterschiedliche religiöse und politische Überzeugungen und waren nicht alle durch eine völkische Ideologie geprägte glühende Nationalisten und Kulturkritiker. Was sie jedoch über alle Unterschiede hinweg zusammenbrachte, waren die Suche nach einer sinnstiftenden Aktivität, der Wunsch, selbst zu musizieren, und die Erfahrung von gleichberechtigter Gemeinschaft im Chorgesang. »Alles war neu für uns, die Lieder und Sätze, das Zusammensingen, das gemeinsame Erarbeiten eines kleinen Kunstwerkes«, erinnerte sich später Karl Vötterle: »Wir sangen mit tiefem Ernst, denn das Singen war uns der Ausdruck unseres Lebensgefühls.«[167] Für den jungen Augsburger aus dem krisengeschüttelten Deutschland war die Reise nach Finkenstein zugleich eine Fahrt ins »Gelobte Land«: »So bescheiden das im Waschkessel der kleinen Waschküche gekochte Essen war – für uns [...] war ein Bottich voll Milch, waren Weißbrot und Kuchen ein sagenhafter Anblick.«[168] Angezogen fühlte sich Vötterle, wie er noch Jahrzehnte später freimütig bekannte, aber auch von dem damals weit verbreiteten, unerschütterlichen Glauben an die Bedeutung, Macht und Einzigartigkeit der (eigenen) Kultur: »Für uns Reichsdeutsche war es höchst eindrucksvoll zu erfahren, in welchem Maße geistige, geschichtliche und nicht zuletzt auch musikalische Werte unter den Deutschen im Grenzland hochgehalten wurden. Jene Zeit nach dem Ersten Weltkrieg hatte für uns im ›Reich‹ ja nicht nur die Inflation der Mark gebracht, sondern auch eine Abwertung all der

Gemeinsames Musizieren in der Waldsiedlung Finkenstein mit Walther Hensel an der Gitarre. Direkt rechts hinter dem »Meister« steht der 20-jährige Karl Vötterle.

Werte, die für die Existenz eines Volkes die Grundlage bilden.«[169] Und im *Bärenreiter-Jahrbuch* 1927 erklärte der 24-Jährige: »Der Verlag entstand in einer Zeit der schwersten inneren und äußeren Not des Volkes. Das ist sein erstes Kennzeichen: Die Unterdrückung des Deutschtums in den Sudetenländern war der Anfang einer neuen geistigen Strömung, der Finkensteiner Bewegung, die vor allem in der Pflege des echten deutschen Volksliedes das Deutschtum zu bewahren sucht.«[170]

Über die Sehnsucht nach Sinn, moralischem Halt, klaren Werten und stabiler Ordnung in einer Phase totaler Instabilität und die damit verbundenen Gefahren ist viel nachgedacht und geschrieben worden. »In Zeiten wie der heutigen zeigt sich [...] eine allgemeine Ungeduld und Enttäuschung«, konstatierte Hermann Hesse 1926 in einem Text über die »Sehnsucht unserer Zeit nach Weltanschauungen«: »Die Nachfrage nach neuen Formulierungen, neuen Sinngebungen, neuen Symbolen, neuen Begründungen ist unendlich groß.«[171] Die Finkensteiner Singwoche und die daraus hervorgehende Bewegung erfüllten dieses Bedürfnis nach Sinn, kultureller und nationaler Selbstvergewisserung und werteorientiertem Handeln. Attraktiv war sie für junge Menschen wie den Buchhandelsgehilfen Karl Vötterle, weil es hier nicht um bloßen Eskapismus ging – im Gegensatz zu vielen anderen weltanschaulich aufgeladenen Fluchtangeboten der Inflationszeit (man denke etwa an die sogenannten »Inflationsheiligen«, die sich als moderne Propheten generierten und ihre Anhängerschaft mit Erlösungs- oder Untergangsphantasien in teils ekstatische Rauschzustände versetzten).[172] Die »Flucht« in das gemeinsame Musizieren war vielmehr mit dem konkreten Vorhaben verbunden, gesellschaftlich wirksam zu werden. So heißt es zu Beginn der *Finkensteiner Blätter* in dem der Bewegung eigenen missionarischen Tonfall: »*Das Singen als solches* muß ins Volk getragen werden, muß allgemeines Gut werden.«[173] Ein zentraler Pfeiler war dabei die Gemeinschaftsideologie, ein Kerngedanke neokonservativer Bewegungen der Zwischenkriegszeit, zu denen auch die Jugendmusikbewegung zählte.[174] »Gemeinschaft war eines der magischen Worte der Weimarer Zeit«, konstatierte der Politikwissenschaftler Kurt Sontheimer in einer wegweisenden Studie: »Von der Gemeinschaft der kleinen Gruppe (= Bund) aufwärts bis zum Volk als letzter und höchster Gemeinschaft aller Deutschen reichte die Ausstrahlung eines Begriffs, über dessen Grenzen man sich nicht im Klaren war. Im Bereich des Politischen vermochte der Gemeinschaftsgedanke eine so nachhaltige Wirkung zu entfalten, weil Gemeinschaft Einheit, Stärke, Macht und innere Geschlossenheit verhieß, alles Dinge, an denen es der Weimarer Republik gebrach; aber auch weil der Gemeinschaftsgedanke dem in der Gesellschaft zum Massenartikel gewordenen Einzelnen wieder Geborgenheit,

Sicherheit, einen festen Ort im sozialen Gefüge und eine warme, heimelige Atmosphäre versprach.«[175]

Wie weit verbreitet und wirkungsmächtig dieser »Gemeinschaftsgedanke« damals in unterschiedlichen Schichten war, zeigt ein Blick auf die Familie Mann. Ende Juni 1923 beschrieb Thomas Mann in einer Rede zum ersten Todestag von Walther Rathenau hellsichtig die Dilemmata der Jugend, ihre berechtigte Enttäuschung über den totalen Werteverfall und die »zu Grabe sinkende bürgerliche Epoche« und ihre Sehnsucht nach Gemeinschaft, Bindung und dem »Absoluten«. Zugleich warnte er eindringlich vor der Gefahr, »daß diese Jugend durch Ideen ursprünglich echt revolutionärer Art dem politischen Obskurantismus, das heißt der Reaktion in die Arme getrieben« werde.[176] Sein 16-jähriger Sohn Klaus, der sicherlich nicht zum »politischen Obskurantismus« neigte und sich später äußerst kritisch mit der Jugendbewegung auseinandersetzte, besuchte zur selben Zeit noch die Odenwaldschule. Fasziniert von der jugendbewegten Gemeinschaftserfahrung hatte er das Schuljahr 1922/23 auf eigenen Wunsch in der durch den Wandervogel geprägten Reformschule verbracht. »Wer den Zauber dieser Daseinsform einmal gekostet hat, dem bleibt die Sehnsucht danach im Blute«, schreibt er in seinen *Erinnerungen*: »Ich wollte mehr davon. Mehr von diesen Freundschaften, diesen Diskussionen diesen Wanderungen und nächtlichen Reigen um romantische Feuer.«[177]

Aufbruch in »wirtschaftlich schlimmster Zeit«: Karl Vötterle gründet den Bärenreiter-Verlag

In seinen Erinnerungen *Haus unterm Stern* bemerkte Karl Vötterle: »Selten hat wohl ein Verleger so harmlos und ahnungslos angefangen wie ich.«[178] Dass diese Äußerung nicht als Koketterie eines erfolgreichen Musikverlegers zu verbuchen ist, sondern den Nagel ziemlich genau auf den Kopf trifft, wird klar, wenn man sich die Gründungsgeschichte des Verlags vergegenwärtigt. In der zweiten Jahreshälfte 1923 in »wirtschaftlich schlimmster Zeit« ausgerechnet mit dem Aufbau eines Musikverlages zu beginnen, mag auf den ersten Blick wie eine Torheit, wenn nicht gar wie eine ökonomische Harakiri-Aktion wirken.[179] Musikzeitschriften erschienen in diesen Monaten zum Teil seltener oder stellten ihren Betrieb zwischenzeitlich ganz ein, große Verlage erlitten auf dem deutschen Markt erhebliche Verkaufseinbußen und spendeten Notenmaterial an mittellose Musikerinnen und Musiker, und auch die Einnahmen aus urheberrechtlich geschützten Werken gingen aufgrund des zeitweise eingeschränkten Spielbetriebs zurück. Dass Vötterle dieses Husarenstück dennoch gelang, hängt mit dem ungewöhnlichen Profil des Unternehmens und seiner Entwicklung an der Peripherie des Musikalienmarktes zusammen. Entscheidende Faktoren waren in diesem Zusammenhang zum einen die Begegnung mit Walther Hensel, das »Finkenstein-Erlebnis« und die davon ausgehende Bewegung; zum anderen die Sozialisation, Tatkraft und Begeisterungsfähigkeit des jungen Verlagsgründers sowie sein unternehmerisches Geschick, seine Risikobereitschaft, seine unkonventionelle Vorgehensweise und das familiäre und soziale Netzwerk, in das er eingebettet war.

»Ohne Walther Hensel hätte kein Bärenreiter-Verlag von Bedeutung entstehen können«, betonte Karl Vötterle 1974 in einer Rede.[180] Zu dieser Zeit war das Volksliedsingen in Jugendkreisen längst passé. Im Verlagssortiment waren Volksliedsammlungen zu einem ökonomisch unbedeutenden Randprodukt geworden und die kritische Auseinandersetzung mit den ideologischen Grundlagen der Jugend(musik)bewegung, mit ihrer Rolle beim Aufstieg des Nationalsozialismus und mit den Aktivitäten eines Teils ihrer Repräsentanten im Hitler-Deutschland hatte bereits Fahrt aufgenommen.[181] Dass der Verleger dennoch nicht müde wurde, seine Verbundenheit zu Hensel und zur Jugendbewegung zum Ausdruck zu bringen, macht deutlich, von welch nachhaltiger Bedeutung diese Erfahrungen für ihn gewesen sein müssen.[182] Geboren am 12. April 1903 in Augsburg, wuchs Karl Vötterle in einfachen Verhältnissen auf. Der Vater war gelernter Maurerpolier und übernahm 1909 einen Posten bei der städtischen Bauaufsicht, der der Familie ein zwar bescheidenes, aber gesichertes Einkommen garantierte. Bereits mit zehn Jahren trat der aufgeweckte Junge in die örtliche Wandervogelgruppe ein. Folgt man Vötterles späterer Selbstdarstellung, vollzogen sich entscheidende Bildungsprozesse für seinen weiteren Lebensweg, darunter seine musikalische Sozialisation, in diesem informellen Rahmen: »Die Schule war Beiwerk, deren Sinn ich nicht begriff. Geprägt hat mich die Gemeinschaft der Jugend.«[183] Mit diesem »Beiwerk« war es allerdings früher als erwartet vorbei. Zwar gelang es Vötterle, von einer privaten Handelsschule, für die die Eltern im Zuge der sich zuspitzenden Inflation das Schulgeld nicht mehr aufbringen konnten, auf die Oberrealschule zu wechseln, doch der Konflikt mit einem Lehrer, den der selbstbewusste Schüler nach eigener Auskunft als »Saulacke« tituliert hatte, beendete vorzeitig seine Schullaufbahn. Wenige Wochen vor seinem 19. Geburtstag begann Vötterle am 1. März 1922 mit einem Volontariat in einer Augsburger Buchhandlung. Dort lernte er »alle im Sortiment vorkommenden Arbeiten kennen« und wurde aufgrund seines großen »Interesses« und »Pflichteifers« ein Jahr später vom Inhaber Robert Reuß zum »Gehilfen« befördert.[184] Etwa zur selben Zeit kam es im Rahmen einer Veranstaltungsreihe, die der Buchhandelslehrling für die Augsburger Jugend organisierte, zu jener als »schicksalhaft« beschriebenen ersten Begegnung mit Walther Hensel. Gemeinsam mit seiner Frau bestritt dieser im Frühjahr 1923 einen Vortrags- und Liederabend und hinterließ damit offensichtlich einen so nachhaltigen Eindruck, dass Vötterle in einem Augsburger »Fabrikvorort« eine eigene Singgruppe ins Leben rief, das Ehepaar Hensel bereits kurz darauf ein zweites Mal nach Augsburg holte und bei diesem erneuten Zusammentreffen eine Einladung zur Teilnahme an der Finkensteiner Singwoche erhielt.[185]

Dass der Aufenthalt im abgeschiedenen Böhmerwald für Vötterle so produktiv wurde, ist zweifellos der Tatsache geschuldet, dass er nicht mit leeren Händen, sondern mit einer konkreten Idee nach Finkenstein kam. Wie er in seinen Erinnerungen berichtet, hatte er im Rahmen seiner neuen Tätigkeit als Singgruppenleiter damit begonnen, ihm geeignet erscheinende Lieder aus verschiedenen Sammlungen herauszuschreiben, diese mithilfe einer Matrize zu vervielfältigen und den Sängern in Form einer Liedermappe zur Verfügung zu stellen. Noch vor dem Sommer fasste der 20-Jährige den Entschluss, dieses Projekt auszuweiten und die Liedermappen-Idee zur Grundlage einer professionellen »Liederzeitschrift« zu machen. Bei Hensels zweitem Augsburg-Gastspiel konnte er diesen für seine Pläne gewinnen. Hensel erklärte sich bereit, die Herausgeberschaft zu übernehmen, und verschaffte dem jungen Verleger, noch bevor das Vorhaben in die Tat umgesetzt war, die ersten Subskribenten. Als Vötterle Mitte Juli den Teilnehmern der Finkensteiner Singwoche seine Liederblatt-Idee »mit klopfendem Herzen« vorstellte, waren diese nämlich nicht nur begeistert, sondern sicherten ihm überdies ihre Unterstützung zu: »Alle [...] bestellten fünf, zehn und zwanzig Stück. Um die Mühen der Geldüberweisung zu sparen, gaben sie mir gleich ein paar Kronen mit. Ich hatte unerwartet ein kleines Betriebskapital von siebzig tschechischen Kronen.«[186] Bereits acht Wochen nach Ende der ersten Singwoche meldete das *Börsenblatt für den Deutschen Buchhandel* in einer schlichten Anzeige das Erscheinen des ersten Heftes der *Finkensteiner Blätter*, ein »lebendiges Liederbuch in monatlicher Folge«, verlegt in Augsburg-Aumühle vom Bärenreiter-Verlag. Das achtseitige erste Heft – »Preis nicht mitgeteilt« – könne in Deutschland direkt beim Verleger erworben werden und werde in der Tschechoslowakei vom Böhmerland-Verlag vertrieben.[187]

Blickt man aus heutiger Perspektive auf Vötterles Vorgehensweise bei der Verlagsgründung zurück, drängt sich trotz aller Unterschiede der Vergleich mit einem modernen Start-up auf: die konsequente Entwicklung einer Geschäftsidee, der unkonventionelle Ansatz bei ihrer

Umsetzung, die Erschließung eines neuen Marktes und das rasante Tempo, in dem sich dieser Prozess und die Unternehmensentwicklung vollzogen. Zugute kamen dem noch nicht volljährigen Unternehmer (unbeschränkt geschäftsfähig wurde man damals erst mit 21 Jahren) neben seiner Unbedarftheit zweifellos auch seine jugendliche Flexibilität. Während insbesondere in der älteren Generation viele Menschen – darunter auch Vötterles Eltern – ihr angespartes Vermögen verloren, weil sie ihre Umgangsweise damit nicht rasch genug ändern konnten oder wollten, fiel es Jüngeren in der Regel leichter, sich auf die neue Situation einzustellen.[188] Zwar war Vötterle weder ein Spekulant noch ein »Raffke«, sondern ein auf traditionelle Werte setzender, von einer kulturellen und kulturpolitischen Vision geleiteter junger Mann. Die außergewöhnlichen ökonomischen Bedingungen der Hyperinflation hatte er allerdings schnell durchschaut und verstand sie geschickt für sein Projekt zu nutzen. Was das finanzielle Gründungskapital betraf, das äußerst bescheiden war, setzte er auf wertbeständige ausländische Valuta. Es umfasste neben den 70 tschechischen Kronen, die ihm die ersten Subskribenten in Finkenstein mitgegeben hatten, lediglich den Rest seines Reisegeldes: »Als ich die übriggebliebenen Reisekronen daheim umwechselte, wollte mir die Bank viel mehr als den vom Vater mitgegebenen Geldbetrag auszahlen. Da merkte ich, daß die Tschechenkrone ihren Wert behalten hatte, während die Mark weiter abgefallen war. Ich ließ mir nur das Nötigste auszahlen und behielt den Rest.«[189] Hinzu kam die Investition in Sachwerte. So erwarb er für die Verlagskorrespondenz mit einem Bankdarlehen eine teure Schreibmaschine, deren Wert sich bereits am nächsten Tag verdoppelt hatte.[190] Das »eigentliche Gründungskapital« des Verlages bestand jedoch – wie Vötterle später betonte – aus dem Vertrauen und der Unterstützung, die der 20-Jährige von den Eltern, von Freunden aus dem Umfeld des Wandervogels sowie von einigen Augsburger Firmen erhielt.

Als Verlagssitz und erste Produktionsstätte des Bärenreiter-Verlags diente die elterliche Wohnung im dritten Obergeschoss eines vom Vater miterbauten Mietshauses, »das nach der Gastwirtschaft

Erstausgabe der *Finkensteiner Blätter*. Das Logo gestaltete der bekannte Grafiker Bruno Goldschmitt für den Freundschaftspreis von einer Goldmark: »die bescheidenste Honorarforderung, die ich je bekam« (Karl Vötterle).

im Erdgeschoß die ›Aumühle‹ genannt wurde. Mich bewog das, in die ersten Veröffentlichungen des Verlages kühn ›Augsburg-Aumühle‹ zu drucken. Ich fand, das klänge ganz gut.«[191] Angefertigt wurde das erste Heft der *Finkensteiner Blätter* nach Arbeitsschluss in Handarbeit. Abendelang schnitt und falzte man im Freundeskreis die bei der Papiergroßhandlung Hartmann & Mittler gekauften und von der Druckerei Hieronymus Mühlberger bedruckten Liedblätter. Bei der Produktion der Sammelmappen für das »lebendige Liederbuch« war die Mutter des jungen Verlegers behilflich. Sie »hat die Kordeln genäht, bis nach und nach solche Arbeiten in geregeltere Bahnen gelenkt wurden.«[192] Ungewöhnlich war schließlich auch der Name, den Vötterle seinem Unternehmen gab, und die grafische Gestaltung des Verlagszeichens durch den Münchner Maler und Illustrator Bruno Goldschmitt. Statt den Verlag wie in der Branche üblich nach sich selbst zu benennen, wählte er einen Namen, der die autobiographische und ideelle Verhaftung des Projekts im Wandervogel zum Ausdruck bringt. So steht »Bärenreiter« für den Stern Alkor im Sternbild des Großen Bären, der auch als »das Reiterlein« bekannt ist. Alkor befindet sich direkt oberhalb des Schulter-Sterns Mizar. Da er mit bloßem Auge gerade noch zu erkennen ist, gilt er auch als »Augenprüfer«. »Wann Abend geworden ist und die Sterne zu sehen sind, sucht das Auge der Vertrauten das Reiterlein und die Freunde gedenken einander«, erklärte Vötterle dazu im ersten Verlagskatalog: »Weil wir alle in gleicher Weise an der Not unserer Zeit tragen und in gleicher Weise aufbauende Arbeit tun wollen, steht der Verlag unter dem gemeinsamen Zeichen.«[193] Mit dem Namen für sein Unternehmen bezog sich der junge Verleger also auf ein hochsymbolisches und emotionsbehaftetes Bild, das programmatisch für die im Wandervogel erfahrene Gemeinschaft, die eigenen Ambitionen und das ideelle Programm des Verlages steht.

Dass es Vötterle gelang, auf dem Musikalienmarkt innerhalb weniger Jahre Fuß zu fassen, obwohl er nicht aus der Branche kam und über kein verlegerisches Vorwissen verfügte, ist vor allem dem spezifischen Profil seines Unternehmens geschuldet. Statt sich in der Anfangszeit mit Drucken klassischer Werke in Konkurrenz zu renommierten Musikverlagen zu begeben, entwickelte er mit den *Finkensteiner Blättern* zunächst ein Produkt, das sich gezielt an eine neue Käuferschicht richtete. So wurden durch die Singbewegung »Menschen mit Musik in Berührung

In seiner ursprünglichen Form versinnbildlicht das Verlagslogo auch Vötterles eigene Ambitionen: »Im Bären sah ich die Welt, der Junge, der [...] nach dem Stern greift, sollte natürlich ich sein.«

gebracht, die bis dahin kaum Käufer von Noten oder Musikbüchern gewesen waren.«[194] Garanten für den nachhaltigen Erfolg waren dabei der Herausgeber Walther Hensel, das gewählte Format und Vötterles unermüdlicher Einsatz für die Verbreitung der Finkenstein-Idee. Konzipiert als »lebendiges Liederbuch« verstanden sich die *Finkensteiner Blätter* als »eine Art Elementarschule zur Pflege des Volksliedes«,[195] als Quelle jugendbewegter Erneuerung und als Instrument, um Hensels Ideen und die dahinterstehenden kulturpolitischen Überzeugungen zu propagieren. So enthielt jedes Heft nicht nur einige Lieder in historischen oder historisierenden mehrstimmigen Sätzen, sondern auch von Hensel verfasste erläuternde Texte zu liedspezifischen und allgemeinen Themen (»Volkslied und Jugend«, »Kindergesang«, »Klampfe oder Laute«, »Deutsche Weihnacht im Liede« etc.). Zum gewählten Format heißt es in einem Verlagsprospekt: »Durch die Lochung ist in glücklicher Weise der Vorteil des Flugblattes, billiger Preis und eine volle Ausnutzung des Inhalts, mit dem des Buches, Haltbarkeit und geordnete Zusammenfassung, vereint.«[196]

In den ersten Monaten war das Interesse an der neuen Liedersammlung wohl nicht so groß, wie der junge Verleger gehofft hatte. Doch schon bald wendete sich das Blatt. Ende 1924 warb der Verlag in seinem ersten Jahreskatalog bereits damit, dass die *Finkensteiner Blätter* »in jeder Buch- oder Musikalienhandlung« zum Stückpreis von 20 Pfennig einzeln erworben oder subskribiert werden könnten, und bot den gesammelten ersten Jahrgang in drei verschiedenen Ausführungen an: zweifarbig, »in Leinwand gebunden«, »in Javamappe« oder »kartoniert«.[197] Ein halbes Jahr später belief sich die Zahl der gedruckten Liedblätter bereits auf 500 000 Exemplare.[198] Hinter diesem Erfolg stand die rasante Ausbreitung des Singwochen-Konzepts auf ganz Deutschland. So hatten die Finkensteiner bis zum Winter 1925/26 bereits mehr als 30 Singwochen mit jeweils »bis zu 100 Teilnehmern veranstaltet.[199] Eine federführende Rolle bei diesem Prozess spielte Karl Vötterle in seiner Doppelfunktion als Verleger und Organisator. Kurz nach Erscheinen des ersten Heftes der *Finkensteiner Blätter* hatte mitten im krisengeschüttelten Oktober 1923 unter seiner Ägide in Augsburg die erste »Abendsingwoche« der Finkenstein-Bewegung im Deutschen Reich stattgefunden.[200] Das »Honorar für Walther und Olga Hensel« reichte »auf dem Höhepunkt der Inflation [...] gerade für ein paar Brötchen.«[201] Mit Jahresende schied der Buchhandelsgehilfe »dann auf eigenen Antrieb« aus dem Geschäft von Robert Reuß aus, »um sich verlegerischer Tätigkeit zuzuwenden.«[202] Einige Tage nach seinem 21. Geburtstag, als sich die ökonomische und politische Situation in Deutschland schon wieder stabilisiert hatte und er im vollen Umfang geschäftstüchtig geworden war, meldete er am 25. April 1924 in seiner Heimatstadt den Bärenreiter-Verlag als Gewerbe an.[203] Als das Unternehmen 1927 von Augsburg nach Kassel umsiedelte, hatte Vötterle 14 Mitarbeiterinnen und Mitarbeiter und eine kleine Druckerei. Und auch die Transformation des Verlags von einer treibenden Kraft der Singbewegung an der Peripherie des Musikalienmarktes zu einem großen Musikverlag mit Schwerpunkten im Bereich der älteren Musik und des Musikbuchs war bereits in vollem Gang.

Selbsterneuerung eines Immigranten
Igor Strawinskys Metamorphosen

*Zwei legendäre Uraufführungen ··· Zwischen Paris und Biarritz ··· Coco
Chanel und »Le tout Paris« bei der »Noces«-Premiere ··· Verbündete in
der alten und neuen Geschmacksaristokratie ··· Komponieren im Zeichen
von Heimatverlust und Emigration ··· Reduktion und Abstraktion: Die
klanglichen Metamorphosen des »Noces«-Projekts ··· »Schmerzhaft, burlesk und bewegend«: Nijinskas sozialkritische »Noces«-Choreographie ···
Vorwärts zu Bach: Neoklassizistische Spiele mit der Geschichte im
Oktett ··· Strawinsky, ein »westlicher Meister«? ··· Nostalgie, ironische
Distanz und die »Gefühlswunden« der Emigration*

Als Igor Strawinsky vier Jahre vor Ausbruch des Ersten Weltkriegs seinen kometenhaften Aufstieg begann, war auch Maurice Ravel zugegen.
Am 25. Juni 1910 saß der französische Komponist in der bis auf den letzten Platz gefüllten Pariser Oper, um den Eröffnungsabend der zweiten
Saison der Ballets Russes mitzuerleben. Auf dem Programm stand die
Uraufführung eines auf russischen Märchen basierenden Handlungsballetts des Choreographen Michel Fokine mit dem Titel *Der Feuervogel*. Vor
Beginn der Vorstellung war der junge Komponist aus Sankt Petersburg,
der im Auftrag des wirkungsmächtigen Impresarios Sergei Diaghilev die
Musik geschrieben hatte, ein Unbekannter. Doch am Ende des Abends
tobte das aus Angehörigen der Oberschicht und der kulturellen Eliten
bestehende Premierenpublikum. Diaghilev hatte mit dem ersten neo-
nationalistischen Gesamtkunstwerk im Bereich des russischen Balletts
einen Coup gelandet, der ihn ermutigte, die als reaktionär verschriene
Gattung ins Zentrum seiner zukünftigen Aktivitäten in Westeuropa zu
stellen. Die Ballets Russes begründeten ihren Ruf als Laboratorium der
Moderne, das Künstler und Künstlerinnen aus den Bereichen Tanz, Musik
und bildende Kunst zusammenbrachte, um die Tanzkunst zu revolutio-
nieren und in kunstformübergreifenden Produktionen neue Wege zu
erproben. Der Name Strawinsky war fortan in aller Munde. Und Ravel –
ein ausgesprochener Bewunderer von Strawinskys Lehrer Nikolai Rimski-
Korsakow – schrieb postwendend an einen Freund: »Alter Junge, Sie
müssen sofort Ihre Pantoffeln abstreifen. Das reicht über Rimski hinaus.
Kommen Sie schnell, ich erwarte Sie, um ein weiteres Mal zum *Feuervogel* zu gehen.«[1] Seit diesem spektakulären Einstand verpasste Ravel
kaum eine Strawinsky-Premiere. Darüber hinaus kamen sich beide Komponisten auch persönlich näher und entwickelten ein von kollegialem
Respekt geprägtes freundschaftliches Verhältnis.

Zwei legendäre Uraufführungen

Am 13. Juni 1923, als die Ballets Russes ihre 16. Pariser Saison mit einem neuen Werk Strawinskys eröffneten, fehlte Maurice Ravel allerdings im Publikum. Statt der mit Spannung erwarteten Premiere von *Les Noces* (»Die Hochzeit«) beizuwohnen, saß er mit einem schmerzenden Fuß in seiner Villa in der westlich von Paris gelegenen Kleinstadt Montfort-l'Amaury. Erst das mehrfache Drängen seines engen Vertrauten Roland-Manuel konnte ihn dazu bewegen, die »Pantoffeln abzustreifen«, den gerade operierten Fuß von seinem Arzt mit einer Kokainspritze ruhigstellen zu lassen (die Substanz war damals noch ein beliebtes Schmerzmittel) und am 21. Juni zur letzten Vorstellung in das Théâtre de la Gaîté-Lyrique zu humpeln. »Sie hatten recht, *Les Noces* ist ein wunderbares Werk«, schreibt er kurz darauf an Roland-Manuel: »Ich glaube sogar, dass es das bislang größte Werk Strawinskys ist, und die Präsentation ist ebenfalls eines der Meisterwerke der Saison Russe. Ich schulde Ihnen Dank, denn ohne Ihr Insistieren wäre mir diese große Freude vermutlich entgangen.«[2]

Mit seiner Begeisterung stand Ravel nicht allein da. Während Strawinskys im Jahr zuvor uraufgeführte parodistische Oper *Mavra* eine heftige Kontroverse ausgelöst hatte, wurde *Les Noces* (russisch *Swadebka*) schul- und generationsübergreifend gefeiert. Der rituelle Charakter des knapp 25-minütigen Bühnenwerks, seine Verwurzelung in der russischen Folklore, die ungeheure rhythmische Kraft der Musik und ihr fesselndes Klangprofil riefen Erinnerungen an das zehn Jahre zuvor aus der Taufe gehobene »Choreodram« *Le Sacre du printemps* wach. Zugleich waren die »choreographierten russischen Szenen mit Tanz und Musik« – so der ungewöhnliche Untertitel von *Les Noces* – trotz ihrer folkloristischen Wurzeln von schockierender Modernität. So heißt es in einer Besprechung von Paul Dukas, der zu den zahlreichen französischen Komponisten gehörte, die sich damals auch als Musikkritiker betätigten: »Dies ist ein seltsam kraftvolles Werk, das vielleicht seltsamste und kraftvollste, das wir gesehen und gehört haben, seitdem es tanzende Russen gibt. Als Bühnenstück sprengt es jeglichen Rahmen und entzieht sich allen Klassifizierungen [...]. Die Musik bricht nicht nur mit jeder Tradition, sondern erschüttert selbst die gewagtesten Vorstellungen der kühnsten Neuerer [...]. Es ist daher nicht einfach, all jenen eine klare Vorstellung von Strawinskys neuem Werk zu vermitteln, die es nicht selbst im Theater erlebt haben.«[3]

Tatsächlich war die geschichtsträchtige Uraufführungsproduktion von *Les Noces* selbst für die Augen und Ohren des an Novitäten gewöhnten Pariser Publikums voller Überraschungen. Eingerahmt von zwei Klassikern der Ballets Russes aus der Vorkriegszeit – Strawinskys *Petruschka* (1911) und Borodins *Prinz Igor* (1909) – erlebten Zuhörerinnen und Zuhörer ein experimentelles Bühnenstück mit rituellem Charakter, das Kernelemente einer dörflichen Bauernhochzeit im alten Russland nicht als Handlungsballett, sondern als abstrakte Collage präsentiert. Die Tänzerinnen und Tänzer, choreographiert von Bronislava Nijinska, agierten in einem von Natalia Gontscharova gestalteten kulissenlosen Bühnenraum, der den Eindruck einer »überdimensionierten Filmleinwand« erweckte. Im Orchestergraben befanden sich der Chor und die vier Gesangssolisten und -solistinnen, die die verschiedenen Figuren der Hochzeitszeremonie (Braut, Bräutigam, Eltern, Heiratsvermittler, Gäste) musikalisch verkörperten und dabei zwischen unterschiedlichen Rollen hin- und herwechselten. Der Part des Bräutigams wird beispielsweise an manchen Stellen vom Tenor, an anderen vom Bass gesungen. Und auch die Zusammensetzung des teils auf der Bühne, teils im Graben platzierten instrumentalen Klangkörpers war verblüffend: ein Perkussionsorchester bestehend aus vier Klavieren und unterschiedlichen Schlaginstrumenten. Erschüttert vom »unvergesslichen« Eindruck des Werkes und ratlos, wie sich die elementare Kraft von *Les Noces* mit der irritierenden Erfahrung der ironischen Musik zu *Mavra* zusammenbringen ließe, konstatierte der einflussreiche Musikkritiker Émile Vuillermoz am 18. Juni in einer Pariser Tageszeitung: »Die Richtung von Strawinskys zukünftigem Stil, einem unruhigen und stürmischen Musiker, der unter keinen Umständen Gefangener seiner Erfolge oder Sklave eines Rezepts oder einer Clique sein möchte, bleibt daher rätselhafter als je zuvor.«[4]

Vuillermoz sollte mit dieser Diagnose Recht behalten. Auf den Tag genau vier Monate später wurde das Pariser Publikum ein weiteres Mal von Strawinskys atemberaubender Wandlungsfähigkeit überrascht. Am 18. Oktober präsentierte der russische Komponist im Rahmen der vielbeachteten Concerts Koussevitzky ein neues Instrumentalwerk: das kurz nach Abschluss der *Noces*-Partitur vollendete *Octuor*. Anlass zu Irritationen bot bereits die Szenerie, in der diese zweite Strawinsky-Premiere des Jahres 1923 stattfand. So erklang das kammermusikalische Werk für acht Holz- und Blechblasinstrumente im Pariser Opernhaus inmitten eines großen sinfonischen Konzerts, das mit einer Aufführung von Beethovens *Eroica* endete – vorgetragen von einem »Orchestre de 100 Musiciens« unter Leitung von Sergei Koussevitzky. Und auch die überladene Architektur des Palais Garnier mit seiner monumentalen Bühne, tonnenschweren Kristallleuchtern und 1900 samtbezogenen Sitzen stand in denkbar größtem Gegensatz zu Strawinskys neuem Stück: Eine scheinbar »harmlose« Komposition, durchzogen von einem Tonfall spielerischer Ironie, ein »Divertissement«, das die Hörerinnen und Hörer weder überwältigen noch in einen Zustand fieberhafter Erregung versetzen möchte, sondern vielmehr darauf abzielt, sie auf geistreiche Weise zu unterhalten.

Hoch oben auf der Galerie saß an diesem Abend der 22-jährige amerikanische Komponist Aaron Copland. Noch Jahrzehnte später erinnerte er sich an den Schock, den das neue Werk des »Helden seiner Studentenzeit« auslöste: »Jener Strawinsky, der einen ganz eigenen, auf russischen Quellen basierenden neoprimitiven Stil geschaffen hatte – einen Stil, der nach allgemeiner Meinung der originellste in der modernen Musik war – vollzog plötzlich, ohne jede scheinbare Erklärung, eine Kehrtwende [...]. Alle fragten sich, warum Strawinsky sein russisches Erbe gegen etwas eintauschte, das wie ein Durcheinander von Manierismen des 18. Jahrhunderts wirkte. Das Ganze erschien wie ein schlechter Witz.«[5] Auch wenn diese stilistische Neuausrichtung nicht so unvermittelt und unvorhersehbar war, wie Copland im Rückblick suggerierte, lenkt sein Bericht die Aufmerksamkeit auf einige zentrale Fragen, die für das Verständnis von Strawinskys Leben und Schaffen im Jahr 1923 und darüber hinaus bedeutsam sind: Was steckt hinter dem Changieren des Komponisten zwischen unterschiedlichen künstlerischen Identitäten und musikalischen Masken? In welchem Maße wurden Strawinskys Komponieren und seine Existenz durch seine russischen Wurzeln und seinen Immigrantenstatus geprägt? Wie positionierte er sich im kosmopolitischen Paris der frühen 1920er-Jahre? Und sind die musikalischen Welten von *Les Noces* und dem Oktett tatsächlich so weit voneinander entfernt, wie es auf den ersten Blick erscheinen mag?

Zwischen Paris und Biarritz

Der Wechsel zwischen unterschiedlichen Welten prägte im Jahr 1923 sowohl Strawinskys Komponieren als auch seine gesellschaftliche und private Existenz. Geographisch pendelte er zwischen der Millionenmetropole Paris und der im äußersten Südwesten Frankreichs gelegenen Kleinstadt Biarritz. In dem ehemaligen Fischerdorf hatte die russische Großfamilie – finanziell unterstützt von Coco Chanel – im Sommer 1921 eine Villa in unmittelbarer Nähe zum Strand bezogen: das Chalet Les Rochers. Als Familiensitz bot Biarritz gleich mehrere Vorteile: Abgeschiedenheit und Ruhe zum Komponieren, gute Luft für Igors lungenkranke Ehefrau Jekaterina (genannt Katja) sowie die Einbettung in eine russische Community. Bereits vor den politischen Umwälzungen des Ersten Weltkriegs waren wohlhabende Russen in den mondänen Kurort an der

Strawinsky in kosmopolitischem Outfit in einer Bar in Monte Carlo, fotografiert im April 1923 von seiner Geliebten Vera de Bosset.

baskischen Küste geströmt. Im Zuge des Exodus, der durch die Revolution und die Bürgerkriege ausgelöst worden war, wuchs die russische »Kolonie« nahe der spanischen Grenze in den frühen 1920er-Jahren noch weiter an. Eine 1892 eingeweihte prachtvolle orthodoxe Kirche, keine 300 Meter vom Chalet Les Rochers entfernt, ermöglichte den Emigrantinnen und Emigranten, ihren Glauben zu praktizieren. Unterhaltung und Zerstreuung fanden sie unter anderem im Château Basque, einem russischen Restaurant und Kabarett, das Katjas Bruder Grigory Belyankin 1923 in der auf den Klippen gelegenen Villa Belza eröffnete.

Die Belyankins waren Teil der russischen Großfamilie, die neben dem Ehepaar Strawinsky und ihren vier Kindern das Chalet bevölkerte. Hinzugekommen war kurz vor dem Jahreswechsel außerdem die Mutter des Komponisten. Im Gegensatz zu ihrem Sohn hatte Anna Strawinsky Russland vor Kriegsausbruch nicht verlassen. In Petersburg erlebte sie den Untergang des alten Russland, den brutalen Bürgerkrieg und den Aufstieg der bolschewistischen Partei. Erst im November 1922 kehrte sie ihrem Heimatland mit einem mühsam erkämpften Visum endgültig den Rücken – auf einem Dampfer gemeinsam mit zahlreichen Intellektuellen und anderen regimekritischen Köpfen, die Lenin nach der Devise »Verbannung statt Erschießung« aus dem »ersten sozialistischen Land der Erde« vertrieben hatte.[6] Durch ihre Anwesenheit wurde die Omnipräsenz des Russischen im Hause Strawinsky zweifellos noch verstärkt. Wie viele Emigranten der ersten Generation hatte die Familie in ihren eigenen vier Wänden eine Art »Kleinrussland« geschaffen.[7] Die russische Sprache und Kultur (im weitesten Sinne des Wortes) fungierten in diesem privaten Rahmen als gemeinschaftsbildendes und identitätsstiftendes Element. Zugleich erzeugte dieses geteilte kulturelle Erbe auch innerhalb der Emigrantengemeinde – trotz aller vorhandenen politischen und sozialen Differenzen – ein starkes Gefühl der Zusammengehörigkeit und Verbundenheit.[8]

Auch im kosmopolitischen Paris, dem zentralen Schauplatz der öffentlichen Existenz Igor Strawinskys, gab es eine bedeutende russische Community. Die französische Hauptstadt, bereits im 19. Jahrhundert ein Mekka für den Finanzadel und die kulturelle Elite des Zarenreichs, war zu Beginn der 1920er-Jahre neben Berlin und Prag zu einem Zentrum der russischen Diaspora in Europa geworden. Unter den rund 400 000 Immigranten, die damals die Dreimillionenstadt bevölkerten, bildeten die ca. 45 000 Russinnen und Russen die drittgrößte Fraktion. Innerhalb dieser Gruppe, die laut Vladimir Nabokov einer »auf dem Kopf stehenden Pyramide der Gesellschaft des vorrevolutionären Russland« glich (das heißt, die alten Eliten waren deutlich überrepräsentiert), führte Strawinsky zweifellos eine äußerst privilegierte Existenz.[9]

Allerdings hatte er auch 1923 noch mit größeren finanziellen Schwierigkeiten zu kämpfen, denn obwohl er sich hartnäckig um zahlungswillige
Verleger, hochdotierte Kompositionsaufträge und lukrative Engagements
als Dirigent bemühte, konnte er den Unterhalt seiner Großfamilie und
den kostspieligen Lebenswandel, zu dem er neigte, zeitweilig nur mit
der Unterstützung wohlgesinnter Förderinnen und Förderer garantie-
ren. Hierzu zählte neben einer anonymen »Madame« aus Philadelphia,
hinter der sich vermutlich der amerikanische Dirigent Leopold Stokowski verbarg, auch der Schweizer Musikmäzen und Amateurklarinettist
Werner Reinhart. »Haben Sie Reinhart gesehen und über die Frage gesprochen, die mich interessiert«, schrieb Strawinsky Mitte Mai, sichtlich
beunruhigt, dem befreundeten Dirigenten Ernest Ansermet: »Denn der
Zustand meiner Finanzen ist nach wie vor kritisch.«[10] Im Vergleich zu
den legendären russischen Taxichauffeuren, die in ihrem Heimatland
Gutsbesitzer gewesen waren, den ehemaligen Offizieren, die nun in den
Autowerken von Renault arbeiteten, und vielen anderen Immigrantin-
nen und Immigranten, die noch weitaus größere Schwierigkeiten hatten,
sich in Paris durchzuschlagen, waren die finanziellen Unsicherheiten
des Komponisten jedoch ein Luxusproblem.

Wer Strawinsky 1923 in Paris aufsuchen wollte, musste sich in die
im Norden der Stadt gelegene Rue de Rochechouart zum Hauptsitz von
Pleyel begeben. Im Dachgeschoss der traditionsreichen Klaviermanu-
faktur hatte er zu Beginn des Vorjahres ein mit allerlei Schlag- und
Tasteninstrumenten vollgestelltes Studio bezogen.[11] Dieses ungewöhnliche Domizil war für den Komponisten, der für die schöpferische Tätigkeit Abgeschiedenheit und den direkten Kontakt zum Klang brauchte,
eine ideale Wohn- und Arbeitsstätte. Hier konnte er zu jeder Tages- und
Nachtzeit am Klavier experimentieren, ohne gestört zu werden oder
auf andere Rücksicht nehmen zu müssen. Zugleich ermöglichte ihm
der umtriebige Direktor der Firma, Gustave Lyon, seine Passion für me-
chanische Klaviere auszuleben. So umfasste das breite Sortiment von
Pleyel damals nicht nur herkömmliche Flügel und Klaviere, sondern
auch verschiedene Cembalomodelle, einen Doppelflügel mit zwei gegenüberliegenden Tastaturen, der bei der Uraufführung von *Les Noces* zum
Einsatz kam, sowie das von Lyon entwickelte Pleyela. Wie zeitgenössische Fotos und Berichte belegen, stand mindestens eines dieser pneu-
matisch betriebenen Selbstspielklaviere, die von einer gelochten Noten-
rolle gesteuert werden, im Studio des Komponisten.

Dass Strawinsky 1923 einen beträchtlichen Teil seiner Zeit in der
Seine-Metropole verbrachte und gelegentlich sogar im Wochentakt zwischen Biarritz und Paris hin- und herpendelte, war nicht nur der Arbeit
und seinen gesellschaftlichen Verpflichtungen, sondern auch Vera de

Bosset geschuldet. Im Sommer 1921 hatte der Komponist eine leidenschaftliche Liebesbeziehung mit der um sechs Jahre jüngeren kosmopolitischen Russin begonnen. Schon bald trennte sich Vera von ihrem damaligen Ehemann, dem Maler und Bühnenbildner Sergei Sudeikin. Igor hingegen blieb bei seiner Familie und zwang seiner Ehefrau auf, sich mit der neuen Situation zu arrangieren. Für fast zwei Jahrzehnte führte er ein Leben zwischen zwei Frauen, das erst mit dem Tod Katja Strawinskys im März 1939 und der Hochzeit mit der langjährigen Geliebten im darauffolgenden Jahr ein Ende fand.[12]

Es liegt nahe, Igor Strawinskys emotionales Doppelleben mit seiner allgemeinen Situation in Verbindung zu bringen. So stehen Jekaterina Strawinsky (geb. Nosenko) und Vera de Bosset sinnbildlich für die beiden Pole, zwischen denen sich seine private und öffentliche Existenz in der Zwischenkriegszeit bewegte. Auf der einen Seite die emotionale Verhaftung im alten Russland und das Leben in einer russischen Großfamilie als Ehemann, Vater und Familienoberhaupt. Auf der anderen Seite das Dasein eines gefeierten Komponisten, der seine russischen Wurzeln in der Öffentlichkeit zunehmend verschleierte und darauf erpicht war, als weltgewandter Kosmopolit und Leitfigur der internationalen Moderne in Erscheinung zu treten. Für diese repräsentative öffentliche Existenz war die ebenso charismatische wie stilbewusste Vera de Bosset eine ideale Partnerin. Als Schauspielerin, Tänzerin und Kostümbildnerin kannte sie die Welt des Theaters und der Ballets Russes aus einer Innenperspektive. Im Frühjahr 1923 übernahm sie bei den ersten Proben zu *Les Noces* die Rolle der Braut, musste sich aufgrund einer Krankheit dann allerdings zurückziehen. Im Herbst begann sie mit der Anfertigung von Kostümen für eine szenische Produktion der *Geschichte vom Soldaten*. Als Inkarnation der modernen großstädtischen Frau eröffnete sie wenig später eine Boutique für Mode und Theateraccessoires im schicken 8. Arrondissement in unmittelbarer Nähe der Champs-Élysées.

Einen Einblick in Strawinskys gesellschaftliche Existenz und das Leben des Paares im Jahr 1923 geben kurze Tagebuchnotizen Veras und private Fotografien.[13] Auf der gemeinsamen Agenda standen Konzert-,

Doppelleben. Das Paar Igor Strawinsky und Vera de Bosset bei einem ihrer zahlreichen Restaurantbesuche.

Opern-, Theater- und Kinobesuche, Dinners und Feste bei Freunden und Förderern, Restaurant- und Cafébesuche sowie Abende in angesagten Künstlertreffpunkten wie dem Bal Bullier oder dem Cirque Medrano. Außerdem unternahmen die beiden mehrere Kurztrips in die Umgebung der Hauptstadt. Im August war Vera dann die offizielle Begleiterin des Komponisten auf einer Reise nach Weimar. Dort trafen sich prominente Kunstschaffende aus verschiedenen Sparten, um mit einer Ausstellung, Aufführungen von experimentellen Bühnenstücken wie Oskar Schlemmers *Triadischem Ballett* und Konzerten das fünfjährige Jubiläum des von Walter Gropius geleiteten Bauhaus zu feiern. Im Nationaltheater besuchte das Paar eine szenische Aufführung der *Geschichte vom Soldaten* in deutscher Sprache, begegnete dem schwerkranken Ferruccio Busoni und hörte unter anderem Paul Hindemiths neuen Liederzyklus *Das Marienleben* (1922/23). Wie groß die Distanz des Komponisten zum deutschen Kulturraum war und wie sehr ihn die Dinge, die er in Weimar sah und hörte, befremdeten, macht ein Brief an Ernest Ansermet deutlich. Zurück in Südfrankreich schreibt er dem befreundeten Dirigenten: »Ich sah mit eigenen Augen den gigantischen Abgrund, der mich von diesem Land trennt und von den Bewohnern Mitteleuropas insgesamt.«[14] Dass man im Deutschland des Jahres 1923 auch im Alltagsleben mit ganz anderen Problemen konfrontiert war als in Frankreich, hatte das Paar schon auf der Hinreise durch das besetzte Rheinland erfahren: »Wir erreichen Wiesbaden und um 22.40 Uhr Griesheim, wo wir eine fürchterliche Nacht im Bahnhof verbringen«, notierte Vera de Bosset in ihr Tagebuch.[15] Grund für diesen unfreiwilligen Zwischenstopp war eine jener zahllosen Unterbrechungen des Schienenverkehrs, die in den okkupierten Teilen Deutschlands auf der Tagesordnung standen. Sie machten das Reisen zu einem mühsamen Unterfangen mit unliebsamen Überraschungen und zwangen den Komponisten und seine Partnerin, statt im Hotelbett auf den Bahnhofsbänken einer deutschen Kleinstadt zu nächtigen.

Coco Chanel und »Le tout Paris« bei der »Noces«-Premiere

Dass die Avantgarde in Paris nicht nur ästhetisch anders dachte, sondern auch gesellschaftlich und ökonomisch anders aufgestellt war als in Deutschland, lässt sich an der Uraufführungsproduktion von *Les Noces* studieren. Sie zeigt, wie eng die Produktion und Rezeption von avancierter Musik und Kunst im Paris der 1920er-Jahre mit den gesellschaftlichen Eliten und ihrem luxuriösen Lebensstil verflochten war. Der Premierenort – nicht die Opéra Garnier, sondern das als Operettenspielstätte bekannte Théâtre de la Gaîté-Lyrique – und die kurze Dauer der Saison Russe im Jahr 1923 (acht Vorstellungen innerhalb von neun Tagen) zeugen allerdings von den Schwierigkeiten, mit denen Diaghilevs Truppe damals zu kämpfen hatte. Ein Teil des zahlungskräftigen Vorkriegspublikums – insbesondere aus der Aristokratie – war weggebrochen. Zugleich hatten die Ballets Russes im Zeitalter des Tanzbooms von neuen Kompanien wie den Ballets Suédois ernsthafte Konkurrenz bekommen. So war die finanzielle Situation 1923 wieder einmal äußerst prekär, und im Juni zirkulierten in der Presse sogar Gerüchte von einer unmittelbar bevorstehenden Auflösung des Russischen Balletts.[16] Vor diesem Hintergrund war es für Diaghilevs Kompanie von essenzieller Bedeutung, dass es mithilfe von

Les Noces erneut gelang, die tonangebenden Repräsentantinnen und Repräsentanten der kulturellen und gesellschaftlichen Eliten bei einer Saisonpremiere zu versammeln und zu begeistern. In der französischen Ausgabe des Magazins *Vogue*, einem »Baedeker of the woman's world«, das als transatlantischer »Tastemaker« exemplarisch für den Brückenschlag zwischen Avantgarde und Haute-Couture in Paris und New York stand, wurde in einer Artikelserie ausführlich über die Produktion und über Strawinskys Musik berichtet. Erwähnung fanden dabei natürlich auch die glamourösen Besucherinnen der öffentlichen Generalprobe und des Premierenabends: »Stellen Sie sich vor: Die Marquise de Ludres sitzt rechts, hoch oben in einer der ersten Logen, die Gräfin de Beaumont in einer Loge gegenüber [...], ein Stückchen weiter Gabrielle Chanel, ganz in Weiß, glitzernd mit Perlen [...], Madame Sert, die Großfürstin Marie [...]. Wie in der Opéra hat sich heute Abend *le tout Paris* versammelt und *le ›tout Etranger‹*.«[17]

Es ist nicht erstaunlich, dass der Blick der Berichterstatterin der *Vogue*, der das Premierenpublikum nach bekannten Gesichtern absuchte, länger bei der 39-jährigen Coco Chanel verweilte. Bereits 1916 hatte das Magazin eine neue Kollektion der Modeschöpferin, die mit dem ausladenden Kleidungsstil der Belle Époque brach, zum »Inbegriff der Eleganz« erklärt. Statt auf Ornamente, Falten, »Schleier-

Trendsetterin und Mäzenin. Die Modeschöpferin Coco Chanel mit einer Bluse aus ihrer russischen Kollektion (1923).

wolken« und »lange Schleppen« setzte Chanel auf Einfachheit und klare Linien.[18] Mit ihren funktionalen Designs kreierte sie in den folgenden Jahren einen neuen Look für die moderne Frau, der auf beiden Seiten des Atlantiks Furore machte. Die zugrunde liegenden Prinzipien Schlichtheit und Klarheit, die das von ihr entwickelte berühmte schwarze Kleid (»Petite robe noire« / das »Kleine Schwarze«) exemplarisch zur Schau stellt, sind genau jene Werte, die auch in der französischen Kunst und Musik der Nachkriegszeit von einflussreichen Vertretern der Avantgarde proklamiert wurden.

In der Welt der Kunst und Musik der 1920er-Jahre wurde Chanel allerdings nicht nur als visionäre Modistin, sondern auch als erfolgreiche Unternehmerin, Netzwerkerin und Mäzenatin geschätzt. Von Misia Sert, einer engen Vertrauten Diaghilevs, war sie noch zu Kriegszeiten in die Welt der Ballets Russes eingeführt worden. Mit einer großzügigen Spende ermöglichte sie im Winter 1920 die Neuproduktion von *Le Sacre du printemps*. Zur selben Zeit beherbergte sie Strawinsky und seine Familie für ein Dreivierteljahr in ihrer Art-Nouveau-Villa Bel Respiro im Pariser Nobelvorort Garches und hatte angeblich auch eine kurze Liebesaffäre mit dem Komponisten, bevor sie sich dem russischen Großfürsten Dmitri Pawlowitsch Romanow zuwandte.[19] In Zusammenarbeit mit dessen Schwester, der Großfürstin Marija Pawlowna, die ebenfalls in der *Noces*-Premiere saß, richtete sie kurz darauf eine Stickwerkstatt ein. Als Schneiderinnen und Models beschäftigte sie Exilrussinnen, darunter Strawinskys Nichte Irina Belyankin,[20] ließ Blusen, traditionelle russische Tuniken, Jacken und Mäntel besticken und präsentierte im Frühjahr 1922 eine russische Kollektion. Eines der kühnsten Experimente Chanels »in dieser Richtung war die Einführung der langen, mit Gürteln versehenen und bestickten Bauernbluse, der so genannten ›Roubachka‹, die laut *Vogue* rasch zur ›Uniform der Pariserinnen‹ wurde.«[21] Während man in Berlin und Wien im Frühjahr 1923 »altägyptisch« trug[22] – im November des Vorjahres hatte Howard Carter im Tal der Könige das spektakuläre Grab des Pharao Tutanchamun entdeckt –, hielt Chanel in Paris mit ihrer russischen Kollektion das Interesse der Oberschicht an slavisch geprägter Kultur wach. Kurz: Chanel war eine jener »Tastemakerinnen«, deren Engagement für das Überleben der Ballets Russes so wichtig war.

Dass sich sowohl die alten als auch die neuen Eliten für *Les Noces* begeisterten, zeigen zwei exklusive Veranstaltungen, die die Saison der Ballets Russes umrahmten. Am 10. Juni 1923 fand im Hause von Winaretta Singer eine private Vorpremiere des Werks statt. Die Erbin aus der amerikanischen Nähmaschinenfabrikdynastie und Witwe des Prinzen Edmond de Polignac führte seit den 1890er-Jahren einen der einflussreichsten musikalischen Salons der Stadt. Nach dem Ersten Weltkrieg gehörte sie zu den wichtigsten Förderinnen Strawinskys, unterstützte die Ballets Russes und vergab zahlreiche Kompositionsaufträge. Noch Jahrzehnte später erinnerte sich die Komponistin, Pianistin, Pädagogin und Dirigentin Nadia Boulanger an die ungewöhnliche Szenerie, in der sie und einige andere Auserwählte *Les Noces* drei Tage vor der offiziellen Premiere zum ersten Mal hörten: »Der Butler kam erschreckt herein und meldete: ›Madame la Princesse, vier Klaviere sind eingetroffen …‹ ›Lassen Sie diese hereinkommen‹, antwortete die Prinzessin, als ob es sich bei den Instrumenten um geladene Gäste handeln würde.«[23]

Initiatoren des zweiten Events waren Gerald und Sara Murphy. Die passionierten Kunstliebhaber waren 1921 mit ihren Kindern aus New York nach Paris übergesiedelt. Schon bald hatten sie sich in Avantgardekreisen einen Namen als großzügige Gastgeber gemacht und zahlreiche Freundschaften mit tonangebenden Künstlerinnen und Künstlern geschlossen, darunter prominente Vertreter der amerikanischen Exilgemeinde wie Gertrude Stein sowie die Schriftsteller E. E. Cummings, John Dos Passos oder Ernest Hemingway. Über die Malerin und Bühnenbildnerin Natalia Gontscharowa, bei der Gerald Murphy Unterricht nahm, erhielt das wohlhabende Ehepaar im Frühjahr 1923 Zugang zu den Ballets Russes. Sie unterstützten Gontscharowa bei der Anfertigung des Bühnenbilds und besuchten – teils in Begleitung der Ballettliebhaber Dos Passos und Cummings – zahlreiche Proben. Nach Saisonabschluss luden sie rund 40 illustre Gäste zu einem ungewöhnlichen Abendessen ein: die Schlüsselfiguren des Produktionsteams von *Les Noces*, darunter Strawinsky gemeinsam mit Vera de Bosset, Repräsentanten der künstlerischen, musikalischen und literarischen Avantgarde wie Pablo Picasso, Darius Milhaud, Germaine Tailleferre und Jean Cocteau sowie prominente amerikanische Freunde wie Cole Porter oder den Dirigenten Walter Damrosch. Bereits der Schauplatz versprach ein besonderes Event. So hatten die Murphys die Maréchal Joffre angemietet, einen alten Lastkahn auf der Seine, der zu einem Restaurantschiff umfunktioniert worden war und normalerweise nur den Abgeordneten des französischen Parlaments zur Verfügung stand.

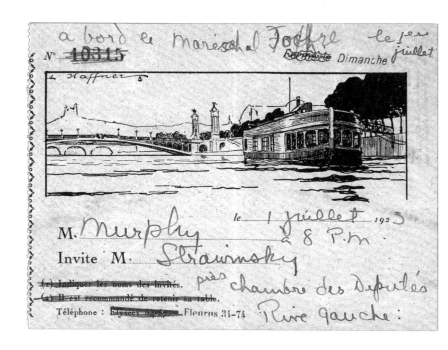

Schenkt man den Erinnerungen Gerald Murphys Glauben, ereignete sich auf diesem ausgemusterten Boot am 1. Juli die wohl ausgefallenste Dernièren-Feier des Jahres 1923: »Die erste Person, die eintraf, war Strawinsky, der in die *Salle à manger* eilte, um die Verteilung der Tischkarten zu überprüfen und neu zu ordnen. Offenbar war er mit seinem eigenen Platz zufrieden – rechts von der Prinzessin de Polignac. [...] Das Abendessen zog sich über Stunden hin, unterbrochen von Musik – Ansermet und Marcelle Meyer spielten am Klavier an einem Ende des Raumes – und Tanzeinlagen der Ballerinen. Schließlich kam Cocteau an Bord. Er verschwand in der Kabine des Kapitäns und zog die Kapitänsuniform an. Anschließend ging er mit einer Laterne herum und steckte den Kopf durch die Bullaugen, um mit gravitätischer Stimme zu verkünden: ›Wir sinken!‹«[24] Auch Strawinsky war an diesem Abend offensichtlich in Partylaune. Zu fortgeschrittener Stunde streifte er sich einen mit dem Titel »Les Noces – Hommages« versehenen Lorbeerkranz über den Kopf und setzte seinen Namen unter die auf einer Speisekarte notierte ironische Sentenz: »Die schönste Nacht meines Lebens seit meiner ersten Kommunion.«[25]

Einladungskarte zur exklusiven Dernièren-Feier auf der Maréchal Joffre am 1. Juli 1923. Einige Tage später gab es bereits die nächste Party, diesmal bei Darius Milhaud, der am Boulevard de Clichy seine neue Wohnung einweihte.

Was Strawinsky durch den Kopf ging, als er drei Wochen zuvor die ersten Aufführungen von *Les Noces* erlebte, ist nicht überliefert. Außer Frage steht jedoch, dass das ungewöhnliche Bühnenwerk in seiner Schaffensbiographie eine besondere Stellung einnimmt. Keine andere Komposition hat eine so langwierige und komplexe Entstehungsgeschichte. Zwischen dem Beginn der konzeptionellen Arbeit und der Fertigstellung der finalen Fassung der Partitur liegen elf Jahre. In diesem Zeitraum beschäftigte sich Strawinsky – unterbrochen von längeren Pausen – immer wieder mit dem *Noces*-Projekt, skizzierte, arbeitete aus, verwarf und veränderte im Lauf der Jahre sowohl die ursprüngliche Konzeption als auch ihre kompositorische Umsetzung. Über 1000 Seiten Skizzen, Entwürfe und Reinschriften – eine enorme Menge bei einem Stück von 25 Minuten Spieldauer – dokumentieren die verwickelte Genese und die unterschiedlichen Fassungen des Werks. In dieser tiefgreifenden Metamorphose spiegeln sich die Wandlung von Strawinskys künstlerischer Identität in der Dekade zwischen 1913 und 1923, die elementare Erschütterung seiner Umwelt und die einschneidenden Veränderungen in seinem persönlichen Leben.[26]

Als der 30-jährige Komponist im Sommer 1912 die ersten Ideen zu einem Bühnenwerk über altrussische Hochzeitsrituale entwickelte, hatte er seinen Lebensmittelpunkt bereits nach Westeuropa verlagert. Berauscht vom Erfolg des *Feuervogels* und seiner plötzlichen Berühmtheit war er noch im Sommer 1909 mit seiner Familie nach Frankreich und kurz danach in die Schweiz übergesiedelt. Auch wenn er dem in seinen Augen provinziellen Sankt Petersburg mit Freuden den Rücken gekehrt hatte, war die enge Verbindung zur alten Heimat für sein Schaffen und Leben nach wie vor von zentraler Bedeutung. Bei seinen Werken ließ er sich von russischer Volkskultur sowie von Mythen und Ritualen einer teils prähistorischen Vergangenheit inspirieren. Seine neuartige Tonsprache entwickelte er auf der Grundlage einer experimentellen Auseinandersetzung mit russischen Volksliedern. Und auf dem Landgut der Familie in Ustilug (heute Ustyluh), einem kleinen Dorf in der nordöstlichen Ukraine 1200 Kilometer südlich von Sankt Petersburg und 1700 Kilometer östlich von Paris, fand er in den Sommermonaten Ruhe und Inspiration zum Komponieren.

Strawinskys letzter Besuch in der alten Heimat, bevor sich die Weltordnung grundlegend ändern sollte, fand Anfang Juli 1914 statt. Für zehn Tage reiste er nach Kiew und Ustilug, um dort finanzielle und familiäre Angelegenheiten zu klären und zugleich Material für das *Noces*-Projekt zu beschaffen. Denn auch nach Abschluss des *Sacre du printemps* war er überzeugt, dass die erneuernde Kraft der russischen Volksmusik für sein Komponieren »noch lange nicht erschöpft« sei.[27] Zugleich hatte er sich dazu entschlossen, im Gegensatz zu seinen vorherigen Bühnenwerken das Szenario diesmal ganz alleine zu entwickeln und nicht auf die Hilfe von Kennern des alten Russlands wie Alexandre Benois oder Nikolaus Roerich zurückzugreifen. Mit einigen Sammlungen von Volksliedern und Volkstexten sowie ethnographischen Studien und Berichten über altrussische Hochzeitsrituale kehrte er zu seiner Familie in die Schweiz zurück. Kurz darauf brach der Krieg aus, die Strawinskys saßen am Genfer See fest, und im August des folgenden Jahres zerstörten deutsch-österreichische Truppen den geliebten Arbeitsort und Familiensitz in Ustilug.

Es erscheint wie eine Ironie des Schicksals, dass die Fertigstellung der ersten vollständigen Fassung von *Les Noces* in jenes Jahr fiel, in dem das »alte Russland« unterging. In Lausanne erfuhr der Komponist Mitte Februar 1917 vom Ausbruch der Revolution und von der Abdankung des Zaren und war zunächst voller Hoffnung: »All meine Gedanken sind bei euch in diesen unvergesslichen Tagen des Glücks«, schreibt er an seine Mutter.[28] Und gegenüber dem befreundeten Schweizer Literaten Charles Ferdinand Ramuz formuliert er die Absicht, schon bald »heimzukehren«, um nach dem Fall der Monarchie am kulturellen Aufbau eines neuen Russlands mitzuwirken, das sich nun endlich aus einer zu starken Bindung an westliche Zivilisation lösen solle. »Er beansprucht für Russland die Rolle eines schönen und gesunden Barbarismus, der eine Saat aufgehen lässt, die das Denken der Welt beeinflussen wird«, hatte der Schriftsteller Romain Rolland nach einem Gespräch mit Strawinsky bereits 1915 in sein Kriegstagebuch notiert: »Er singt das Loblied auf die alte russische Zivilisation, die im Westen unbekannt ist.«[29] Doch der Traum von der Rückkehr in eine imaginierte Vergangenheit und vom Aufbau eines »Vereinigten Slawenstaates« entpuppt sich rasch als Illusion. Nur wenige Wochen nachdem er den ersten Gesamtentwurf seiner Hommage an altrussische Hochzeitsrituale vollendet hatte, übernahmen die Bolschewiki in Russland die Macht. Als Lenin ein halbes Jahr später mit den Mittelmächten den Frieden von Brest-Litowsk schloss, wurde Strawinsky dann endgültig klar, dass an eine Rückkehr nicht mehr zu denken war. Aus dem temporären Wahlmigranten war ein Emigrant geworden, der den Boden seines Heimatlandes nur noch ein einziges Mal – auf einer Russland-Reise 48 Jahre später – betreten würde. In einer wirtschaftlich äußerst prekären Situation musste er nach neuen Einnahmequellen suchen, um seine Existenz zu sichern, denn durch den Krieg und die Revolution hatte er den Urheberrechtsschutz an seinen in Russland verlegten Werken und somit auch seine Tantiemen-Einnahmen verloren.[30] Zugleich stand er vor der Herausforderung, sich nach dem vollständigen Verlust der alten Heimat auch künstlerisch dauerhaft im Westen zu etablieren. In seinen *Erinnerungen* fasste Strawinsky die Dramatik dieser krisenhaften Situation pointiert in einem einzigen Satz zusammen: »Ich stand also, mitten im Kriege und in einem fremden Land, dem Nichts gegenüber.«[31]

Der tschechisch-französische Schriftsteller Milan Kundera, der Mitte der 1970er-Jahre aus politischen Gründen von Prag nach Paris übersiedelte, hat dem Emigranten Strawinsky einen erhellenden Essay gewidmet. Vor dem Hintergrund seiner eigenen Exilerfahrung lenkt er den Blick auf die künstlerischen Schwierigkeiten, die Heimatverlust und Emigration mit sich bringen: »Quantitativ gleiche Lebensabschnitte haben nicht das gleiche Gewicht, je nachdem, ob sie der Jugend oder dem Erwachsenenalter angehören. Wenn auch das Erwachsenenalter reicher und wichtiger für das Leben wie die schöpferische Tätigkeit ist, so bilden sich doch das Unterbewußtsein, das Gedächtnis, die Sprache, der ganze Grundstock künstlerischen Schaffens sehr früh heraus; für einen Arzt stellt dies kein Problem dar, aber für einen Romancier, für einen Komponisten kann es eine Art Bruch bedeuten, den Ort zu verlassen, an den seine Phantasie, seine Obsessionen, also seine Grundthemen, gekoppelt sind. Er muß all seine Kräfte, seine ganze künstlerische List mobilisieren, um die Nachteile dieser Situation in Trümpfe zu verwandeln.«[32] Strawinskys »Trumpf« in dieser schwierigen Lage war seine außerordentliche Fähigkeit zu schöpferischer Selbsterneuerung. In atemberaubender Geschwindigkeit setzte er die bereits vor Kriegsausbruch begonnene Wandlung seiner künstlerischen Identität fort. Die beiden zentralen Prinzipien, die dabei zur Anwendung kamen, heißen Reduktion und Abstraktion. Mit ihrer Hilfe gelang es dem Komponisten, *Les Noces* von innen heraus zu erneuern und zugleich die russische Substanz dieses »work in progress« zu bewahren.

Reduktion und Abstraktion: Die klanglichen Metamorphosen des »Noces«-Projekts

Ein eindrückliches Beispiel für die Metamorphose des *Noces*-Projekts ist die radikale Transformation seiner klanglichen Gestalt. So ist das aus Klavieren und Schlaginstrumenten bestehende Martellato-Ensemble der finalen Fassung, dessen energetische Klänge die Hörerinnen und Hörer im Juni 1923 begeisterten, das Resultat eines mehrstufigen Reduktionsvorgangs. Dokumentiert sind mindestens vier verschiedene Instrumentationen.[33] Diese spiegeln nicht nur Strawinskys ästhetische Neuausrichtung in der Dekade seit der Uraufführung des *Sacre du printemps* wider, sondern auch den Wandel seiner klanglichen Vorlieben sowie seine Begeisterung für ungewöhnliche Instrumente und aparte Klangkombinationen.

Ausgangspunkt für die Klangkonzeption von *Les Noces* bildet die revolutionäre Orchesterbehandlung im *Sacre du printemps*. In diesem Schwellenwerk, dessen Siegeszug im Konzertleben erst in den 1920er-Jahren einsetzte (1923 erklang es erstmals in Belgien, Italien und der Schweiz), wird die Verwendungsweise der verschiedenen Instrumentengruppen und ihr Verhältnis zueinander neu bestimmt. Die Holzbläser dominieren über weite Strecken das Klanggeschehen. Die Streicher hingegen verlieren ihre traditionelle Rolle als Grundlage und Grundfarbe des Orchesters. Zugleich werden sie an vielen Stellen nicht als beseelte Ausdrucksinstrumente eingesetzt, sondern zu entsubjektivierten Rhythmusträgern umfunktioniert. Besonders deutlich wird dies in jenen Passagen, in denen der Komponist das gesamte Orchester in einen riesigen perkussiven Klangkörper verwandelt. Als Strawinsky 1914 die ersten Partiturentwürfe zu *Les Noces* notiert, knüpft er unmittelbar an diese Erfahrungen an. Eine Gruppe von Blasinstrumenten (fast ausschließlich Holzbläser) wird mit zwei Streichquintetten kombiniert. Während das erste Quintett die Klänge mit dem Bogen erzeugt, übernimmt das zweite Quintett die Rolle eines perkussiven Klangkörpers und spielt ausschließlich gezupfte Töne.

In der ersten Niederschrift des gesamten Werks, die zwischen 1915 und 1917 entstand, hat Strawinsky das Klangprofil bereits erheblich modifiziert. Während die Gruppe der Blasinstrumente anwächst (insgesamt 27, davon 14 Blechblasinstrumente), wird die Streicherbesetzung auf ein Solistenensemble verkleinert. Hinzu kommen Harfe, Klavier und – vermutlich zum ersten Mal in einer avancierten Komposition des 20. Jahrhunderts – ein Cembalo. Ergänzt wird diese neue Klanggruppe um ein Cimbalom. Strawinsky hatte das mit Klöppeln geschlagene Hackbrett Anfang 1915 in einem Genfer Restaurant entdeckt und war von den eigenartigen Klängen dieses in der »Kunstmusik« bislang kaum verwendeten Instruments fasziniert. Bereits wenige Wochen später ließ er sich ein Cimbalom nach Hause kommen, lernte darauf zu spielen und entschloss sich, es in das *Noces*-Orchester einzubeziehen. In den späten 1980er-Jahren hat der ungarische Komponist und Dirigent Péter Eötvös diese erste vollständig instrumentierte Fassung auf Schallplatte eingespielt und der finalen Version gegenübergestellt.[34] Beim vergleichenden Hören werden die Differenzen beider Fassungen unmittelbar erfahrbar. So erzeugt das heterogene Solistenorchester der Fassung von 1917 ein Klangbild, dessen Farbreichtum von der Strenge und Homogenität des finalen Martellato-Ensembles noch weit entfernt ist.

Einen zentralen Wendepunkt in der klanglichen Metamorphose des *Noces*-Projekts markiert die Werkfassung, die Strawinsky in den Krisenjahren 1918/19 ausarbeitete. Nicht nur wirtschaftlich und emotional, sondern auch ästhetisch stand der heimatlos gewordene Komponist damals massiv unter Druck. Im Frühjahr 1918 war ein kleines Büchlein mit dem programmatischen Titel *Le Coq et l'arlequin* (»Hahn und Harlekin«) erschienen, das es in sich hatte: Der gallische »Hahn« steht für Frankreich und eine Kultur der »Klarheit«, der »Harlekin« symbolisiert hingegen die überkommene Ästhetik des 19. Jahrhunderts, für die prototypisch die Musik Richard Wagners steht. Autor war der ebenso umtriebige wie vielseitige Schriftsteller Jean Cocteau. In einer Folge von Aphorismen formuliert er auf polemische Weise Grundzüge einer neuen Ästhetik. Dahinter steht der unverhohlene Versuch, vor dem Hintergrund des sich abzeichnenden Kriegsendes die Verhältnisse neu zu ordnen und sich an die Spitze der französischen Avantgarde zu setzen. Zur Leitfigur der neuen Bewegung proklamiert Cocteau einen Franzosen: den musikalischen Sonderling Erik Satie. Seine Werke seien allesamt »Musterbeispiele des Verzichtes« und verkörperten exemplarisch jene Prinzipien, die es ermöglichen würden, sich endgültig aus den Fängen des langen 19. Jahrhunderts zu befreien: die »Rückkehr zum Schlichten«, eine Rückbesinnung auf die »französischen« Werte der Klarheit und Einfachheit, kurz: eine Musik »ohne Sauce«, »ohne Nebel«, ohne »Streicheln der Streicher« und »ohne Sauerkraut«.[35] In seiner scharfzüngigen Kampagne für eine französische Musik, die »die Welt beeinflussen« werde, ist Cocteau sichtlich darum bemüht, es sich nicht mit Strawinsky zu verderben. »Ich hoffe, daß dieser Absatz unsere treue Freundschaft keineswegs beeinträchtigt«, lautet die Captatio benevolentiae zu Beginn einer besonders kritischen Passage. Doch eine Führungsrolle wird dem russischen Komponisten, den Cocteau seit dem *Sacre*-Skandal hofierte, in dem polarisierenden Manifest nicht mehr zugesprochen. Vielmehr warnt er die junge Komponistengeneration vor der »russischen Falle« und dem »theatralischen Mystizismus« des *Sacre du printemps*. »Das Theater korrumpiert alles, sogar einen Strawinsky«, heißt es in einem Abschnitt, der kaum anders verstanden werden kann als ein ungenierter Versuch, Strawinsky zum alten Eisen zu werfen: »Wagner macht uns auf die Dauer weich; Strawinsky läßt uns nicht einmal mehr Zeit, um ›Uff‹ zu sagen, aber der eine wie der andere geht uns auf die Nerven. Bei beiden handelt es sich um Gefühlsmusik; sie sind Tintenfische, vor denen man fliehen muß, wenn man nicht aufgefressen werden will. Das ist die Schuld des Theaters. Theatralischer Mystizismus klingt im *Sacre* mit.«[36]

Es ist zu vermuten, dass Cocteaus Angriff Strawinsky zugleich erboste und beunruhigte. Einerseits hatte er allen Grund, die pauschale

Kritik und die verkürzte Darstellung an sich abprallen zu lassen. So befand er sich bereits seit geraumer Zeit auf einem Weg der Abstraktion und »Vereinfachung«, der sich in kleinbesetzten Vokal- und Instrumentalkompositionen der Kriegsjahre niederschlug – beginnend mit den 1914 komponierten *Drei Stücken für Streichquartett*. Andererseits bestärkten ihn der neue ästhetische Wind, der in Paris wehte, und die veränderten Zeitumstände zweifellos darin, die Transformation seines künstlerischen Profils und die Metamorphose von *Les Noces* noch konsequenter voranzutreiben. Er unterstrich die experimentellen Züge des Bühnenwerks, klassifizierte es nicht mehr als Ballett, sondern als »Divertissement« und überarbeitete die gesamte musikalische Textur. Von entscheidender Bedeutung war dabei die abermalige klangliche Umgestaltung der Partitur. Aus dem 40 Partien umfassenden Solistenorchester wurde ein kleinbesetztes Kammerensemble, das in der Musikgeschichte seinesgleichen sucht: zwei Cimbaloms, Harmonium und Schlagzeug gepaart mit Strawinskys neuem mechanischen Lieblingsinstrument, dem Pianola. Im Gespräch mit Diaghilev hob der Komponist die Modernität dieses radikal reduzierten Klangapparats hervor, zog Verbindungen zur Schwarzweißästhetik des Stummfilms und sprach von einer Musik, die »filmische Rhythmen« evoziere. Doch Diaghilev war von dieser Entwicklung alles andere als begeistert. Seine Vorbehalte gegenüber dem apart besetzten Kammerensemble gründeten zum einen auf ökonomischen und organisatorischen Überlegungen. So klagte er Ansermet: »Dieser gute Strawinsky lässt unter dem Vorwand, meine Aufgabe zu vereinfachen, die Musiker, die ich habe, unbeschäftigt und verlangt von mir nur vier, aber einen dieser vier muss ich in Honolulu suchen, einen anderen in Budapest, den anderen weiß Gott wo!« Zum anderen haderte er offensichtlich mit dem funktionalen Klang- und Ausdrucksideal der beginnenden Nachkriegszeit: »Aber warum immer diese kleinen Orchester? Der Sieg ist errungen, man braucht nicht mehr gegen Mahler zu kämpfen. Ich möchte mich nun wieder den großen Dingen zuwenden.«[37]

Dass Strawinsky keinerlei Anstalten machte, Diaghilevs ästhetischen Vorlieben Rechnung zu tragen, liegt auf der Hand. Wie bereits deutlich wurde, stand ihm der Sinn nicht mehr nach »großen Dingen«, sondern nach Reduktion und Abstraktion. Die pragmatischen Bedenken des Impresarios nahm er sich allerdings zu Herzen. Statt weiterhin auf exotische Instrumente zu setzen, kam er bei der letzten klanglichen Umformung der *Noces*-Partitur auf eine Lösung, die zugleich radikal, neuartig und praktikabel war. So beschränkt sich die finale Instrumentation, die Strawinsky im April 1922 begann und erst wenige Wochen vor der Uraufführung im Frühjahr 1923 in Monte Carlo abschloss, auf herkömmliche Tasten- und Schlaginstrumente. Kombiniert werden dabei Instrumente mit bestimmter und unbestimmter Tonhöhe: auf der einen Seite vier Klaviere, Pauken, Xylophon sowie antike Zimbeln (Crotales) und eine Glocke, auf der anderen Seite eine Gruppe von Schlaginstrumenten, die Klänge mit nicht genau definierbarer Tonhöhe erzeugen (verschiedene Trommeln, Tambourin, Becken). Rückblickend hat der Komponist das Klangbild dieses neuartigen Martellato-Ensembles als »vollkommen homogen, vollkommen unpersönlich und vollkommen mechanisch« beschrieben.[38]

Mindestens so aufschlussreich wie diese vielzitierte Charakterisierung ist ein weniger bekannter Artikel, der am 12. Juni 1923 anlässlich der Uraufführung von *Les Noces* in der Pariser Kulturzeitung *Comœdia* erschien. Wie nicht anders zu erwarten, hebt Strawinsky hier insbesondere jene Aspekte des Werks hervor, die in Einklang mit der Ästhetik und Poetik der Pariser Nachkriegsavantgarde stehen: die Begrenzung der Mittel, das Streben nach Strenge und Einfachheit, die Betonung der handwerklichen Aspekte künstlerischer Tätigkeit und den Verzicht auf Narrativität und subjektiven Gefühlsausdruck. Zum ungewöhnlichen Klangprofil heißt es: »Das Orchester wird durch zwei Elemente ersetzt: elementare Materialien, die verwendet werden wie Marmor und Holz in einem Bauwerk. [...] Diese beiden elementaren Materialien sind [...] das geschlagene Element, das Schlagwerk, das u. a. vier Klavieren anvertraut wurde, sowie das vokale Element: der Gesang, der der menschlichen Stimme vorbehalten ist.«[39]

Als einen weiteren strategischen Schachzug lässt sich die Zusammensetzung des Uraufführungsensembles deuten. Der Chor und die solistischen Vokalpartien des in russischer Originalsprache uraufgeführten Werkes waren – wie auch das Corps de Ballet – fast ausschließlich mit Russinnen und Russen besetzt. Bei der Zusammenstellung des Instrumentalensembles hingegen bot sich die Möglichkeit, eine direkte Brücke zu einflussreichen Strömungen der Pariser Nachkriegsavantgarde zu schlagen. So saßen mit dem 24-jährigen Komponisten Georges Auric und der 26-jährigen Pianistin Marcelle Meyer zwei Persönlichkeiten am Klavier, die sich im Umfeld von Jean Cocteau und Erik Satie bewegten. Fest eingeplant war außerdem der 24-jährige Francis Poulenc. Der glühende Strawinsky-Verehrer, der 1923 für die Ballets Russes an seinem »Live-Style« Ballett *Les Biches* (»Die Hirschkühe« bzw. »Die Schätzchen« oder »Die Süßen«) arbeitete, sollte ebenfalls eine Klavierpartie übernehmen, musste zu seinem Ärger allerdings kurzfristig absagen.[40] Statt in Monte Carlo und Paris zu proben, spazierte er in den Wochen vor der Uraufführung durch die Parks von Vichy, um sich dort von einer Gelbsuchterkrankung zu erholen. Am 12. Juni ließ er es sich jedoch nicht nehmen, mit dem Zug für 24 Stunden in die Hauptstadt zurückzukehren, um dort die mit Spannung erwartete Premiere mitzuerleben und Strawinsky zugleich seine Verbundenheit zu bezeugen: »Ich bin vor Bewunderung wie versteinert.«[41]

»Schmerzhaft, burlesk und bewegend«: Nijinskas sozialkritische »Noces«-Choreographie

Dass Strawinsky bei der radikalen Transformation des *Noces*-Projekts von einem sinnenbetörenden Spektakel »à la façon de Diaghilev« zu jenem hochmodernen Bühnenwerk, das das Pariser Publikum 1923 begeisterte und irritierte, die treibende Kraft war, steht außer Frage.[42] Über viele Jahre hatte er weitgehend allein an dem Werk gearbeitet, den Text aus russischen Volksliedsammlungen collagiert und das Szenario eigenständig entwickelt. Zugleich nahm er im Zuge des mehrstufigen Kompositionsprozesses einige folgenreiche dramaturgische Weichenstellungen vor, die sein Interesse für experimentellere Formen des Theaters widerspiegeln. Aus der ethnographischen Darstellung einer russischen Bauernhochzeit wurde eine erfundene »szenische Zeremonie«, die das Hochzeitsritual auf wenige Schlüsselmomente reduziert: die Vorbereitungen des Brautpaares (Bild 1 und 2), die Bitte der Brautleute um den elterlichen Segen (Bild 2 bzw. 3), den Aufbruch der Braut und die Klage der Mütter um den Verlust ihrer Kinder (Bild 3) und schließlich das Hochzeitsfest, das unmittelbar in die Hochzeitsnacht mündet (Bild 4). Eine weitere fundamentale Entscheidung, in der sich die Abkehr vom Illusionstheater manifestiert, ist die bereits beschriebene Aufspaltung der Figuren (Koppelung von Tänzern und Sängern in wechselnden Konstellationen). Eine offene Frage war allerdings, wie sich dieses ritualisierte Geschehen überzeugend auf einer Bühne darstellen ließ. So schreibt der Komponist im Juli 1919 an Ansermet: »Ich weiß nicht, was ich mit den *Noces* machen soll. Es ist lächerlich, dieses ›Divertissement‹ (denn es ist kein Ballett) ohne Bühnenbild zu inszenieren – obgleich die Bühnenbildelemente *nichts* darstellen würden«.[43] Der maßgebliche Schritt zur Lösung dieser Problematik war die Entscheidung, Bronislava Nijinska mit der choreographischen Leitung der Uraufführungsproduktion zu betrauen. Ausgehend von Strawinskys Musik und einigen seiner dramaturgischen Ideen schuf sie eine Choreographie, die Tanzgeschichte schreiben sollte und deren neuartiger Umgang mit Körper, Bühne und Musik bereits die Zeitgenossen in den Bann schlug.[44]

In der Tanzszene des Jahres 1923 war die 31-jährige Nijinska eine außergewöhnliche Persönlichkeit. Bereits als junges Mädchen hatte sie ab 1909 für die Ballets Russes in Paris getanzt und ihrem Bruder Vaslav bei der Entwicklung der skandalträchtigen Choreographie zu Strawinskys *Sacre du printemps* assistiert. Im Gegensatz zu den meisten anderen Kompaniemitgliedern kehrte sie allerdings 1914 ins Russische Zarenreich zurück. In Petersburg und Kiew erlebte sie die Zeit des Krieges und der Revolution. Sie wirkte an klassischen und experimentellen Produktionen mit, gründete in Kiew eine innovative Ballettschule und veröffentlichte eine heute verschollene Schrift zur Theorie der Choreographie. Von prägender Bedeutung für ihre spätere Arbeit waren dabei ihre Verbindungen zur russischen Avantgarde der Revolutionsjahre und die Auseinandersetzung mit der Bewegung des Konstruktivismus. Vor dem Hintergrund zunehmender politischer Repressionen durch die Geheimpolizei und besorgt über den kritischen Gesundheitszustand ihres Bruders entschied sich die alleinerziehende Mutter Anfang 1921, nach Westeuropa zurückzukehren. Gemeinsam mit ihren beiden kleinen Kindern und ihrer Mutter reiste sie zu ihrem Bruder nach Wien und erhielt kurz darauf von Diaghilev die Einladung, wieder für ihn zu arbeiten. Eingestellt wurde sie diesmal allerdings nicht mehr als Tänzerin, sondern als erste Choreographin der Kompanie. Zwischen 1921 und 1925 kreierte sie sieben Produktionen – ein Unikum in der männerdominierten Welt der Ballets Russes.

Analog zu Strawinsky setzte Nijinska bei der Entwicklung der *Noces*-Produktion auf Reduktion und Abstraktion.[45] Dabei ging sie mindestens so radikal und kompromisslos vor wie der Komponist. Im Bereich des Bühnenbildes und der Ausstattung brachte sie Natalia Gontscharowa dazu, ihre bisherigen Entwürfe vollständig zu überarbeiten. So wurden die folkloristischen, farbenfrohen Kostüme durch eine schlichte, einheitliche Bekleidung ersetzt: weiße Blusen und braune Schürzen für die Frauen, weiße Hemden und braune Hosen für die Männer. In ihrer Choreographie löste sich Nijinska vom Konzept des Handlungsballetts und trieb zugleich die Emanzipation des Tanzes von der Musik voran: »Diaghilev war mit dieser Idee nicht einverstanden. ›Das ist kein Ballett‹, pflegte er zu sagen: ›Es ist eine abstrakte Idee, eine Symphonie. Das ist mir fremd.‹ [...] *Noces* war das erste Werk, bei dem das Libretto ein versecktes Thema für eine reine Choreographie war; es war ein choreographisches Konzert.«[46] Weitere innovative Aspekte von Nijinskas Arbeit sind der Umgang mit dem Körper der Tänzerinnen und Tänzer und mit dem traditionellen Bewegungsrepertoire. In neoklassizistischer Manier rekurriert sie auf Techniken und Schrittfolgen aus dem klassischen Ballett, die allerdings nicht einfach reproduziert, sondern modifiziert und umgedeutet werden. Zugleich werden die Körper an vielen Stellen auf nichtklassische Weise behandelt: angewinkelte Arme, Bewegungen, die nicht nach oben, sondern nach unten zum Boden streben und ein Spiel mit geometrischen Formen. So gruppieren sich die Tänzerinnen und Tänzer in wechselnden Konstellationen zu Pyramiden, Dreiecken, Geraden, Keilen oder anderen Formationen – ein Umgang mit Räumlichkeit, der Nijinskas Beschäftigung mit konstruktivistischen Ideen widerspiegelt.

Nijinskas Abkehr vom Handlungsballett und ihre Interpretation von *Les Noces* als »choreographisches Konzert« bedeutet nicht, dass das Sujet für die Choreographin keine Relevanz mehr hätte. Frappierend ist vielmehr ihr scharfer Blick für das Gewaltpotenzial des Stoffes und ihre sozialkritische und feministische Perspektive. In ihrem Konzept verbinden sich ästhetische Überlegungen mit der Absicht, die dem Hochzeitsritual und der Institution Ehe zugrunde liegenden Machtverhältnisse sichtbar zu machen. So schreibt sie über die Situation der Brautleute: »Die Wahl wird von den Eltern getroffen, denen sie absoluten Gehorsam schulden – von Gegenseitigkeit der Gefühle kann keine Rede sein. Das junge Mädchen weiß überhaupt nichts über seine zukünftige Familie [...]. Sie wird nicht nur ihrem Ehemann unterworfen sein, sondern auch seinen Eltern. [...] Wie können sich solche Seelen während ihrer Hochzeitszeremonie freuen; sie sind in andere Gedanken vertieft. [...] Von Anfang an hatte ich diese Vision von *Les Noces*.«[47] Die Choreographie thematisiert diese ungleichen Machtverhältnisse und stellt zugleich herkömmliche Bilder von Weiblichkeit und Männlichkeit im klassischen Ballett infrage. »Während des gesamten Balletts strebt die Choreographie eine ›geschlechtslose‹ Sprache an«, konstatiert die Balletthistorikerin Lynn Garafola in einer umfassenden Studie zu den Ballets Russes: »Es gibt keine Stützarbeit, keine getrennten Bewegungssphären. Männer und Frauen tanzen die gleichen Schritte und verleihen diesen Schritten die gleiche Qualität.«[48]

Nijinskas Radikalität und ihr selbstbewusster Umgang mit der Vorlage lösten bei Strawinsky ambivalente Gefühle aus. In seinen *Erinnerungen* schreibt er: »Die Inszenierung der ›Hochzeit‹ war mit offenbarem Talent entworfen, aber – ich muß das hier sagen – sie entsprach nicht meinem ursprünglichen Plan. Ich hatte sie mir ganz anders vorgestellt.«[49] Dass die Choreographin in eigenständiger Weise dasselbe Ziel verfolgte – die Transformation von *Les Noces* zu einem hochmodernen Bühnenwerk – konnte oder wollte er nicht eingestehen. Das Pariser

Publikum des Jahres 1923 und die meisten Kritiker teilten die Vorbehalte des Komponisten gegenüber der Choreographie jedoch nicht. Sie erlebten und feierten ein Stück, das Musik, Tanz und Bühne auf neuartige Weise miteinander in Beziehung setzte. Zugleich eröffnete Nijinskas Umsetzung des Sujets einen Reflexionsraum, der über den Bereich des Ästhetischen hinausreicht und dazu einlädt, aus einer gegenwärtigen Perspektive über Rituale und gesellschaftliche Institutionen und ihre Auswirkungen auf die Individuen nachzudenken. So notiert Émile Vuillermoz in seiner Premierenkritik: »Die gesamte Maschinerie und der Automatismus der Zivilisation erscheinen hier isoliert und brutal beleuchtet im Rampenlicht. Sind wir im Spiel der sozialen und religiösen Riten etwas anderes als gehorsame Marionetten? [...] Es ist schmerzhaft, mechanisch, maschinell, burlesk und bewegend.«[50]

Vorwärts zu Bach: Neoklassizistische Spiele
mit der Vergangenheit im Oktett

Beim Oktett, Strawinskys zweitem Schlüsselwerk des Jahres 1923, war die Ausgangssituation deutlich einfacher. Weder ging es darum, eine bereits bestehende Komposition zu »modernisieren«; noch sah sich

Ungewöhnlich war nicht nur die Besetzung von *Les Noces*, sondern auch einer der Probenorte. Ein Teil von Nijinskas Choreographie wurde im April 1923 auf dem Dach des Théâtre de Monte Carlo einstudiert. ••• 95 der Komponist gezwungen, einen Teil der ästhetischen Kontrolle abzugeben. Das Werk, das Strawinsky im Sommer 1922 begann und drei Wochen vor der *Noces*-Premiere im Pariser Pleyel-Studio abschloss, ist in all seinen Facetten eine Frucht der 1920er-Jahre. Seine Uraufführung am 18. Oktober in der Pariser Oper bot die Möglichkeit, das Publikum gleich zweifach zu überraschen. Zum einen markiert das rund 15-minütige Stück für Flöte, Klarinette sowie je zwei Fagotte, Trompeten und Posaunen auf eindrückliche Weise jene stilistische Neuorientierung, die Aaron Copland und viele andere irritierte. Zum anderen stand Strawinsky an diesem Abend zum ersten Mal bei der Uraufführung eines eigenen Werks am Dirigentenpult. Mit diesem Auftritt und einer kurz darauf stattfindenden Folgeaufführung begann er eine Dirigentenkarriere, die rasch an Fahrt aufnahm und zu einem zentralen Bestandteil seiner musikalischen Existenz wurde. Sie ermöglichte ihm, die Interpretation seiner Werke zu kontrollieren und zugleich seine finanzielle Situation weiter zu konsolidieren.

Während sich Strawinsky mit *Les Noces* ein letztes Mal als russischer Modernisierer präsentiert, inszeniert er sich im Oktett als Kosmopolit. Zwar gibt es Kontinuitäten auf der Ebene der Kompositionsverfahren, und auch der Grundansatz ist in gewisser Hinsicht gleich geblieben: die schöpferische Auseinandersetzung mit präexistenter Musik und der Wunsch, sich endgültig aus dem »Würgegriff« des langen 19. Jahrhunderts zu befreien. Doch auf der Ebene des Materials sowie der Haltung und des Tons der Musik zeigen sich fundamentale Differenzen. Materialquelle ist nun nicht mehr die russische Volksmusik, sondern die westliche (Kunst-)Musik. So spielt das Oktett mit dem Vokabular, der Gestik und dem Formbestand der Musik des 18. Jahrhunderts. Essenziell ist dabei allerdings das Moment der Distanzierung und Verfremdung – ein Tonfall, der zwischen Heiterkeit, Ironie, Parodie und Nostalgie oszilliert. Eine zentrale Rolle kommt dabei jener neuen Ästhetik der Klarheit und der Objektivität zu, auf die sich Strawinsky bereits bei der Überarbeitung der *Noces*-Partitur bezog. Ihre schon zitierten Schlagworte lauten: entschlackter Klang statt überwältigender Klangrausch, Vereinfachung statt Komplexität, Handwerk statt Inspiration sowie Versachlichung statt subjektiver Ausdruck.

Mit dem Oktett festigte Strawinsky nicht nur seinen Stand in der Pariser Avantgarde, sondern setzte sich zugleich an die Spitze einer breiten internationalen Bewegung, die die Musikgeschichte und sein eigenes Schaffen bis in die 1950er-Jahre prägen sollte. Überall in Europa, aber auch in Nord- und Südamerika begeisterten sich Komponisten und Komponistinnen für Musik vorromantischer Epochen, die als historisch »unbelastet« galt. Dass die zahllosen Werke, die aus diesem kreativen

Dialog mit der Geschichte hervorgingen, so verschieden sind wie ihre Schöpfer, liegt auf der Hand. Trotzdem wurde die Bewegung bald unter dem Schlagwort »Neoklassizismus«, später dann auch unter dem Alternativbegriff »klassizistische Moderne« zusammengefasst. Zu den jungen französischen Komponistinnen und Komponisten, die sich 1923 wie Strawinsky auf schöpferische Weise mit alter Musik beschäftigten, zählte neben Germaine Tailleferre und Francis Poulenc auch Darius Milhaud. In einer lobenden Kritik der Uraufführung versuchte er den Schock des Oktetts zu relativieren, indem er darauf hinwies, dass der Komponist seinen »neuen Weg« nicht erst mit diesem Werk eingeschlagen habe.[51] Tatsächlich hatte sich Strawinsky bereits 1920 in seinem Ballett *Pulcinella* mit Musik des 18. Jahrhunderts auseinandergesetzt und unveröffentlichte Kompositionen, die damals Giovanni Pergolesi zugeschrieben wurden, aus einer zeitgenössischen Perspektive bearbeitet. Doch das Oktett und das Konzert für Klavier, Bläser, Kontrabass und Pauken, an dem er im Sommer 1923 zu arbeiten begann, markieren eine qualitativ neue Stufe seiner »Liebesaffären« mit der Vergangenheit.[52] So begnügt sich Strawinsky nicht mehr damit, eine vorhandene Vorlage umzuformen und zu verfremden. Vielmehr geht es nun darum, charakteristische Elemente und Wendungen der Musik einer vergangenen Epoche aufzugreifen, zu verfremden und zu parodieren, unterschiedliche Stilmerkmale auf überraschende Weise zu kombinieren und so etwas zu schaffen, was zugleich altbekannt und neu erscheint. Ein zentraler Bezugspunkt ist dabei die Musik Bachs »als unvergängliches Modell für uns alle« – wie der Komponist 1924 formulierte.[53]

Zu den Komponisten, die Strawinskys Neuorientierung äußerst kritisch beäugten, zählt Sergei Prokofjew. In einigen Briefen berichtete er Mitte der 1920er-Jahre seinem Landsmann und Kollegen Nikolai Mjaskowski nach Moskau: »Die Bach-Nähe dieses Stils konnte man bereits in seinem Oktett und dem Konzert spüren [...]. Strawinsky selbst behauptet, dass er damit eine neue Epoche schafft und dass man heutzutage nur noch so schreiben kann. [...] (Versteh mich nicht falsch: Ich mag den alten Sebastian, aber ich mag nicht, ihn zu fälschen.)«[54] Dass die polemische Kritik des letzten Satzes an der Sache vorbeiging, war Prokofjew sicherlich bewusst. Denn Strawinsky ging es ja nicht darum, einen Stil möglichst originalgetreu zu imitieren, sondern mit diesem aus einer zeitgenössischen Perspektive zu spielen, die entlehnten Elemente zu sezieren, zu verfremden und in neue Zusammenhänge zu rücken. Im spritzigen Finalsatz des Oktetts verbindet er beispielsweise barocken Kontrapunkt und Anspielungen auf Bach mit seinen eigenen typischen Ostinato-Techniken und Anklängen an amerikanische Popularmusik. Der neoklassizistische »Blick zurück« in die Vergangenheit war – wie Strawinsky selbst formulierte – also immer auch »ein Blick in den Spiegel«, geleitet von den Bedürfnissen der Gegenwart.[55] Bemerkenswert ist dabei, dass der Komponist trotz seiner ästhetischen Wandlung und trotz des dezidiert kosmopolitischen Auftretens seine russischen Wurzeln und seine Physiognomie nicht gänzlich verleugnen konnte und wollte. Besonders deutlich zeigt sich dies im Mittelsatz des Oktetts, einem Thema mit mehreren Variationen im Stil unterschiedlicher Tänze (Walzer, Marsch und Polka). So ist das Thema, das am Satzbeginn über einer »festgefrorenen« Begleitung erklingt, eine für Strawinsky ganz und gar typische Melodie. Der Tonvorrat beschränkt sich auf die »oktatonische« Leiter, eine Skala aus acht alternierenden Halb- und Ganztonschritten, die bereits Rimski-Korsakow wirkungsvoll einsetzte und die sein berühmtester Schüler seit dem *Feuervogel* zu einer wichtigen Grundlage seiner harmonischen Neuerungen machte. Der eigentümliche Klang resultiert aus der Parallelführung von Flöte und Klarinette im Doppeloktavabstand, ein Effekt, der bereits in *Petruschka* und im *Sacre* auf charakteristische Weise verwendet wird. Und das anfängliche Kreisen der Melodie in einem äußerst beschränkten Tonraum (in den ersten sechs Takten begnügt sich der Komponist mit nur vier Tönen) ist ein typisches Strukturmerkmal russischer Volksmelodien. In scharfem Kontrast dazu steht die Begleitung: eine Folge leiser, trockener Akkorde. In Kombination erzeugen beide Elemente jene ironische Brechung, die zu den Markenzeichen von Strawinskys radikalem Neoklassizismus zählt.

Strawinsky, ein »westlicher Meister«?

Wie wichtig es Strawinsky war, in der Öffentlichkeit nicht mehr als russischer Komponist, sondern als Leitfigur der westlichen Moderne wahrgenommen zu werden, zeigt die Tatsache, dass er die Transformation seiner musikalischen Identität mit einer publizistischen Kampagne begleitete. Bei *Les Noces* hatte er sich noch damit begnügt, seine Sicht auf das Werk in einem Journalistengespräch zu erläutern. Im Fall des Oktetts setzte er sich im Herbst 1923 selbst an die neu erworbene Schreibmaschine und verfasste – inspiriert von den Gepflogenheiten der Pariser Avantgarde – ein ästhetisches Miniaturmanifest. Es erschien im Januar 1924 unter dem Titel »Some Thoughts on My Octuor« in einem amerikanischen Kunstjournal, von dem in Paris jedoch vermutlich kaum jemand Notiz nahm.[56] Der kuriose Text ist eine schlagwortartige Zusammenfassung der antiromantischen Objektivitätsästhetik und zugleich ein Versuch, die Interpretation und Rezeption des Oktetts auktorial zu steuern. So heißt es in der Anfangspassage programmatisch: »Mein Oktett ist kein ›gefühlsgeladenes‹ Werk, sondern eine musikalische Komposition, die auf objektiven Elementen beruht [...]. Diese Art von Musik hat kein anderes Ziel, als sich selbst zu genügen.« Zusammengefasst wird diese Neuformulierung der alten »L'art pour l'art«-Doktrin in dem Mantra: »The play of the musical elements is the thing.« Für die Spielerinnen und Spieler seiner Musik hat der Komponist den Hinweis, ihre Subjektivität zurückzustellen und das Werk nicht zu »interpretieren«: »Der Ausführende muss den Notentext strikt befolgen. [...] Was ich verlange, ist die Realisierung des Stücks selbst und nicht seines Porträts.« Explizit formuliert wird damit jenes neusachliche Interpretationsideal, das in den 1920er-Jahren Konjunktur hatte und von Strawinsky bis an sein Lebensende vertreten wurde: Buchstabentreue statt Freiheit im Umgang mit der Partitur, Präzision statt Rubato- und Espressivo-Spiel.

Wirkungsmächtiger und von anderem Umfang, Anspruch und gedanklicher Tiefe war eine Studie, die im Dezember 1923 in einer Strawinsky gewidmeten Ausgabe der noch jungen, aber bereits arrivierten Zeitschrift *La Revue musicale* erschien.[57] Autor des fast 50-seitigen Texts ist der russische Emigrant Boris de Schloezer. Anfang der 1920er-Jahre war der Musikwissenschaftler und Übersetzer nach Paris emigriert, wurde dort rasch zu einem der wichtigsten Fürsprecher des Komponisten und veröffentlichte 1929 eine der ersten Strawinsky-Monographien.[58] In seiner Studie zeichnet de Schloezer anhand ausführlicher Werkbesprechungen die Entwicklung des Komponisten von den frühen russischen Balletten bis zum Oktett nach. Ziel ist es dabei nicht nur, die Wandlung seiner musikalischen Identität herauszuarbeiten, sondern ihn zugleich in der musikalischen Welt des Jahres 1923 neu zu positionieren. So erklärt de Schloezer den »Russen Strawinsky, Autor von *Le Sacre*, *Le Renard* und *Les Noces*« kurzerhand zum »europäischsten« aller Komponisten: »Er ist ein westlicher Meister. Er hat sich die europäische Musikkultur angeeignet; er ist in ihre Gesetze und Traditionen eingedrungen, aber nur, um sie zu verändern, um ihrer Entwicklung eine neue Richtung zu geben [...]. Ich würde sogar sagen, dass Strawinskys Musik mindestens ebenso viel Frankreich wie Russland zu verdanken hat, nicht nur, weil sie gerade in Paris aus vielerlei Gründen die für ihre Entwicklung notwendigen Bedingungen vorfand, die in Russland nicht vorhanden gewesen wären, sondern weil diese Kunst von jenem westlichen Geist durchdrungen ist, dessen Brennpunkt Paris noch heute ist und der die Liebe zur Form, die Perfektion des Handwerks, den kritischen Sinn sowie den Geschmack für Ordnung und Klarheit mit Abenteuerlust, intensiver Aktivität und schöpferischer Exaltiertheit verbindet.«[59]

Mit dieser in ihrer Einseitigkeit und Verkürzung zweifellos problematischen Interpretation schuf de Schloezer die Grundlage für ein Strawinsky-Bild, das über Jahrzehnte Bestand haben sollte: die Deutung des Komponisten als westlicher Kosmopolit und die damit einhergehende (auch von Strawinsky selbst mit großer Vehemenz betriebene) Relativierung und Verschleierung seiner russischen Wurzeln.[60]

Nostalgie, ironische Distanz und die »Gefühlswunden« der Emigration

Für Boris de Schloezer stand Ende 1923 fest, dass *Les Noces* in Strawinskys Schaffen den »Schlusspunkt seiner vornehmlich russischen Periode« bilde: »Für den Kritiker ist es immer gefährlich, sich als Prophet aufzuspielen [...]. Dennoch wage ich die Prognose, dass Strawinsky nicht mehr aus den volkstümlichen Quellen trinken wird.«[61] Tatsächlich schrieb der Komponist kein größeres Werk mehr, das auf russischer Volksmusik basiert. Dennoch war der russische Teil seiner Existenz, den er der westlichen Öffentlichkeit weitgehend verbarg, bis zu seinem Tod ein bestimmender Faktor seines Lebens und Schaffens. »Ich habe mein ganzes Leben russisch gesprochen«, bekannte der 80-Jährige im Herbst 1962 auf einer Konzertreise durch die Sowjetunion, dem ersten und letzten Besuch der einstigen Heimat nach 48 Jahren der Abwesenheit: »Mein Denken ist russisch, mein Stil ist russisch. Vielleicht wird das in meiner Musik nicht sofort sichtbar, aber es ist in ihr angelegt, es ist ihre verborgene Natur.«[62]

Über die »Gefühlswunden« der Emigration hat Strawinsky 1923 nicht gesprochen.[63] Die Konstruktion einer kosmopolitischen künstlerischen Identität verlangte von ihm, sich von seinem russischen Erbe zu distanzieren und stattdessen seine Verhaftung in der westlichen Kultur herauszustellen. Hinzu kam eine sowohl persönlich als auch kulturell bedingte Abneigung dagegen, starke Emotionen direkt auszudrücken. So bemerkte der betagte Komponist in einem der zahlreichen Gespräche mit seinem Adlatus Robert Craft über die Ritualisierung und Privatisierung von Trauer und Schmerz: »In Russland waren Trauerfeiern feierlich und streng [...]. Wir gingen nach Hause, jeder von uns in sein eigenes Zimmer, um dort alleine zu weinen.«[64] In *Les Noces* ist diese Ritualisierung von Trauer und Schmerz omnipräsent. Sie reicht von den schluchzenden Trauergesängen der Braut zu Werkbeginn – eine Stilisierung traditioneller dörflicher Lamenti – über die Klagen der Mütter bis zum offenen Schluss. Bereits die Zeitgenossen waren von der eigentümlichen Emotionalität des Werkes berührt. So verwies der französische

Musikethnologe und Kritiker André Schaeffner, ein anderer einflussreicher Strawinsky-Apologet der Zwischenkriegszeit, »auf die Grundnote der unauflöslichen Traurigkeit, die sich durch Strawinskys gesamte Kunst« ziehe und in *Les Noces* besonders eindrücklich zutage trete.[65] Und de Schloezer erklärte die Komposition gar zum »menschlichsten« und am »tiefsten empfundenen Werk Strawinskys«, das uns »zu Tränen erschüttert«.[66] Direkt nach der Uraufführung berichtete er in der in Paris erscheinenden russischen Emigrantenzeitung *Zveno*: »Was bei der ersten Begegnung mit *Les Noces* besonders auffällt, ist die emotionale Bedeutung des Werkes. Es verstört und berührt einen.«[67]

Auf der Ebene des Werksujets sind die Lamenti und der Ton »unauflöslicher Traurigkeit« Ausdruck der Schmerzen, die mit dem Übergangsritual verbunden sind. In einem ritualisierten Abschied müssen die Brautleute ihre bisherige Existenz symbolisch zu Grabe tragen, um in das neue Lebensstadium eintreten zu können. Für die Braut bedeutete dies – wie Nijinska in ihrer Choreographie eindrucksvoll herausarbeitete – den vollständigen Bruch mit ihrem bisherigen Leben, die emotionale Loslösung von ihrer Familie und den Schritt in unbekanntes Terrain. Ausgedrückt wird all dies nicht in persönlichen Klagegesängen, sondern im kollektiven Medium des Rituals: hochgradig emotional und zugleich losgelöst von der Subjektivität der Einzelpersonen.

Als Strawinsky vor Ausbruch des Ersten Weltkriegs mit der Konzeption von *Les Noces* begann, war für ihn weder der Verlust der Heimat noch der tiefgreifende Wandel seiner künstlerischen Identität vorauszusehen. Es spricht jedoch vieles dafür, dass sich im Lauf des langjährigen Arbeitsprozesses nicht nur die Werkgestalt tiefgreifend veränderte, sondern auch der Blick des Komponisten auf die Thematik und sein Verhältnis dazu. Vor dem Hintergrund der gewaltsamen Neuordnung der Welt und der veränderten persönlichen und künstlerischen Situation wurde *Les Noces* zu einem Werk des Abschieds – zu einer Art persönlichem »Übergangsritual«. Ein Schlüsselmoment, der eine solche Interpretation nahelegt und zugleich einen weiten Reflexionsraum öffnet, ist der ebenso bewegende wie ungewöhnliche Schluss. Nachdem die ausgelassene Hochzeitsgesellschaft plötzlich verstummt ist, preist der Bräutigam die Schönheit seiner Braut und schließt mit den erratischen Worten: »Wir werden mit dir leben, wie wir leben müssen. Damit man uns beneidet, damit wir neidisch machen.« Begleitet wird dieser »Liebesgesang« von kristallinen, hohen Glockenklängen, gespielt von den vier Klavieren und den Glockeninstrumenten des Schlagzeugensembles. Sie markieren akustisch die finale Phase des Übergangsrituals: die Hochzeitsnacht, in der das endgültige Ende des alten und der Beginn des neuen Lebens im Akt des Beischlafs auch körperlich vollzogen wird. Die

Tür des Brautgemachs hat sich geschlossen. Der Vorhang fällt. Doch die Glocken klingen weiter.

Der Assoziationsraum, den diese Glockenklänge eröffnen, reicht über ihre Bedeutung innerhalb des Hochzeitsrituals weit hinaus. So können sie ebenfalls als allgemeines Symbol des Abschieds gehört werden, als emotional aufgeladene Klangchiffre, mit der der Komponist seine alte Identität hinter sich lässt, oder als nostalgische Erinnerung an die verlorene Heimat. Für Strawinsky wie für alle vor der Revolution geborenen russischen Komponisten und Komponistinnen waren Glockenklänge ein selbstverständlicher Bestandteil ihrer akustischen Alltagsumgebung, der in ihrer Musik in unterschiedlichsten Formen Widerhall fand.[68] Man denke an russische Nationalopern wie Glinkas *Ein Leben für den Zaren* (1836) oder Mussorgskys *Boris Godunow* (1868–1872), aber auch an sinfonische Werke wie Sergei Rachmaninows Tondichtung *Die Glocken* (1913). Als Strawinsky 1910 die mächtigen Glockenklänge des Finales zum *Feuervogel* in Sankt Petersburg komponierte, war die Klanglandschaft des orthodoxen Russland noch intakt und omnipräsent. Als er im Frühjahr 1923 die Instrumentation des Schlusses von *Les Noces* in Paris und Biarritz fertigstellte, musste er sich bereits auf seine Erinnerung stützen. Und auch in der im Dezember 1922 gegründeten Union der Sozialistischen Sowjetrepubliken sollten die Glockenklänge als Relikte der »Macht der orthodoxen Kirche« und Symbole einer »tief verankerten

Bei einer Taxifahrt durch London hörte Strawinsky 1914 die Glocken von St Paul's Cathedral, ließ den Chauffeur anhalten und griff zu Papier und Stift. Die Glockenmelodie (unten) erklingt im dritten und vierten Bild von *Les Noces*. Der russische Vermerk auf dem Skizzenblatt lautet: »Der schönste Kontrapunkt, den ich je gehört habe.«

Volksfrömmigkeit« bald vollständig verschwinden.[69] In der avantgardistischen sowjetischen Musik der 1920er-Jahre wurden Fabriksirenen und andere akustische Symbole des Industriezeitalters als säkulare Alternativen gehandelt. So konzipierte der 1886 geborene Komponist Arseni Michailowitsch Awraamow eine »Sinfonie der Fabriksirenen« (»Simfonija Gudkow«), die im Rahmen der Feierlichkeiten zum fünften Jahrestag der Oktoberrevolution am 7. November 1922 in Baku uraufgeführt wurde.[70] Mit Fahnen und Pistolenschüssen leiteten einige Dirigenten, die auf eigens errichteten Türmen positionierte waren, ein futuristisches Ensemble, dessen Getöse bis weit ins Umland der aserbaidschanischen Hauptstadt zu hören war. Es umfasste neben einer Vielzahl von Chören auch mehrere Infanterieregimenter (einschließlich einer Maschinengewehrabteilung), die Nebelhörner von 26 Schiffen der kaspischen Flotte und alle Fabriksirenen der Stadt. Am 7. November 1923 kam es zu einer zweiten Aufführung des gigantischen Klangexperiments, diesmal nicht an der »Peripherie«, sondern im neuen Machtzentrum des Landes, der sowjetischen Hauptstadt Moskau.

Als Walter Benjamin drei Jahre später nach Moskau reiste, war die akustische Verdrängung der vorrevolutionären Klangwelt bereits weit fortgeschritten. »Moskau ist so gut wie befreit von Glockengeläute, das eine so unwiderstehliche Traurigkeit in den Großstädten zu verbreiten pflegte«, notierte er in sein Tagebuch.[71] Im Zuge der »Industrialisierungs- und Kollektivierungskampagne und der sie begleitenden Kulturrevolution der Jahre 1928/29« ging man dann noch einen Schritt weiter.[72] Mit brachialer Gewalt begannen insbesondere junge, militante Kommunisten, die zu den Aktivisten der »Gottlosenbewegung« zählten, den Klangraum des »alten Russland« systematisch zu zerstören. Glockentürme wurden abgerissen, Glocken herabgestürzt und zertrümmert, eingeschmolzen und als Baumaterial für Fabriken, Gebäude und kommunistische Prestigeprojekte, wie die Reliefs an der Fassade der Moskauer Lenin-Bibliothek, wiederverwendet. Von der Klangwelt, die Strawinskys Kindheit und Jugend geprägt hatte, war nichts mehr übrig, als der Emigrant, der 1934 französischer und 1956 amerikanischer Staatsbürger geworden war, im September 1962 ein letztes Mal russischen Boden betrat.

Der ironische Grundton des Oktetts und Strawinskys objektivistische Werkdeutung scheinen in denkbar größtem Kontrast zu jener Traurigkeit zu stehen, die *Les Noces* durchzieht. Doch hört man genau hin, so drängt sich der Eindruck auf, dass auch in dieser musikalischen Visitenkarte des kosmopolitischen Strawinsky gelegentlich eine gewisse Wehmut mitschwingt. Ein besonders eindrückliches Beispiel ist die Schlusspassage des Werkes, in der der Komponist verschiedene Sphären, Stile und Ausdrucksbereiche auf geistreiche Weise miteinander verbindet: Bach und amerikanische Tanzmusik, barocken Kontrapunkt und jazzige Synkopen, »high and low«, ironische Distanz und diskrete Nostalgie. Als Milan Kundera Anfang der 1990er-Jahre über den Emigranten Strawinsky nachdachte, stellte er diese emotionalen Untertöne ins Zentrum einer Verteidigung des vorgeblich »gefühlskalten« Komponisten: »Zweifellos trug auch Strawinsky, wie alle anderen, die Wunden seiner Emigration in sich [...]. Tatsächlich beginnt seine Reise durch die Geschichte der Musik mehr oder weniger in dem Moment, als sein Geburtsland für ihn nicht mehr existiert; nachdem er begriffen hat, daß kein anderes Land es ersetzen kann, findet er seine einzige Heimat in der Musik [...]. Strawinskys Verächter, die Anhänger einer als Ausdruck von Gefühlen konzipierten Musik, die sich über die unerträgliche Zurückhaltung seiner ›Gefühlstätigkeit‹ empörten und ihm ›Armut des Herzens‹ vorwarfen, hatten selbst nicht genügend Herz zu begreifen, welche Gefühlswunde hinter seinem Vagabundieren durch die Geschichte der Musik lag.«[73]

Komponieren und kultureller Austausch in Zeiten des Nationalismus
Béla Bartóks Tanz-Suite im kulturpolitischen Kontext

Ungarn im Krisenmodus ··· *»Ein Jubelfest ohne Jubel«* ··· *Drei Uraufführungen und ein politisches Dilemma* ··· *Bartóks kulturpolitische und künstlerische Metamorphosen* ··· *Politische Umbrüche und existenzielle Erschütterungen* ··· *Ausflug in die Politik* ··· *Ein Auftrag, drei Lösungen: Bartók, Dohnányi, Kodály* ··· *Bartóks musikalisches Plädoyer für Völkerverständigung*

Der Wunsch nach nationaler Selbstvergewisserung, repräsentativem Glanz und internationaler Strahlkraft war zweifelsohne groß, als man im Budapester Stadtparlament beschloss, das im Herbst 1923 anstehende Jubiläum der ungarischen Hauptstadt mit unterschiedlichen Aktivitäten – darunter auch ein Festkonzert der Budapester Philharmoniker – gebührend zu feiern. Ein halbes Jahrhundert zuvor hatten sich die Städte Buda (Ofen) und Óbuda (Alt-Ofen) mit dem auf der gegenüberliegenden Donau-Seite gelegenen Pest zur Haupt- und Residenzstadt Budapest zusammengeschlossen. Die am 17. November 1873 vollzogene Vereinigung markierte sechs Jahre nach der Umwandlung des Kaisertums Österreich in die Doppelmonarchie Österreich-Ungarn einen weiteren Etappensieg der ungarischen Nationalbewegung. Der östliche Teil des multiethnischen Imperiums bekam durch diese Zusammenführung ein urbanes Zentrum, das in »erstaunlich kurzer Zeit zu einer Großstadt modernsten Zuschnitts emporblühen konnte«.[1] Lebten 1873 rund 300 000 Menschen in Budapest, so waren es 50 Jahre später bereits eine knappe Million. In einem Leitartikel zum Stadtjubiläum, der am 17. November 1923 auf der Titelseite der größten deutschsprachigen Tageszeitung Ungarns erschien, heißt es zur rasanten Entwicklung der Stadt: »Der Fremde, der heute etwa vom Aussichtsturm des Johannisberges dieses in jeder Hinsicht imposante Stadtbild überblickt, wird kaum geneigt sein, zu glauben, daß all dies, was da unten an Straßenzügen sich hinzieht, an monumentalen Bauwerken in die Lüfte ragt, an lebhaft pulsierendem Verkehr sich abwickelt, der Ertrag einer bloß fünfzigjährigen Arbeit ist. Das Wunder eines so raschen Wachstums findet in der Tat diesseits des Ozeans nirgends seinesgleichen.«[2]

Der Fremde, der sich mit diesem Blick von oben nicht begnügen wollte und am Jubiläumstag von Budapests höchster Erhebung in die Stadt hinabstieg, wird auf den Straßen allerdings wenige Menschen angetroffen haben, denen nach Feiern zumute war, denn auch in Ungarn waren die Jahre nach dem Ersten Weltkrieg Krisenzeiten.[3] Der Untergang des Habsburger-Imperiums am Ende des Krieges hatte dem Land im Herbst 1918 zwar endlich die lang ersehnte Unabhängigkeit von Österreich gebracht, doch bereits in den folgenden Wochen begann ein Prozess des territorialen Zerfalls, der die ungarische Nation in eine tiefe Identitätskrise stürzte. Die Expansionspolitik der alten und neuen Nachbarstaaten und die Autonomiebestrebungen der nicht-magyarischen Bevölkerungsgruppen, die im imperialen Vielvölkerstaat unter der ungarischen Vorherrschaft über Jahrzehnte gelitten hatten, führten zu massiven Gebietsverlusten des einstigen »Großungarn«. Im Osten besetzten rumänische Truppen schon bald das multiethnische Siebenbürgen. Im Norden und Süden erhoben die am Ende des Krieges neu gegründete Tschechoslowakische Republik und das zeitgleich entstandene Königreich Jugoslawien (Königreich der Serben, Kroaten und Slowenen) erfolgreich Ansprüche auf zahlreiche Regionen. Und im Westen verlor Ungarn das deutschsprachige Burgenland an die Republik Österreich. Als anderthalb Jahre nach dem Zerfall der Habsburger-Doppelmonarchie zwei ungarische Regierungsvertreter nach Frankreich reisten, um am 4. Juni 1920 im Schlosspark von Versailles den nach einem Lustschloss

Ludwigs XIV. benannten Friedensvertrag von Trianon zu unterzeichnen, stand endgültig fest, dass das Land gemeinsam mit Deutschland und Österreich »zu den großen Verlierern der territorialen Umverteilung in Mitteleuropa«[4] gehörte. Der einstige Vielvölkerstaat hatte mehr als zwei Drittel seines historischen Territoriums und fast zwei Drittel seiner einstigen Bevölkerung verloren. Die neu gezogene Landesgrenze verlief dabei vielfach ohne Rücksicht auf Sprachgrenzen, sodass von nun an rund 3,5 Millionen Ungarinnen und Ungarn als Minderheiten in den Nachbarstaaten lebten. Dass der Vertrag von Trianon den magyarischen Nationalismus weiter anheizte, ist insofern nicht verwunderlich. Zwar ließ sich nicht leugnen, dass man als Teil der Mittelmächte den Krieg verloren hatte, doch die harten Bedingungen, die die Siegermächte Ungarn auferlegten, wurden von vielen als hochgradig ungerecht empfunden. Man fühlte sich von den Alliierten verraten, und das Trauma von Trianon wurde rasch zu einem »negativen Erinnerungsort« der ungarischen Geschichte.[5]

Auch die innenpolitische Lage und die Lebensbedingungen vieler Menschen waren in den Nachkriegsjahren desaströs. Die im November 1918 von Ministerpräsident Mihály Károlyi proklamierte demokratische Volksrepublik Ungarn war bereits nach vier Monaten Geschichte, da es der sozialistisch-bürgerlichen Regierung nicht gelang, den territorialen Zerfall zu stoppen, die katastrophale Versorgungslage in den Städten zu verbessern und die notwendigen Reformen zur Entschärfung der sozialen und ökonomischen Krise einzuleiten. Es folgte die Ungarische Räterepublik, die am 21. März 1919 von Béla Kun ausgerufen wurde, nachdem der ehemalige Journalist und Versicherungsangestellte erst wenige Monate zuvor die Kommunistische Partei Ungarns gegründet hatte. Doch nach nur 133 Tagen kam auch dieses Experiment – die einzige zumindest kurzzeitig funktionsfähige Räterepublik der Nachkriegszeit außerhalb Russlands – zu einem abrupten Ende. Rumänische Truppen marschierten Anfang August in Budapest ein, schlugen die Anführer der »Diktatur des Proletariats« in die Flucht und besetzten die Hauptstadt sowie andere Landesteile für einige Monate. Nach ihrem Abzug begann unter Miklós Horthy die Restauration. Ein Vierteljahr nach seinem Einzug in die Hauptstadt auf einem symbolträchtigen weißen Pferd wurde der einstige Marineadmiral im März 1920 von der ungarischen Nationalversammlung zum Reichsverweser des wiederhergestellten Königreichs Ungarn gewählt. Als faktisches Staatsoberhaupt der »Monarchie ohne König« (zwei Restaurationsversuche des letzten österreichischen Kaisers und ungarischen Königs Karl scheiterten 1921) bestimmte Horthy mit seinem autoritären Führungsstil und seinem

nationalistischen Programm bis in die 1940er-Jahre die ungarische Politik. Innenpolitisch bekämpften er und seine Anhänger den Liberalismus und versuchten die überlebte Gesellschaftsordnung der Vorkriegszeit zu bewahren. In einer von Antisemitismus und aggressivem Nationalismus geprägten Welle des »weißen Terrors« rechneten sie direkt nach der Machtübernahme mit Unterstützern der Räterepublik und angeblichen Landesverrätern ab. Außenpolitisch stand das Horthy-Regime für die Ablehnung des Friedensvertrags von Trianon und für einen zur Staatsräson erhobenen Revisionismus, der mit dem Schlachtruf »Nem, nem, soha!« (»Nein, nein, niemals!«) wortgewaltig, aber in der Sache erfolglos darum kämpfte, zumindest Teile der verlorenen Gebiete wiederzuerlangen.

»Ein Jubelfest ohne Jubel«

Vor dem Hintergrund der vielfältigen Krisen setzte das vom christlich-rechten Lager dominierte Budapester Stadtparlament alles daran, das Stadtjubiläum zu einem Ereignis von nationaler Tragweite zu machen. Im Sommer 1922 verkündete das amtliche Nachrichtenblatt: »Die Hauptstadt soll dieses Jubiläum im großen Rahmen und in eindrucksvoller Weise feiern. Obgleich die Situation von Land und Hauptstadt es nicht

ermöglicht, das Fest in einem, auch in Äußerlichkeiten der Bedeutung dieses historischen Ereignisses entsprechendem Rahmen zu feiern, so haben wir das Jubiläum durch Organisierung von verschiedenen Festlichkeiten, Ausstellungen, Kongressen usw. denkwürdig zu gestalten.« Darüber hinaus sollten die Feierlichkeiten dazu genutzt werden, »die ungarische Kultur und ihren Entwicklungsstand dem kultivierten Ausland vorzustellen«.[6] Doch die Diskrepanz zwischen Anspruch und Wirklichkeit war groß. So wurde kaum eine der zahlreichen Ideen, die ein 72-köpfiges Festkomitee unter Leitung des Budapester Bürgermeisters in den folgenden Monaten entwickelte, im Herbst 1923 auch in die Tat umgesetzt.[7] Weder prägte man goldene und silberne Gedenkmünzen, noch wurde eine mehrsprachige Geschichte Budapests verfasst oder ein Film über die Stadtentwicklung in den letzten fünf Jahrzehnten realisiert. Und auch die hochfliegenden Pläne für ein sechstägiges Jubelfest mit Festzug und »Schaureiten des Nationalheeres«, Sportfest und Chorwettbewerb, Kunstausstellung und Festbeleuchtung ließen sich nicht verwirklichen. So fand am 17. November 1923 – dem Jahrestag der Vereinigung – lediglich ein ausgedünntes Programm statt, dessen offizielle Höhepunkte eine »feierliche Sitzung« des Munizipalrats in Anwesenheit des Reichsverwesers Miklós Horthy sowie diverse Festgottesdienste waren. Dass die erhofften nationalen Begeisterungsstürme an diesem Tag ausblieben, lag allerdings nicht nur an der mangelnden Attraktivität des Programms. So verweist der Autor des Leitartikels aus dem *Pester Lloyd* unter dem programmatischen Titel »Ein Jubelfest ohne Jubel« auf die politische Polarisierung in der Bevölkerung, für deren »Zersplitterung nach Klassen und Konfessionen« er den antiliberalen Kurs der rechtsnationalen Regierung verantwortlich macht. Ein beträchtlicher Teil der »hauptstädtischen Bürgerschaft« habe »mit diesen offiziellen Veranstaltungen nichts zu tun«, die die »gegenwärtigen Machthaber der Stadtverwaltung [...] sich selbst zu Ehren organisiert« hätten. »Sie haben nichts damit zu tun, denn es fehlt die Gemeinschaft der Ideen, Gedanken und Gefühle zwischen ihnen und den Veranstaltern. [...] Wer morgen durch die Straßen von Budapest geht, wird der Hauptstadt die Feststimmung nicht ansehen, die unter normalen Verhältnissen mit solchen freudigen Gedenktagen einherzugehen pflegt.«[8]

Budapest, 16. November 1919: Miklós Horthy zieht nach dem Sturz der kommunistischen Räterepublik auf einem weißen Pferd in die ungarische Hauptstadt ein und übernimmt kurz darauf die Macht.

Dass die Fünfzigjahrfeier dennoch ins kulturelle Gedächtnis einging, ist in erster Linie der Musik zu verdanken. Zwei Tage nach den politischen und konfessionellen Festakten fand am Abend des 19. November ein »Galakonzert« der Philharmonischen Gesellschaft Budapest unter der Leitung ihres Direktors, des im In- und Ausland gefeierten Pianisten, Dirigenten und Komponisten Ernő Dohnányi, statt.[9] Veranstaltungsort war die im Stadtzentrum gelegene Pester Redoute, ein zu Beginn der 1860er-Jahre am westlichen Donau-Ufer neu errichtetes repräsentatives Konzert- und Ballhaus. Während die rechtsnationale und christlich-konservative Presse das Ereignis – wie von den Veranstaltern erwünscht – als »denkwürdigen Abend« feierte, der gezeigt habe, dass »die Kunst jenes Mittel« sei, »mit dem Ungarn in absoluter Edelvaluta zahlen«[10] könne, gab es bei liberalen Kräften, die sich gegen eine politische Vereinnahmung der Kunst wehrten, Vorbehalte. So berichtet der 25-jährige Aladár Tóth – schon bald einer der einflussreichsten ungarischen Musikkritiker und Musikhistoriker – in der liberalen Tageszeitung *Pesti Napló* (»Pester Tagebuch«), dass ein »guter Teil des Stammpublikums« an diesem Abend gar nicht erschienen sei: »Das kunstverständige Publikum hat, so scheint es, kein Interesse für die feiernden Städteführer, die nur das Gebäude, an dem sie selbst nichts gebaut haben, mit Fahnen schmücken. [...] Die leeren Sitzreihen wurden mit ›Freikarteninhabern‹ gefüllt, die aber nicht der Musik, sondern der Feier zuliebe gekommen waren. Das richtige Elite-Publikum war nur mit einem kleinen Bruchteil vertreten, in dessen Reihen wir aber den Reichsverweser und seine *Gemahlin*, die Erzherzoginnen *Isabella*, *Augusta* und *Sophie*, den königlichen Prinzen *Joseph Franz* mit seiner Braut, den päpstlichen Nuntius *Schioppa*, den Justizminister *Emil Nagy*, den Präsidenten des Abgeordnetenhauses *Scitovszky*, den Vizebürgermeister *Folkusházy* und andere Nobilitäten des öffentlichen Lebens erblicken konnten.« Doch die von den einen erhoffte und von den anderen befürchtete Instrumentalisierung der Musik zu parteipolitischen Zwecken trat – sofern man Tóth Glauben schenken möchte – nicht ein: »Dieses Mal wurden jene enttäuscht, die *nur zu feiern* kamen, ebenso wie diejenigen, die – natürlich nicht aus künstlerischen Gründen – *wegblieben*. Bei dieser Feier bildete nämlich *die Musik selbst* den Mittelpunkt. Die drei größten Künstler unserer Zeit: *Bartók*, *Dohnányi* und *Kodály* traten in die Schranken.«[11]

Tatsächlich war der künstlerische Ertrag des Festkonzerts außergewöhnlich. Zwar hatte man am Schluss der Veranstaltung vorsorglich zwei altbekannte Kassenschlager platziert: die *Ungarische Rhapsodie Nr. 14* von Franz Liszt in der Fassung für Klavier und Orchester sowie eine effektvolle Orchesterbearbeitung des *Rákóczi-Marsches* von Hector Berlioz. Sie sollten Nationalkolorit verbreiten und zugleich sicherstellen, dass der Abend publikumswirksam und affirmativ zu Ende ging. Den Kern des Programms bildeten jedoch die Uraufführungen von drei eigens für diesen Anlass komponierten Werken: eine *Festouvertüre* von Dohnányi, der *Psalmus Hungaricus* von Zoltán Kodály (bei der Uraufführung noch unter dem Titel *55. Psalm*) und die *Tanz-Suite* von Béla Bartók. Während Dohnányis Ouvertüre eine wirkungsvolle »Gelegenheitskomposition« ist, die bei ihrer Premiere Begeisterungsstürme auslöste, heute aber kaum noch gespielt wird, handelt es sich bei den Werken von Kodály und Bartók – wie bereits Aladár Tóth in seiner Kritik prophezeite – um »Novitäten von musikhistorischer Bedeutung«.[12] Beide Werke nehmen im Schaffen der miteinander befreundeten Komponisten eine zentrale Stellung ein, beförderten in den Jahren nach der Uraufführung ihr Ansehen und ihre internationale Karriere, fanden rasch Eingang ins Repertoire und haben auf je eigene Weise Bekenntnischarakter.

Für den 42-jährigen Bartók war die Uraufführung seiner *Tanz-Suite* im Rahmen des Festkonzerts ein nervenaufreibendes Ereignis. Obwohl er das rund 15-minütige Werk im Spätsommer 1923 vollendet hatte und das Aufführungsmaterial rechtzeitig vorlag, waren sowohl das Orchester als auch der Dirigent offensichtlich heillos überfordert. Erst wenige Tage vor Probenbeginn hatte sich der vielbeschäftigte und mit neuer Musik wenig vertraute Dohnányi an Bartók gewandt, den »lieben Béla« darum gebeten, ihm das neue Werk am Klavier vorzuspielen, und zugleich erfolglos versucht, ihn dazu zu bewegen, die Einstudierung und Uraufführung der *Tanz-Suite* doch selbst zu übernehmen. Das Resultat dieser unzulänglichen Vorbereitung war – wie zu erwarten – desaströs. »Dohnányi stand [...] hilflos vor der Partitur und konnte das Werk nur im großen und ganzen zusammenhalten«, erinnert sich Antal Doráti, der damals als vermutlich jüngstes Orchestermitglied (17 Jahre) an der Celesta saß und später zu einem der berühmtesten ungarischen Dirigenten wurde: »Die Aufführung [...] ›schwamm‹ von Anfang bis Ende im fahlen Meer der Apathie. Das Publikum nahm die Tanz-Suite so lauwarm auf, wie sie vom Orchester dargeboten wurde.«[13] Und der Komponist berichtete einige Wochen nach dem Konzert seinem Verleger: »Die Probe Zeit war – wie immer – allzu knapp bemessen – das Resultat: eine ganz und gar unbefriedigende Aufführung, bei welcher manche Partien wie bei einer Leseprobe zu Gehör gebracht wurden.«[14]

Gekoppelt war Bartóks Ärger über die Entstellung seines Werks mit einem allgemeinen Unbehagen an dem Projekt. Das institutionelle ungarische Musikleben, das seinem kompositorischen Schaffen über Jahre kaum Interesse entgegengebracht hatte, zollte ihm mit dem prestigeträchtigen Auftrag zwar Anerkennung, doch die politischen Überzeugungen der Auftraggeber und die kulturpolitische Agenda, die sie verfolgten, waren ihm zweifellos suspekt. Aufschlussreich ist in diesem Zusammenhang ein Brief, den Bartók nach Erhalt der offiziellen Anfrage am 20. April 1923 an den Direktor der Universal Edition, Emil Hertzka, sandte: »Die neuen Tänze [...] schreibe ich auf Bestellung des Magistrats der Stadt Budapest [...]. Ich bekomme 200.000 ung. Kronen, und habe dafür das Manuskript einzuliefern und die Uraufführung der Stadt zu sichern. [...] Pikanterie dieser Geschichte ist es, dass das jetzige ultra-christlich-nationale Stadt-Magistrat jene 3 Komponisten erwählte, die während der bolschewistischen Regierung das Musik-Direktorium gebildet haben.«[15] Dem Komponisten war also durchaus bewusst, dass er sich durch sein Mitwirken in eine komplexe Gemengelage begab. Zugleich zwang ihn der politische Rahmen der Jubiläumsfeier, sich mit seiner Musik – ob es wollte oder nicht – im aufgeheizten kulturpolitischen Klima der Nachkriegsjahre zu positionieren. Mit der *Tanz-Suite* und den dahinterstehenden Ideen leistete Bartók nicht nur diese kulturpolitische Positionsbestimmung, sondern durchkreuzte zugleich auf geschickte Weise die Erwartung seiner Auftraggeber. Um das Werk in seiner Originalität und Vielschichtigkeit zu verstehen und seinen Subtext zu entschlüsseln, ist es notwendig, den Blick zunächst zu weiten und zu den Anfängen von Bartóks Schaffen zurückzukehren. Denn die Konzeption der *Tanz-Suite* ist eng mit seiner Entwicklung als Komponist und Volksliedforscher, mit dem Wandel seiner kulturpolitischen Überzeugungen sowie mit seinen persönlichen Erfahrungen in den krisenhaften Nachkriegsjahren verflochten.

Bartóks kulturpolitische und künstlerische Metamorphosen

Wie wirkungsmächtig nationale Gefühle und patriotische Gesten sein können, hatte Bartók schon zu Beginn seiner Karriere erfahren. Unter dem Einfluss des ungarischen Nationalismus der Jahrhundertwende und jener »chauvinistischen politischen Strömung«, die sich gegen die politische Dominanz Habsburgs und die Vorherrschaft der deutschen

Kultur zur Wehr setzte, war der 1881 geborene Komponist in jungen Jahren selbst zu einem glühenden Nationalisten geworden:[16] »Ich meinerseits werde auf allen Gebieten meines Lebens immer und in jeder Weise nur einem Zwecke dienen: dem Wohle der ungarischen Nation und des ungarischen Vaterlandes«, erklärte er im September 1903 in einem Brief an seine Mutter und verlangte von ihr, sich dem patriotischen Vorhaben anzuschließen und die deutsche Sprache aus dem Alltagsleben zu verbannen: »Verbreitet, propagiert die ungarische Sprache *mit Wort, Tat und Rede! Sprecht Ungarisch* miteinander!!!«[17] Als musikalischen Beitrag zu diesem kulturellen Befreiungskampf hatte der 22-Jährige kurz zuvor die Sinfonische Dichtung *Kossuth* vollendet – eine Hommage an den Nationalhelden Lajos Kossuth, der die ungarische Unabhängigkeitsbewegung 1848/49 angeführt hatte.[18] Das programmatische Orchesterwerk setzt Kossuths Kampf für ein eigenständiges Ungarn und die kriegerische Auseinandersetzung mit den österreichischen Truppen mit musikalischen Mitteln wirkungsvoll in Szene. Für die ungeliebten Habsburger steht Haydns berühmte »Kaiserhymne«. Das »als Symbol des österreichischen Jochs verhaßte« Nationallied wird im Lauf des Stücks auf groteske Weise verformt und parodiert.[19] Zur Charakterisierung der ungarischen Seite griff der junge Komponist auf Kernelemente jenes populären »Style hongrois« zurück, der bei der Herausbildung einer nationalen ungarischen Kunstmusik im 19. Jahrhundert eine zentrale Rolle gespielt hatte, in Franz Liszt seinen wohl wirkungsmächtigsten Botschafter in den europäischen Konzertsälen fand und auch zahlreiche Komponisten außerhalb Ungarns wie Joseph Haydn, Franz Schubert oder Johannes Brahms inspiriert hatte. Entscheidend geprägt wurde dieser ungarische Stil nicht nur durch die Eigenheiten der ungarischen Sprache (zum Beispiel die Betonung am Wortanfang), sondern auch durch die Musik und Musizierpraxis der Stehgeiger und Roma-Kapellen, mit denen Bartók seit früher Kindheit vertraut war.

Die Uraufführung von *Kossuth* am 13. Januar 1904 durch die Budapester Philharmoniker war für Bartók ein Meilenstein. Sie machte den jungen Komponisten, der den nicht enden wollenden Applaus in ungarischer Nationaltracht entgegennahm, über Nacht bekannt und etablierte ihn in der Öffentlichkeit als Vorkämpfer der ungarischen Sache im Musikleben. So heißt es in einer Kritik: »Patriotisches Gefühl und eine starke Zuneigung zum eigenen Volk prägen dieses Werk, und deshalb gefallen uns Béla Bartóks patriotische künstlerische Versuche trotz aller Extravaganz und Übertreibung.«[20] Dass die monierten »Extravaganzen und Übertreibungen« den Einfluss von Richard Strauss widerspiegeln, für den sich Bartók trotz seiner Emanzipationsbestrebungen von der Vorherrschaft der deutschen Kultur damals

begeisterte, wurde von dem konservativen Kritiker entweder nicht bemerkt oder geflissentlich verschwiegen.

Ein kulturpolitisch aufgeladenes Werk der Programmmusik markierte also den Beginn von Bartóks Komponistenkarriere. Und auch seine kurz darauf beginnenden Aktivitäten als Volksliedsammler waren zunächst ein durch und durch nationales Projekt. So erklärte Bartók in einer aktualisierten Fassung seiner »Selbstbiographie«, die 1923 in einem ungarischen Lexikon erschien: »Es galt in der Musik etwas spezifisch Ungarisches zu schaffen. Diese Gedankenrichtung erfaßte auch mich und lenkte meine Aufmerksamkeit auf das Studium unserer Volksmusik, das heißt dessen, was man damals für ungarische Volksmusik hielt.«[21] Von entscheidender Bedeutung für Bartóks Beschäftigung mit der Volksmusik waren zwei Ereignisse. Im Sommer 1904 begegnete der

Für Bartók stand fest, dass die »Musikfolklore als Wissenschaft ihren heutigen Entwicklungsstand Edison zu verdanken« habe. Hier sieht man ihn mit dem Ohr am Phonographen beim Transkribieren von Volksliedern.

in urbaner Umgebung sozialisierte Musiker in einem Dorf rund 150 Kilometer nördlich von Budapest erstmals einer bäuerlichen Volksmusik, die sich von den in den Städten gesungenen und gespielten Weisen wesentlich unterschied. Wenig später lernte er dann den um ein Jahr jüngeren Zoltán Kodály kennen. Zwischen beiden Komponisten entwickelte sich rasch eine enge Freundschafts- und Arbeitsbeziehung. Grundlage war dabei die Begeisterung für Volksmusik. Nach ersten Recherchen veröffentlichten Bartók und Kodály im Winter 1906/07 unter dem Titel *Magyar Népdalok* (»Ungarische Volkslieder«) 20 Melodien, die sie für Gesang und Klavier gesetzt hatten.[22] Die Beschränkung auf ungarische Volksweisen spiegelt die ursprüngliche Zielrichtung des Vorhabens: die Entwicklung eines ungarischen Nationalstils auf der Basis »echter« Volksmusik. Aber schon bald weitete sich die nationale Perspektive, und aus dem patriotischen Projekt wurde ein Unternehmen mit wissenschaftlichem Anspruch. Ausgangpunkt für diese Veränderung war die Einsicht, dass man die Eigenheiten der ungarischen Volksmusik nur ergründen könne, wenn einem auch die »Musik der Nachbarvölker« bekannt sei.[23] So unternahm der polyglotte Bartók, der fast ein Dutzend Sprachen beherrschte, bis 1918 fast 40 Forschungsreisen durch den östlichen Teil der österreichisch-ungarischen Doppelmonarchie, um die Musik der Landbevölkerung in ihrem jeweiligen kulturellen, sprachlichen und sozialen Kontext zu studieren, mit dem Bleistift zu notieren und mit dem Phonographen akustisch aufzuzeichnen.[24] Auf seinen oft wochenlangen Reisen sammelte er rund 10 000 Volksweisen (darunter circa 3 500 rumänische, 3 000 slowakische und 2 700 ungarische Melodien) und untersuchte die vielfältigen musikalischen Verflechtungen zwischen den verschiedenen ethnischen Gruppen und Sprachgemeinschaften. Obwohl die Feldforschungsaktivitäten in entlegenen Regionen mit erheblichen Strapazen verbunden waren, bezeichnete Bartók sie später als »schönste Zeit« seines Lebens und betonte zugleich, wie wichtig es sei, die jeweilige Musik an »Ort und Stelle« zu studieren: »Wer das pulsierende Leben dieser Musik wirklich fühlen will, der muß es sozusagen erleben, und das kann er nur durch unmittelbaren Umgang mit den Bauern erreichen. Von dieser Musik mit ihrer ganzen Macht ergriffen zu werden – was unumgänglich notwendig ist, wenn sie schöpferisch auf uns einwirken soll –, dazu genügt es nicht, die Melodien zu erlernen. Ebenso wichtig ist es, auch die Umgebung zu sehen und zu kennen, wo diese Melodien leben.«[25]

Wie sehr sich Bartóks Blick auf die Volksmusik und seine kulturpolitischen Überzeugungen durch seine Reisen und das intensive Studium der benachbarten Musikkulturen wandelten, lässt sich anhand von zwei Briefen verdeutlichen. Im Sommer 1905 schreibt der junge Patriot einer ungarischen Freundin: »Soweit ich die Volksmusik fremder Völker kenne, steht die unsere, was Ausdruckskraft und Mannigfaltigkeit angeht, weit höher.«[26] In einem vier Jahre später verfassten Brief an Joan Bușiția ist von dieser chauvinistischen Haltung bereits nichts mehr zu spüren. So weist Bartók den rumänischen Lehrer, der ihn bei seinen Reisen durch rumänischsprachige Regionen begleitete, auf die engen Verbindungen zwischen der ungarischen und der rumänischen Volksmusik hin: »Derartige übernommene Melodien und wechselseitige Einwirkungen sind bei benachbarten Völkern stets vorzufinden. [...] Bei anständiger wissenschaftlicher Arbeit gibt es keine Übervorteilung des andern.«[27]

Auch als Komponist durchlief Bartók in diesen Jahren eine Metamorphose. Auf der Basis seiner Sammlungs- und Forschungstätigkeit entwickelte er ab 1908 ausgehend von Werken wie den bahnbrechenden *14 Bagatellen* für Klavier op. 6 eine moderne Tonsprache, die in der Volksmusik wurzelte. In der neu entdeckten »unverbrauchten« Bauernmusik sah er ein geeignetes Mittel, um sich aus den Fängen der Vergangenheit zu befreien. Er bewunderte ihr »pulsierendes Leben«, rühmte die »unvergleichliche Gedrängtheit des Ausdrucks« und ließ sich von ihrer rhythmischen und metrischen Vielfalt, der vom Dur-Moll-System abweichenden tonalen Organisation und ihrem Formenreichtum inspirieren.[28] In seinen *Harvard Lectures* hat Bartók rückblickend allerdings noch eine zweite wichtige Voraussetzung für »die Entwicklung einer ›neuen‹ ungarischen Kunstmusik« benannt: die »umfassende Kenntnis der Kompositionstechniken westlicher Kunstmusik der Vergangenheit und Gegenwart«.[29]

In nationalistischen Kreisen wurde Bartók für seine künstlerische und wissenschaftliche Auseinandersetzung mit anderen Musikkulturen heftig attackiert. So warf man dem einstigen Vorzeigepatrioten in der Zeit vor dem Ersten Weltkrieg vor, er sei mittlerweile »der Sklave eines fremden Geistes« geworden. Besonders hoch schlugen die Wellen im Zuge der Premiere der *Zwei Bilder* (*Deux Images*) op. 10 in Budapest. Das Orchesterwerk, das neun Jahre nach dem spektakulären Durchbruch mit *Kossuth* ebenfalls von den Budapester Philharmonikern uraufgeführt wurde, spiegelt unter anderem Bartóks Beschäftigung mit Debussy und mit rumänischer Volksmusik wider. »Seine starke, charakteristische ungarische Individualität wurde durch den absorbierenden ausländischen Einfluss fast ausgelöscht«, behauptete der rechtskonservative Kritiker Emil Haraszti in einer vernichtenden Besprechung des Konzerts: »Er wurde zum Apostel der tschechischen, rumänischen, slowakischen und weiß Gott welcher Musik, nur die ungarische Musik blieb auf der Strecke.«[30] Die Aggressivität dieser Angriffe zeugt nicht nur von einer Verschärfung des kulturpolitischen Klimas und einer Zunahme des Nationalismus, sondern auch von der kulturpolitischen Sprengkraft des Bartók'schen Projekts. Seit dem frühen 19. Jahrhundert hatten der ungarische Adel und die Landbesitzer für sich in Anspruch genommen, alleinige Eigentümer des ungarischen Nationalbewusstseins zu sein.[31] Die einfache Landbevölkerung hingegen wurde ökonomisch, sozial und politisch ausgegrenzt und nicht wirklich als Teil der Nation wahrgenommen. Vor diesem Hintergrund war Bartóks Hinwendung zur Musik der Bauern und sein Plädoyer, diese zur Grundlage einer neuen ungarischen Kunstmusik zu machen, nicht nur in künstlerischer Hinsicht, sondern auch sozialpolitisch für die konservativen Eliten eine Provokation. Hinzu kamen als weitere Kritikpunkte die Kompromisslosigkeit seiner Tonsprache, die kompositorische Auseinandersetzung mit der europäischen Moderne und sein wissenschaftliches und künstlerisches Interesse an der Volksmusik der Nachbarvölker.

Politische Umbrüche und existenzielle Erschütterungen

Als Bartók im Frühjahr 1923 mit der Konzeption der *Tanz-Suite* begann, blickte er auf fünf Krisenjahre zurück, die in allen Bereichen seiner Existenz tiefe Spuren hinterlassen hatten. In welchem Maße der territoriale Zerfall Ungarns, die innenpolitischen Umwälzungen, der aggressive Nationalismus und die desaströse wirtschaftliche Situation sein Leben beeinflussten und seine Aktivitäten als Komponist und Volksliedforscher beeinträchtigten, lässt sich seiner Korrespondenz entnehmen. Zweieinhalb Monate nach Kriegsende und wenige Wochen bevor aus der demokratischen Volksrepublik die kommunistische Räterepublik Ungarn wurde, schrieb er an seinen rumänischen Freund und Reisebegleiter Joan Bușiția: »Lassen Sie mir von Zeit zu Zeit eine Nachricht zukommen; es würde mich interessieren, wie sich Ihr Schicksal in der neuen Welt anläßt; was wird aus der rumänisch-ungarischen Freundschaft? Und was wird aus dem Sammeln rumänischer Lieder?!«[32] Zwei Jahre später – in der Zwischenzeit hatten rumänische Truppen Budapest besetzt, der traumatische Vertrag von Trianon war in Kraft getreten und das nationalistische und autoritäre Horthy-Regime hatte die politische Macht übernommen – trat er mit Bușiția erneut in Kontakt. In einem langen Brief zog er Anfang Mai 1921 eine düstere Zwischenbilanz: »Daß ich endlich wieder einmal Nachricht von Ihnen habe! [...] Ich habe natürlich nicht einmal versucht zu schreiben, da es ja allgemein bekannt war, daß der Postverkehr zwischen den beiden Ländern eingestellt war. Seitdem habe ich so manches durchgemacht, Gutes, aber größtenteils Schlechtes, worüber ich natürlich nicht schreiben kann. [...] So muß ich meine ganze freie Zeit dazu verwenden, Geld zu verdienen. Ich spiele Klavier bei Konzerten, schreibe Artikel für ausländische Zeitschriften, Bücher über die ungarische Volksmusik und die Volksmusik anderer Völker usw. Es ist klar, daß ich unter solchen Umständen nicht zum Komponieren komme, selbst wenn mein Seelenzustand mir es erlaubt. Dieser letztere ist aber durchaus nicht in Ordnung, was kein Wunder ist. Ein Heim besitze ich eigentlich nicht; Wohnungen sind überhaupt nicht zu haben, und wenn es welche gäbe, wären sie unbezahlbar. Was ich so sehr brauche, wie andere die frische Luft: die Fortsetzung meiner Volksmusikstudien in den Dörfern, davon bin ich aussichtslos abgeschnitten. Ich habe dafür weder Zeit noch Geld! [...] Und gerade jetzt zeigt sich im Ausland großes Interesse für meine Kompositionen. [...] All diese sind aber, leider, bloß moralische Erfolge. Und wenn man mich sogar zum Oberpapst der Musik ernannte, es würde mir nichts helfen, wenn ich von der Bauernmusik auch weiterhin abgeschlossen bliebe.«[33]

In ihren Grundzügen traf diese desillusionierte Zustandsbeschreibung 1923 immer noch zu. Zwar hatte sich die politische Situation stabilisiert, und auch die Lebensbedingungen waren deutlich besser geworden, doch die existenzsichernden Tätigkeiten nahmen nach wie vor einen breiten Raum ein. Neben den Unterrichtsverpflichtungen an der Liszt-Akademie, wo Bartók eine Professur für Klavier innehatte, und neben der Arbeit an musikethnologischen Publikationen hatte er insbesondere seine Konzertaktivitäten weiter intensiviert. Im Jahresverlauf unternahm der herausragende Pianist mehrere ausgedehnte Tourneen und gab Solo-Rezitale und Kammermusikabende in Deutschland, Frankreich, Großbritannien, den Niederlanden, der Schweiz und der Slowakei.[34] Eine Englandreise in der ersten Maihälfte mit Auftritten in London und britischen Kleinstädten – in der Hauptstadt spielte er gemeinsam mit der dort lebenden ungarischen Geigerin Jelly d'Arányi die englische Erstaufführung seiner beiden Violinsonaten – brachte ihm wertvolle Devisen. So belief sich der Gesamtgewinn der Reise auf ungefähr 65 Pfund, eine stattliche Summe im inflationsgeplagten Ungarn und rund die Hälfte des britischen Jahresdurchschnittseinkommens. Mit dieser Konsolidierung seiner finanziellen Lage trug Bartók auch seiner veränderten familiären Situation Rechnung. Im Sommer 1923 trennte er sich einvernehmlich von seiner Frau Márta, um bereits wenige Wochen später eine seiner Klavierschülerinnen, die damals 20-jährige Edith (Ditta) Pásztory zu heiraten und mit ihr eine neue Familie zu gründen. Dass unter diesen Umständen für die schöpferische Tätigkeit kaum Ruhe und Zeit blieb, liegt auf der Hand. Wie in den vorausgegangenen Jahren entstand auch 1923 nur ein einziges Werk – die vom Stadtrat beauftragte *Tanz-Suite*.

Während es Bartók gelang, seine Lebensbedingungen in den folgenden Jahren weiter zu verbessern und mehr Zeit zum Komponieren zu finden, war im Bereich der Volksliedforschung keine Wende in Sicht. Bis 1918 war es ihm möglich gewesen, die Sammeltätigkeit in »gewissen Teilen Ungarns« fortzusetzen. Doch mit Kriegsende musste er die Feldforschung vollständig einstellen. Ausschlaggebend war dabei zum einen der Mangel an Geld und Zeit, den Bartók im zitierten Brief an Bușiția anführt. Ein Phonographenzylinder kostete zwanzigmal so viel wie vor dem Krieg. Im Ethnographischen Museum der Hauptstadt musste »jegliche Arbeit wegen Kohlemangels« zwischenzeitlich ruhen.[35] Und in den wirtschaftlich prekären Nachkriegsjahren finanzielle Mittel für eine musikethnologische Forschungsreise zu erhalten, war ein Ding der Unmöglichkeit. Langfristig entscheidend für Bartóks Rückzug von der Feldforschung war jedoch die veränderte geopolitische Lage, die den ungarischen Nationalismus anheizte und das kulturpolitische Klima nachhaltig vergiftete. Aus »politischen Gründen und wegen der wechselseitigen Feindseligkeiten« sei die »wissenschaftliche Erforschung der vom ehemaligen Ungarn losgelösten« Regionen fortan unmöglich, konstatierte er in seiner 1921 verfassten Selbstbiographie.[36] Und in einem für eine italienische Musikzeitschrift verfassten Aufsatz über »Die Volksmusik der Völker Ungarns« aus derselben Zeit bemerkte er bitter: »Das ›gros‹ der Bevölkerung, die Bauern der verschiedenen Nationalitäten lebten während der Zeit der magyarischen Hegemonie in grösste[r] Eintracht. Nicht ein Fünkchen chauvinistischen Hasses war bei ihnen zu entdecken: und, wenn jemals irgendwelche Unterdrückung und prepotente [d. h. überhebliche] Handlungen wahrgenommen werden konnten, so stammten diese ausschließlich von der jeweiligen Regierung, und der machthabenden Herrenklasse, die – man könnte sagen – beinahe im gleichen Grad prepotent war gegenüber Bauern welchimmer Nationalität des Landes.«[37]

Dass der von den neuen Machthabern propagierte »chauvinistische Hass« nicht nur die Feldforschung unmöglich machte, sondern auch die Forschungsfreiheit und das Projekt einer vergleichenden Volksmusikforschung bedrohte, hatte Bartók ein Jahr zuvor am eigenen Leib erfahren. Zweieinhalb Monate nach der Wahl Horthys zum Reichsverweser und kurz vor der Unterzeichnung des verhassten Vertrags von Trianon erschien in drei Zeitungen des christlich-nationalen Lagers eine Folge von Artikeln, die Bartók vorwarfen, sich unpatriotisch zu verhalten. Ausgangspunkt der Diffamierungskampagne war ein kurz zuvor in einer deutschen Fassung veröffentlichter Aufsatz, in dem sich Bartók mit dem »Musikdialekt der Rumänen aus Hunyad« beschäftigte, einer Region in Siebenbürgen, die nun nicht mehr zu Ungarn, sondern zu

Rumänien gehörte.[38] Unter tendenziösen Überschriften wie »Béla Bartók im Dienste der walachischen ›Kultur‹« wurde Bartóks wissenschaftliche Beschäftigung mit der Musik anderer Kultur- und Sprachgemeinschaften diskreditiert und behauptet, er würde Regionen, die eigentlich ungarisch seien, zu »rumänischem Kulturgebiet« erklären und »unsere siebenbürgischen Lieder auf rumänischen Ursprung« zurückführen.[39] Erbost von dieser politisch gesteuerten Kampagne, bei der der nach dem Sturz der Räterepublik wieder eingesetzte Rektor der Musikakademie Ernő Hubay eine maßgebliche Rolle spielte, ging Bartók in die Offensive. Am 26. Mai 1920 veröffentlichte eine der beteiligten Tageszeitungen eine Replik, in der er sich gegen die »Feindseligkeiten und falschen Anschuldigungen« zur Wehr setzte. Wie angespannt die Situation war, zeigt die Tatsache, dass er es nicht bei einer Richtigstellung falscher Behauptungen beließ, sondern der national gesinnten Leserschaft der Zeitung zugleich eine Interpretation seines Aufsatzes anbot, die ihren eigenen Überzeugungen entgegenkam: So sei seine Forschung nicht unpatriotisch, sondern belege vielmehr die »kulturelle Überlegenheit des Szeklertums beziehungsweise des Ungarntums gegenüber den Rumänen«.[40]

Liest man Bartóks Ausführungen ohne Berücksichtigung des Kontexts, in dem sie entstanden sind, könnte man eine nationalistische Kehrtwende vermuten. In Kenntnis seiner sonstigen Positionen spricht allerdings viel dafür, die These von der kulturellen »Überlegenheit des ungarischen Volkes« nicht für bare Münze zu nehmen, sondern als Versuch zu verstehen, sich aus der Schusslinie zu nehmen. Gebrandmarkt von den nationalistischen Anfeindungen der Vergangenheit und beunruhigt von dem politisch extrem aufgeheizten Klima nach dem Fall der Räterepublik, fühlte er sich durch die Diffamierungskampagne akut bedroht und trat gleichsam die Flucht nach vorne an. Hinzu kam als ein weiterer Faktor die bevorstehende Unterzeichnung des Vertrags von Trianon, der auch bei Bartók das Nationalgefühl anstachelte. So steht außer Frage, dass er wie die Mehrzahl seiner Landsleute unter dem territorialen Zerfall des einstigen ungarischen Imperiums litt, der Okkupationspolitik der Nachbarstaaten kritisch gegenüberstand und die Hegemonialmachtrolle Ungarns in der Vergangenheit idealisierte.[41] Aufschlussreich ist in diesem Zusammenhang ein Aufsatz über »Volksliedforschung und Nationalismus«, in dem Bartók anderthalb Jahrzehnte später das Spannungsfeld von wissenschaftlicher Forschung und Nationalgefühl vor dem Hintergrund seiner eigenen Erfahrungen diskutiert: »Es muß von jedem Forscher, also auch vom Musikfolkloreforscher, die menschlich größtmögliche Objektivität verlangt werden. Er muß in seiner Arbeit danach trachten, sein eigenes Nationalgefühl auszuschalten, solange er sich mit der Vergleichung des Materials beschäftigt. Das Wort

›trachten‹ gebrauche ich absichtlich und mit besonderer Betonung, denn dieses Postulat ist ja schließlich nur ein Ideal, dem man sich möglichst nähern soll, ohne daß man es ganz erreichen könnte. Denn schließlich ist doch der Mensch ein unvollkommenes Geschöpf, das oft seinen Gefühlen ausgeliefert ist. Und gerade jene Gefühle, die die Muttersprache und Dinge der Heimat betreffen, gehören zu den instinktivsten, zu den stärksten. Ein wahrer Forscher muß jedoch so viel Geisteskraft besitzen, diese Gefühle dort, wo es nötig ist, zu zähmen und zurückzudrängen.«[42]

Ausflug in die Politik

Was Bartók von der Politik der Nachkriegszeit hielt und wie sehr er das Horthy-Regime verabscheute, macht ein Artikel deutlich, der im April 1920 in *The Musical Courier* erschien. Unter dem Titel »Hungary in the Throes of Reaction« (»Ungarn im Zeichen der Reaktion«) berichtet er der internationalen Leserschaft des angesehenen britischen Musikjournals über das krisengeschüttelte ungarische Musikleben.[43] Bemerkenswert ist, dass Bartók trotz der aufgeheizten innenpolitischen Stimmung und angesichts des Drucks des Horthy-Regimes nicht davor zurückschreckt, die desaströse kulturpolitische Situation seit Kriegsende kritisch zu beleuchten und mit klaren Worten Stellung zu beziehen. Dies macht den in deutscher Sprache entworfenen Text zu einem interessanten Gegenstück zu Bartóks offizieller Reaktion auf die wenige Wochen später in der nationalistischen Hauptstadtpresse geführte Diffamierungskampagne. Zugleich verdeutlichen seine Ausführungen, warum die Vergabe der Kompositionsaufträge für das Budapester Festkonzert 1923 an Kodály, Dohnányi und ihn selbst ein solch »pikanter« Vorgang war.

Nüchtern und zugleich schonungslos lässt Bartók den Reigen der politischen Systeme nach dem Untergang der Doppelmonarchie Revue passieren. In den ersten Nachkriegsmonaten hätten sich die »in Kunstangelegenheiten recht fortschrittlichen Sozialisten« um eine Neuaufstellung der Musikakademie bemüht: »Die zwei weitaus besten Musiker Ungarns, Dohnányi und Zoltán Kodály wurden mit der Leitung des Instituts beauftragt«, um die »bisher gescheiterten Reformbestrebungen auszuführen«. Nach der Machtübernahme der Kommunisten, die die Förderung »fortschrittlicher Talente« noch intensiviert hätten, erschien dann auch Bartók selbst für kurze Zeit auf der politischen Bühne. »Es wurde ein Musikdirektorium gebildet (Dohn., Kodály und B.), und mit [der] obersten Leitung des ganzen öffentliche[n] Musiklebens betraut. Die genannten Musiker, wenn auch durchaus keine überzeugten Kommunisten, hatten die Mission doch übernommen einerseits in der schwachen Hoffnung, die sie als Laien in der Politik hegten an einer Besserung der allgemeinen Zustände, andererseits um eventuelle, für das Musikleben schädliche Gewalttaten und das Vordringen unbegabter Emporkömmlinge womöglich zu verhindern.« Doch diese Hoffnungen erwiesen sich rasch als Illusion: »Leider hatte schon die Regierung der Sozialisten enttäuscht, noch mehr die der Kommunisten [...]. Protektion, Bürokratie herrschte in einem Masse [Maße], wie zuvor niemals.«

Nach dieser kritischen Bilanz der kommunistischen Phase wendet sich Bartók dem Horthy-Regime zu. »Nun kam die konservativste Reaktion«, kommentiert er lakonisch, um anschließend die musikpolitischen Maßnahmen der ersten Wochen aufzuzählen: Das Musikdirektorium wurde aufgelöst, Dohnányi und Kodály ihrer »führenden Position« an der Musikhochschule enthoben, »die besten Lehrkräfte unter dem falschen Vorwande des Bolschewismus« von der Unterrichtstätigkeit suspendiert und Fürsprecher der Moderne – wie der an der Staatsoper wirkende Dirigent Egisto Tango – nicht mehr weiterbeschäftigt. Bartóks Ausführungen lassen dabei keinen Zweifel, was er von diesen Maßnahmen, dem antiliberalen und antisemitischen Kurs der Regierung und ihrer Forderung nach einem starken »christlichen« Nationalismus hielt: »Bei uns fragt man jetzt nicht danach, ob ein Sänger, ein Künstler etwas leisten könne, sondern ob er ein Jude, und ob er freigesinnt sei. Denn diese beiden Menschenarten will man eben wo möglich von jeder öffentlichen Betätigung ausschliessen.«

Wie sehr Bartók unter den »zerrütteten« politischen Verhältnissen und der allgemeinen Krise litt, zeigt die Tatsache, dass er in dieser Zeit ernsthaft mit dem Gedanken spielte, Ungarn den Rücken zu kehren. Kurz nachdem er seinen schonungslosen Bericht über das ungarische Musikleben der Nachkriegszeit für den *Musical Courier* verfasst hatte, schreibt er aus der Musikmetropole Berlin an Buşiţia: »Auf alle Fälle wäre es möglich, sich auch hier niederzulassen. Aber – wie Sie wohl wissen – die Volkslieder lassen mich nur schwer nach dem Westen: es ist alles umsonst, sie ziehen mich nach dem Osten.«[44]

Ein Auftrag, drei Lösungen: Bartók, Dohnányi, Kodály

Was genau Bartók und seinen Mitstreitern Kodály und Dohnányi durch den Kopf ging, als sie im Frühjahr 1923 der Wunsch erreichte, sie mögen jeweils ein neues Werk für das Galakonzert zum Budapester Stadtjubiläum schreiben, wissen wir nicht. Dass der »ultra-christlich-nationale« Stadtrat mit dem politischen Kompositionsauftrag ausgerechnet jenen Musikern eine offizielle Plattform bot, die bereit gewesen waren, unter den verhassten Kommunisten ein »Musik-Direktorium« zu bilden, wird wohl nicht nur Bartók erstaunt haben. So war jeder der drei Musiker nach dem Fall der Räterepublik gemaßregelt bzw. öffentlich angegriffen worden und musste sich in den veränderten politischen Umständen neu positionieren. Nun aber wurde von ihnen erwartet, mit ihrem neuen Werk nicht nur die ungarische Hauptstadt zu feiern, sondern auch kulturpolitisch Farbe zu bekennen – eine Aufgabe, die sie auf sehr unterschiedliche Weise lösten.

Für Ernő Dohnányi waren die politischen Angriffe nach der Machtübernahme des Horthy-Regimes ein Ärgernis, das auf seine Existenz und Karriere keinen großen Einfluss hatte. Zwar verlor er den Rektorenposten an der Musikakademie, seine überragende Stellung als Schlüsselfigur des ungarischen Musiklebens wurde dadurch jedoch nicht gefährdet. Trotz der »unfreundlichen« Behandlung durch die neue Regierung kehrte der auch international äußerst erfolgreiche Musiker Ungarn nicht den Rücken, sondern blieb in Budapest. Noch vor Jahresende bekräftige er seine »Alleinherrschaft im Konzertsaal« – wie Bartók den Leserinnen und Lesern des *Musical Courier* berichtete – mit einem »Riesenunternehmen«. Zum 150. Geburtstag Beethovens trug der herausragende Pianist in einem Konzertmarathon sämtliche Klavierwerke »des Meisters« (die Klaviersonaten, Variationszyklen und andere Solostücke, die fünf Klavierkonzerte sowie die Klaviertrios und Klavierquartette) in zum Teil unbeheizten Sälen vor.[45] Und auch mit den neuen Machthabern scheint sich Dohnányi – ob aus pragmatischen Gründen oder aus Überzeugung sei dahingestellt – rasch arrangiert zu haben. Für das erste Weihnachtskonzert des Philharmonischen Orchesters im wiederhergestellten Königreich Ungarn vertonte er das »neue ungarische Irredenta-Credo für Chor, Soli und Orchester«. Der Text dieser »merkwürdigen Umgestaltung des christlichen Credos« lautet: »Ich glaube an einen Gott / Ich glaube an ein Vaterland / Ich glaube an eine ewig göttliche Gerechtigkeit / Ich glaube an die Auferstehung Ungarns, Amen!«[46]

Dass Dohnányi sich dazu hergab, diese Worte in Musik zu setzen und ein Werk zu schreiben, das die vom Horthy-Regime und seinen Verbündeten proklamierte Verbindung von Nationalismus und Christentum mit musikalischen Mitteln feiert, dürfte Bartók zutiefst irritiert haben. In seiner Besprechung des Abends für den *Musical Courier* hielt er sich zwar mit offener Kritik zurück – vielleicht aus Respekt vor Dohnányi, den er seit seiner Jugendzeit außerordentlich schätzte, vielleicht auch um nicht selbst erneut in die Schusslinie zu geraten. Was er von dem politischen Machwerk und seiner ideologischen Botschaft tatsächlich hielt, lässt sich jedoch zwischen den Zeilen herauslesen: »Dieses, etwa vor einem Jahre entstandene National-Credo ist das Losungswort der heutigen national-christlichen politischen Richtung geworden; seine Spitze wendet sich gegen Ungläubigkeit und gegen die Feinde Ungarn's. Man kann sich die christlich-nationale Rührung und Extase des Publikum's vorstellen, als es sein Losungswort vertont zu hören bekam und noch dazu vertont durch die Fürsorge eines Dohnányis. Auch waren viele Häupter der Kirche bei der Uraufführung anwesend, unter anderen der unlängst angekommene päpstliche Nunzius, die samt Publikum das National-Credo stehend anhörten.«[47]

Mit der Vertonung dieses symbolträchtigen Glaubensbekenntnisses der Nation hatte der einstige Musikdirektor der Räterepublik bereits Ende 1920 mögliche Zweifel an seiner nationalen Gesinnung und kulturpolitischen Loyalität ausgeräumt. Im Falle Dohnányis war die Entscheidung des Festkomitees, ihn zur zentralen Figur des Galakonzerts zum Budapester Stadtjubiläum zu machen, also weder überraschend noch risikobehaftet, sondern lag gleichsam auf der Hand. Und tatsächlich lieferte er am 19. November 1923, was die Auftraggeber von ihm erwartet hatten. Als Dirigent und Pianist dominierte er die Veranstaltung und wurde – trotz der miserablen Aufführung von Bartóks *Tanz-Suite* – »im Laufe des ganzen Abends mit begeisterter Ovation umjubelt«.[48] Als Komponist schrieb er mit seiner *Festouvertüre* ein Stück, das den ästhetischen Vorlieben und kulturpolitischen Überzeugungen des christlichnationalen bzw. konservativen Teils des Publikums entsprach. So demonstrierte Dohnányi in dem ebenso schwungvollen wie eingängigen Stück nicht nur seine Verwurzelung in der Ton- und Ausdruckssprache des 19. Jahrhunderts und seine kontrapunktische Meisterschaft, sondern bewies zugleich ein weiteres Mal seine patriotische Gesinnung. Als Mittel dienten ihm dabei drei politisch aufgeladene Melodien: die von Ferenc Erkel 1844 komponierte, religiös geprägte ungarische Hymne, die aus derselben Zeit stammende Vertonung des »Mahnrufs« (»Szózat«) von Béni Egressy sowie eine Weise aus seinem eigenen *Ungarischen Credo*. Diese werden im Verlauf des Stückes in Auszügen zitiert und im Schlussteil des Werkes auf kunstvolle Weise kombiniert. Dohnányis *Festouvertüre* feiert damit nicht nur die ungarische Nation, sondern schafft durch die kontrapunktische Verbindung der drei symbolträchtigen Weisen zugleich ein musikalisches Sinnbild für die Vereinigung der drei Städte Buda, Óbuda und Pest zur Hauptstadt Budapest.

Während die politischen Umwälzungen der frühen 1920er-Jahre Dohnányis herausgehobene Stellung im ungarischen Musikleben also nicht gefährdeten und er seine Karriere nach der Machtübernahme des Horthy-Regimes ungebremst weiterverfolgen konnte, stürzten die Ereignisse nach dem Fall der Räterepublik den damals weitaus weniger bekannten Zoltán Kodály in eine tiefe persönliche und schöpferische

Krise.[49] An der Musikakademie verlor er den Posten des Vizedirektors, durfte dort zeitweilig nicht mehr unterrichten und sah sich außerdem zahlreichen Anfeindungen und Intrigen ausgesetzt. Unter dem Eindruck dieser traumatischen Erfahrungen zog er sich aus der Öffentlichkeit zurück und stellte das Komponieren für drei Jahre nahezu vollständig ein. Entscheidend für die Überwindung dieser Krise war der unerwartete Auftrag des Budapester Stadtparlaments. Im Frühsommer 1923 begann Kodály wieder zu komponieren und schuf mit dem *Psalmus Hungaricus* jenes Werk, das ihm den bislang größten Erfolg in Ungarn und zugleich den internationalen Durchbruch bringen sollte. Dass dieses auch für seine künstlerische Entwicklung zentrale Stück auf Wunsch jener politischen Kräfte entstanden ist, die drei Jahre zuvor seinen Sturz betrieben hatten, erscheint im Rückblick wie eine Ironie der Geschichte.

Der Kontrast zwischen Dohnányis *Festouvertüre* und Kodálys Vertonung des 55. Psalms für Tenor, Chor und Orchester könnte kaum größer sein. Statt eines affirmativen Jubelstücks zum Festtag schrieb Kodály eine Meditation über die katastrophale Situation der Nachkriegszeit. Während Dohnányis wirkungsvolle »Gelegenheitskomposition« – wie in den Kritiken des Galakonzerts zu lesen ist – »mit unbegrenztem Enthusiasmus« aufgenommen wurde und »durch die virtuose Konstruktion und das eingeflochtene Nationalgebet vielleicht die größte Wirkung erzielte«, wurde Kodálys Werk als »erschütterndes seelisches Erlebnis für seine Zuhörer« beschrieben. »*Dies ist ungarische Musik*, so muß sie sein«, konstatierte Pálma Ottlik, die einzige Frau, die im Budapest der frühen 1920er-Jahre als Musikkritikerin tätig war: »Es ist aber kein allgemein-menschlicher Schmerz oder Glaube, sondern der ungarische Schmerz, der ungarische Glaube.«[50]

Bereits in der Textauswahl spiegelt sich die nationale Ausrichtung des Werks. So vertonte der literarisch hochgebildete Komponist den 55. Psalm in einer Nachdichtung, die der protestantische Kleriker Mihály Vég im 16. Jahrhundert in ungarischer Sprache verfasst hatte. In ausdrucksstarken Bildern thematisiert diese freie Adaptation des Psalmentextes Erfahrungen, Emotionen und Wünsche, die sich mit der Gegenwart in Verbindung bringen ließen: die Bedrängung König Davids durch Feinde und Freunde, seine Verlassenheit, Schwermut und Verzweiflung, das Verlangen, Gott möge seine Klagen erhören und die Feinde bestrafen sowie die Hoffnung auf Trost und Erlösung. Für den Komponisten war Végs Nachdichtung sowohl in musikalischer Hinsicht als auch inhaltlich eine ideale Textvorlage. Musikalisch ließen sich die wortgewaltige Klage, die starken Bilder und das Schwanken zwischen unterschiedlichen Gefühlszuständen wirkungsvoll vertonen. Inhaltlich lud die Nachdichtung dazu ein, als Kommentar zur krisenhaften Nachkriegszeit verstanden zu werden, und eröffnete zugleich genügend Spielraum für unterschiedliche Interpretationen. In einer nationalen Lesart, die bereits in einigen Uraufführungskritiken anklingt und die Rezeption des Werkes in Ungarn lange Zeit prägte, wurde der *Psalmus Hungaricus* als »Parabel« gedeutet, die auf die äußere und innere Lage Ungarns nach 1918 Bezug nimmt: das Trauma des territorialen Zerfalls und die dadurch ausgelöste nationale Identitätskrise, der als ungerecht empfundene Vertrag von Trianon und der vielfach in religiöser Symbolsprache vorgetragene Wunsch nach nationaler Wiederauferstehung. So schreibt Aladár Toth über die Uraufführung: »Nach dem Erklingen des *Psalms 55* von *Zoltán Kodály* spürte jeder das erhabene Wunder. Irgendetwas ist auferstanden, um uns für alle Verluste zu entschädigen: jener Herr ist unter uns auferstanden, den das Klagewort des ungarischen Dichters zu uns rief, um uns alle zu trösten ...«[51] Alternativ zu dieser »kollektiven« Deutung lässt sich der *Psalmus Hungaricus* aber auch als autobiographisches Werk verstehen.[52] So spricht viel dafür, dass Kodály den Text auch auf seine persönliche Situation bezog und mit den Worten König Davids bzw. Mihály Végs die krisenhaften Erfahrungen der frühen 1920er-Jahre aufarbeitete: die eigene Isolation, die Anfeindungen von politischen Gegnern und vermeintlichen Freunden sowie die Phasen der Depression.

Während Dohnányi und Kodály sich in ihren Werken auf sehr unterschiedliche Weise mit dem Anlass des Festkonzerts und der Situation Ungarns auseinandersetzten, überraschte Bartók seine Auftraggeber und das Publikum mit einem scheinbar unpolitischen Werk. So gibt es in der *Tanz-Suite* weder bekannten Zitate, die wie im Falle der *Festouvertüre* eine klare Botschaft transportieren, noch einen Text, der sich wie jener des *Psalmus Hungaricus* auf die Zeitumstände beziehen lässt. Und auch in einem am Tag der Uraufführung veröffentlichten Interview, in dem Bartók auf sein Werk zu sprechen kam, gab er keine Hinweise auf ein mögliches Programm. Stattdessen begnügte er sich mit einigen sehr allgemein gehaltenen Bemerkungen zum Aufbau des Stücks: »Es besteht aus fünf Teilen, die attacca, also ohne Pause, aufeinander folgen. Alle fünf Tänze basieren auf volksliedartigen Themen, die aber keine echten Volksweisen sind. Zwischen den einzelnen Tänzen verwende ich statt Pausen ein Orchester-Interludium, ein kleines Ritornell. [...] Dem fünften Satz bzw. Tanz folgt [...] ein finalartiger Teil, in dem alle vorigen Themen wiederkehren.«[53]

Die spärlichen Informationen, die der Komponist zu seinem neuen Werk preisgab, und die dürftige Wiedergabe der *Tanz-Suite* waren zweifellos mitverantwortlich dafür, dass in der Kritik eine gewisse Ratlosigkeit herrschte. Viele Rezensenten paraphrasierten die formalen Erläuterungen des Komponisten, blieben aber ansonsten relativ vage. In einigen Besprechungen wurden die rhythmische Originalität und der Charakterreichtum von Bartóks Musik und seine Ausflüge in die Bereiche des Satirischen, Humorvollen, Sarkastischen und Grotesken hervorgehoben. Zudem gab es vor allem in der nationalen bzw. bürgerlich-konservativen Presse einige kulturpolitische Einordnungsversuche. Während einer der Kritiker meinte, in dem Werk »Bartóks Ungartum zu spüren«,[54] gingen andere so weit, es als »Offenbarung der ungarischen Seele« zu deuten: »Ungarischen Geschmack, ungarische Farbe hat das ganze Werk, das Lächeln, die Heiterkeit, Lautheit und das Berührende des ungarischen Volkes offenbart sich in ihm.«[55] Was Bartók dachte, als er diese Versuche nationaler Vereinnahmung las, wissen wir nicht. Man kann jedoch vermuten, dass es ihm in der nach wie vor angespannten politischen Lage recht war, dass die dem Werk zugrunde liegenden subversiven Ideen von den Kritikern und wohl auch von einem Großteil des Publikums nicht erkannt wurden und dass er auf diese Weise von erneuten Anfeindungen aus dem christlich-nationalistischen Lager verschont blieb.

Ein musikalisches Plädoyer für Völkerverständigung

Die ungewöhnliche Konzeption der *Tanz-Suite* und die dahinterstehenden Ideen und Überzeugungen hat Bartók erst acht Jahre nach der Uraufführung in zwei nach seinem Tod veröffentlichten Dokumenten beschrieben. In der Zwischenzeit war das Werk zu einem seiner populärsten Stücke geworden. Nach dem »glänzenden Erfolg« beim einflussreichen Prager Musikfest der Internationalen Gesellschaft für Neue Musik im Mai 1925 wurde die *Tanz-Suite* in der darauffolgenden Saison in über 60 Städten gespielt, darunter auch in Budapest.[56] Das ungarische Publikum war von Bartóks Musik und der packenden Aufführung so begeistert, dass die Tschechische Philharmonie unter Leitung von Václav Talich das komplette Werk ein zweites Mal spielen musste – eine Genugtuung für den Komponisten, der nach der desaströsen Premiere mit einer solchen Reaktion vermutlich nicht gerechnet hatte.

Dass die *Tanz-Suite* exemplarisch für Bartóks Anliegen steht, die Tonsprache und Ausdruckswelt der Kunstmusik durch die schöpferische Auseinandersetzung mit Volksmusik zu beleben und zu erneuern, war schon bei der Uraufführung ein offenes Geheimnis. Bereits 1923 hatte er darauf hingewiesen, dass es sich bei den »volksliedartigen« Themen der verschiedenen Tänze nicht um Volksmusik-Zitate, sondern um eine erfundene Folklore handle, diesen Sachverhalt in seiner knappen Werkerläuterung allerdings nicht weiter ausgeführt. Was genau damit gemeint ist, beschreibt er in einem Vortrag aus dem Jahr 1931. Unter dem Titel »Einfluß der Bauernmusik auf die Musik unserer Zeit« befasst er sich mit unterschiedlichen Formen der kompositorischen Bezugnahme auf Volksmusik und versucht, drei verschiedene Grundtypen der Verwendung voneinander abzugrenzen. Erstens die Bearbeitung, bei der die Bauernmelodie ohne große Veränderungen übernommen und – vergleichbar mit einer Bach'schen Choralbearbeitung – mit einer Begleitung sowie häufig mit einem kurzen Vor-, Zwischen- und Nachspiel versehen wird. Zweitens die »Imitation« oder Nachahmung, bei der der Komponist imaginäre Bauernmelodien erfindet. Die Nachbildung kann dabei mitunter so stilecht sein, dass Außenstehende kaum unterscheiden können, ob es sich um eine selbsterfundene oder eine entlehnte Melodie handelt. Und drittens ein Komponieren aus »dem Geiste der Bauernmusik«, bei dem es nicht mehr um direkte Entlehnung oder mehr oder weniger getreue Nachahmung geht, sondern um die Arbeit mit allgemeinen Stilmerkmalen und Kompositionstechniken.[57] Zur Erläuterung des zweiten Grundtypus zieht Bartók die *Tanz-Suite* heran: »Der thematische Stoff aller Sätze ist Bauernmusik-Imitation. Denn das Ziel des ganzen Werkes war: eine Art ideal vorgestellte Bauernmusik, ich könnte sagen, eine Art erfundene Bauernmusik nebeneinander zu reihen, und zwar so, dass die einzelnen Sätze des Werkes gewisse bestimmte musikalische Typen darstellen. – Als Muster diente Bauernmusik von allerlei Nationalitäten: ungarische, walachische, slowakische, sogar arabische, mehr noch, hie und da auch die Mischung dieser Arten.«[58]

Es braucht nicht viel Phantasie, um sich auszumalen, welche erbitterten Reaktionen eine solche Erklärung im Jahr 1923 ausgelöst hätte, die Bartók übrigens auch 1931 nicht öffentlich vorgetragen hat (im Manuskript hat er sie nachträglich gestrichen). So führt der letzte Satz nicht nur die nationalistischen Vereinnahmungsversuche der *Tanz-Suite* als durch und durch ungarisches Werk ad absurdum, sondern macht überdies deutlich, welche kulturpolitische Sprengkraft in der Werkkonzeption steckt. Statt sich mit Volksmusik aus dem ungarischsprachigen Kulturraum zu begnügen, erweitert Bartók die nationale Perspektive und schafft eine »multinationale« Thematik. Dabei bezieht er sich auf Volksmusiken, die er vor Ausbruch des Ersten Weltkriegs in ihrem jeweiligen kulturellen Umfeld selbst gesammelt und erforscht hatte. Besonders bemerkenswert ist der Einbezug von »arabischer« Musik, die Bartók 1914 auf einer Forschungsreise nach Algerien kennengelernt hatte. Dass er sich in der *Tanz-Suite* damit kompositorisch auseinandersetzt, zeigt zum einen, wie sehr ihn diese Musik faszinierte. Zum anderen wird damit klargestellt, dass er mit dem Werk kein revisionistisches

Programm verfolgte, das mit musikalischen Mitteln das einstige Großungarn verherrlicht und im Medium der Kunst für dessen Wiederherstel-
lung plädiert. (Dass Bartók wie viele andere liberal denkende Ungarn
unter der neuen Grenzziehung und dem Verlust Siebenbürgens litt, steht
dazu nicht im Widerspruch.)

Provoziert gefühlt hätten sich nationalistische Ohren – sofern
sie es denn bemerkt hätten – aber nicht nur von der multinationa-
len Thematik der *Tanz-Suite*, sondern auch von der Art und Weise, wie
Bartók mit den verschiedenen kulturellen Quellen umgeht. So lässt sich
nur bei einem Teil der Sätze die jeweilige Thematik auf die Volksmusik
einer einzigen Kultur zurückführen: Das Ritornell und der zweite Tanz
sind stark ungarisch geprägt, der langsame vierte Satz setzt sich auf
kreative Weise mit arabischer Musik auseinander, und ein in der finalen
Fassung des Stücks aus Proportionsgründen gestrichener weiterer Tanz
bezieht sich auf slowakische Volksmusik. Im energetischen dritten Satz
hingegen lässt Bartók zwei verschiedene Musiken im abrupten Wechsel
mehrfach aufeinanderfolgen, von denen die eine ungarisch, die andere
walachisch bzw. rumänisch geprägt ist. Und am Werkbeginn geht er
sogar noch einen Schritt weiter: So erschafft er im ersten Tanz eine Art
hybride Folklore, indem er typische Merkmale arabischer Melodien mit
charakteristischen rhythmischen Figuren aus der ungarischen Volksmusik kombiniert.

Verstanden werden kann diese »Mischung« verschiedener kultureller Sphären als Protest gegen die von ultranationalistischen Kreisen
vertretene Ideologie der »Rassenreinheit« in der Musik. Dabei konnte
sich Bartók auf die volksmusikalische Wirklichkeit selbst berufen, jenes
»Geben und Nehmen«, »Kreuzen und Wiederkreuzen«, das er bei seinen
vergleichenden Studien zur Volksmusik benachbarter Sprachgemeinschaften und Kulturen beobachtet hatte. Aufschlussreich ist in diesem
Zusammenhang eine Passage aus dem späten Vortrag »Race Purity in
Music«, den Bartók 1942 im amerikanischen Exil verfasste. Dort beschreibt er Prozesse des kulturellen Austausches und der kreativen Aneignung, die auf Gegenseitigkeit beruhen, als Quelle für Erneuerung,
Vielfalt aber auch als Stimulus für die Bewahrung der eigenen Identität:
»Der Kontakt zwischen fremden Völkern bewirkt nicht nur einen Austausch von Melodien, sondern – und dies ist noch wichtiger – regt auch
zur Ausbildung neuer Stilarten an. [...] Der Stand der Volksmusik in
Osteuropa kann folgendermaßen zusammengefaßt werden: Als das Resultat einer ununterbrochenen gegenseitigen Beeinflussung zwischen
der Volksmusik der verschiedenen Völker ergeben sich eine gewaltige
Mannigfaltigkeit und ein riesiger Reichtum an Melodien und Melodie-
typen. Die ›rassische Unreinheit‹ ist entschieden zuträglich.«[59]

Die Brücke zwischen diesen in der Volksmusik beobachteten Austauschprozessen und seiner eigenen schöpferischen Tätigkeit schlug Bartók bereits 1931. Im Angesicht eines immer aggressiver werdenden Nationalismus und der sich abzeichnenden faschistischen Gefahr[60] erläutert er in einem Brief an den rumänischen Musikethnologen Octavian Beu sein künstlerisches Selbstverständnis und fasst jenes kulturpolitische Programm in Worte, das er 1923 mit musikalischen Mitteln in der *Tanz-Suite* formuliert hatte: »Meine eigentliche Idee aber, deren ich – seitdem ich mich als Komponist gefunden habe – vollkommen bewusst bin, ist die Verbrüderung der Völker, eine Verbrüderung trotz allem Krieg und Hader. Dieser Idee versuche ich – soweit es meine Kräfte gestatten – in meiner Musik zu dienen; deshalb entziehe ich mich keinem Einfluss, mag er auch slowakischer, rumänischer, arabischer oder sonst irgendeiner Quelle entstammen. Nur muss die Quelle rein, frisch und gesund sein! Infolge meiner – sagen wir geographischen – Lage ist mir die ungarische Quelle am nächsten, daher der ungarische Einfluss am stärksten. Ob nun mein Stil – ungeachtet der verschiedenen Quellen – einen ungarischen Charakter hat (und darauf kommt es ja an), müssen andere beurteilen, nicht ich. Jedenfalls fühle ich es, dass er ihn hat. Charakter und Milieu müssen ja doch irgendwie im Einklang stehen.«[61]

»Deutsche Treue ... und deutscher Sang«
Zur politischen Vereinnahmung von Musik während der Ruhrbesetzung

»Mit Musik und Panzerwagen« ··· *»Hunderttausende sangen entblößten Hauptes alle Verse der Nationalhymne«* ··· *»Die Trauer und das Vergnügen«: Zwischen* *»Eroica«* *und* *»Madame Pompadour«* ··· *Schüsse* *»auf einen wehrlosen Sänger«?* ··· *Antifranzösische Rheinlieder und andere vaterländische Gesänge* ··· *Liberale Hymne und imperialistischer Kampfgesang: Das* *»Lied der Deutschen«* *und seine Deutungen* ··· *Vereinnahmungen I: Der Prozess gegen Fritz Thyssen* ··· *Vereinnahmungen II: Der Märtyrerkult um Albert Leo Schlageter* ··· *Kulturkampf im Konzertsaal: Die Berlin-Tournee der vereinigten Ruhrorchester*

Dass 1923 in Deutschland ein besonderes Krisenjahr werden würde, zeichnete sich bereits Anfang Januar ab. Am 9. Januar hatte die alliierte Reparationskommission auf Drängen Frankreichs erklärt, dass das Deutsche Reich die vereinbarten Reparationsleistungen ein weiteres Mal nicht erbracht und somit erneut den Versailler Vertrag verletzt habe. Kurz darauf teilten die Regierungen Frankreichs und Belgiens der politischen Führung in Berlin mit, dass ihre Truppen am 11. Januar mit der Besetzung des Ruhrgebiets beginnen würden, um sich die verweigerten Sachleistungen vor Ort selbst zu beschaffen. Damit eskalierte ein Konflikt, der sich bereits in den vorausgegangenen Monaten kontinuierlich verschärft hatte und die krisengeschüttelte Weimarer Republik vor ihre bis dahin größte Bewährungsprobe stellte.[1] Im Rahmen der Rheinlandbesetzung gab es zwar schon seit Anfang 1919 alliierte Truppen auf deutschem Boden. Stationiert in den linksrheinischen Gebieten, an zentralen rechtsrheinischen Brückenköpfen und seit 1921 auch in Düsseldorf und Duisburg, überwachten sie eine von deutschen Streitkräften entmilitarisierte Zone, garantierten die Sicherheit Frankreichs und dienten zugleich als Druckmittel, um Deutschland zur Erfüllung des Versailler Vertrags anzuhalten. Mit dem Einmarsch französischer und belgischer Truppen in die Kernregion der deutschen Montanindustrie veränderte sich die außen- und innenpolitische Lage jedoch grundlegend. In den Fokus der nationalen und internationalen Aufmerksamkeit geriet dabei zunächst die Großstadt Essen, das urbane Zentrum des Ruhrgebiets, mit ihren damals knapp 480 000 Einwohnerinnen und Einwohnern.

Während die Regierung Poincaré ihr Vorgehen als legitimes Mittel verstand, um berechtigte französische Interessen durchzusetzen, verurteilten Reichspräsident Ebert und Reichskanzler Cuno die bevorstehende Besetzung. In einem Aufruf an »die Ruhrbevölkerung«, der am 10. Januar in diversen Zeitungen erschien und vor Ort »durch öffentlichen Anschlag« verbreitet wurde, prangerten sie die »Verletzung des Selbstbestimmungsrechts des deutschen Volkes« mit scharfen Worten an, appellierten aber gleichzeitig an die Vernunft der Menschen: »Harrt aus in duldender Treue, bleibt fest, bleibt ruhig, bleibt besonnen! [...] Haltet alle Zeit hoch die deutsche Einheit und unser gutes Recht!«[2] Unter dem Eindruck der sich überschlagenden Ereignisse, der erregten Stimmung in der Bevölkerung und des Aufrufs aus Berlin beriefen Vertreter der Essener Bürgerschaft noch für denselben Abend eine »Protestversammlung gegen die unmittelbar drohende Besetzung durch französische Truppen« ein. Schenkt man den pathetischen Zeitungsberichten Glauben, so war die Resonanz auf diese spontane Initiative enorm.[3] Obwohl die Einladung erst in den Nachmittagsstunden verbreitet wurde, strömten am Abend mehr als 10 000 Menschen zu dem kurz nach der Jahrhundertwende errichteten repräsentativen Konzerthaus der Stadt. Jedes »Plätzchen im Saal, auf der Empore, in den Wandelhallen« war schon lange vor Beginn besetzt. Und auf der angrenzenden »Huyssenallee stauten sich noch Tausende, die keinen Eingang finden konnten«.

Ziel der Zusammenkunft war es, dem Protest der Essener Bevölkerung symbolisch Ausdruck zu verleihen, über politische Grenzen hinweg Geschlossenheit zu demonstrieren und sich kollektiv auf den Tag des Truppeneinmarsches vorzubereiten. So betonte der Versammlungsleiter Dr. Keller, Vorsitzender der Ortsgruppe der linksliberalen Deutschen Demokratischen Partei (DDP), zu Beginn seiner Rede, »nicht als Angehöriger einer Partei, sondern als Bürger, als Deutscher« zu sprechen. In Anlehnung an die Worte des Reichspräsidenten schwor er die Anwesenden auf einen gewaltfreien Widerstand im Rahmen der republikanischen Ordnung ein. Als Nächstes ergriff der Zentrumsabgeordnete und ehemalige Reichsminister Johannes Bell das Wort. In seiner emotionsgeladenen Rede appellierte er, von heftigen Beifallsbekundungen unterbrochen, an das Nationalbewusstsein und kulturelle Selbstverständnis der Versammelten: »Ein 60-Millionen-Volk von den kulturellen Kräften der deutschen Nation kann nicht untergehen [...], so lange es sich nicht selbst aufgibt.«[4] Den Abschluss der Veranstaltung bildete eine gemeinsame Selbstverpflichtung. Man gelobte »unerschütterliche Treue zu Volk und Vaterland« und verpflichtete sich zugleich,

am Besatzungstag die deeskalierende Handlungsmaxime »Fort von den Straßen, schließt die Läden und Vergnügungsstätten« zu befolgen. Beglaubigt wurde dieses kollektive Bekenntnis »mit einem dreifachen, begeistert aufgenommenen Hoch auf das deutsche Volk und die deutsche Republik. Stehend wurde darauf unter Orgelbegleitung die neue deutsche Nationalhymne ›Deutschland, Deutschland über alles‹ gesungen.«

Gesungen wurden an diesem Abend aber nicht nur die drei Strophen des von Hoffmann von Fallersleben verfassten *Liedes der Deutschen*. So berichtet die *Essener Allgemeine Zeitung*, dass schon »vor dem offiziellen Beginn« der Kundgebung die *Wacht am Rhein* »angestimmt und von der ganzen Versammlung stehend gesungen« worden sei.[5] Im Anschluss an die Veranstaltung im Saalbau verlagerte sich der Protest dann spontan auf die Straße: »Auf der Huyssenallee und verschiedenen Hauptstraßen der Stadt setzte sich die Kundgebung unter Absingung vaterländischer Lieder in einer Reihe von Umzügen fort, ohne daß es zu irgendwelchen Störungen gekommen ist.«

Auch am folgenden Tag ging es sowohl auf deutscher als auch auf französischer Seite nicht ohne Musik zu. Als französische Truppen am Morgen des 11. Januar »aus der Richtung Düsseldorf gegen Essen vorrückten«, die Ruhr bei Kettwig und Mülheim überquerten und mit Radfahrern, Infanterie, Kavallerie, modernen Panzern, Lastautos und anderen Fahrzeugen auf unterschiedlichen Wegen nach Essen einmarschierten, erklang zumindest zeitweise »voraus Musik«.[6] So titelte die

»Voraus Musik …« Französische Truppen marschieren durch Essen-Bredeney.

in Berlin erscheinende *Deutsche Allgemeine Zeitung* am folgenden Morgen reißerisch: »Mit Musik und Panzerwagen!« – verriet ihrer Leserschaft allerdings nicht, was genau die französischen Truppen gespielt oder gesungen hatten.[7] Am frühen Nachmittag war dann das gesamte Stadtgebiet besetzt. Die Militärführung begann damit, sich im Villenviertel Bredeney einzurichten, und die öffentlichen Gebäude, der Bahnhof und die Straßenkreuzung wurden durch »Posten mit aufgepflanzten Bajonetten« gesichert.[8] Die Stadtbevölkerung blieb zunächst weitgehend ruhig. Wie vom Reichspräsidenten gefordert und in der Bürgerversammlung bekräftigt, stellte sie sich den Besatzungstruppen nicht entgegen. Doch am Ende des Tages wich die auferlegte Zurückhaltung. »Ganz Essen war abends auf den Beinen«, berichtet das *Berliner Tageblatt*: »Eine gewisse Erregung« hatte sich breitgemacht, und die »gesamte Polizei war aufgeboten, um die Ordnung aufrechtzuerhalten«.[9] Eine der schärfsten Provokationen ging dabei von jenem antifranzösischen Lied aus, das am Vorabend die im Saalbau versammelten Bürger und Bürgerinnen spontan gesungen hatten. In unmittelbarer Nähe der französischen Soldaten stimmte ein »Trupp junger Leute« das antifranzösische Kampflied *Die Wacht am Rhein* an. Um Auseinandersetzungen zu verhindern, schritt die deutsche Schutzpolizei sofort ein und drängte die Sänger rasch »von der Hauptstraße zurück«.[10]

Während die französischen und belgischen Truppen in den folgenden Tagen die Besatzungszone im Ruhrgebiet ausweiteten, wurde ganz Deutschland von einer Welle des Nationalismus erfasst, und im Berliner Politikbetrieb schlossen sich die Reihen. Am 13. Januar protestierte Reichskanzler Cuno im Reichstag gegen die Besatzung und formulierte mit Unterstützung fast aller Parteien und Abgeordneten das Konzept des »passiven« bzw. »moralischen« Widerstands.[11] Die Reichsregierung könne sich zwar »gegen diese Gewalt nicht wehren«, sei »aber nicht gewillt, sich dem Friedensbruch zu fügen oder gar [...] bei der Durchführung der französischen Absichten mitzuwirken«.[12] In Anlehnung an die bereits erfolgten Aufrufe solle die Bevölkerung im Ruhrgebiet weiterhin auf (physische) Gewalt verzichten, den Forderungen der Besatzungsmacht aber – wenn irgend möglich – nicht nachkommen und ihren Protest im Rahmen der deutschen Rechtsordnung zum Ausdruck bringen.

Dass Musik und insbesondere der Gesang von Anfang an ein zentraler Bestandteil dieses Widerstands waren, ist nicht überraschend.[13] Singen konnte man jederzeit und nahezu an jedem Ort, ohne dabei auf Hilfsmittel angewiesen zu sein. Als soziale Aktivität setzte der gemeinsame Gesang die Singenden miteinander in Beziehung und bot die Möglichkeit zur kollektiven Selbstvergewisserung. Als performative Praxis war er ein wirksames Vehikel, um tatsächliche oder vorgebliche Einheit und Stärke zu demonstrieren und die nationale Identität mit musikalischen Mitteln zu inszenieren. Bestimmend für den Einsatz von Musik und ihre Rezeption waren außerdem eine Reihe weiterer Faktoren: ihre emotionale Wirkung und symbolische Kraft, ihre semantische Offenheit und inhaltliche Ambiguität (im Falle militaristischer und teils dezidiert antifranzösischer Gesänge wie der *Wacht am Rhein* mit eindeutigen Botschaften kam dieser Aspekt natürlich kaum zum Tragen), aber auch ihre im Lauf der Rezeptionsgeschichte beständig anwachsende historische Sättigung. Kurz: Musik war und ist ein wirksames Mittel, um den Widerstand und die eigene politische Überzeugung zum Ausdruck zu bringen und den Gegner (in diesem Fall die Besatzungsmacht) ohne den Einsatz physischer Gewalt zu irritieren, zu provozieren oder ideell anzugreifen. Wie vielfältig dieses historisch und kulturell aufgeladene Protestmittel einsetzbar war und wie weit die Politisierung und ideologische Vereinnahmung von Musik und Kultur mitunter gehen konnte, lässt sich anhand der Ruhrbesetzung exemplarisch studieren.

»Hunderttausende sangen entblößten Hauptes alle Verse der Nationalhymne«

Ein erstes Großereignis, das die zentrale Rolle der Musik im passiven Widerstand eindrücklich dokumentiert, fand am 14. Januar 1923 statt. Noch am Tag des Einmarsches erklärte die Preußische Staatsregierung gemeinsam mit der Reichsregierung den folgenden Sonntag zu einem nationalen Trauertag.[14] (Das Rheinisch-Westfälische Industriegebiet – so der damals gängige Name der Region – war Teil der Preußischen Rheinprovinzen.) In reichsweiten Veranstaltungen sollte der Widerstandswille des deutschen Volkes demonstriert werden. Zugleich ging es darum, den Schulterschluss zwischen Politik und Bevölkerung zu stärken, die Besatzung mit vereinter Stimme anzuprangern und sich nachdrücklich mit der Bevölkerung der besetzten Gebiete zu solidarisieren. Höhepunkt der zahllosen politischen Veranstaltungen, auf den sich auch die Aufmerksamkeit der nationalen und internationalen Presse richtete, war eine Protestkundgebung im Zentrum der Reichshauptstadt. Gemäß der beabsichtigten Bündelung aller Kräfte wurde sie von den bürgerlichen Parteien gemeinsam mit Verbandsvertretern und den Kirchen geplant. Lediglich die Sozialdemokraten und Kommunisten zogen es vor, am Trauersonntag »auf eigene Faust« zu protestieren, weil sie mit den am Tisch sitzenden Deutschnationalen »nichts zu tun haben« wollten.[15] Um noch mehr Menschen die Teilnahme zu ermöglichen, wurde die im Lustgarten geplante Veranstaltung kurzfristig auf den Königsplatz verlegt.[16]

Tatsächlich erschienen am späten Vormittag des 14. Januar – einem sonnigen, »angenehm warmen« Tag »wie in Barcelona im Winter«[17] – weit über 100 000 Menschen auf dem heutigen Platz der Republik direkt vor dem Reichstag. (Die Schätzungen der Berichterstatter gingen wie üblich auseinander und reichten bis zu einer halben Million.[18]) Laut der Darstellung der *Vossischen Zeitung*, dem traditionsreichen Sprachrohr des liberalen Bürgertums, hatten sich diesmal »nicht bloß Radikale beider Flügel« versammelt, sondern die »große Masse des besonnenen deutschen Volkes«.[19] Die Liste der Redner, die zeitgleich an verschiedenen Orten sprachen (leistungsstarke technische Mittel zur Verstärkung gab es damals noch nicht), war ebenfalls breitgefächert.[20] Sie reichte von Abgeordneten des nationalkonservativen Lagers (DNVP), die zum Teil völkische, antisemitische und monarchistische Ansichten vertraten, über Vertreter der christlich-konservativen Zentrumspartei bis zu Abgeordneten der liberalen Parteien. So sprach für die nationalliberale Deutsche Volkspartei (DVP) Gustav Stresemann, der achteinhalb Monate später in seiner neuen Funktion als Reichskanzler das Ende des passiven Widerstands verkünden sollte.

In ihrem Ablauf ähnelte die Berliner Kundgebung der Protestversammlung, die die Essener Bürgerschaft am Vorabend der Besatzung abgehalten hatte. Direkt nach den Reden wurde eine »Resolution verlesen«. Der kurze Text prangerte in scharfen Worten »die ungeheuerliche Vergewaltigung des deutschen Volkes durch die französisch-belgische Besetzung des Ruhrgebiets« an und mündete in den Worten: »Das deutsche Volk lehnt es ab, unter dem Druck der Bajonette Sklavenarbeit für Friedensbrecher zu leisten.«[21] Wie diverse Zeitungen berichteten, löste insbesondere der letzte Satz »einen wahren Beifallssturm aus und es gab recht kräftige Rufe gegen die Franzosen und Belgier. Dann aber stimmte die Musikkapelle das Lied ›Deutschland, Deutschland über alles‹ an und die Hunderttausende sangen entblößten Hauptes alle Verse der Nationalhymne.«[22]

Die Kundgebung mit dem *Lied der Deutschen* zu beenden, lag nahe. In seiner Funktion als Nationalhymne war es nicht nur ein Bekenntnis zu Deutschland, sondern auch zum deutschen Staat und zur demokratischen Grundordnung der Weimarer Republik. Bei der Essener Protestversammlung war dieser Deutungskontext durch die vorherigen Hochrufe auf »das deutsche Volk und die deutsche Republik« herausgestellt worden. Bei der Berliner Kundgebung hingegen dominierten von Anfang an Töne, die die Nationalhymne in ein anderes Licht rückten. Noch bevor das um 12 Uhr beginnende »Trauergeläut von sämtlichen Berliner Kirchen« verklungen war,[23] spielte »eine auf der Rampe des Reichstags stehende Kapelle« das *Niederländische Dankgebet*, »das von den Massen entblößten Hauptes mitgesungen wurde.«[24] Den symbolträchtigen offiziellen Auftakt bildete somit ein Lied, das wohl bei den meisten Versammelten Erinnerungen ans Deutsche Kaiserreich weckte: Es war eines der Lieblingslieder Wilhelms II. und wurde beim Großen Zapfenstreich sowie offiziellen Feierlichkeiten gespielt. Zugleich nahm die religiös aufgeladene Kriegsrhetorik des Textes – mit Gott zum Sieg gegen die Feinde, könnte man die Kernbotschaft überspitzt zusammenfassen – jenes aggressive Register voraus, das auch die begeistert aufgenommene Resolution gegen die Besatzung prägte und die Schmährufe gegen Franzosen und Belgier vor dem Erklingen der Nationalhymne provozierte.

Zum Ausdruck gebracht wurden diese Ressentiments und chauvinistischen Botschaften bereits vor der Eröffnung der Veranstaltung. So berichtet das *Berliner Tageblatt*: »Schon lange vor dem offiziellen Beginn, den Fanfarentöne kundgaben, sangen die Massen patriotische Lieder und es fehlte auch nicht an kräftigen Rufen gegen die ›Eroberer‹ des Ruhrgebietes.«[25] Und auch nach dem gemeinsamen Singen der Nationalhymne war das Bedürfnis offensichtlich groß, das Nationalgefühl, den Hass gegen die französische Besatzungsmacht und den eigenen Kampfeswillen mithilfe geschichtsträchtiger »vaterländischer« Gesänge zu formulieren. »Eigentlich hätte die Kundgebung jetzt ihr Ende erreichen sollen«, heißt es im selben Artikel, »aber die Massen wichen und wankten nicht, sondern spontan aus der Menge heraus tönte die ›Wacht am Rhein‹, die ebenfalls begeistert von allen Anwesenden gesungen wurde. Dann folgte ›Ein feste Burg ist unser Gott‹ und unter ungeheurem Jubel der Riesenmenge spielte die Kapelle ›Haltet aus in Sturm und Braus‹, dessen sämtliche Strophen von den Massen gesungen wurden.«

Wie ausgeprägt der Hass auf die Besatzer bei einigen Teilnehmern war und wie rasch – angestachelt durch chauvinistische Gesänge – die Grenze zwischen verbaler und tatsächlicher Gewalt mitunter überschritten wurde, beschreibt Eugeni Xammar. Der in Barcelona geborene Journalist war einer der geistreichsten Chronisten des Jahres 1923. Mit dem unbestechlichen Blick eines außenstehenden und zugleich mit dem Land bestens vertrauten Beobachters analysierte er die Entwicklungen in Deutschland in scharfsinnigen, pointierten und nicht selten von Skepsis und ironischer Distanz geprägten Artikeln.[26] In einer Reportage über die Berliner Reaktionen auf die Ruhrbesetzung und den Trauertag berichtete er den Leserinnen und Lesern von *La Veu de Catalunya*, dass »eine Reihe entschlossener junger Leute« im Anschluss an die Kundgebung versucht habe, vor dem Sitz der Interalliierten Militär-Kontrollkommission zu demonstrieren. Als die Polizei das Gebäude am Potsdamer Platz abriegelte, »ging die patriotische Jugend dazu über – wie es in diesen Fällen guter alter Brauch ist – Jagd auf jeden zu machen, der wie ein Ausländer aussah. Es setzte ein paar wahllos verteilte Püffe gegen ein halbes Dutzend Juden, ein paar Portugiesen und den ein oder anderen Balkanesen … Als es dunkel wurde, gingen alle Demonstranten nach Hause, selbst die patriotischsten.«[27]

»Die Trauer und das Vergnügen«: Zwischen »Eroica« und »Madame Pompadour«

Als die Preußische Staatsregierung den 14. Januar kurzfristig zum nationalen Trauertag erklärte, machte sie deutlich, dass sich die reichsweiten Protestmaßnahmen nicht auf Kundgebungen und Demonstrationen beschränken sollten. Als Zeichen der Trauer und Solidarität sei »auf allen Dienstgebäuden halbmast zu flaggen«. Und auch die Kultur- und Unterhaltungsindustrie müsse an diesem Tag ihr Programm anpassen: »Theateraufführungen sowie Vorführungen von Lichtbildern und Lichtspielen haben zu unterbleiben, sofern nicht der ernste Charakter der Veranstaltung gewahrt ist. Verboten sind alle öffentlichen Tanzveranstaltungen, Bälle und Lustbarkeiten.«[28] Dass dieser staatliche Regulierungsversuch Irritationen auslöste und mitunter zu abstrusen »Lösungen« führte, ist nicht verwunderlich. So erklärte der Verband Berliner Bühnenleiter in einem offenen Brief, man habe alles in Bewegung gesetzt, um das Repertoire für den Trauersonntag anzupassen. Allerdings seien insbesondere die Berliner Operettentheater »zu ihrem Bedauern nicht in der Lage, infolge der Kürze der Zeit andere als die angekündigten Stücke aufführen zu können«. In Zeiten der Wirtschaftskrise käme die komplette Einstellung des Spielbetriebs an einem Sonntag leider ebenfalls nicht infrage. Um dem »Charakter des Tages« trotzdem Rechnung zu tragen, habe man sich dazu entschieden, in diesen Fällen vor Vorstellungsbeginn eine »ernste Feier« durchzuführen. Und die *Deutsche Allgemeine Zeitung*, die die Stellungnahme des Verbandes der Bühnenleiter abdruckte, ergänzte, dass Theaterleitungen, die nicht sicher seien, ob ihre Produktion dem »ernsten Charakter« des Tages entspreche, sich zur Abklärung »unmittelbar an Abteilung III des Polizeipräsidiums Berlin« wenden könnten.[29]

Tatsächlich war das Berliner Kultur- und Unterhaltungsprogramm am Trauersonntag bunt gemischt. Während sich die Massen am späten Vormittag zur Protestkundgebung vor dem Reichstag versammelten, spielten die Berliner Philharmoniker unter Leitung ihres neuen Chefdirigenten Wilhelm Furtwängler ein Sonderkonzert in der alten Philharmonie. Aufgeführt wurde das Programm des am nächsten Abend regulär stattfindenden 6. Philharmonischen Konzerts mit einer bedeutsamen

Konzert-Direktion Hermann Wolff und Jules Sachs, Berlin W 9.

PHILHARMONIE

Sonntag, den 14. Januar 1923, vorm. 11½ Uhr

~~Montag, den 15. Januar 1923, abends 7½ Uhr pünktlich:~~

VI. Philharmonisches Konzert

Dirigent: **Wilhelm Furtwängler**

Solistin: **Birgit Engell**

Vortragsfolge:

1. **Symphonie Nr. 4, D-dur**
   (Glockensymphonie) . . . . *J. Haydn*
   Adagio
   Andante
   Menuetto
   Finale: Vivace

2. a) **Arie aus „Atalanta": Care selve**
   b) **Arie aus „Acis und Galathea":** } *G. F. Händel*
   So wie die Taube . . . .)
   PAUSE

3. a) **Wo die schönen Trompeten blasen**
   b) **Ich atmet' einen linden Duft** . . } *G. Mahler*
   ~~c) Wer hat dies Liedlein erdacht?~~

   (Vorgetragen von Birgit Engell)

4. **Symphonie Nr.** ~~5, e-moll,~~ *3 Eroica* ~~op. 64, P. Tschaikowsky~~ *Beethoven*
   ~~Andante. Allegro con anima~~
   ~~Andante cantabile, con~~ *alcuna licenza*
   ~~Valse. Allegro~~ *moderato*
   ~~Finale. Andante maestoso~~

VII. Philharmonisches Konzert: Montag den 29. Januar 1923
Dirigent: **Wilhelm Furtwängler**
Solist: **Carl Flesch**

PROGRAMM. **Max Trapp:** Symphonie a-moll – **L. v. Beethoven:**
Violinkonzert – **Richard Strauss:** Till Eulenspiegel.

Beethoven statt Tschaikowsky. Programmzettel zum Sonderkonzert
des Philharmonischen Orchesters am 14. Januar 1923. Zum Druck der
geänderten Programmfolge blieb offensichtlich keine Zeit mehr. ••• 139

Modifikation. Statt mit der 5. Sinfonie in e-Moll von Tschaikowsky zu enden – einem Werk, das dem »ernsten Charakter« des Tages durchaus entsprochen hätte, allerdings das »Manko« besaß, nicht von einem deutschen Komponisten verfasst worden zu sein –, nahm Furtwängler »im Einverständnis mit dem Orchestervorstand« eine kurzfristige Änderung vor und dirigierte an beiden Tagen Beethovens *Eroica*. Beim Publikum fand diese auf den bereits gedruckten Programmzetteln handschriftlich vermerkte Änderung offensichtlich Anklang.[30] So berichtet ein Kritiker: »Der warme Dank der Hörer war ein deutliches Zeichen des Verständnisses für diesen künstlerischen Mahnruf zur Sammlung und Konzentration aller verfügbaren Kräfte, um diese Uebergangszeit der wirtschaftlichen und politischen Bedrängnis standhaft zu überwinden.«[31] Ähnlich verfuhren andere große Häuser. Am Staatlichen Schauspielhaus nahm man den »Possenabend ›Alt-Berlin‹« für eine ganze Woche vom Programm und gab in den Kammerspielen »in Abänderung des Spielplans« Schillers *Kabale und Liebe*. In der Großen Volksoper spielte man abends wie geplant Wagners *Lohengrin*, ließ eine »für den Nachmittag angesetzte Tanzmatinee« hingegen ausfallen.[32]

Auch in den Lichtspieltheatern kam es zu Programmanpassungen. »Das Kino in meinem Viertel bescherte uns statt der Komödie *Die Tochter Napoleons* eine Reihe von Filmen über den Walfang, das Leben der Schildkröten und die Kaffee-Ernte in Brasilien«, bemerkte Eugeni Xammar ironisch.[33] Und die Essener Astra Lichtspiele warben in einer Anzeige, dass sie anlässlich des Nationaltrauertages »telegraphisch unter großen Geldopfern« das sechsaktige Filmdrama *Joseph* erworben hätten. Das »erstklassige Werk« werde von einem »verstärkten Orchester« mit einer »würdigen Musikbegleitung« versehen. Diese umfasse Auszüge aus Schuberts »Tragischer Symphonie«, die *Leonoren*- und die *Egmont-Ouvertüre* von Beethoven sowie das auch auf der Berliner Kundgebung gespielte und gesungene *Niederländische Dankgebet*.[34] In der Mehrzahl der Kinos und kommerziellen Theater lief allerdings das reguläre Programm. Wer sich in Essen – wo die Besatzungsbehörde sämtliche Protestkundgebungen untersagt hatte – ablenken wollte, konnte in *Das blonde Verhängnis* das »Liebesschicksal einer Zirkusreiterin« verfolgen oder sich mit »Chaplin als Wurstmaxe« amüsieren.[35] In Berlin ging es nicht anders zu: »In der *Morgenpost* von heute ist man empört«, berichtete Eugeni Xammar nach Katalonien: »Unter den Stücken, die gestern in den Berliner Theatern aufgeführt wurden, hat man folgende Titel entdeckt: *Bigamie, Der Mustergatte, Die Kokotte Dissy, Madame Pompadour, Dein Mund ist bezaubernd, Hals über Kopf, Dorinas Missgeschicke, Marietta, Für eine Millionen, Ein Jahr ohne Liebe, Verheiratet mit deiner Frau, Das Mädchen will nichts davon wissen* und so weiter und so fort. Zwar hat in allen diesen Theatern vor Beginn der Aufführung ein Vertreter des Hauses vor geschlossenem Vorhang eine patriotische Rede gehalten. ›Aber das‹, schreibt die *Morgenpost,* ›ist keine Entschuldigung dafür, die Gefühle der Bevölkerung zu verletzen.‹«[36]

Zumindest in einigen Fällen kam es bereits während der Vorführung zu Auseinandersetzungen. So berichtet die *Vossische Zeitung* über einen Vorfall, der sich am Trauertag in einem Berliner Kino ereignet habe: »Zuerst gab es einen ernsten Film, in dem sogar ein Toter vorkam, und alles war zufrieden. Dann aber kam ein Lustspiel zur Aufführung und hier erhob sich Widerspruch im Publikum. Einige Leute standen auf, jemand erklärte, alle anständigen Menschen sollten das Theater verlassen, worauf andere, die bleiben wollten, heftig erwiderten. Wortwechsel, Krach, mühsame Beruhigung.«[37] Paul Schlesinger, Gerichtsreporter des liberalen Blattes, der sich nebenbei auch als Lustspielautor und als Theater- und Musikkritiker betätigte, nahm diese Begebenheit zum Anlass, um den Sinn der staatlichen Verordnung zu hinterfragen. Unter dem Titel »Die Trauer und das Vergnügen« führte er die Vorgabe, dass nur Werke »ernsten Charakters« aufgeführt werden sollten, ad absurdum, indem er mögliche Kriterien für eine solche Entscheidung kritisch diskutiert. Als Beispiele zog er neben Klassikern des Theater- und Opernrepertoires auch Eugène d'Alberts Erfolgsoper *Tiefland* (UA 1903) sowie die Operette *Madame Pompadour* von Leo Fall heran. Bei Letzterer handelte es sich um einen Kassenschlager des auf Operetten spezialisierten Berliner Theaters, in dem Fritzi Massary – unangefochtener Star der damaligen Operetten- und Revueszene – in die Rolle der liebeshungrigen Mätresse Ludwigs XV. schlüpfte und dem Publikum mit Nummern wie »Joseph, ach Joseph, was bist du so keusch?« den Kopf verdrehte: »Sollen wir wirklich nach dem rein stofflichen Charakter eines Stückes urteilen, dann ist am Tage der Landestrauer [...] ›Minna von Barnhelm‹ oder ›Figaros Hochzeit‹ zu verbieten. Die Unterscheidung vom rein künstlerisch-literarischen Standpunkt ist noch gefährlicher, da hier der subjektiven Auslegung alle Türen geöffnet sind. Denn hier könnte jemand mit Recht sagen, ›Madame Pompadour‹ sei eine ausgezeichnete Operette, habe also Kunstwerkcharakter und sei zu erlauben, während der tragische Schmarrn ›Tiefland‹ zu verbieten sei.«[38] Fazit: Da man im Theater sein Vergnügen suche, wäre es an einem solchen Tag vielleicht angemessener, gar nichts zu spielen.

Eugeni Xammar hingegen bereiteten die Paradoxien, die aus dem staatlichen Regulierungsversuch erwuchsen, und die von der *Morgenpost* beklagte »Verletzung patriotischer Gefühle« vor dem Hintergrund der fremdenfeindlichen Attacken, die »die patriotische Jugend« nach

Ende der Trauerkundgebung verübte, eine gewisse Genugtuung: »Solange es Deutsche gibt, die glauben, die Besetzung des Ruhrgebiets durch die französische Armee sei Grund genug, Ausländer durch die Straßen von Berlin zu jagen, finde ich es großartig, dass es Deutsche gibt, die am nationalen Trauertag *Dein Mund ist bezaubernd* oder *Verheiratet mit deiner Frau* ansehen. Das nennt man ausgleichende Gerechtigkeit.«[39]

Schüsse »auf einen wehrlosen Sänger«?

Im mittlerweile zu großen Teilen besetzten Ruhrgebiet, in dem die Kundgebungen am Trauersonntag von der französischen Besetzungsbehörde verboten worden waren, verlagerte man den Protest auf den Folgetag. Um dem kollektiven Widerstand Ausdruck zu verleihen, wurde für eine halbe Stunde das Arbeits- und Alltagsleben angehalten. »Auch in Essen stockte mit dem Glockenschlag Elf jeder Verkehr«, berichtete der Korrespondent der *Berliner Börsen-Zeitung* und lenkte zugleich den Blick auf die akustische Markierung der erneut parteiübergreifend organisierten und von den Kirchen unterstützten Protestaktion: »Feierliches Glockengeläute hub an über der Stadt zum Zeichen der Trauer und zum Zeichen des Einspruchs der gesamten Bevölkerung [...]. Dazwischen ertönten die Sirenen der Fabriken, in denen jede Hand ruhte [...]. Fast alle Läden schlossen. Die Menge auf den Straßen hielt ein [...]. Mächtiges Heulen der Sirenen und erneutes Glockengeläute gab schließlich das Zeichen für den Wiederbeginn der Arbeit.«[40] Als deeskalierende Maßnahme war die Bevölkerung im Vorfeld dazu aufgerufen worden, am besten den Straßen fernzubleiben, um eine direkte Auseinandersetzung mit den Besatzern zu vermeiden. Doch vor dem Hotel Kaiserhof, wo ein Teil der französischen Ingenieure untergebracht war, die sich um die Beschaffung von Kohle und anderen ausstehenden Reparationsleistungen kümmern sollten, blieb es offensichtlich nicht bei schweigendem Gedenken der versammelten Menge. Laut der *Essener Allgemeinen Zeitung* hielt ein Herr spontan »eine zündende Ansprache, in der er an die deutschen Geistesheroen Goethe und Schiller, Kant, Beethoven erinnerte, und zu Stolz und Zuversicht aufforderte, daß eine solche Kulturnation nicht ewig geknechtet werden könne. [...] Er schloß mit einem Hoch auf das deutsche Vaterland, und die Menge sang die Nationalhymne und andere deutsche Lieder. Von französischer Seite wurde die Kundgebung nicht gestört. Vom Balkon aus machten einige Amerikaner Filmaufnahmen.«[41]

Während sich die Besatzungstruppen in Essen von den patriotischen Bekundungen und Liedern nicht provozieren ließen, kam es im benachbarten Bochum in den Abendstunden desselben Tages zu einem ersten Todesfall. »Eine vieltausendköpfige Menge zog vor das Rathaus, wo der französische General vorläufig untergebracht ist und stimmten das Deutschlandlied und andere patriotische Lieder an mit Hochrufen auf die deutsche Republik«, meldete die *Berliner Börsen-Zeitung* brandaktuell auf dem Titelblatt ihrer Abendausgabe: »Dann veranstaltete die Menge einen Umzug durch die Straßen der Stadt.«[42] Im Rahmen dieser Straßenproteste eskalierte die Situation »in der Nähe des Eisenbahndirektionsgebäudes, wo französische Posten standen«.[43] Schüsse fielen, eine Ingenieursfrau und ein junger Mann wurden verletzt, und der jugendliche Schlosserlehrling Josef Birwe wurde tödlich getroffen.[44]

Der genaue Tathergang lässt sich bis heute nicht zweifelsfrei rekonstruieren, denn auf beiden Seiten war bereits die Propagandamaschine angelaufen. Zugleich begünstigte die Unübersichtlichkeit der Situation die Entstehung und Verbreitung von Gerüchten, die sich in der widersprüchlichen Presseberichterstattung der folgenden Tage niederschlugen. So wurde in einigen Artikeln behauptet, die französischen Posten hätten ohne Vorwarnung mit Maschinengewehren in die Menge gefeuert. Andere hingegen berichteten von Auseinandersetzungen zwischen Demonstranten und Besatzern, die den Schüssen vorausgegangen seien. Zweifelsfrei fest steht lediglich, dass die tödliche Gewalt durch den Gesang der Demonstranten provoziert wurde. So heißt es in einer offiziellen Protestnote der deutschen Regierung, die der »deutsche Geschäftsträger« (der Botschafter war bereits abberufen worden) wenige Tage später der französischen Regierung in Paris übergab: »Die Posten forderten die Arbeiter auf, das Singen einzustellen und schossen darauf in die Menge hinein.«[45] Nicht näher spezifiziert wird in diesem Schreiben bezeichnenderweise, was genau die Demonstrierenden sangen (es ist nur allgemein von »patriotischen Liedern« die Rede), ob sie die französischen Posten nicht nur singend, sondern auch mit Schmährufen provoziert und möglicherweise sogar physisch bedrängt hatten. In den Tageszeitungen gab es dazu divergierende Angaben. Das *Berliner Tageblatt* berichtete am folgenden Morgen, der »Trupp von rund 500 Leuten« sei die Königsallee mit dem Lied »Siegreich wollen wir Frankreich schlagen« entlanggezogen.[46] In einer abweichenden Darstellung erklärte die *Berliner Börsen-Zeitung* am selben Tag, der Zug habe statt dieses dezidiert antifranzösischen Liedes lediglich die Nationalhymne »Deutschland, Deutschland über alles« angestimmt, »die ihnen von französischen Posten untersagt wurde«.[47] Einige Tage später betonte die *Vossischen Zeitung*, dass mittlerweile »einwandfrei festgestellt worden« sei, »daß von einer Provokation nicht die Rede sein kann«.[48] Und die *Essener Allgemeine Zeitung* ging sogar noch einen Schritt weiter. Nachdem sie abweichende französische Darstellungen als unwahr zurückgewiesen hatte, erklärte sie die Besatzungsmacht zum Alleinverantwortlichen für die Eskalation der Gewalt und resümierte im Widerspruch zur Darstellung des Vorgangs in der offiziellen deutschen Protestnote unverfroren: »Man hat auf einen wehrlosen Sänger geschossen, ohne auch vorher nur eine Warnung oder Bekanntmachung zu erhalten.«[49]

Die Proteste in Bochum führen eindrücklich vor Augen, welches Gefahren- und Gewaltpotenzial dem vorgeblich »friedlichen« Protestmittel des gemeinsamen Singens innewohnte – insbesondere, wenn es sich um provokative »vaterländische« Gesänge handelte. In der Geschichte der Ruhrbesetzung markiert der gewaltsame Tod des jungen Arbeiters zugleich den Beginn einer Gewaltspirale, die in den folgenden Monaten eskalierte und den Hass und die Propagandaschlacht auf beiden Seiten weiter anheizte.[50] So beklagte Rainer Maria Rilke Mitte Februar, dass zahlreiche Zeitungen in Deutschland seit Beginn der Besetzung »wieder in den Ton der Kriegsjahre verfallen« seien: »Ihr Papier verursacht schon ein hetzerisches Geräusch, wenn man's aufblättert.«[51] Für die französische Regierung, die den Einmarsch ins Ruhrgebiet analog zur Besetzung des Rheinlands nicht als militärischen Gewaltakt, sondern als völkerrechtlich legitimen Schritt verstanden wissen wollte, waren die von den Besatzungstruppen verübten Gewalttaten ein Problem, weil sie diesen Anspruch konterkarierten.[52] Um erneuten Protest zu unterbinden, mögliche Zusammenstöße zu vermeiden und der deutschen Propaganda keine weitere Angriffsfläche zu bieten, verfügte der französische Kommandeur am 16. Januar in einer Anordnung: »Ansammlungen auf der Straße werden nicht geduldet. Herausforderungen durch Singen irgendwelcher Lieder sind nicht gestattet.«[53]

Antifranzösische Rheinlieder und andere »vaterländische Gesänge«

In den Augen der französischen Besatzer verfolgten die singenden Demonstranten eine perfide Strategie. Denn gesungen wurden zumeist nicht »irgendwelche Lieder«, sondern »vaterländische Gesänge«, die im konfliktbeladenen Verhältnis zwischen Deutschland und Frankreich eine lange Vorgeschichte hatten.[54] So sind Max Schneckenburgers Gedicht *Die Wacht am Rhein* wie auch Nicolaus Beckers *Rheinlied* und Hoffmanns *Lied der Deutschen* Produkte der Rheinkrise der Jahre 1840/41. In kriegerischer Sprache weist *Die Wacht am Rhein* den von der damaligen französischen Regierung erneut formulierten Anspruch auf die linksrheinischen Gebiete zurück und appelliert an den Verteidigungswillen und die Wehrfähigkeiten der Deutschen: »Zum Rhein, zum Rhein, zum deutschen Rhein! / Wer will des Stromes Hüter sein? / Lieb Vaterland, magst ruhig sein, / Fest steht und treu die Wacht, die Wacht am Rhein! [...] / Du Rhein bleibst deutsch wie meine Brust.« In der Vertonung von Carl Wilhelm aus dem Jahr 1854 wurde *Die Wacht am Rhein* rasch zu einem der bekanntesten »vaterländischen Lieder«, das während des Deutsch-Französischen Krieges 1870/71 angestimmt wurde, sich im Kaiserreich großer Popularität erfreute und im Ersten Weltkrieg erneut als Kampfgesang diente.

Im Repertoire der »vaterländischen Gesänge« mit antifranzösischem Impetus bildeten *Die Wacht am Rhein* und andere im Umfeld der Rheinkrise 1840/41 entstandene Lieder und Gedichte eine Art Grundstock. Hinzu kamen weitere patriotische Gesänge, die sich entweder explizit gegen Frankreich richteten oder die deutsche Kraft und den Willen, sich gemeinsam gegen die Feinde zu verteidigen, beschworen und verherrlichten. In diese Kategorie fallen Lieder wie *Soldaten sind lustige Brüder* mit der weit verbreiteten Textvariante »Siegreich wolln wir Frankreich schlagen, / streiten als ein (tapfrer) Held« oder das in nationalsozialistischen Kreisen besonders beliebte Soldatenlied *O Deutschland hoch in Ehren* mit der gebetsmühlenartig wiederholten Parole »Haltet aus! Haltet aus! [...] / Haltet aus im Sturmgebraus!« Außerdem gab es noch jene bei der Berliner Trauerkundgebung gesungenen religiös konnotierten Kampfgesänge: das *Niederländische Dankgebet* sowie *Ein feste Burg ist unser Gott*. Dieses von Martin Luther unter Mitarbeit von Johann Walter verfasste Kirchenlied – eine »Marseiller Hymne der Reformation« (Heinrich Heine) – war im Zuge der deutschen Nationalbewegung des 19. Jahrhunderts patriotisch aufgeladen worden und wurde im Ersten Weltkrieg nicht nur als Kampfgesang, sondern auch als Zitatquelle für Feldpostkarten verwendet.

Dass dieses patriotische Liedgut in einer Zeit, in der das deutsch-französische Verhältnis einen neuen Tiefpunkt erreicht hatte, in nationalistischen Kreisen besonders beliebt war, ist nicht erstaunlich. Unter dem Eindruck der Kriegsniederlage und des Versailler Vertrags waren die historisch aufgeladenen »vaterländischen Gesänge« ein ideales Mittel, um gegen die französische Besatzungspolitik im Rheinland und im Ruhrgebiet zu protestieren, antifranzösische Ressentiments auszudrücken bzw. zu schüren und im Medium des Liedes mit martialischen Tönen die eigene Stärke und Überlegenheit zu beschwören. Der imperiale Duktus der Gesänge und ihre Popularität im Kaiserreich machten sie zugleich für all jene attraktiv, die eine dezidiert antirepublikanische Agenda verfolgten, die Wiederbelebung der Monarchie oder die Einsetzung einer starken »Führerpersönlichkeit« forderten und Kommunisten, Sozialdemokraten und Juden sowie die demokratische Ordnung der Weimarer Republik für den Niedergang Deutschlands verantwortlich machten.

Die Konjunktur patriotischer Gesänge und die Welle des Nationalismus, die die rechtsnationalen Kräfte für ihre eigenen Zwecke zu vereinnahmen suchten, lösten insbesondere bei Linken und Liberalen großes Unbehagen aus. Statt in den vaterländischen Chor einzustimmen, kritisierten sie den blinden Franzosenhass und das militante Gebaren der Nationalisten und forderten, den von vielen als berechtigt empfundenen Protest gegen die Besetzung des Ruhrgebiets nicht mithilfe chauvinistischer und historisch kontaminierter Lieder zum Ausdruck zu bringen. »Die deutsche Arbeiterschaft singt nicht die ›Wacht am Rhein‹, oder ›Siegreich wollen wir Frankreich schlagen‹«, erklärte Heinrich Löffler, Gewerkschafter, Politiker und Vorstandsmitglied des Reichskohleverbands, Ende Januar 1923 auf einer Versammlung von SPD-Funktionären in Berlin, »aber sie wird durch ihre Disziplin dem bis an die Zähne bewaffneten Feind durch passive Resistenz, und wenn es sein muß durch Streik zu begegnen wissen.«[55] Und die Schriftstellerin Thea Sternheim, eine hellwache Chronistin der Zeit, notierte nach einem Kinobesuch am Trauersonntag in Dresden: »Die französische Besatzung des Ruhrgebiets macht, dass das patriotische Deutschland, wo es nur geht, seinen Hass austobt. In einem Film, der den Rhein der Vergangenheit und Gegenwart zeigt, werden unter donnerndem Applaus aufputschende und sentimentale Gesangseinlagen gebracht.«[56]

Liberale Hymne und imperialistischer Kampfgesang: Zur Geschichte des »Liedes der Deutschen«

Während die nationalistische Stoßrichtung der genannten Gesänge zweifelsfrei feststand, war die Situation im Fall der Nationalhymne weitaus komplexer. Erst wenige Monate vor Ausbruch der Ruhrkrise hatte Friedrich Ebert das *Lied der Deutschen* zum Nationallied erklärt. In dieser neuen Funktion als musikalisches Emblem der Nation repräsentierte es den deutschen Staat und die Rechtsordnung der Weimarer Republik und verfügte über eine besondere politische Legitimation und symbolische Kraft. Als offizielles Bekenntnis zur Republik und als staatlich sanktionierter Ausdruck des Nationalgefühls ließ es sich von der Besatzungsmacht im Gegensatz zu anderen patriotischen Liedern nicht so einfach verbieten. Zugleich waren Hoffmanns Lied und sein ambivalenter Text in den vorausgegangenen Dekaden auf verschiedene, zum Teil sich widersprechende Weisen gedeutet und funktionalisiert worden. Diese heikle Verbindung von offizieller Sanktionierung, historischer Belastung und Offenheit für verschiedene Auslegungen machten das Lied zu einer idealen Projektionsfläche für unterschiedlichste politische Interessen. Es ist insofern nicht erstaunlich, dass die neue Nationalhymne im passiven Widerstand eine Schlüsselrolle übernahm. Um den Blick für den Umgang mit dem *Lied der Deutschen* während der Ruhrbesetzung zu schärfen, lohnt es sich, zunächst seine Entstehungs- und Rezeptionsgeschichte in Erinnerung zu rufen.

Das Lied der Deutschen

Deutschland, Deutschland über alles,
Über alles in der Welt,
Wenn es stets zu Schutz und Trutze
Brüderlich zusammenhält,
Von der Maas bis an die Memel,
Von der Etsch bis an den Belt –
Deutschland, Deutschland über alles,
Über alles in der Welt!

Deutsche Frauen, deutsche Treue,
Deutscher Wein und deutscher Sang
Sollen in der Welt behalten
Ihren alten schönen Klang,
Uns zu edler Tat begeistern
Unser ganzes Leben lang –
Deutsche Frauen, deutsche Treue,
Deutscher Wein und deutscher Sang!

Einigkeit und Recht und Freiheit
Für das deutsche Vaterland!
Danach lasst uns alle streben
Brüderlich mit Herz und Hand!
Einigkeit und Recht und Freiheit
Sind des Glückes Unterpfand –
Blüh im Glanze dieses Glückes,
Blühe, deutsches Vaterland!

Das Lied der Deutschen von August Heinrich Hoffmann von Fallersleben ist ein Produkt der liberalen Vormärzdichtung, in dem sich das weit verbreitete Bedürfnis nach Überwindung der Kleinstaaterei und nach nationaler Vereinigung der deutschen Sprachgemeinschaft widerspiegelt. Das im Stil eines deutschen Volkslieds verfasste Gedicht entstand im

August 1841 zur Melodie von Haydns berühmter Kaiserhymne – war inhaltlich allerdings ein Gegenentwurf dazu, da es nicht einem monarchischen Herrscher huldigt, sondern das Volk in den Mittelpunkt stellt. Während die zweite Strophe in der »Tradition des Geselligkeits- und Trinkliedes« steht und mit markigen Worten »Deutsche Frauen, deutsche Treue, / Deutschen Wein und deutschen Sang« preist, geht es in der ersten Strophe um die Nation. Schon in den berühmten Anfangsversen »Deutschland, Deutschland über alles, / Über alles in der Welt« tritt die Problematik des als »Sehnsuchtslied« konzipierten Gesanges offen zutage.[57] Es spricht viel dafür, dass es dem Autor selbst darum ging, mit dieser prekären Formel knapp und eindringlich einen liberalen Kerngedanken zu formulieren: die Vision eines geeinten Vaterlandes. Aufgrund ihres Wortlauts und ihrer elliptischen Struktur konnte sie jedoch auch ganz anders verstanden und verwendet werden. Bemerkenswert ist in diesem Zusammenhang, dass die nationalistische Vereinnahmung des *Liedes der Deutschen* offensichtlich erst zu Beginn des 20. Jahrhunderts größere Wirkung entfaltete. Während sich *Die Wacht am Rhein* im Kaiserreich großer Popularität erfreute, war Hoffmanns Lied in nationalistischen Kreisen weniger verbreitet.[58] Es galt vielen als zu demokratisch, war nicht dezidiert antifranzösisch und stammte zudem aus der Feder eines Mannes, der aufgrund seiner liberalen Gesinnung und seines Einsatzes für ein vereintes Deutschland im Preußen der 1840er-Jahre seine Anstellung als Professor und zwischenzeitlich auch seine Staatsbürgerschaft verloren hatte.

Starken Auftrieb erhielten die nationalistische Vereinnahmung des *Deutschlandlieds* und die Umdeutung der elliptischen Anfangsformel zu einem Schlachtruf, der die Überlegenheit Deutschlands über andere Nationen und den damit verbundenen imperialen Anspruch kurz und bündig zum Ausdruck brachte, mit dem Ausbruch des Ersten Weltkriegs. »Das Lied ›Deutschland, Deutschland über alles‹ ist der Beweis für deutsche Überheblichkeit und Herrschgier«, kritisierte 1914 George Bernard Shaw: »Es ist eine imperialistische Eroberungshymne und die wortgetreue Aussage, daß Deutschland sich zum Herren über alles in der Welt macht.« Und der britische Politiker David Lloyd George, der 1916 Premierminister wurde, erklärte kurz nach Kriegsausbruch in einer Rede: »Deutschland, Deutschland über alles. [...] Dagegen kämpfen wir an, gegen diese angebliche Überlegenheit der Zivilisation, welche, wenn sie die Welt regiert, dahin führen wird, daß die Freiheit untergeht und die demokratische Regierungsform verschwindet.«[59]

Ein prägendes Moment für die Umdeutung des *Liedes der Deutschen* zu einem militaristischen Kampfgesang war der »Mythos von Langemarck«. Er basiert auf einer von der Obersten Heeresleitung im

November 1914 verbreiteten Propagandameldung, die dazu diente, einen verlustreichen Angriff in Flandern, bei dem zahlreiche unerfahrene deutsche Soldaten getötet worden waren, zu vertuschen und stattdessen die eigene Kampfesmoral mythisch zu überhöhen.[60] »Westlich von Langemarck brachen junge Regimenter unter dem Gesange ›Deutschland, Deutschland über alles‹ gegen die erste Linie der feindlichen Stellungen vor und nahmen sie«, heißt es in einem Bericht, der in zahlreichen Tageszeitungen abgedruckt wurde. »Etwa 2000 Mann französischer Linieninfanterie wurden gefangengenommen und sechs Maschinengewehre erbeutet.«[61] Ob tatsächlich gesungen wurde, ist zweifelhaft. »Dennoch war es eben dieser angebliche Gesang der ›Schoolboy Corps‹, wie sie in einigen englischen Quellen genannt werden, der dem Langemarck-Mythos seinen Kern und seine Aura verlieh« und zu seiner Popularität in republikfeindlichen Kreisen, aber auch im konservativen Bürgertum und in der Jugendbewegung der Zwischenkriegszeit beitrug.[62]

Mit dem Ende des Ersten Weltkriegs war das liberale Vormärzlied dann endgültig zu einer Projektionsfläche für verschiedenste politische Interessen geworden. So wurde es in unterschiedlichen Situationen mit demokratischen, nationalistischen, chauvinistischen, imperialistischen oder auch rassistischen Intentionen gesungen, interpretiert und vereinnahmt.[63] Die deutschen Truppen sangen das Lied im November 1918, als sie nach der Niederlage in ihre Heimat zurückkehrten. Die Mitglieder der Deutschen Nationalversammlung stimmten es an, als sie in der Berliner Universität am 12. Mai 1919 in einer emotionalen Zusammenkunft über die Bedingungen des Versailler Vertrags debattierten. Die Kämpfer der Brigade Ehrhardt sangen es im März 1920, als sie durch das Brandenburger Tor marschierten, um im Rahmen des Kapp-Putsches das Regierungsviertel zu besetzen.[64]

Vor dem Hintergrund dieser komplexen Vorgeschichte und der Ambivalenz des Textes ist es erstaunlich, dass es ausgerechnet ein Sozialdemokrat war, der Hoffmanns Lied zur Nationalhymne machte. Nach kontroversen Diskussionen nutzte Friedrich Ebert die Feierlichkeiten zum dritten Verfassungstag der Weimarer Republik, um die Einsetzung des *Liedes der Deutschen* zur Nationalhymne vorzubereiten.[65] Bereits am Morgen des 11. August 1922 erschien in zahlreichen Tageszeitungen ein »Aufruf des Reichspräsidenten«. Den Begriff »Nationalhymne« verwendete Ebert in seinen Ausführungen allerdings noch nicht – vermutlich um den Gegnern seines Vorhabens im linken Lager, die die Aussagen und den Tonfall der ersten beiden Strophen inakzeptabel fanden, den Wind aus den Segeln zu nehmen. Und auch bei der Feierstunde im Reichstag trat er nicht ans Rednerpult. Statt selbst zu sprechen, überließ er dem badischen Staatspräsidenten Hermann Hummel die

Festrede, ließ den repräsentativen Sitz des Reichspräsidenten frei und setzte sich demonstrativ zwischen die Minister.[66]

Bereits die repräsentative Inszenierung des Sitzungssaales eröffnete den republikanischen Deutungshorizont, in der der Liedtext gestellt werden sollte. »Auf die Mittelfläche der Wand, hinter der Präsidentenstuhlestrade, war das Wappen des Reiches in Leinwand aufgenäht. Darunter – grün umrahmt – der Wahlspruch der deutschen Republik: ›Einigkeit und Recht und Freiheit‹.«[67] Und auch die musikalische Gestaltung der Feierstunde folgte einer planvollen Dramaturgie. Schon als Ebert vor dem Reichstagsgebäude aus seinem Wagen stieg, wurde er von einer »Ehrenkompagnie der Reichswehr« zu den Klängen des *Liedes der Deutschen* empfangen. »Kurz nach 12 Uhr begann die Feier mit Beethovens *Egmont*-Ouvertüre, ausgeführt vom Philharmonischen Orchester unter der Leitung Leo Blechs. [...] Nachdem Präsident Hum-

Bei der Verfassungsfeier am 11. August 1922 war das »Lied der Deutschen« omnipräsent. Den Auftakt machte eine Militärkapelle, die es zur Begrüßung von Reichspräsident Ebert spielte.

mel geendigt hatte, erhob sich die Versammlung und sang stehend den dritten Vers des Liedes *Deutschland, Deutschland über alles*. Mit dem *Meistersinger*-Vorspiel schloß die Feier.«[68]

In seinem Zeitungsaufruf erklärte Ebert diese dritte Strophe und ihr Motto »Einigkeit und Recht und Freiheit« zur Kernbotschaft des Hoffmann'schen Gedichts. Unter der schwarzrotgoldenen Fahne der Republik solle »der Sang von Einigkeit und Recht und Freiheit der festliche Ausdruck unserer vaterländischen Gefühle sein.«[69] Zugleich warnte er eindringlich vor einer politischen Instrumentalisierung und nationalistischen Vereinnahmung: »Ein Lied gesungen gegen Zwietracht und Willkür soll nicht Mißbrauch finden im Parteikampf, es soll nicht der Kampfgesang derer werden, gegen die es gerichtet war; es soll auch nicht dienen als Ausdruck nationalistischer Ueberhebung.« Diese offensichtliche Relativierung der ersten beiden Strophen spricht dafür, dass Ebert – wie später Theodor Heuss und Richard von Weizsäcker – am liebsten die dritte Strophe »Einigkeit und Recht und Freiheit« zur Hymne proklamiert hätte, dies aus Rücksicht auf nationalkonservative Kreise allerdings unterließ.[70] Dass die Entscheidung, das *Lied der Deutschen* mit allen drei Strophen zur Nationalhymne zu erklären, riskant war, ist ihm dabei zweifellos bewusst gewesen. Wie rasch dieser Entschluss zum Problem werden würde und welche ambivalente Rolle das Nationallied im Zuge der Ruhrkrise spielen sollte, konnte er im Spätsommer 1922 allerdings noch nicht voraussehen.

Vereinnahmungen I: Der Prozess gegen Fritz Thyssen

Die Ambiguität der neuen Hymne und ihre Anfälligkeit für nationalistische Vereinnahmungen trat bereits in den ersten Tagen der Besetzung zutage. Bei offiziellen Veranstaltungen wie der Protestversammlung im Essener Saalbau oder der Kundgebung vor dem Berliner Reichstag versuchte man zwar, die liberale Deutung des Nationallieds »als Sang von Einigkeit und Recht und Freiheit« durch Wortbeiträge oder Symbole wie die schwarzrotgoldene Fahne der Republik zu betonen, doch diese Interpretation wurde durch die vorher und nachher stattfindenden spontanen Proteste, bei denen die Menge *Die Wacht am Rhein* und andere

»vaterländische Gesänge« anstimmte, infrage gestellt, wenn nicht gar konterkariert. Bei ungeplanten Protesten wie den Bochumer Demonstrationen, bei denen in aufgeheizter Stimmung die Nationalhymne in direktem Wechsel mit chauvinistischem Liedgut gesungen wurde, zeigte sich diese Problematik in zugespitzter Form. In den Augen linker und liberaler Kräfte diskreditierte diese fragwürdige »Nachbarschaft« und die damit verbundene nationalistische Aufladung der Hymne den Protest und schadete dem Ansehen Deutschlands. Dass diese Instrumentalisierung auch auf politischer Ebene rasch zu einem handfesten Problem werden sollte, machen die Vorgänge rund um die Festnahme einiger prominenter Wirtschaftsvertreter des Ruhrgebiets deutlich.

Am 20. Januar verhafteten französische Gendarmen sechs Bergwerksdirektoren und Minenbesitzer, die sich im Zuge des passiven Widerstands geweigert hatten, die geforderte Kohle an die Besatzungsmächte zu liefern.[71] Nach einem Verhör im Bredeneyer Rathaus, wo sich das französische Militärhauptquartier befand, brachte man die prominenten Gefangenen mit der Eisenbahn in ein Untersuchungsgefängnis nach Mainz. Dort wurde ihnen in den folgenden Tagen vor einem französischen Militärgericht der Prozess gemacht. Unter den Verhafteten befand sich auch Fritz Thyssen, einer der mächtigsten deutschen Familienunternehmer, der noch kurz zuvor als gewählter Repräsentant des deutschen Bergbaus mit den Besatzern verhandelt hatte. Mit dem Prozess wollten die Franzosen der politischen und wirtschaftlichen Führungsschicht sowie der Bevölkerung demonstrieren, dass sie gewillt waren, ihre Forderungen konsequent und gegen jedermann durchzusetzen. Doch dieses Vorgehen erbrachte nicht das gewünschte Resultat, sondern löste stattdessen eine neue Welle des Protestes aus. Die Arbeiter solidarisierten sich mit ihren Arbeitgebern, eine Streikwelle setzte ein, und bereits bei der Überführung der Verhafteten nach Mainz kam es zu spontanen Demonstrationen auf den Bahnhöfen, durch die der Zug fuhr. Nach einer turbulenten Verhandlung wurden die Angeklagten zwar zu teils hohen Geldstrafen (bis zu 224.000 Francs) verurteilt, konnten aber als freie Männer ins Ruhrgebiet zurückkehren. Entsprechend triumphal gestaltete sich ihre Rückreise und der Empfang in ihren Heimatstädten. »Auf jedem Bahnhof, den der Zug durchfuhr, standen hochrufende Menschenmassen.«[72] Dabei kam es zu patriotischen Exzessen, die die Hymne der Republik zu einem chauvinistischen Kampflied umfunktionierten.

Am Bonner Bahnhof scheute sich die jubelnde Menge nicht, neben dem *Lied der Deutschen* auch den nationalistischen Kampfgesang *O Deutschland hoch in Ehren* anzustimmen. In Essen, wo sich die wartenden Massen die Zeit »durch unaufhörliches Absingen patriotischer Lieder« sowie durch den Vortrag von »Bergmannsliedern« vertrieben hatten, wurde der um zwei Stunden verspätete Sonderzug laut der dortigen Zeitung mit »donnernden Hochrufen« empfangen: »In gewaltigen Tönen erbrauste ›Deutschland, Deutschland über alles‹ herab, von der unten harrenden Menge begeistert aufgenommen. [...] Nach dem Deutschlandlied folgte ›Die Wacht am Rhein‹.«[73] Fritz Thyssen dürfte dieser nationalistische Begrüßungstaumel im Medium des Gesangs erfreut haben, denn er war nicht nur ein erbitterter Gegner der Besatzer, sondern auch ein Sympathisant rechtsnationaler Kreise. Bereits 1923 förderte er Hitler und die NSDAP und unterstützte in der folgenden Dekade ihren Aufstieg durch großzügige Spenden. Nach der »Machtübernahme« wandte er sich allerdings von Hitler ab, begab sich direkt nach Kriegsausbruch ins Exil, wurde von der Vichy-Regierung an die Nazis ausgeliefert und verbrachte die letzten Kriegsjahre in deutscher Gefangenschaft.

Während die nationale und konservative Presse sich in pathetischen Berichten wie dem bereits zitierten überschlug und keinerlei Kritik äußerte, brachte der *Vorwärts* das Unbehagen der Sozialdemokratie über die patriotischen Massengesänge zum Ausdruck. In einem knappen Satz heißt es apodiktisch: »Die Arbeiterschaft glaubt, daß die passive Resistenz eine bessere Waffe im Abwehrkampf gegen die Ruhrinvasion ist, als derartige Demonstrationen.«[74]

Dass nicht nur das Sprachrohr der Sozialdemokratischen Partei den sich radikalisierenden Nationalismus und die Instrumentalisierung des *Deutschlandliedes* als massives Problem wahrnahm, belegen zwei Berichte von Repräsentanten der staatlichen Ordnung zu den Ereignissen rund um die Urteilsverkündung. So berichtet Eduard David, Reichsvertreter in Hessen, dem Reichskanzler über die Vorgänge vor dem Gerichtsgebäude, wo sich »nach dem Schluß der Arbeitsbetriebe« eine riesige Menge angesammelt hatte: »Gerade als der Vorsitzende des französischen Gerichts das Urteil zu verlesen begann, drang von draußen der brausende Gesang des Deutschlandliedes in den Gerichtssaal. Man stimmte dann aber auch Lieder wie ›Siegreich wollen wir Frankreich schlagen‹ und ›Weh, o weh Franzosenblut‹ an. Die Zahl der Versammelten wird auf 20.000 geschätzt.«[75] Nach dem Ende der Verhandlung kam es zu »schweren Ausschreitungen«. Wie der hessische Gesandte Maximilian Freiherr von Biegerleben ebenfalls nach Berlin meldet, seien dabei französische Wachen behindert, »Soldaten verprügelt« und »Fensterscheiben bei Franzosen kaputtgeschlagen« worden: »Nach den demonstrativen Huldigungen für Thyssen sind besonders jugendliche Nationalsozialisten nachts um 11 Uhr unfugstiftend durch die Stadt gezogen unter Absingen von Liedern wie ›Siegreich wollen wir Frankreich schlagen‹. Es wird hierfür erforderlich sein, daß die Reichsregierung durch einen Aufruf diese nationalsozialistische Meute zurückweist, da sonst schwerer Schaden für die deutsche Sache und für die deutsche Bevölkerung im besetzten Gebiet zu befürchten ist. [...] Das französische Blatt in Mainz spricht bereits in seiner heutigen Ausgabe von alldeutschen Ausweisungen aus Mainz. Diese Vorkommnisse werden von den Franzosen agitatorisch ausgenutzt.«[76]

Vereinnahmungen II: Der Märtyrerkult um Albert Leo Schlageter

Dass eine solche Einhegung und Kanalisierung der Proteste unrealistisch war, zeigten die nächsten Wochen und Monate, in denen die Gewalt auf beiden Seiten massiv zunahm.[77] So ergriffen die Besatzer immer härtere Maßnahmen, um den Widerstand im Ruhrgebiet zu brechen und ihre Forderungen durchzusetzen. Beamte, die nicht bereit waren zu kooperieren, wurden zu Tausenden ausgewiesen, Protestaktionen kollektiv bestraft und eine Zollgrenze zwischen dem Ruhrgebiet und dem Reich errichtet. Zudem kam es immer wieder zu gewaltsamen Übergriffen auf die Zivilbevölkerung. Parallel dazu wuchsen auf deutscher Seite der Hass und die Bereitschaft zu gewalttätigen Protesten. Die chauvinistischen Anfeindungen gegen die Franzosen radikalisierten sich und mischten sich häufig mit fremdenfeindlichen Attacken gegen Soldaten, die aus Frankreichs Kolonien auf dem afrikanischen Kontinent stammten. Mit dem rassistischen Slogan »Schwarze Schande« wurde ihnen unterstellt, massenhaft deutsche Frauen zu vergewaltigen.[78] Im Zuge dieser Radikalisierung begannen im Frühjahr 1923 – von der Reichsregierung stillschweigend geduldet – rechtsnationale Kreise mit dem aktiven Widerstand. Freikorpsmitglieder und rechte Aktivisten verübten Anschläge gegen die Besatzungstruppen, versuchten Brücken und Eisenbahngleise zu sprengen und führten weitere Sabotageakte aus.[79] Einer von ihnen war der Weltkriegsveteran Albert Leo Schlageter. Anfang April wurde der 28-Jährige in einem Essener Hotel von französischen Kriminalbeamten gefasst und einen Monat später in Düsseldorf von einem Kriegsgericht zum Tode verurteilt.[80] Trotz zahlreicher Proteste und mehrerer Gnadengesuche ließen sich die Besatzer nicht davon abbringen, an Schlageter ein Exempel zu statuieren, und exekutierten ihn am 26. Mai. Dieses Vorgehen stieß parteiübergreifend auf große Empörung, führte zu seltsamen politischen Allianzen und löste eine neue Welle nationalistischer Exzesse aus, bei denen die rechtsnationale Vereinnahmung der Nationalhymne weiter vorangetrieben wurde.

Die rechten Gegner der Weimarer Republik nutzten die Gunst der Stunde, um Schlageter nicht nur zu einer Ikone des Widerstands gegen die Besatzer zu erklären, sondern aus ihm zugleich einen Märtyrer der nationalen Bewegung zu machen. Nachdem die Franzosen erlaubt hatten, seine sterblichen Überreste auf dem Düsseldorfer Nordfriedhof zu exhumieren und in seinen im Schwarzwald gelegenen Heimatort Schönau zu überführen, wurden zahlreiche Gedenkveranstaltungen organisiert. Im außerhalb des besetzten Gebietes gelegenen bergischen Elberfeld kam es am 8. Juni zu einer ersten großen Trauerfeier, bei der die antirepublikanische Verklärung Schlageters und die Unfähigkeit der politischen Verantwortlichen, dies zu verhindern, offenbar wurden. Wie der *Vorwärts* berichtete, hatte der Regierungspräsident dem Elberfelder Polizeipräsidenten mitgeteilt, »daß schwarzweißrote Schleifen und antirepublikanische Abzeichen und Fahnen nicht getragen werden dürften«, um der Veranstaltung ihren »nationalistischen Charakter zu nehmen«.[81] Doch es kam anders als von republikanisch gesinnten Kräften gewünscht: »Von nah und fern waren Stahlhelmleute, Hakenkreuzler [...] usw. mit Bannern und Fahnen in allen möglichen Uniformen angerückt. Die Beteiligung war riesenhaft.«[82] Und die *Essener Allgemeine Zeitung* berichtet: »Mit dem Orgelklang ›Ich hatt einen Kameraden‹ trug man den Sarg Schlageters mit der Kriegs- und Artillerieflagge geschmückt aus dem Saale ins Freie. Auf dem Wege dorthin spielte eine Kapelle ebenfalls das alte Soldatenlied.«[83]

Auch in Berlin gab es in der Philharmonie eine große Trauerfeier. Zwar fehlten dort die antirepublikanischen Symbole, aber dennoch trug die gut besuchte Veranstaltung zur Mythisierung Schlageters bei. Neben Vertretern der bürgerlichen Parteien war Freiherr Walter von Medem erschienen, in dessen Freikorps der Hingerichtete einst im Baltikum gekämpft hatte. In seiner Trauerrede pries er Schlageter als frommen und demütigen Diener des deutschen Volkes, den »eine heilige Vaterlandsliebe« angetrieben habe.[84] Nach einem »Treuegelöbnis, das ein junger Kamerad Schlageters nach den Ausführungen von Medems ablegte«, wurde zur symbolischen Bekräftigung des Gesagten wie so häufig gesungen: »Die Liebe zu dem widerrechtlich von den Franzosen ermordeten Schlageter klang wider in dem Liede ›Ich hatt’ einen Kameraden‹«, schreibt die nationalliberale *Berliner Börsen-Zeitung*: »Mit dem Liede ›Deutschland, Deutschland über alles‹, das von der Versammlung stehend gesungen wurde, schloß die Feier.«[85]

Ihren vorläufigen Höhepunkt erreichte die Pervertierung der Nationalhymne jedoch auf einer großen Gedenkfeier auf dem Münchener Königsplatz, zu der die »Vaterländischen Kampfverbände« aufgerufen hatten. »Von lauten Heilrufen empfangen« trat als letzter Redner der 34-jährige Adolf Hitler in Erscheinung und erklärte der versammelten Menge, dass das »deutsche Volk von heute den Heldentod Schlageters gar nicht verdient« habe. »Man dürfe nicht ruhen und rasten, um den Kampfeswillen bis zum letzten Atemzug in unserem Volke zu verbreiten, bis die Parole komme: Das Volk steht auf, der Sturm bricht los. Aus der Menge erschollen laute Heilrufe. Unter den Klängen des Deutschlandliedes schloß die Kundgebung.«[86]

Von nun an erschien der Name Schlageters regelmäßig in Hitlers Reden, und der Märtyrerkult um ihn wurde zu einem zentralen Bestandteil der nationalsozialistischen Propaganda.[87] Ende der 1920er-Jahre verfasste der nationalsozialistische Schriftsteller und spätere Präsident der Reichsschrifttumskammer Hanns Johst ein Drama, in dem er Schlageter zum »Ersten Soldaten des Dritten Reiches« verklärte.[88] Die Uraufführung fand am 20. April 1933 – dem 44. Geburtstag des neuen Reichskanzlers – im Berliner Schauspielhaus am Gendarmenmarkt statt. Im Publikum saß neben dem Reichsminister für Volksaufklärung und Propaganda Joseph Goebbels auch der Theaterkritiker Paul Fechter. »Am Schluss, nach der Erschießungsszene, kein Applaus – nach kurzem Schweigen singt das Publikum stehend den ersten Vers des Deutschlandliedes, dann den ersten des Horst-Wessel-Liedes.«[89] Mit dieser Verkürzung auf die erste Strophe und der direkten Verbindung mit dem populärsten Kampflied der SA war die nationalsozialistische Umdeutung des *Liedes der Deutschen* an ihr Ziel gelangt. Und Paul Fechter prognostizierte in der *Deutschen Allgemeinen Zeitung*: »Das neue deutsche Drama ist auf dem Wege.«[90]

Kulturkampf im Konzertsaal: Die Berlin-Tournee der vereinigten Ruhrorchester

Dass patriotischer Lieder das am meisten genutzte musikalische Protestmittel während der Besatzungszeit waren, steht außer Frage. Allerdings hatte sich bereits am Trauersonntag gezeigt, dass die Politisierung von Musik und Kultur viel umfassender war und sich in allen Sparten manifestierte. Auf der einen Seite war man in den besetzten Gebieten bemüht, den regulären Betrieb auch unter schwieriger werdenden Bedingungen so gut wie möglich aufrechtzuerhalten, das Programmangebot größtenteils in der geplanten Form umzusetzen und sich einer allzu direkten politischen Vereinnahmung zu entziehen. Auf der anderen Seite betonte man die existenzielle Rolle von Musik in Krisenzeiten, richtete einen besonderen Fokus auf das deutsche Repertoire, um zur nationalen Selbstvergewisserung beizutragen, und bemühte sich darum, den passiven Widerstand zu stärken. So verschob das Städtische Orchester Essen sein erstes Abonnementkonzert nach dem Einmarsch der französischen Truppen kurzerhand um einige Tage und konzipierte es neu. Statt des ursprünglich geplanten Programms (unter anderem war eine Orchestersuite des italienischen Komponisten Ottorino Respighi ange-kündigt) spielte der 1899 gegründete Klangkörper unter Leitung seines Chefdirigenten Max Fiedler am 18. Januar 1923 drei Schlüsselwerke des deutschen Repertoires: Schuberts »Unvollendete«, Brahms 4. Sinfonie und zu Beginn Beethovens Ouvertüre zu *Egmont* – der »Dichtung vom lastenden Schicksal und der schließlichen Befreiung«, wie ein Kritiker der *Essener Allgemeinen Zeitung* seiner Leserschaft mitteilte.[91] Das spek-takulärste Ereignis in diesem Zusammenhang war jedoch eine sorgfäl-tig vorbereitete und wirkungsvoll inszenierte Konzertreise, die Musiker von drei Ruhrgebietsorchestern Anfang März gemeinsam nach Berlin unternahmen.[92]

In der Reichshauptstadt wird es manche verwundert haben, dass in einer Region, die in erster Linie als Rohstofflieferant und wirtschaft-liches Herzstück Deutschlands bekannt war, mehrere Orchester auf en-gem Raum koexistierten. Tatsächlich gab es neben Essen auch in Dort-mund bereits seit 1887 ein Orchester, das seit 1920 von dem Städtischen Musikdirektor Wilhelm Sieben geleitet wurde. Das Städtische Orches-ter Bochum hingegen war erst 1919 auf der Grundlage einer bereits bestehenden ortsansässigen Kapelle ins Leben gerufen worden.[93] Als ersten Kapellmeister engagierte man im selben Jahr den jungen Rudolf Schulz-Dornburg, einen Fürsprecher der Moderne, der eine Reihe von avancierten Programmen realisierte, die auch überregional Aufmerksam-keit erregten, zum Beispiel im Dezember 1923 zwei Abende, an denen er gregorianische Musik und neue Werke der »klassizistischen Moderne« gegenüberstellte.[94]

Dass zu Hochzeiten der Ruhrkrise über 100 Musiker aus drei Orchestern mit ihren Chefdirigenten nach Berlin reisten, um dort als »vereinigter« Klangkörper in Erscheinung zu treten, war ein hochsym-bolischer Akt, der zweifellos aus der Not geboren war. In den besetz-ten Gebieten wurden die Lebensbedingungen für die Zivilbevölkerung von Woche zu Woche prekärer. Zugleich stieg die Kostenlast für die Finanzierung des passiven Widerstands kontinuierlich und heizte die Hyperinflation in ganz Deutschland weiter an, denn unter anderem mussten die wachsende Zahl ausgewiesener Beamter und Angestellter sowie die von den Zechenschließungen betroffenen Arbeiter versorgt werden.[95] Vor diesem Hintergrund verfolgte die ungewöhnliche Tour-nee eine mehrfache Zielsetzung. Als monumentales »Ruhrorchester« wollte man – wie es in einer Ankündigung heißt – »in der Hauptstadt des Reiches Zeugnis ablegen für die Gemeinschaft und unzerstörbare Einheit allen deutschen Schaffens«.[96] Konkret ging es um die Inszenierung von Zusammenhalt durch die symbolische Bündelung der Kräfte, um die Sichtbarmachung des Ruhrgebiets im politischen Zentrum des Deutschen Reiches und um die damit verbundene Einforderung von Solidarität. Zugleich wollte man ein Zeichen für die essenzielle Bedeutung der Kunst in den besetzten Gebieten setzen und mit dem Erlös des Sonderkonzerts, der an die »Ruhrspende« floss, die notleidende Bevölkerung unterstützen.

Gefördert wurde dieses ambitionierte Vorhaben von prominenten Fürsprechern. Verantwortlich für die Ausrichtung der »Orchesterfahrt« und die Gestaltung der Berliner Veranstaltungen war das Büro des Reichskunstwarts Edwin Redslob, der in der Weimarer Republik für die »künstlerische Formgebung des Reiches« (Gestaltung von Staatsfeiern, Staatswappen etc.) zuständig war und etwa auch Eberts Präsentation des deutschen Nationallieds bei der Feier zum dritten Verfassungstag inszeniert hatte. Einem eigens gebildeten Ehrenausschuss gehörten neben dem Reichspräsidenten und dem Reichskanzler zahlreiche berühmte Künstler an, darunter Wilhelm Furtwängler, Hans Pfitzner, Franz Schreker, Max Liebermann und Max Reinhardt.[97]

Welch hohe kulturpolitische Bedeutung der ungewöhnlichen Konzertreise zugesprochen wurde, zeigt die Tatsache, dass man am Vorabend des Konzerts im Sitzungssaal des Reichstags eine vom Reichskunstwart gestaltete Empfangsfeier für die Gäste aus dem besetzten Gebiet veranstaltete. Während der preußische Minister für Wissenschaft, Kunst und Volksbildung Otto Boelitz in einer längeren Rede die »innige Verflechtung von Arbeit und Kunst« im Rheinland pries, stellte Reichsinnenminister Oeser von der liberalen Deutschen Demokratischen Partei (DDP) die kulturpolitische Stoßrichtung des Projekts gleich zu Beginn heraus. Laut eines Berichts in der *Deutschen Allgemeinen Zeitung* proklamierte er die Überlegenheit des »deutschen Geistes« über die französische Militärgewalt und betonte die essenzielle Rolle, die der Kunst im passiven Widerstand zukomme: »Wir werden bis zur Sicherung unserer freien Existenz unsere Kultur der französischen ›Zivilisation mit der Reitpeitsche‹ gegenüberstellen.«[98] In einer Dankesrede bekräftigte der Bochumer Dirigent Rudolf Schulz-Dornburg den Glauben an den Vorrang und die Einzigartigkeit der deutschen Kulturnation und ihrer musikalischen Heroen, schlug aber weniger kämpferische Töne an. Mit eindringlichen Worten beschwor er die Bedeutung der Musik als Rückzugsort und Mittel zur moralischen Erbauung: »Was tun die Menschen in unserem Land, die von den Bajonetten bedroht werden, in ihrer seelischen Bedrückung? Sie gehen in die Konzerte und lassen sich Bruckner und Beethoven vorspielen. Daran halten sie sich aufrecht. Tausende von Menschen kommen zu uns. Wir müssen immer wieder aufs neue Veranstaltungen geben.

Und wir erleben immer wieder mit Staunen und Bewunderung, daß für alle diese die Musik nicht nur Modesache ist, sondern daß sie einzig und allein um der Musik willen kommen.«[99]

Bei dem eigentlichen Hauptereignis, einem sonntäglichen Matinee-konzert der vereinten Orchester am 4. März im Schauspielhaus am Gendarmenmarkt, wurden diese kulturpolitischen Botschaften öffent-lichkeitswirksam inszeniert. In der Mittelloge des »nahezu bis auf den letzten Platz gefüllten« Großen Saals hatten der Reichspräsident sowie zahlreiche hochrangige Politiker und prominente Ehrengäste Platz ge-nommen. An der Wand hinter dem erhöhten Podium, auf dem die mehr als 100 Musiker saßen, prangten »die Farben der Republik, ein riesiger goldener Adler auf schwarzem Grunde, umrahmt von schwarzen und roten Stoffbahnen.«[100] Auf dem Programm standen – wie zu erwarten – Werke der zentralen Repräsentanten der deutschen Musik: Das Adagio aus der 6. Sinfonie von Bruckner, dirigiert von Schulz-Dornburg; Beet-hovens 5. Sinfonie, geleitet von Wilhelm Sieben, sowie als Abschluss die 1. Sinfonie von Brahms, ein Paradestück des Essener Chefdirigenten Max Fiedler. Dass viele im Publikum die Sinfonien von Beethoven und Brahms nicht nur als Manifestationen »deutscher Schaffenskraft« ver-standen, sondern ihre heroischen Züge und ihre finalorientierte Drama-turgie auf die gegenwärtige Situation bezogen, ist wahrscheinlich. »Krise und Überwindung« oder »durch Nacht zum Licht« lauten die Stichworte, die in zahlreichen zeitgenössischen Werkdeutungen zu finden sind.

Die einzige Überraschung des Konzerts war die *Musik für Orchester* von Rudi Stephan, die nach Bruckners Adagio unter der Leitung von Schulz-Dornburg erklang. Dass dieses kurz vor dem Ersten Weltkrieg entstandene Werk seinen Weg ins Programm finden konnte, war offen-sichtlich den widrigen Umständen geschuldet. So war eigentlich geplant gewesen, ein weiteres ikonisches Werk der deutschen Musik, nämlich Wagners *Meistersinger*-Ouvertüre zu spielen. Doch die »Verkehrsschwie-rigkeiten im Ruhrgebiet« führten dazu, dass »ein Notentransport nicht rechtzeitig in Berlin eingetroffen war und infolgedessen das ursprünglich vorgesehene Programm eine Abänderung erfahren musste«.[101] Der lei-tende Musikkritiker der *Deutschen Allgemeinen Zeitung*, Walter Schrenk, dankte Schulz-Dornburg ausdrücklich für die Entscheidung, stattdes-sen ein Werk der jüngeren Generation aufzuführen. Mit dem Stück des 1915 im Alter von 28 Jahren in Galizien gefallenen Komponisten sei der »übliche Schematismus der Festprogramme durchbrochen« worden, »und daß auch ein ›unvorbereitetes‹ Publikum willig und verständnisvoll mit-geht, bewies der begeisterte Beifall des Hauses.«[102]

Am Ende des Konzertes kam es – wie in so vielen anderen Fäl-len – zu einer ungeplanten patriotischen Geste. »Als die letzten Töne verklungen waren, rasten nicht endenwollende Beifallsstürme durch das Haus«, berichtet die *Berliner Börsen-Zeitung*: »Auch Reichspräsident Ebert erschien selbst auf der Bühne, um den Gästen die Hand zu schütteln. Spontan stimmten dann die Versammelten das ›Deutschlandlied‹ an, das von dem Orchester begleitet wurde.«[103] Von der Macht nationaler Gefühle wurde offensichtlich auch der Kritiker des liberalen *Berliner Tageblatts* überwältigt. Erfüllt von dem Glauben an die einzigartige Qualität der deutschen Musik räsonierte er in seiner enthusiastischen Besprechung: »Als nach Schluss des Konzertes [...] unser altes Haydn-Lied erklang, von tausend begeisterungsfreudigen Kehlen gesungen – da beherrschte alle nur ein Gedanke, nur ein Gefühl: die Liebe zur Heimat. Wohl kann sie überheblich und ungerecht gegen andere erscheinen. ›Ueber alles in der Welt.‹ Aber hätten wir auch nichts als unsere Tonheroen (in denen ja alles ruht, woran wir in Stunden der Erhebung denken) – dürften wir nicht mit Fug und Recht jene stolzen Worte singen?«[104]

Ein Beitrag zur »Hegemonie der deutschen Musik«?
Arnold Schönberg und die Entwicklung
der Zwölftontechnik

Ein »neuer Klang« für den »neuen Menschen« ··· *Im Abseits?* ··· *»Hege-moniephantasien« in Krisenzeiten* ··· *Ein internationales Projekt als Triebfeder für die Entwicklung der Zwölftontechnik* ··· *Unbeschwertes Komponieren wie in der Jugend: Ein zwölftöniger Walzer* ··· *Tradition statt Revolution* ··· *Der Streit um Priorität und Urheberschaft: Schön-berg, Hauer, Klein* ··· *Antisemitische Anfeindungen und Bruch mit Kandinsky* ··· *Vom »deutschen« zum »österreichisch-jüdischen« Künstler*

Am 13. März 1923 studierte Arnold Schönberg die Rubrik »Theater und Kunst« des *Neuen Wiener Journals*. Wie jeden Tag informierte die kultur-orientierte Tageszeitung ihre Leserschaft im hinteren Teil des Blatts über Neuigkeiten aus dem Musikleben. An der Staatsoper plane man, die Titelpartie von Giacomo Puccinis *Manon Lescaut* (1893) alternierend mit den Starsopranistinnen Maria Jenitza und Lotte Lehmann zu besetzen. Der gefeierte Opernkomponist, der sich diese Doppelbesetzung aus-drücklich gewünscht habe, werde die letzten Proben »persönlich leiten«. Bald zu erleben sei außerdem ein neues Werk von Dr. Richard Strauss mit dem Titel »Schlagobers«. Der Operndirektor ziehe das »eigens für Wien« komponierte Ballett, dessen Ausstattungskosten sich angeblich auf »rund 1900 Millionen Kronen« beliefen und mit den »Ersparungs-maßnahmen des Sanierungskomitees nicht im Einklang stünden«, nun doch nicht zurück. »Die Tondichtung ›Schlagobers‹ spielt in Wien in der Konditorei Demel und im Prater. Strauss hat das Buch selbst verfasst.«[1]

Dass sich Schönberg für die Neuproduktion von Puccinis erster Erfolgsoper und für Strauss' lokalpatriotische Kaffeehaus-Hommage interessierte, ist eher unwahrscheinlich. Auf der nächsten Seite stieß er allerdings auf zwei Sätze, die seine eigene Person betrafen: »Arnold Schönberg, der Führer der Expressionisten in der Musik, arbeitet zur Zeit an einem Violinkonzert. Bemerkenswert ist, daß Schönberg, der jahre-lang nichts Neues geschaffen hat, in diesem Werk seine gewohnten Bah-nen verlassen hat und sich einem etwas gemäßigteren Stil anschließen will.«[2] Noch am selben Tag setzte sich der 48-Jährige an die neue Schreib-maschine – ein Weihnachtsgeschenk seiner Schüler[3] –, um seinem Ärger Luft zu machen. In einem Brief an seinen Verleger, den umtriebigen Di-rektor der Wiener Universal Edition Emil Hertzka, schreibt er: »Abge-sehen von den vielen Ungeheuerlichkeiten, enthält diese Lügengekröse auch eine richtige Tatsache: dass ich ein Violinkonzert plane. Da aus meinem Kreis nur Webern und Berg von dieser Absicht wissen, so kann diese Veröffentlichung nur aus der U. E. stammen. Ich muss Sie dringend bitten, der Sache energisch nachzugehen. Ich habe nicht mehr als 20 Jahre auf meinen Ruf gesehen, um mich nun lächerlich machen zu lassen.«[4]

Dass sich Schönberg über eine Zeitungsmeldung an nachgeordneter Stelle dermaßen echauffierte, mag auf den ersten Blick überraschen. Liest man die wenigen Sätze allerdings in Kenntnis seiner damaligen Situation und Gemütslage, lässt sich der Ärger durchaus nachvollziehen. So lenkt die scheinbar harmlose Notiz den Blick geschickt auf einige neuralgische Punkte und nimmt diese zum Ausgangspunkt für Spekulationen, die Schönberg als direkten Angriff auf seine künstlerische Integrität verstehen musste: der Versuch, ihn als »Führer der Expressionisten« abzustempeln und damit zum alten Eisen zu werfen, die Mutmaßung, er sei dabei, sich von seinem bisherigen kompositorischen Weg und seiner Kompromisslosigkeit zu verabschieden, und werde fortan »gemäßigtere« Musik schreiben, sowie der Vorwurf mangelnder schöpferischer Produktivität. All dies wollte und konnte der Anfeindungen gewöhnte Komponist, der Attacken auf seine Person sehr genau registrierte,[5] nicht so stehen lassen.

Ein »neuer Klang« für den »neuen Menschen«

Tatsächlich befand sich Schönberg seit mehr als einem Jahrzehnt in einer schwierigen Umbruchphase. In den Jahren vor Ausbruch des Ersten Weltkriegs hatte er in einem wahren Schaffensrausch eine Reihe wirkungsmächtiger Stücke geschrieben, die die Kompositionsgeschichte revolutionierten, die herkömmlichen Vorstellungen von Musik ins Wanken brachten und das Publikum und die Kritik polarisierten. Der entscheidende Schritt war dabei die Abkehr von der harmonischen Tonalität. Um 1900 war das traditionelle Ordnungssystem der Töne und ihrer Beziehungen in eine tiefe Krise geraten. Der Umgang mit dissonanten Zusammenklängen wurde immer gewagter. Und auch die Vorherrschaft eines Grundtons erschien nicht mehr als Notwendigkeit. Mit Kompositionen wie der *Kammersymphonie* op. 9 (1906) und dem 2. Streichquartett op. 10 (1907/08) trieb Schönberg diese Entwicklungen radikal voran und gelangte an die Grenzen des tonalen Systems. Getragen von der Überzeugung, dass es sich bei der Tonalität nicht um ein Naturgesetz, sondern um ein geschichtliches Phänomen handle, wandte er sich in den darauffolgenden Werken endgültig von der traditionellen Harmonik ab und entwickelte eine Kompositionsweise, für die sich zum Leidwesen des Komponisten schon bald der von vielen Kritikern abwertend gemeinte Begriff »Atonalität« einbürgerte.[6] Bereits in den Klavierstücken op. 11 (1909) gibt es keine Grundtonart mehr. Und auch die grundsätzliche Unterscheidung von Konsonanz und Dissonanz und der Zwang zur Auflösung dissonanter Zusammenklänge werden aufgegeben. Über den Aufbau der Akkorde und ihre Verbindungen entscheiden – wie Schönberg erklärte – nun keine althergebrachten Regeln mehr, sondern allein das Ausdrucksbedürfnis und »Formgefühl« des Komponisten. So formulierte er in seiner 1911 veröffentlichten *Harmonielehre* emphatisch: »ein neuer Klang ist ein unwillkürlich gefundenes Symbol, das den neuen Menschen ankündigt, der sich da ausspricht.«[7]

Das Irritationspotenzial, das von diesen radikalen Neuerungen ausging, lässt sich kaum überschätzen. So forderte Schönberg mit seiner komplexen Musik nicht nur die Hörgewohnheiten seiner Zeitgenossen heraus, sondern stellte auch ihre ästhetischen Überzeugungen und ihr kulturelles Selbstverständnis infrage.[8] »Der Künstler tut nichts, was andere für schön halten, sondern nur, was ihm notwendig ist«, lautete seine provokative Devise.[9] Im Konzertleben spiegeln sich diese Irritationen in den zahlreichen Skandalen, die die Aufführungen seiner Werke in Wien begleiteten. Bei der Uraufführung des 1. Streichquartetts op. 7 im Februar 1907 durch das renommierte Rosé-Quartett verließ ein Teil des Publikums »während des Spiels den Saal; ein besonders witziger sogar durch den Notausgang«.[10] Als am 22. Dezember 1908 dasselbe Ensemble gemeinsam mit der Hofopernsängerin Marie Gutheil-Schoder Schönbergs 2. Streichquartett op. 10 im Bösendorfer-Saal aus der Taufe hob, kam es zu einer regelrechten Fraktionsbildung des Publikums. Während die einen ihr Unverständnis mit »stürmischem Gelächter«, »Indianergeheul« und »Unmutsrufen« zum Ausdruck brachten und einen Abbruch der Uraufführung forderten, klatschten die anderen heftig Beifall, verlangten Ruhe und forderten die Musiker mit Gegenrufen zum Weiterspielen auf.[11] In welchem Maße Schönbergs Musik von konservativen Teilen der Zuhörerschaft als Angriff auf traditionelle Werte empfunden wurde, zeigt der erboste Ruf eines Zuhörers, der in der Pause verlangte, man solle den Saal durchlüften, bevor im zweiten Teil des Abends ein Quartett von Beethoven gespielt werde. Ihren Höhepunkt erreichte die Serie skandalträchtiger Aufführungen mit einem von Schönberg dirigierten Konzert, das am 31. März 1913 in der historisierenden Architektur des »Goldenen Saals« im Wiener Musikverein stattfand. Bei der Premiere der Orchesterstücke op. 6 von Anton Webern kam es zu Gelächter und einem »Kampf zwischen Beifall und Zischen«. Im Zuge der anschließenden Aufführung von Schönbergs Kammersinfonie op. 9 in einer Orchesterfassung wurde nicht nur gelacht, sondern es gab

auch »wütenden Lärm« und eine »obligate Rauferei« auf der zweiten Galerie.[12] Während des vorletzten Programmpunkts, der Uraufführung von zwei Orchesterliedern Alban Bergs, geriet die Situation dann endgültig außer Kontrolle. Die Veranstaltung musste abgebrochen werden und im Publikum kam es zu Tätlichkeiten zwischen Gegnern und Anhängern der neuen Musik, die dazu führten, dass das Ereignis unter dem Namen »Watschenkonzert« in die Musikgeschichte einging.

Karikatur zu einem »Wiener Schönberg-Konzert«. Die tumultartigen Szenen, die sich während des »Skandalkonzerts« am 31. März 1913 im Großen Musikvereinssaal zutrugen, wurden nicht nur in der Wiener Presse genüsslich besprochen, sondern inspirierten auch die Karikaturisten.

In der deutschsprachigen Tagespresse und den Fachzeitschriften verlief die Diskussion über Schönbergs Musik und seine kompositorischen Neuerungen ebenso kontrovers. Auf der einen Seite stand eine zunächst kleine Schar von Bewunderern (häufig aus dem Schülerkreis), die im Laufe der Zeit kontinuierlich wuchs und Schönberg in der Öffentlichkeit leidenschaftlich verteidigte. Auf der anderen Seite gab es zahlreiche (konservative) Kritiker, die den Propheten der neuen Musik aus unterschiedlichen Richtungen attackierten und dabei auch vor persönlichen Angriffen und Verunglimpfungen nicht zurückschreckten. »Schönberg ist eine Macht. Die einen sagen: die der Finsternis; die anderen: die der Erleuchtung«, resümierte der einflussreiche Kritiker Adolf Weißmann in seinem 1922 erschienenen Buch *Die Musik in der Weltkrise* und ergänzte: »Man begreift durchaus, daß die meisten Zeitgenossen in Arnold Schönberg, dem Meister der Atonalität, der nicht nur alle Elemente der Tonkunst auflöst, sondern bis zur Umwertung aller Klangwerte vordringt, nur den größten Verneiner, die stärkste Macht des Umsturzes sehen.«[13]

In der Öffentlichkeit ließ sich Schönberg nicht anmerken, wie sehr ihm diese Angriffe auf sein Werk und seine Person zusetzten. So schrieb der polnische Komponist Karol Szymanowski 1926 bewundernd: »Seine enorme kreative Energie, sein fanatischer Glaube an seine eigene Mission, das unbeirrbare Festhalten an seinen Ideen – all diese Merkmale dieser außergewöhnlichen Persönlichkeit verdienen Respekt.«[14] Aus Briefen, zu Lebzeiten unveröffentlichten Texten und anderen privaten Dokumenten geht allerdings hervor, welche Kraftanstrengung Schönberg der »Weg zwischen Beschimpfung und Verachtung, Besudelung und Totschweigen« kostete[15] und wie sehr er darauf bedacht war, sich mithilfe seiner Netzwerke nicht nur gegen polemische Kritik zur Wehr zu setzen, sondern auch sein eigenes Bild in der Öffentlichkeit zu prägen und seine herausgehobene Stellung in der Musikgeschichte zu sichern.[16] Zu Beginn der 1920er-Jahre schien die Situation des Komponisten dabei besonders verfahren zu sein.

Im Abseits?

Nach einem Jahrzehnt enormer Produktivität war Schönbergs Komponieren kurz vor Ausbruch des Ersten Weltkriegs ins Stocken geraten. Nachdem er im Herbst 1913 das »Drama mit Musik« *Die glückliche Hand* fertiggestellt hatte, gelang es ihm bis zum Jahresbeginn 1923 lediglich ein weiteres Werk zu vollenden: *Vier Lieder für Gesang und Orchester* op. 22 (1913–1916) auf Texte von Stefan George und Rainer Maria

Rilke. Das größte kompositorische Projekt der Krisenjahre, das Oratorium *Die Jakobsleiter*, blieb hingegen unvollendet. Erst zehn Jahre nach dem Tod des Komponisten wurde es im Juni 1961 in seiner fragmentarischen Gestalt zum ersten Mal öffentlich aufgeführt. Die Werke Schönbergs, die in den frühen 1920er-Jahren erklangen, waren also allesamt Produkte der Vorkriegszeit. Eine zentrale Rolle spielte dabei das Melodram *Pierrot lunaire* (1912). Der Zyklus für Sprechstimme und Kammerensemble gehört neben Strawinskys Ballett *Le Sacre du printemps* zu den Schlüsselwerken der neuen Musik. Musikalisch und ästhetisch bewegen sich Schönbergs kammermusikalische Hommage an den traurigen Clown Pierrot – eine mal ironisch-satirische, dann wieder nostalgische Parabel über den modernen Künstler – und Strawinskys klanggewaltige Beschwörung heidnischer Frühlingsspiele in völlig verschiedenen Welten. Dennoch gibt es einige bemerkenswerte Parallelen. Beide Werke entstanden fast zeitgleich und erlangten bereits unmittelbar nach der Uraufführung Kultstatus. Ihre breite Aufführungs- und Rezeptionsgeschichte setzte – maßgeblich bedingt durch die weltgeschichtlichen Erschütterungen – allerdings erst nach Kriegsende ein. So wurde *Pierrot* im Jahr 1923 erstmals in den USA, in Belgien und in Großbritannien gespielt.

Die lang erwartete amerikanische Premiere von *Pierrot lunaire* fand am 4. Februar in New York statt und war von herausgehobener Bedeutung für Schönbergs internationale Wirkung.[17] Veranstaltet wurde sie von der International Composer's Guild, eine von dem frankoamerikanischen Komponisten Edgard Varèse zwei Jahre zuvor mitbegründete Gesellschaft, die sich die Förderung und Verbreitung zeitgenössischer amerikanischer und europäischer Musik auf die Fahnen geschrieben hatte. Das Klaw Theatre, eine Broadway-Spielstätte, in der an den meisten Abenden keine »ultramoderne« Musik erklang, sondern Schauspieler wie der junge Humphrey Bogart auftraten, war restlos ausverkauft. Im Publikum befanden sich zahlreiche musikalische Berühmtheiten, darunter George Gershwin, Alfredo Casella, Darius Milhaud, Carl Ruggles und Leopold Stokowski. Ursprünglich hätte das mit Spannung erwartete Ereignis bereits zwei Wochen zuvor stattfinden sollen. Doch der Konzerttermin wurde kurzfristig nach hinten verschoben, um dem Ensemble mehr Zeit zur Einstudierung des komplexen Werks einzuräumen (insgesamt fanden 22 Proben statt). Die Bedingungen schienen also günstig zu sein, und das Konzert wurde tatsächlich zu einem großen Erfolg. Was allerdings fehlte, war der Segen des Komponisten. »Schönberg Doesn't Want His *Pierrot Lunaire* Played« lautete eine Meldung, die Mitte Januar im auflagenstarken *New York Herald* erschienen war.[18] Während man in New York *Pierrot* feierte, saß

Schönberg auf der anderen Seite des Atlantiks in Mödling, einem Städtchen in der Südumgebung Wiens, wo er seit 1918 mit seiner Familie lebte und auch seine zahlreichen Privatschüler unterrichtete.[19]

In einem Brief an Varèse hatte Schönberg bereits einige Monate zuvor die Gründe für seine ablehnende Haltung erläutert. Zum einen störte ihn, dass man ihn nicht in die Planung der Veranstaltung einbezogen hatte und es offensichtlich auch nicht für notwendig erachtete, den Autor bei der Einstudierung des Werkes zurate zu ziehen: »Haben Sie eine Ahnung von den Schwierigkeiten; vom Stil; von der Deklamation; von den Tempi; von der Dynamik und all dem? Und ich soll da mit tun? Nein; dazu bin ich doch nicht smart genug!«[20] Zum anderen – und das ist für Schönbergs allgemeine Gemütslage in dieser Zeit symptomatisch – witterte er bei den Aktivitäten der International Composer's Guild eine kulturpolitische Benachteiligung jener Tradition, für die er stand: »Aus Ihrem Manifest und den Programmen dreier Konzerte entnehme ich, dass Ihnen die deutsche Musik bis jetzt nicht wichtig war. Unter 27 aufgeführten Autoren kein einziger Deutscher! Dann sind Sie also international mit Ausschluß der Deutschen gewesen!«[21]

Dass die »deutsche Musik« und Schönberg selbst trotz aller kulturpolitischen Grabenkämpfe im Ausland mehr Beachtung fanden, als der Komponist in dieser und vielen anderen empörten Äußerungen behauptete, zeigt der Blick auf die Spielpläne und in die Fachpresse. Schönbergs Werke wurden 1923 nicht nur in den USA und in Westeuropa, sondern auch in Moskau gespielt und diskutiert.[22] Und in zwei einflussreichen französischen Journalen erschien zeitgleich zur New Yorker *Pierrot*-Aufführung eine aufschlussreiche Glosse zum »Paar Schönberg–Strawinsky« von Boris de Schloezer. In ihr attestierte der Musikkritiker und Strawinsky-Vertraute beiden Komponisten nicht nur einen »überragenden Einfluss«, sondern vertrat zugleich die gewagte These, »dass die derzeitigen Aktivitäten der meisten jungen Komponisten das *Ergebnis* dieser beiden entgegengesetzt wirkenden Kräfte« seien.[23] Bemerkenswert ist diese Notiz, weil hier zu einem frühen Zeitpunkt in skizzenhafter Form eine Sichtweise formuliert wird, die sich schon bald verfestigen sollte und das Verhältnis und die Rezeption beider Komponisten über mehrere Dekaden maßgeblich prägte: die Deutung Schönbergs und Strawinskys als Antagonisten, die zwei unterschiedliche Wege der neuen Musik in prototypischer Weise verkörpern. Wie polemisch die Debatte zwischen Anhängern beider Lager mitunter geführt wurde, zeigt Theodor W. Adornos *Philosophie der neuen Musik*. In der ebenso wirkungsmächtigen wie umstrittenen Schrift, die der Philosoph, Soziologe und Musiker in den 1940er-Jahren im amerikanischen Exil verfasste, begnügte er sich nicht damit, beide Komponisten gegenüberzustellen, sondern titelte programmatisch: »Schönberg und der Fortschritt«, »Strawinsky und die Restauration«.

In der zitierten Glosse von Boris de Schloezer aus dem Jahr 1923 gibt es diese polemische Zuspitzung noch nicht. Vielmehr spricht der Autor trotz seiner Strawinsky-Nähe Schönberg eine vergleichbare Bedeutung zu. Betrachtet man allerdings die konkrete Situation beider Komponisten zu dieser Zeit, so springen rasch die Differenzen ins Auge. Während Strawinsky seine ungebrochene Schaffenskraft und musikalische Wandlungsfähigkeit von Jahr zu Jahr mit vielbeachteten Uraufführungen demonstrierte, stand Schönberg in der Öffentlichkeit gleichsam mit leeren Händen da. Da er nicht mit neuen Werken aufwarten konnte, musste er es sich wohl oder übel gefallen lassen, mit den Kompositionen der Vorkriegsdekade identifiziert zu werden. In einem neuen Zeitalter, in dem die übersteigerte Ausdrucksästhetik und die subjektive »Bekenntnismusik« des frühen 20. Jahrhunderts suspekt geworden waren, galt er vielen nach wie vor als Vertreter des »extremen Expressionismus«. Zugleich wurde immer wieder seine ästhetische Verwurzelung im 19. Jahrhundert betont. So heißt es in einem Essay des französischen Kritikers Paul Landormy, der 1922 in der von Schönbergs Hausverlag herausgegebenen Zeitschrift *Musikblätter des Anbruch* erschien: »Er ist ebenso Romantiker wie Beethoven, Wagner oder Brahms, und offenbart in seinen Werken sich selbst, seine innerste Seele. Darin steht er in absolutem Gegensatz zu Künstlern wie Strawinskij oder Prokofieff, welche jede Sentimentalität, jede Ausdrucksmöglichkeit leugnen, die nicht wollen, daß die Musik ein Bekenntnis sei, sondern eine ›objektive‹ Kunst, wie sie sagen oder wie man für sie sagt.«[24] Schönberg war über solche Vergleiche alles andere als erfreut. Noch stärker dürfte ihn jedoch die Behauptung erregt haben, seine schöpferische Kraft sei erlahmt. Denn tatsächlich waren seine Hände nicht mehr leer, als er im März 1923 über die eingangs zitierte Meldung im *Neuen Wiener Journal* stolperte. So vermerkte er am Ende des Briefes an seinen Verleger: »Wie viel ich in dieser Zeit, wo ich ›jahrelang nichts Neues geschaffen habe‹ immerhin geschrieben habe, wird man bald mit Staunen wahrnehmen, wenn ich all das Angefangene fertiggestellt haben werde.«[25]

Tatsächlich markiert das Jahr 1923 in Schönbergs Schaffen einen Wendepunkt. Nach Jahren der Krise und des Experimentierens gelang es ihm im Lauf des Frühjahrs drei Werke zu vollenden, die sowohl in kompositionstechnischer Hinsicht als auch ästhetisch Neuland erschließen: Die *Fünf Klavierstücke* op. 23, die Suite für Klavier op. 25 sowie die Serenade op. 24 – eine apart besetzte Komposition für Klarinette, Bassklarinette, Mandoline, Gitarre, Streichtrio sowie tiefe Männerstimme. Mitte April begann er dann mit der Arbeit an einem Bläserquintett, das er im folgenden Sommer vollendete. In diesem Werk von rund 40 Minuten Spieldauer wird das Verfahren, das sich in den vorausgehenden Stücken herauskristallisiert hatte, die »Komposition mit zwölf nur aufeinander bezogenen Tönen« (kurz »Zwölftontechnik« oder »Dodekaphonie« genannt) von Schönberg erstmals zur Grundlage einer großformatigen Komposition gemacht. Unter dem Einfluss der Selbstdeutungen der Schönberg-Schule und ihrer Rezeption in der westlichen Avantgarde nach 1945 neigte man lange dazu, diese musikhistorisch bedeutsamen Entwicklungen primär aus kompositionstechnischer und ästhetischer Perspektive zu diskutieren. Erweitert man jedoch den Blickwinkel, so wird deutlich, wie eng die musikalische Neuorientierung des Komponisten und die Entstehungs- und Rezeptionsgeschichte der Schönberg'schen Zwölftontechnik mit kulturpolitischen und gesellschaftlichen Entwicklungen, mit Fragen der Identität und der Deutungsmacht sowie mit der Erfahrung antisemitischer Anfeindungen verflochten sind.[26]

»Hegemoniephantasien« in Krisenzeiten

Wie tiefgreifend die Krise war, aus der die Zwölftontechnik »hervorging«, bezeugt ein Brief Schönbergs an den russischen Maler und Kunsttheoretiker Wassily Kandinsky. Beide Künstler waren seit 1911 eng befreundet, hatten in zahlreichen Briefen und Gesprächen einen intensiven Austausch über Musik und Malerei sowie über ästhetische Fragen geführt, sich nach Ausbruch des Ersten Weltkriegs aber aus den Augen verloren. Während Schönberg nach einem dreijährigen Berlin-Aufenthalt seit September 1915 wieder in Wien lebte, verbrachte Kandinsky die Kriegszeit »von der ganzen Welt abgetrennt« in Russland. Erst Ende 1921 kehrte er »mit weitaufgesperrtem Mund« in ein völlig verändertes Deutschland zurück und nahm einige Monate später wieder Kontakt zu Schönberg auf.[27] »Ich bin sehr froh, endlich wieder von Ihnen zu hören«, erklärte dieser in seinem Antwortschreiben: »Wie oft habe ich während dieser acht Jahre mit Besorgnis an Sie gedacht! Ich habe auch viele Leute gefragt, aber nie eine deutliche und verlässliche Auskunft bekommen. Sie müssen viel mitgemacht haben! Sie wissen wohl, daß auch wir einiges hinter uns haben: Hungersnot! Die war recht arg! Aber vielleicht – denn wir Wiener haben scheinbar viel Geduld – vielleicht war das Ärgste doch die Umstürzung all dessen, woran man früher geglaubt hat. Das war wohl am schmerzhaftesten. Wenn man von seinen Arbeiten her gewöhnt war, durch einen eventuell gewaltigen Denkakt alle Schwierigkeiten hinwegzuräumen und sich in diesen 8 Jahren vor stets neuen Schwierigkeiten gesehen hat, denen gegenüber alles Denken, alle Erfindung, alle Energie, alle Idee ohnmächtig war, so bedeutet das für einen, der alles nur für Idee gehalten hat, den Zusammenbruch, sofern er nicht auf einen anderen höheren Glauben immer mehr sich gestützt hat.«[28]

Bemerkenswert ist dieser Brief nicht nur wegen seines Bekenntnischarakters, sondern auch, weil er zeigt, in welchem Maße der Zusammenbruch der alten Weltordnung Schönbergs gesamte Existenz erschütterte. Die Schaffenskrise, in der er steckte, hatte sich zwar schon vor 1914 angebahnt, doch mit dem alle Lebensbereiche erfassenden Krieg und dem Untergang des Habsburgerreichs war zur schöpferischen Stagnation eine allgemeine Krise hinzugekommen. Im Bereich der Kompositionstechnik gab es aus Schönbergs Perspektive nach wie vor keine befriedigende Antwort auf die entscheidende Frage, wie man nach der Aufgabe des alten Ordnungssystems der Tonalität weiter komponieren könne, ohne sich dabei primär auf die eigene Intuition verlassen zu müssen. Zugleich waren mit dem Untergang der »Welt von gestern« (Stefan Zweig) auch die »romantische Ausdrucksmusik« und »das Pathos subjektiven Fühlens« in die Krise geraten.[29] Den antiromantischen Trends der Nachkriegsjahre, die mit dem 19. Jahrhundert endgültig brechen wollten, nach Vereinfachung, Bezug zum modernen Leben oder einer »neuen Sachlichkeit« strebten und in ihren radikalen Ausprägungen sogar die Tradition der Kunstmusik mit ihren bürgerlichen Ritualen und Institutionen an sich infrage stellten, stand Schönberg extrem kritisch gegenüber. »Nichts kommt rascher zum Stillstand als diese Bewegungen, die von so vielen hervorgerufen werden«, schreibt er in seinem Brief an Kandinsky. Gleichzeitig war er sich jedoch bewusst, dass die neue Zeit auch von ihm eine ästhetische Neuausrichtung verlangte. Bedroht sah er im Zuge der Auflösung des Imperiums der Habsburger und des Deutschen Kaiserreichs schließlich auch die »deutsche Musik« als solche.

Unmissverständlich zum Ausdruck gebracht werden diese Befürchtung und die damit verbundenen Ressentiments in einem Brief, den er am 20. Juni 1919 – acht Tage vor Unterzeichnung des Versailler Vertrags – an den jungen Komponisten und Pianisten Erwin Schulhoff schickte. Der mit revolutionären Strömungen sympathisierende Avantgardist plante damals in Dresden eine Konzertreihe ausgehend von dem Grundsatz, »daß die Kunst Gemeingut der Menschheit ist, nicht aber der Nation«.[30] Präsentiert werden sollten in diesen »Fortschrittskonzerten« avancierte Werke zeitgenössischer Komponisten aus unterschiedlichen europäischen Ländern, darunter Schönbergs *Kammersymphonie* op. 9 sowie *Pierrot lunaire*. »Ihre Absichten für die nächste Saison finde ich sehr gut«, schreibt Schönberg dem jungen Kollegen. Doch bereits im nächsten Satz beginnt er gegen den »unseligen Internationalismus in der Kunst« zu wettern: »Schon vor dem Krieg mussten sich die grössten deutschen Komponisten von den Ausländern verdrängen lassen und fast jeder ›Modernist‹ ist stolz darauf seine Modernität von Debussy bezogen zu haben, während er um keinen Preis etwas von mir oder Mahler annehmen möchte. [...] Sollen wir auch die Hegemonie in der Musik verlieren? Gewiss ist die Kunst Gemeingut aller Nationen. Aber wenn dies Gemeingut somit gleichmässig auf die Nationen verteilt werden sollte, dann haben wir Deutschen in der Musik eher etwas abzulegen, als anzunehmen. [...] Ich bin nicht für Kunstpolitik; aber ich muss wiederholen, was ich seit Langem oft gesagt habe: Wenn ich an Musik denke, so fällt mir nur die deutsche ein!«[31] Wie sehr Schulhoff diese Äußerungen befremdeten, zeigt das Antwortschreiben des 25-Jährigen: »Ich wundere mich sehr darüber, daß gerade Sie, von dem ich es am wenigsten dachte, von ›nationaler Kunst‹ sprechen. [...] Ich habe den ganzen Feldzug in der k. u. k. Armee als schlechter Soldat und schlechter Offizier mitgemacht, war krank, verwundet, schüttelte mich im Nervenchoc, da wußte ich, es gibt nur Menschen, sehende und verblendete, ich schätzte die Revolution, denn ich litt wie viele meinesgleichen unter der Militaria lächelnd, doch geschwiegen habe ich nie!!! – Genug davon, ich glaube Herr Schönberg, auch Sie haben sich einmal irren können!«[32]

Dass eine Leitfigur der Moderne, deren Musik aus rechtsnationalen Kreisen heftig bekämpft und als »undeutsch« diffamiert wurde, selbst »Hegemoniephantasien« hegte[33] und mit scharfen Worten einem kulturpolitischen Nationalismus das Wort redete, ist in der Tat irritierend. Mit seinem Glauben an die ästhetische Überlegenheit der »deutschen Musik« stand Schönberg damals allerdings nicht allein.[34] »Man war kein echter Wagnerianer ohne den Glauben an das ›Deutschtum‹«, bemerkte der 1874 geborene Komponist später selbstkritisch zu seiner Sozialisation in einem Zeitalter, in dem nationale Zugehörigkeit als zentrales identitätsbildendes Merkmal verstanden wurde und die leidenschaftliche Identifikation mit der Kultur der eigenen Nation weit verbreitet war.[35] Im Zeichen der Niederlage war der Wunsch nach nationaler Selbstvergewisserung nicht nur bei fanatischen Deutschnationalen und extrem konservativ Denkenden noch gewachsen. Zumindest im Bereich der Kunst wollte man in Krisenzeiten Halt und Bestätigung finden, an vergangene »Größe« anknüpfen und den Fortbestand und die Dominanz der eigenen musikalischen Kultur sichern. »Das Gift des Nationalismus hat die Musik und ihre Vertreter im letzten Jahrzehnt so tief angefressen, daß auch der Begriff der künstlerischen Gemeinschaft darunter schwer gelitten hat«, konstatierte Adolf Weißmann im Sommer 1923 im

Vorfeld des ersten Kammermusikfests der im Vorjahr gegründeten Internationalen Gesellschaft für Neue Musik, die sich die Völkerverständigung auf die Fahnen geschrieben hatte und vom 2. bis 7. August Werke von Komponisten aus 13 Ländergruppen in Salzburg präsentierte: »Man darf sagen, daß die Scheidung zwischen Entente- und mitteleuropäischer, das heißt deutscher Musik sich immer mehr betonte und behauptete. Denn der Musikbetrieb tat sein Möglichstes, um Schranken zwischen beiden zu errichten. Und wenn früher zunächst auf Ententeseite gesündigt wurde, so wird das Versäumte nun auf der mitteleuropäischen, sagen wir also auf der deutschen, kräftig nachgeholt. Der Nationalismus, in Deutschland eine für die Kunst künstliche Einrichtung, soll zu einer natürlichen Einrichtung gestempelt, der Begriff des Internationalismus soll aufs schwerste verdächtigt werden.«[36]

Was unter »deutscher Musik« zu verstehen sei und wer beanspruchen dürfe, diese zu repräsentierten, war allerdings – wie nicht anders zu erwarten – äußerst umstritten. So versuchten unterschiedliche Strömungen, die sich teilweise erbittert bekämpften, die ideologisch aufgeladene Kategorie mit unklarer Bedeutung für sich zu vereinnahmen. Je nach Kontext hatte das Attribut »deutsch« dabei gleich mehrere Funktionen. In seiner normativen Verwendung gab es vor, ein ästhetisches Qualitätssiegel zu sein. Als Distinktionsmerkmal diente es zur Abgrenzung nach außen und nach innen. Als Kampfbegriff wurde es dazu verwendet, andere Musiken abzuwerten.

Für restaurative Tendenzen in Schönbergs Denken nach dem Zusammenbruch der Habsburger Monarchie gibt es zahlreiche Belege. Sie machen deutlich, dass er in den Nachkriegsjahren nicht nur im Bereich der Kunst Hegemonie-Gedanken vertrat, sondern zeitweise auch mit monarchistischen Strömungen sympathisierte und demokratischen Systemen und Bestrebungen kritisch gegenüberstand.[37] Ihn deswegen mit aggressiven Nationalisten, politischen Reaktionären und erbitterten Demokratiefeinden in einen Topf zu werfen, wäre allerdings ebenso unangemessen wie ungerecht. So vertrat Schönberg keinen hassgeprägten Nationalismus, dem es um die Verunglimpfung und Verdrängung anderer musikalischer Kulturen und ihrer Repräsentanten ging. Vielmehr zeigte er sich in vielen Situationen weltoffen, pflegte internationale Freundschaften, unterstützte ausländische Künstlerinnen und Künstler und setzte sich auch öffentlich für die Völkerverständigung ein. Bereits einige Wochen vor dem Kriegsende bot er an, als »Führer der Allermodernsten« im Ausland eine Reihe von Vorträgen zu halten und auf diese Weise im Bereich der Kunst einen Beitrag zur »Demobilisierung des Völkerhasses« zu leisten.[38] Im Mai 1920 unterzeichnete er beim Amsterdamer Mahler-Fest ein politisches Manifest, das darauf drängte,

»die zerbrochene geistige Brücke zwischen den Völkern wieder aufzubauen« und »jenes gemeinschaftliche Verständnis zu fördern, durch das allein die wahre Brüderlichkeit unter Mensch erreicht werden kann«.[39]

Wie ambivalent und zum Teil widersprüchlich Schönbergs kulturpolitische Haltung in den Nachkriegsjahren war, zeigt in exemplarischer Weise der »Verein für musikalische Privataufführungen«. Ein wichtiger Ausgangspunkt der 1918 ins Leben gerufenen Initiative waren zweifellos die traumatischen Konzerterfahrungen der Vorkriegsjahre. So verfolgte der Verein das Ziel, in nichtöffentlichen Konzerten »Künstlern und Kunstfreunden« Werke von Mahler bis zur Gegenwart in sorgfältig vorbereiteten Aufführungen vorzustellen und ihnen auf diese Weise »eine wirkliche und genaue Kenntnis moderner Musik zu verschaffen«. Erreicht werden sollte dies durch »klare gut studierte Aufführungen« und die wiederholte Darbietung komplexer Werke.[40] Ein zentrales Anliegen des außergewöhnlichen Projekts, das Schönberg als »erste[n] Schritt zu weitgreifenden Reformen des Konzertlebens«[41] verstand, war es, eine Art Schutzraum für moderne Musik zu schaffen. So heißt es im Vereinsprospekt, den Schönbergs Schüler Alban Berg verfasste: »Die Aufführungen müssen dem korrumpierenden Einfluß der Öffentlichkeit entzogen werden, das heißt, *sie dürfen nicht auf Wettbewerb gerichtet und müssen unabhängig sein von Beifall und Mißfallen.*«[42] Außerdem wurde vorab nicht bekanntgegeben, welche Werke am jeweiligen Konzertabend zu hören waren. Und auch die Führungsstruktur war gemäß Schönbergs autoritärem Selbstverständnis klar geregelt. So heißt es in den Statuten, der Präsident (d. h. Schönberg) habe »bei der Leitung des Vereins vollkommen freie Hand«.[43]

Die Palette der präsentierten Musik war stilistisch breit gefächert, umfasste allerdings keine einzige Komposition einer Frau. Neben Werken österreichischer und deutscher Herkunft wurden zahlreiche Stücke von Komponisten aus anderen europäischen Ländern gespielt, darunter Musik von Debussy, Ravel, Satie sowie Schönbergs späterem »Antipoden« Strawinsky. Schönberg setzte also bewusst auf eine internationale Ausrichtung des Repertoires, ließ anlässlich einer Wien-Reise von Maurice Ravel im Herbst 1920 ein Sonderkonzert des Vereins zu dessen Ehren veranstalten und empfing Francis Poulenc und Darius Milhaud 1922 in seiner Wohnung in Mödling. Im Zuge dieses Besuchs kam es sogar zu einer legendären Doppelaufführung von *Pierrot lunaire* im Hause von Alma Mahler, bei der das Werk nicht nur in einer Interpretation des »Wiener« *Pierrot*-Ensembles mit Erika Wagner unter der Leitung des Schönberg-Schülers Erwin Stein erklang, sondern unter dem Dirigat Milhauds ein weiteres Mal von einem Pariser Ensemble mit Marya Freund aufgeführt wurde.[44] Gleichwohl ließ es sich Schönberg nicht nehmen, die Aktivitäten des Vereins als Beitrag zur nationalen Wiederauferstehung zu deuten. So heißt es im Einladungsschreiben zu einer Generalversammlung der Vereinsmitglieder im November 1919: »Die Mitglieder mögen bedenken, daß in dieser traurigen Zeit, wo in Österreich alles zugrunde geht, unser Verein das einzige europäische Ereignis ist [...], worin wir allen Kulturstaaten, die uns ›besiegt‹ haben, voran sind. Unser Verein wird, wenn ihm bloß 2–3 Jahre Wirksamkeit noch gegönnt sind, ein Publikum erzogen haben, welches eine Kenntnis der modernen Musik besitzt, wie es kein Publikum der ganzen Welt hat. Durch ein solches Publikum ist Österreich auf Jahrzehnte hinaus die Vorherrschaft auf dem Gebiete moderner Musik gesichert.«[45] Tatsächlich aber musste der Wiener Verein seine Aktivitäten aufgrund der nach wie vor desaströsen wirtschaftlichen Situation in Österreich Ende des Jahres 1921 einstellen. Eine in Prag gegründete Dependance des Vereins blieb bis Mai 1924 bestehen und veranstaltete 1923 insgesamt zehn Konzerte (davon zwei öffentliche Abende). Im Rahmen eines internen Vereinsabends fand dort am 10. Oktober die private Uraufführung von Schönbergs Klaviersuite op. 25 durch Eduard Steuermann statt.

Ein internationales Projekt als Triebfeder für die Entwicklung der Zwölftontechnik

Vor dem Hintergrund von Schönbergs Hegemonie-Gedanken ist es eine Ironie der Geschichte, dass ausgerechnet ein internationales Projekt dem Komponisten dabei half, seine schöpferische Krise zu überwinden und mit der Arbeit an jener Werkgruppe zu beginnen, die ihn schließlich zur Zwölftontechnik führen sollte.[46] Ende Juni 1920 bat ihn der französische Musikwissenschaftler und Herausgeber der *Revue musicale* Henry Prunières, an einer »internationalen Hommage« für den zwei Jahre zuvor verstorbenen Claude Debussy mitzuwirken. Im Anhang eines Sonderhefts der Zeitschrift sollten kurze Trauerkompositionen führender Komponisten Europas – darunter Dukas, de Falla, Ravel und Strawinsky – veröffentlicht werden: »Ich wäre unendlich glücklich, wenn Sie bereit wären, sich an dieser künstlerischen Manifestation zu beteiligen, die von großer moralischer Tragweite für die Verbindung von Künstlern aus aller Welt sein wird. – Es handelt sich um ein kleines, sehr kurzes Klavierstück von höchstens ein oder zwei Seiten.«[47] Schönberg war von dieser Idee offensichtlich angetan. Nachdem er über Jahre kein Werk mehr vollendet hatte, komponierte er innerhalb weniger Tage das gewünschte Stück. Doch schon kurz darauf entschied er, seine Teilnahme zurückzuziehen und die noch nicht abgeschickte Komposition für sich zu behalten. Der Grund für diesen Sinneswandel war eine Festrede, die Alfredo Casella im Mai desselben Jahres beim Amsterdamer Mahler-Fest gehalten hatte. Wenige Tage nachdem Schönberg seine Debussy-Hommage beendet hatte, war ihm die Druckfassung dieses Vortrags »in die Hände« geraten und hatte – wie er in einem nicht abgeschickten »offenen Brief« an Prunières schreibt – seine »Hoffnung auf beginnende Völkerversöhnung« enttäuscht: »Um es gleich zu sagen: ich kam zu dem Schluß, daß wir noch nicht so weit sind.«[48]

Was Schönberg an der Mahler-Rede des italienischen Komponisten so sehr empörte, waren die darin enthaltenen polemischen Thesen zur jüngeren Musikgeschichte. Die »Ära der großen deutschen Meister [sei] mit Wagner und Brahms abgeschlossen« und die deutsche Musik von der »Last einer zu schweren und glorreichen Vergangenheit niedergedrückt«, behauptete Casella. In den letzten Jahrzehnten seien die entscheidenden Impulse zur ästhetischen und musikalischen Erneuerung stattdessen aus Russland und Frankreich gekommen.[49] Die zentralen Figuren in diesem Prozess seien Modest Mussorgsky und Claude Debussy. Schönbergs Beiträge zur Neuordnung der Tonkunst werden von Casella hingegen mit keinem einzigen Wort erwähnt. Es liegt auf der Hand, dass Schönberg diese verkürzte Darstellung nicht nur als Schmähung der deutschen Musik verstand, sondern sie auch als persönlichen Angriff wertete. »Hast Du Casellas Vortrag in Amsterdam gelesen«, schreibt er nach der Lektüre an Alma Mahler: »Der gefällt mir so wenig, wie sein Autor.«[50] Dennoch ist die Schärfe seiner Reaktion erstaunlich. Sie lässt erahnen, wie eng Schönbergs kulturpolitische Überzeugungen mit persönlichen Interessen und Befindlichkeiten verknüpft waren und wie sehr es ihn – entgegen seiner Selbstdarstellungen in der Öffentlichkeit – ärgerte und verletzte, wenn man seine künstlerische Leistung nicht entsprechend seiner Vorstellungen würdigte oder ihn gar ignorierte.

Auch Schönbergs Schüler und erster Biograph Egon Wellesz, der mit Prunières in enger Verbindung stand und 1922 maßgeblich an der Gründung der Internationalen Gesellschaft für Neue Musik beteiligt war, vermochte es nicht, den gekränkten Komponisten umzustimmen. »Ich sehe Ihren Standpunkt Prunières gegenüber natürlich vollkommen ein, und werde ihm die Gründe Ihrer Absage mitteilen«, schreibt Wellesz: »Aber es ist schade, dass gerade er es ist, dem Sie etwas Prinzipielles versagen, weil der Kreis der Revue musicale sich aus Leuten zusammensetzt, die gerade gegen jeden Chauvinismus seit jeher aufgetreten sind. [...] Ich will Ihnen aber gar nicht zureden; denn das sind Dinge, die ganz vom inneren Gefühl abhängen. [...] Vielleicht war die ganze Angelegenheit in höherem Sinne nur dazu da, dass Sie Anlass hatten, neue Klavierstücke zu schreiben, und dann freut mich die Sache.«[51]

Tatsächlich markiert das für die internationale Debussy-Hommage geschriebene kurze Klavierstück, das Schönberg zum ersten Satz der 1923 vollendeten und uraufgeführten *Fünf Klavierstücke* op. 23 machte, einen Neuanfang in seinem künstlerischen Schaffen. Es ist das erste Dokument einer neuen Kompositionsweise, die er in den folgenden Jahren im Medium der Klavier- und Kammermusik erprobte und in einem komplexen Prozess zur »Methode der Komposition mit zwölf nur aufeinander bezogenen Tönen« weiterentwickelte. In seinen späteren Schriften hat Schönberg die Zwölftonmethode nahezu ausschließlich unter kompositionstechnischen und ästhetischen Gesichtspunkten diskutiert.[52] Zur Zeit ihrer Entstehung ließ er jedoch kaum eine Gelegenheit aus, die kompositionstechnische Erneuerung mit seiner kulturpolitischen Mission in Verbindung zu bringen. Ab dem Sommer 1921, als er in seinem Feriendomizil in Traunkirchen zum ersten Mal mit vollständigen Zwölftonreihen arbeitete, wurde er nicht müde, in Gesprächen, Briefen, Notizen und Textentwürfen in unterschiedlichen Formulierungen zu betonen, dass er mit dem neuen Verfahren nicht nur die Kompositionsgeschichte maßgeblich prägen werde, sondern zugleich auch die Hegemonie der deutschen Musik für die nächsten Jahrzehnte, ja sogar das nächste Jahrhundert gesichert habe.[53]

Unbeschwertes Komponieren wie in der Jugend: Ein zwölftöniger Walzer

Die scheinbar paradoxe Devise, die Schönberg bei der Entwicklung der Komposition mit zwölf Tönen leitete, lautet: Befreiung aufgrund von Bindung. Nachdem er die neue Kompositionsweise ausgiebig erprobt hatte, schrieb er am 1. Dezember 1923 an den Wiener Komponisten Josef Matthias Hauer, der seit einigen Jahren ebenfalls mit zwölftönigen Kompositionsverfahren arbeitete: »Ich bin dadurch geradezu in der Lage so bedenkenlos und phantastisch zu komponieren, wie man es nur in der Jugend tut, und stehe trotzdem unter einer präzis benennbaren ästhetischen Kontrolle. [...] Denn ich kann fast für alles Regeln geben.«[54] Was das konkret bedeutet, zeigt das letzte der *Fünf Klavierstücke* op. 23. Es trägt den programmatischen Titel »Walzer« und entstand in der ersten Phase jenes Schaffensrausches, der Schönberg Anfang 1923 erfasste. Schon in der kurzen Entstehungszeit spiegelt sich die schaffenspsychologische Entlastung, die das neue Verfahren mit sich brachte. So komponierte Schönberg das Stück Mitte Februar innerhalb weniger Tage. Zusätzlich verstärkt wurde sein Arbeitseifer dabei auch durch äußere Faktoren. In wirtschaftlich prekären Zeiten war es ihm gelungen, mit einem dänischen Musikverlag einen lukrativen Vertrag über zwei neue Werke abzuschließen. Zugleich stand er bei seinem Hausverlag, der Wiener Universal Edition, nach wie vor in der Pflicht. So war er daran interessiert, den dänischen Auftrag rasch zu erfüllen – nicht zuletzt, um zu vermeiden, dass das vereinbarte Honorar der Inflation zum Opfer fiel.[55]

Der Walzer aus Opus 23 gehört zu den frühesten zwölftönigen Kompositionen Schönbergs. Während er in den vorausgehenden Stücken der Klaviersammlung mit kürzeren Tonfolgen arbeitet, legt er dem Schlusssatz eine Reihe zugrunde, die alle zwölf Stufen der chromatischen Tonleiter umfasst. Das Zusammenspiel von Bindung und Freiheit zeigt sich dabei schon bei der Reihenkonstruktion. Bei der Tonauswahl gilt nach Schönberg die Regel, auf Tonwiederholungen zu verzichten und jede chromatische Stufe genau einmal zu verwenden. Dies soll auf der Ebene der Reihe eine Gleichberechtigung der verschiedenen Tonstufen gewährleisten und die unbeabsichtigte Entstehung tonaler Gravitationszentren vermeiden. Nicht reglementiert ist hingegen die Anordnung der Töne. So erfindet Schönberg für seinen Walzer eine zwölftönige Grundreihe, in der das Intervall der Terz eine prominente Rolle spielt. Dies ermöglicht ihm, im Verlauf des Stücks unterschwellige Verbindungen zur traditionellen Klangwelt des Wiener Walzers mit seiner Terzen- und Sexten-Seligkeit herzustellen, ohne dabei die selbst gesetzten Vorgaben durchbrechen zu müssen.

Die Dialektik von Bindung und Freiheit prägt auch den eigentlichen Kompositionsvorgang und das daraus resultierende Stück. Jeder einzelne Ton des Walzers ist aus der vorab festgelegten Zwölftonreihe abgeleitet und mithilfe des neuen Kompositionsverfahrens »erklärbar«. Die Art und Weise, wie die Reihe verwendet wird, zeugt dabei von der Laborsituation, in der sich der Komponist damals noch befand. Im Gegensatz zu späteren dodekaphonen Werken, in denen Schönberg mit den unterschiedlichen kontrapunktischen Formen und Transpositionen der Grundreihe arbeitet, tritt die Zwölftonreihe des Walzers über weite Strecken in ihrer Originalgestalt in Erscheinung. Lediglich in den Schlusstakten verwendet der Komponist den sogenannten Krebs der Reihe, bei dem die zwölf Töne in umgekehrter Reihenfolge erscheinen. Auf den ersten Blick mag diese zusätzliche Begrenzung des Spielfeldes wie eine unnötige weitere Restriktion der kreativen Handlungsmöglichkeiten wirken. Doch tatsächlich zeigen sich in dieser experimentellen Anordnung besonders deutlich die Freiheiten, die das neue Verfahren eröffnet. Zwar basiert die gesamte Tonordnung der Komposition auf der Grundreihe, die vielfältigen melodischen Gestalten, Zusammenklänge und Texturen, die Schönberg daraus entwickelt, sind jedoch das Produkt seiner schöpferischen Phantasie. Die Reihe ist also – wie er im Mai

⌐¬ = große Terz   ⌃ = kleine Terz

Der zwölftönige Walzer aus Schönbergs Klavierstücken op. 23.
Abgebildet ist eine Seite aus dem Stichplattenabzug, versehen mit
handschriftlichen Korrekturen des Komponisten. In den ersten
vier Takten erklingt die Grundform der Zwölftonreihe als Melodie-
stimme in der rechten Hand. Das Notenbeispiel verdeutlicht
die Struktur der Reihe.

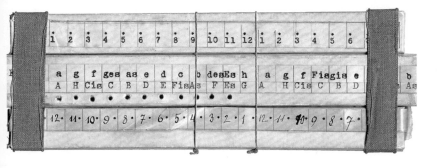

1923 in einem Textfragment notiert – »ein neues Mittel zu einem alten Zweck«.[56] Nach der Aufgabe der Tonalität stifte sie auf der Ebene des Tonmaterials eine neue Form des Zusammenhangs und mache damit endlich wieder ein »kontrolliertes« und zugleich unbeschwertes Komponieren möglich. Faszinierend ist dabei nicht nur der Charakterreichtum des Stücks, sondern auch das geistreiche Spiel mit rhythmischen Figuren, melodischen Gesten und harmonischen Anklängen, die die Walzerwelt evozieren ohne diese direkt zu zitieren. Das Resultat ist eine Musik, die – ähnlich wie im Fall von *Pierrot lunaire* – ihre eigene Geschichte reflektiert und in einer neuartigen Ton- und Ausdruckssprache auf eine Welt zurückblickt, die der Vergangenheit angehört und sich deshalb nicht mehr ungebrochen zitieren lässt.[57]

Tradition statt Revolution

Dass Schönberg das neue Kompositionsverfahren dazu nutzte, einen Walzer zu schreiben sowie eine Klaviersuite, deren Sätze nach barocken Tänzen benannt sind (Gavotte, Menuett, Gigue usw.), mag überraschen. Vertreter nachfolgender Generationen wie der junge Pierre Boulez, die die Zwölftontechnik von Schönberg und seinen Schülern – insbesondere Anton Webern – nach dem Zweiten Weltkrieg übernahmen und weiterentwickelten, sahen darin sogar eine ästhetische Schwäche. Sie kritisierten die Bezugnahme auf traditionelle Formen und Formkonzepte als rückwärtsgewandt und brandmarkten Schönbergs neuen Klassizismus als reaktionär. Dabei ließen sie allerdings außer Acht, dass Schönberg mit seiner Art der Zwölftonkomposition eine völlig andere Zielsetzung als sie selbst verfolgte. Klar zum Ausdruck kommt dies in einem Brief an den Schweizer Musikmäzen Werner Reinhart, in dem Schönberg im Juli 1923 pointiert formuliert: »Ich lege nicht sosehr

Um sich das Komponieren mit Zwölftonreihen zu erleichtern, bastelte sich Schönberg »Reihenschieber«. Im Bestand des Arnold Schönberg Center befindet sich ein solches Werkzeug zum Bläserquintett op. 26. ••• 179

Gewicht darauf ein musikalischer Bauernschreck zu sein, als vielmehr ein natürlicher Fortsetzer richtig verstandener, guter, alter Tradition!«[58]

Schönberg begriff die Zwölftontechnik also nicht als Mittel, um mit der Vergangenheit radikal zu brechen. Vielmehr war er bei jeder Gelegenheit darum bemüht, die Verbindungen zur Musik vorangegangener Epochen starkzumachen. Die apologetische Berufung auf die »Tradition« – und darunter verstand der Komponist in erster Linie die deutsche bzw. österreichische Musik – erfüllte in Schönbergs Narrativ eine mehrfache Zielsetzung. Indem er Komponisten wie Bach, Mozart, Beethoven, Brahms oder Wagner zu seinen »Lehrmeistern« erklärte, wollte er sein eigenes Komponieren und seine Innovationen historisch absichern. »Evolution statt Revolution«, lautete in diesem Zusammenhang seine Devise.[59] Indem er darstellte, was er von den Klassikern übernommen und weitergeführt habe, wurden sie zugleich zu Garanten für die eigene historische Bedeutung erklärt. So resümierte er Anfang der 1930er-Jahre: »Ich maße mir das Verdienst an, eine wahrhaft neue Musik geschrieben zu haben, welche, wie sie auf der Tradition beruht, zur Tradition zu werden bestimmt ist.«[60] Schließlich war er erpicht darauf, das ihm nach wie vor vorauseilende Image eines musikalischen Anarchisten, dem es primär um Tabubrüche und die Zerstörung altbewährter Ordnungssysteme gehe, endlich abzustreifen. *Ich war nie Revolutionär!*«, notierte er Ende September 1923 in der Anfangspassage eines Textentwurfs zur »Neuen Musik« und markierte den Satz mit einem dicken Strich.[61] Bereits zwei Jahre zuvor hatte er in der Neuauflage seiner *Harmonielehre* klargestellt: »Ein Künstler, der eine gute neue Idee hat, ist nicht zu verwechseln mit einem Petroleur oder einem Bombenwerfer. [...] Nie war es Absicht und Wirkung neuer Kunst, die alte, ihre Vorgängerin, zu verdrängen oder gar zu zerstören. [...] Man kann das Auftreten des Neuen weit besser mit dem Blühen eines Baumes vergleichen.« Die »Konservativen des Winters« – und damit meinte Schönberg zweifellos jene, die ihn als »Anarchisten«, »Revolutionär« oder gar als »Musikbolschewisten« diffamierten – seien allerdings nicht in der Lage, dies zu erkennen. Sie verwechselten »Werden mit Umsturz« und glaubten, »wenn Neues aus Ehemals-Neuem sprießt, sei dies die Zerstörung des Alten.«[62]

Der zwölftönige Walzer aus Opus 23 steht exemplarisch für dieses Anliegen, kompositorische Innovation und Tradition miteinander zu verbinden. Dass der Komponist sein erstes Werk im neuen Stil ausgerechnet mit einem Walzer beschließt, ist allerdings nicht nur als Ausdruck seines Klassizismus zu werten, sondern kann darüber hinaus auch als kulturpolitisches und persönliches Statement verstanden werden. Walzerklänge begleiteten den in der Wiener Leopoldstadt nahe dem Prater geborenen Schuhmachersohn seit frühester Kindheit. Als kulturelle Topoi und emotional konnotierte Gesten durchziehen sie seine Werke in unterschiedlichen Varianten. Als Schönberg in seinem 2. Streichquartett op. 10 (1907/08) die Abkehr von der Tonalität einläutete, nutzte er die Form des Walzers, um im zweiten Satz des Werkes den radikalen Traditionsbruch mit einem musikalischen Zitat – dem Vers »Alles ist hin« aus dem bekannten Wiener Volkslied »O du lieber Augustin« – ironisch zu kommentieren. Im Bewusstsein dieser »Vorgeschichte« lag es gewissermaßen auf der Hand, als erstes zwölftöniges Stück einen Walzer zu veröffentlichen. Grundlegend geändert hatten sich in der Zwischenzeit allerdings die politischen, gesellschaftlichen und kulturellen Rahmenbedingungen. Mit dem Untergang des Habsburgerreichs war der Wiener Walzer gesellschaftspolitisch zu einem Relikt der Vergangenheit geworden. Vor diesem Hintergrund lässt sich Schönbergs kompositorische Bezugnahme auf die Gattung in den frühen 1920er-Jahre auch als Ausdruck jener weit verbreiteten Sehnsucht nach der Wiederkehr einer unwiederbringlich verlorenen Welt deuten, die von Autoren wie Stefan Zweig oder Joseph Roth so eindrücklich beschrieben worden ist. Man denke an Franz Ferdinand Trotta, der in Roths vorletztem Roman *Die Kapuzinergruft* heimat- und gegenwartslos durch das neue Österreich streift, oder an den Grafen Morstin aus der späten Novelle *Die Büste des Kaisers*, der auch nach dem Zerfall des Vielvölkerstaats den steingewordenen Monarchen bei sich behält.

Es spricht viel dafür, dass Schönbergs nostalgischer Blick auf das Habsburgerreich in den Nachkriegsjahren – ähnlich wie beim späten Roth – auch eine Verklärung des monarchischen Herrschersystems mit einschloss. Als er 1925 den berühmten *Kaiserwalzer* von Johann Strauß für Kammerensemble bearbeitete, webte er auf kunstvolle Weise die alte Kaiserhymne hinein. (In der Republik Österreich sang man in den 1920er-Jahren als inoffizielle neue Nationalhymne das vom ersten Staatskanzler Karl Renner selbst gedichtete Lied »Deutschösterreich, du herrliches Land«.) Noch expliziter war Schönberg bereits im Mai 1923 geworden. Wenige Monate nach der Fertigstellung seines zwölftönigen Walzers verfasste er einen Text mit dem Titel »Gedanken zur Geschichte der Habsburger«. In dem merkwürdigen Beitrag, der nicht zur Veröffentlichung bestimmt war, verlieh er seinem Glauben Ausdruck, »dass die Habsburger wiederkehren« und »an der Stelle des alten Reiches, ein neues, grösseres gründen« würden.[63] Während er im Gebiet der Kunst trotz aller Bemühungen, die Traditionsverhaftung seiner musikalischen Neuerungen herauszuarbeiten, eine Rückkehr in die »Welt von gestern« ausschloss, war er politisch nach wie vor der alten Ordnung verbunden und sehnte zumindest zwischenzeitlich ihre Restitution herbei.

Ob viele der rund 350 Personen, die Ende September 1923 im Hamburger Museum für Kunst und Gewerbe die Uraufführung der *Fünf Klavierstücke* op. 23 erlebten, die Traditionsverhaftung von Schönbergs neuem Stil tatsächlich wahrnahmen, lässt sich bezweifeln. Die Resonanz auf die keineswegs eingängige Musik scheint im Vergleich zu früheren Schönberg-Premieren allerdings äußerst positiv gewesen zu sein. Interpret der Uraufführung war der aus Galizien stammende 31-jährige Eduard Steuermann, der seit 1912 zum Schönberg-Kreis gehörte und rasch zu einem der wichtigsten Interpreten der Wiener Schule wurde. »Steuermann habe ich *niemals* so spielen hören wie gestern«, berichtet Josef Rufer, der die Konzertreihe für »Neue Musik« in der Hansestadt nach dem Modell des Vereins für musikalische Privataufführungen mitbegründet hatte, seinem Lehrer: »Die Leute waren einfach ›platt‹ wie man hier sagt.«[64]

Während Schönbergs dodekaphoner Walzer das erste Mal öffentlich erklang, wachte der Komponist 850 Kilometer südöstlich am Bett seiner todkranken Frau. Nicht einmal drei Wochen später starb Mathilde Schönberg – die Schwester von Schönbergs Lehrer und Freund Alexander Zemlinsky. Das Jahr, das die Überwindung der schöpferischen Krise brachte, war für den Komponisten damit zugleich zu einem Jahr des persönlichen Verlusts geworden.

Der Streit um Priorität und Urheberschaft: Schönberg, Hauer, Klein

In den Monaten vor und nach dem Tod seiner Frau war Schönberg nicht nach Komponieren zumute.[65] Und auch gesellschaftlich führte er ein zurückgezogenes Leben. Ein Problem, das ihn schon lange beunruhigte, wollte er vor Jahresende allerdings noch angehen. Nachdem er seine ersten zwölftönigen Werke vollendet hatte und die *Fünf Klavierstücke* op. 23 uraufgeführt und gedruckt worden waren, galt es, endlich eine Einigung mit Josef Matthias Hauer zu finden. Im Musikbetrieb war der um neun Jahre jüngere Wiener Komponist, Musiktheoretiker und Volksschullehrer eher eine Randfigur. Zwar hatte Hauer in seiner Heimatstadt einige einflussreiche Fürsprecher wie den Kritiker Hermann Bahr, veröffentlichte regelmäßig musikalische Schriften und erregte mit einigen seiner Werke in den 1920er-Jahren auch über Österreich hinaus Aufsehen,[66] doch mit der Bekanntheit Schönbergs und mit dessen internationalen Netzwerken konnte er es nicht aufnehmen. Bis Ende 1923 hatte Schönberg den exzentrischen »Außenseiter« auf Distanz gehalten. Dass er nun bestrebt war, mit ihm zu einer Verständigung zu kommen, lag an Hauers kompositorischen Erkundungen im Bereich der Zwölftonmusik. Unabhängig von Schönberg hatte Hauer in den Jahren um 1920 ein eigenes Verfahren zwölftönigen Komponierens ausgearbeitet.

Obwohl sich Hauers Kompositionstechnik, sein musikalisches Denken und seine ästhetischen Vorstellungen von Schönbergs Ansatz grundsätzlich unterschieden, witterte dieser eine ernste Gefahr für sein eigenes Projekt. Denn Hauer hatte bereits im Sommer 1919 mit *Nomos* op. 19 – einem kurzen Stück für Klavier oder Harmonium – eine erste zwölftönige Komposition vorgelegt und ab 1920 begonnen, über seine Entdeckungen und Theorien auch zu publizieren. Und so schrieb Schönberg, nachdem er eine direkte Aussprache zu diesem heiklen Thema lange vor sich hergeschoben hatte, am 1. Dezember 1923 an Hauer: »Vor etwa 1½ oder 2 Jahren nämlich fiel mir durch eine Ihrer Publikationen auf, daß Sie in ähnlicher Weise Ähnliches suchen wie ich. Nachdem ich mich mit dem peinlichen Gefühl auseinandergesetzt hatte, daß ein anderer, der sich auch mit dem befaßt, worüber ich bald 15 Jahre nachdenke, den Ruf meiner Originalität gefährdet, was mich vielleicht zwingen könnte, auf die Darstellung meiner Ideen zu verzichten, wenn ich nicht als Plagiator gelten will – ein peinliches Gefühl, wie Sie zugeben werden – nachdem ich mich mit diesem auseinandergesetzt und erkannt hatte, worin wir uns unterscheiden, und daß ich imstande war, die Selbständigkeit meiner Ideen durchaus zu beweisen, nahm ich mir vor, Ihnen folgenden Vorschlag zu machen: ›Schreiben wir gemeinsam ein Buch, in welchem immer ein Kapitel von dem einen, das folgende vom andern ist. Stellen wir darin unsere Ideen unter genauer Abgrenzung des Unterscheidenden, mit Zuhilfenahme sachlicher (aber höflicher) Polemik dar, und versuchen wir, ein Stückchen trotz dieser Unterschiede zusammenzuarbeiten: es läßt sich auf Grund des Gemeinsamen sicher eine Basis finden, auf der wir reibungslos miteinander verkehren können.‹ Und auch das wollte ich sagen: ›Zeigen wir der Welt, daß die Musik wenigstens ohne die Österreicher zunächst nicht weiter gefunden hätte, während wir Fortsetzung wissen.‹«[67]

In den folgenden Tagen und Wochen wurden weitere Briefe gewechselt, und am 10. Dezember kam es sogar zu einer persönlichen Begegnung zwischen beiden Kontrahenten, um den gewünschten »Frieden« zu sichern.[68] Doch die Verständigung war nicht von langer Dauer. Der angedachte öffentliche Austausch über Gemeinsamkeiten und Unterschiede der entwickelten Kompositionsverfahren blieb aus. Während Schönbergs Zwölftontechnik in Kreisen der neuen Musik schon bald eine breite Rezeption erfuhr, fühlte sich Hauer durch den Erfolg seines einflussreichen Rivalen und der Schönberg-Schule zunehmend an den Rand gedrängt. Als er ein halbes Jahr nach der Aussprache mit Schönberg erfuhr, dass bei den Donaueschinger Musiktagen 1924 neben seinen

Hölderlin-Liedern und einem neuen Streichquartett auch eines der ersten Zwölftonwerke Schönbergs (die Serenade op. 24) aufgeführt werden sollte, schrieb er entrüstet an den Fürstlich-Fürstenbergischen Musikdirektor Heinrich Burkhard: »Ich betrachte es als eine schlechte Fügung des Himmels, daß diesmal auch Schönberg und Webern drankommen, die alles okkupieren werden – besonders die Presse, die jetzt für sie mit Gewalt arbeitet. Seitdem es die Kritiker wissen, daß Schönberg (z. B. in seiner Serenade) meine Zwölftonmusik aufgegriffen hat, seitdem sind sie gehässig und boshaft, und wollen mir nicht einmal dieses Erstgeburtsrecht mehr lassen.«[69] Ab der zweiten Hälfte der 1930er-Jahre versah Hauer dann Briefe und eigene Manifeste sogar mit dem Stempelaufdruck: »Der geistige Urheber und (trotz vielen Nachahmern!) immer noch einzige Kenner und Könner der Zwölftonmusik.«[70] Aber auch Schönberg ließ – wie viele (größtenteils zu Lebzeiten unveröffentlichte) Aufzeichnungen dokumentieren – nicht locker. Zwar muss ihm bald klar geworden sein, dass von Hauer keine wirkliche Gefahr ausging, doch dessen wortgewaltige Angriffe und die Behauptung, dass Schönberg erst durch ihn zur Zwölftonkomposition angeregt worden sei, konnte und wollte er nicht unkommentiert lassen.[71]

Aus historischer Distanz wirkt diese erbitterte Auseinandersetzung über Prioritätsfragen, deren rhetorische Inszenierung auf beiden Seiten an den Wettlauf von Amundsen und Scott zum Südpol erinnert, zumindest auf den ersten Blick befremdlich. Zum einen haben »Innovationen« in der Kunst einen anderen Status als Entdeckungen in der Geographie oder Erfindungen in den Naturwissenschaften, denn was hier zählt, ist nicht die neue Technik als solche, sondern die Musik, die auf ihrer Grundlage entsteht. Zum anderen sind Hauers und Schönbergs Zwölftonmusik so unterschiedlich, dass man weder ästhetisch noch kompositionstechnisch von einer starken Beeinflussung oder Abhängigkeit sprechen kann. Schließlich waren die beiden nicht die Einzigen, die zwölftönige Verfahren der Tonorganisation entwickelten. In Russland und der frühen Sowjetunion gehörten Nikolai Roslawez und Nikolai Obuchow zu den Pionieren auf diesem Gebiet.[72] Und in Wien komponierte Fritz Heinrich Klein in unmittelbarer Nachbarschaft zu Hauer und Schönberg 1921 ein zwölftöniges Stück mit dem futuristischen Titel »Die Maschine – Eine extonale Selbstsatire«. Die Komposition, die er 1923 unter dem Pseudonym »Heautontimorumenus« in einer Fassung für Klavier zu vier Händen veröffentlichte, trägt experimentelle Züge. So präsentiert Klein verschiedene Formen und Umgangsweisen mit Zwölftonreihen, die in rudimentärer Form bereits Verfahren der seriellen Musik vorwegnehmen.[73] Im Zuge seines explorativen Umgangs mit zwölftönigen Konstellationen stieß er auf die sogenannte »Allintervallreihe« und einen daraus gebildeten »Mutterakkord«. Diese kombinieren die zwölf chromatischen Halbtöne in einer Art und Weise, dass zugleich alle Intervalle von der kleinen Sekunde bis zur großen Septime jeweils einmal erscheinen. Insbesondere Kleins damaliger Lehrer Alban Berg war fasziniert von diesen Strukturen und verwendete sie in seinen ersten zwölftönigen Kompositionen (dem Lied »Schließe mir die Augen zu« und der *Lyrischen Suite*).[74]

Dass sich der noch nicht 30-jährige Klein keine Illusionen über seine Situation machte und wusste, mit welch harten Bandagen der Kampf um geistige Autorschaft, Originalität und Priorität damals in Wien geführt wurde, zeigt seine Korrespondenz. Bereits im März 1922 schreibt er an Alban Berg: »Nun zu den 12-Tonprioritätsfragen! [...] Ich werde kämpfen und rechten und feilschen. [...] Ich behaupte gar nicht, der erste 12-Ton-Denker gewesen zu sein; mir kommt es gar nicht auf Priorität an, ich möchte nur Gerechtigkeit, ich möchte, dass man nicht totschweigt und verheimlicht die Tatsache, dass meine Maschine – sagen wir bescheiden – eines der ersten Werke der Musikliteratur war, das mit vollem Bewusstsein mit 12 Tönen = Wandlungen aufgebaut ist.«[75] Doch die erhoffte öffentliche Würdigung von Kleins »Entdeckungen« blieb weitgehend aus. Seine Musik wurde und wird kaum gespielt, und sein Name ist bis heute nur in Fachkreisen bekannt.

Antisemitische Anfeindungen und Bruch mit Kandinsky

Dass Schönberg und Hauer zu keiner Übereinkunft fanden und die Prioritätsfrage so emotional verhandelten, hatte vielerlei Gründe. So ging es in der Auseinandersetzung nicht nur um inhaltliche Fragen, sondern auch um Deutungsmacht sowie um den Versuch, die eigene Stellung in der Musikgeschichte zu sichern und sich als derjenige zu präsentieren, der mit seiner Form des zwölftönigen Komponierens der (deutschen) Musik eine Zukunftsperspektive eröffnet habe. Eine Rolle spielte aber sicherlich auch die charakterliche Disposition der beiden Komponisten und – zumindest unterschwellig – die Tatsache, dass es sich bei Hauer um einen bekennenden Antisemiten handelte.[76]

In der Zeit nach Ende des Ersten Weltkriegs hatte der im jüdischen Glauben erzogene Schönberg, der im Alter von 23 Jahren zum Protestantismus übergetreten war, mit Sorge eine Zunahme judenfeindlicher Einstellungen und antisemitischer Hetze beobachtet.[77] Während eines Ferienaufenthalts in Mattsee erlebte er im Sommer 1921 dann die massiven Auswirkungen des Antisemitismus unmittelbar am eigenen Leib. Der beliebte Ferienort im Salzburger Land warb – wie 70 andere

österreichische Erholungsziele – mit dem Slogan, seinen Gästen eine »judenfreie Sommerfrische« zu bieten.[78] Die Ankunft des berühmten Komponisten, dem zum Zeitpunkt der Anreise offensichtlich nicht klar war, in welche Gesellschaft er sich begeben hatte, löste entsprechende Unruhe aus. So kamen Vertreter der Gemeinde und des Fremdenverkehrsverbandes zu einer außerordentlichen Sitzung zusammen, »um über das Eindringen des Juden Schönberg in die Sommerfrischeidylle und weitere Vorgehensweisen zu beratschlagen«.[79] Nach diesen und anderen Anfeindungen verließ die Familie Schönberg Mitte Juli vorzeitig Mattsee und schlug ihr Sommerquartier stattdessen im oberösterreichischen Traunkirchen auf. Dort entstand kurz darauf mit dem Präludium zur Klaviersuite op. 25 das erste Stück, in dem Schönberg mit einer zwölftönigen »Grundkonstellation« arbeitet.[80] In einem berühmten Brief berichtet der Komponist Alma Mahler von diesem künstlerischen Durchbruch. Vor dem Hintergrund der Erfahrungen der vorausgehenden Wochen gibt er seinem kulturpolitischen Mantra dabei eine bemerkenswerte Wendung: »Die Deutscharier, die mich in Mattsee verfolgt haben, werden es diesem Neuen (speciell diesem) zu verdanken haben, dass man sogar sie noch 100 Jahre lang im Ausland achtet, weil sie dem Staat angehören, der sich neuerdings die Hegemonie auf dem Gebiet der Musik gesichert hat!«[81]

In den frühen 1920er-Jahren warb man im idyllischen Urlaubsort Mattsee mit einer »judenfreien Sommerfrische«, empörte sich über den Verkauf »jüdischer Zeitungen« und forderte die Vermieter auf, Zimmer nur an »Arier« abzugeben.

Aus diesem von tiefer Verletzung zeugenden Satz lässt sich er-ahnen, wie sehr Schönberg das »Mattsee-Ereignis« und die direkte Konfrontation mit einem kontinuierlich anwachsenden Antisemitismus erschütterten. Zugleich macht er deutlich, in welch paradoxer Situation sich der Komponist als assimilierter Jude damals befand. Tief verwurzelt in der deutschen Kultur und überzeugt vom ästhetischen Primat der deutschen Musik, war er nicht bereit, seine kulturpolitische Mission aufzugeben. Zugleich hatte ihm das Mattsee-Ereignis bereits 1921 drastisch vor Augen geführt, dass er aufgrund seiner jüdischen Herkunft bei einem Teil der Gesellschaft grundsätzlich unerwünscht war. Im Zuge der kaltblütigen Ermordung jüdischer Politiker durch rechtsextreme Gruppierungen und der Verschärfung antisemitischer Rhetorik wuchs bei Schönberg in den folgenden Jahren das Gefühl, nicht nur künstlerisch, sondern auch existenziell bedroht zu werden. So verstand er – ähnlich wie Albert Einstein – die Ermordung des deutschen Außenministers Walther Rathenau, der am 24. Juni 1922 von Mitgliedern der rechtsterroristischen Organisation Consul erschossen wurde, als Menetekel für seine eigene Gefährdung: »Ich glaube kaum, daß ich in Deutschland dirigieren werde, solange es Hakenkreuze gibt«, erklärte er kurz darauf in einem Brief an seinen Freund und Schüler Erwin Stein.[82]

In welchem Maße diese Erfahrungen Schönbergs Blick für die antisemitische Gefahr schärften und ihn dazu animierten, klar Position zu beziehen, zeigte sich im Frühjahr 1923. In den Tagen, in denen er die Arbeit an seinem ersten großformatigen zwölftönigen Werk, dem Bläserquintett op. 26, begann, erreichte ihn ein Brief Kandinskys. Der frisch ans Staatliche Bauhaus berufene Maler berichtete Schönberg von dem Wunsch aus Bauhaus-Kreisen, den Komponisten ebenfalls nach Weimar zu locken, und fragte, ob er sich vorstellen könne, den Direktionsposten an der dortigen »Musikschule« zu übernehmen.[83] Doch Schönberg, der von Alma Mahler über antisemitische Tendenzen am Bauhaus erfahren hatte,[84] reagierte anders als Kandinsky vermutlich erwartet hatte. In seinem Antwortschreiben machte er klar, dass mit ihm in Weimar trotz seiner grundsätzlichen »Lust zu unterrichten« keinesfalls zu rechnen sei, und kündigte Kandinsky zugleich die Freundschaft auf: »Denn was ich im letzten Jahre zu lernen gezwungen wurde, habe ich nun endlich kapiert und werde es nicht wieder vergessen. Dass ich nämlich kein Deutscher, kein Europäer, ja vielleicht kaum ein Mensch bin (wenigstens ziehen die Europäer die schlechtesten ihrer Rasse mir vor), sondern, dass ich Jude bin. [...] Ich habe gehört, dass auch ein Kandinsky in den Handlungen der Juden nur Schlechtes und in ihren schlechten Handlungen nur das jüdische sieht und da gebe ich die Hoffnung auf Verständigung auf. Es war ein Traum. Wir sind zweierlei Menschen. Definitiv!«[85]

In deutschnationalen Kreisen wurde Adolf Hitler bereits 1923 als nationaler Heilsbringer gefeiert. In überfüllten Sälen hypnotisierte er seine Anhänger und verkündete Mitte August im Münchner Zirkus Krone: »Wir wollen die Diktatur!«

Einen Tag nachdem Schönberg seinen Brief abgeschickt hatte, feierte Adolf Hitler mit über 8000 Anhängern seinen 34. Geburtstag im Münchener Zirkus Krone. Der Titel seiner am 20. April frenetisch bejubelten Geburtstagsrede lautete: »Politik und Rasse. Warum sind wir Antisemiten?«[86] Wie genau Schönberg diese Entwicklungen verfolgte, zeigen seine Kommentare zu einem Artikel, der am 24. April im *Neuen Wiener Tagblatt* erschien.[87] Berichtet wurde dort über eine Sitzung im Deutschen Reichstag, in der ein sozialdemokratischer Abgeordneter die Aktivitäten der »*nationalsozialistischen* Verbände« in Bayern schilderte und den Unwillen der Regierung anprangerte, diese wirksam zu unterbinden: »In allen ihren Versammlungen werde vom Totschlag der Juden und Revolutionsverbrecher geredet.« Hitler selbst beschimpfe das deutsche Reich als »marxistisch-jüdisch-internationalen *Saustall*«. Außerdem habe er die Teilnehmer seiner Versammlungen aufgefordert, »sich Notizbücher anzulegen, in denen Namen von Juden und sogenannten Novemberverbrechern verzeichnet werden, an denen am *Tage der Abrechnung Rache* genommen werden könne«.[88]

Vor dem Hintergrund dieser Entwicklungen und eines Antwortschreibens von Kandinsky, in dem dieser seiner Bestürzung Ausdruck verlieh und auf nicht sehr überzeugende Weise versuchte, den Antisemitismus-Vorwurf zu entkräften, verfasste Schönberg einen zweiten Brief.[89] Das auf den 4. Mai 1923 datierte mehrseitige Schreiben besticht durch seine schonungslosen Analysen und seine Weitsicht. Zugleich macht es unmissverständlich klar, wie sehr die Erfahrung des Antisemitismus den Menschen und Künstler Arnold Schönberg im Jahr 1923 prägte, verbitterte und ängstigte:

> »Lieber Kandinsky,
> so schreibe ich Ihnen, weil Sie schreiben, dass mein Brief Sie erschüttert habe. Das habe ich von Kandinsky erhofft, obwohl ich noch nicht den hundertsten Teil dessen gesagt habe, was die Phantasie eines Kandinsky ihm vor Augen führen muss, wenn er mein Kandinsky sein soll! Weil ich noch nicht gesagt habe, dass ich zum Beispiel, wenn ich auf der Gasse gehe und von jedem Menschen angeschaut werde, ob ich ein Jud oder ein Christ bin, weil ich da nicht jedem sagen kann, dass ich derjenige bin, den der Kandinsky und einige andere ausnehmen, während allerdings der Hitler dieser Meinung nicht ist. [...]
> Wie kann ein Kandinsky es gutheissen, dass ich beleidigt werde; wie kann er an einer Politik teilnehmen, die Möglichkeit schaffen will, mich aus meinem natürlichen Wirkungskreis auszuschliessen; wie kann er es unterlassen eine Weltanschauung zu bekämpfen, deren Ziel Bartholomäusnächte sind. [...]

Sie werden es einen bedauerlichen Einzelfall nennen, wenn auch ich durch die Folgen der antisemitischen Bewegung getroffen bin. Aber warum sieht man in dem schlechten Juden nicht eine[n] bedauerlichen Einzelfall, sondern das typische. In meinem engsten Schülerkreis unmittelbar nach dem Krieg, waren fast alle Arier nicht im Feld gewesen, sondern hatten tarchiniert.[90] Dagegen waren fast alle Juden im Feld und verwundet. Wie steht es da mit den Einzelfällen? [...]

Wozu aber soll der Antisemitismus führen, wenn nicht zu Gewalttaten? Ist es so schwer, sich das vorzustellen? Ihnen genügt es vielleicht, die Juden zu entrechten. Dann werden Einstein, Mahler, ich und viele andere allerdings abgeschafft sein. Aber eines ist sicher. Jene viel zäheren Elemente dank deren Widerstandsfähigkeit, sich das Judentum 20 Jahrhunderte lang ohne Schutz gegen die ganze Menschheit erhalten hat, diese werden sie doch nicht ausrotten können.«[91]

Tatsächlich sollte es bereits im weiteren Verlauf des Jahres 1923 zu einer erschreckenden Zunahme jener antisemitischen Hetze und Gewalt kommen, von der Schönberg in seinem Brief spricht. In den Wochen vor dem Hitlerputsch wurden in Bayern unter Führung des Ende September zum »Generalkommissar« mit diktatorischen Vollmachten ernannten Gustav Ritter von Kahr mehrere hundert jüdische Familien – sogenannte »Ostjuden« – ausgewiesen. Und in Berlin kam es auf dem Höhepunkt der Inflations- und Hungerkrise am 5. November im Scheunenviertel zu Ausschreitungen mit »pogromartigem Charakter«: »Ehe die erschreckten Bewohner dieser Gegend ihre Geschäfte schließen konnten, drangen Haufen besonders jugendlicher Burschen in die Läden und die Zimmer ein, prügelten die Bewohner, zogen ihnen die Kleider vom Leibe und flohen. [...] Jeder auf der Straße gehende jüdisch aussehende Mensch wurde von einer schreienden Menge *umringt, zu Boden geschlagen und seiner Kleider beraubt.* Ein besonders krasser Fall spielte sich in der Münzstraße ab, wo man einen jungen Juden verfolgte, ihn bis aufs Hemd auszog und halb tot schlug.«[92] Obwohl die Polizei relativ rasch einschritt und die Gewalttaten von unterschiedlichen Seiten scharf verurteilt wurden, war die Bilanz verheerend: mehr als 200 geplünderte Geschäfte, zahlreiche Verletzte und mindestens ein Toter. Erschreckend war außerdem das Profil der Täter, denn bei der Mehrzahl handelte es sich nicht um militante Anhänger des »rechtsextrem-völkischen Milieus«, sondern um »verelendete Erwerbslose«.[93] »Die nach Opfer suchende Volkswut stürzt sich auf die Juden«, konstatierte Thea Sternheim in ihrem Tagebuch.[94] Und Betty Scholem, die Mutter des jüdischen Religionshistorikers Gershom Scholem, schrieb ihrem Sohn, der wenige Wochen zuvor Deutschland den Rücken gekehrt hatte und nach Palästina ausgewandert war: »Aber der Antisemitismus hat das Volk so durchsetzt u[nd] verseucht, dass man allenthalben auf die Juden schimpfen hört, ganz öffentlich, in so ungenierter Weise wie nie bisher.«[95]

Vom »deutschen« zum »österreichisch-jüdischen« Künstler

Der Jahreswechsel 1923/24 stand für Schönberg noch ganz im Zeichen der Trauer um seine verstorbene Frau. »Weihnachten haben wir nur im kleinsten Kreis verbracht«, berichtete er seinem Schwager Alexander Zemlinsky: »Zu Sylvester dagegen hatten wir Leute bei uns. Es war das gewiss keine gute Idee und ich war auch den ganzen Abend über sehr bedrückt. Aber wir haben fast nur musiciert (Streichquartett, Klavierquintett und das Quintett mit zwei Celli von Schubert). [...] Den ersten Gedanken im neuen und den letzten im alten Jahr haben wir ihr gewidmet.«[96] Für Schönbergs Zukunft sollte sich die Entscheidung, den Abend im Freundeskreis zu verbringen, rückblickend als glückliche Fügung erweisen. So befand sich unter den Gästen neben dem Geiger und Schönberg-Schüler Rudolf Kolisch auch dessen jüngere Schwester. Im Lauf der folgenden Monate kamen sich der 49-jährige Komponist und die 25-jährige Gertrud Kolisch, die an der Wiener Universität Chemie und an Max Reinhardts Theaterschule in Berlin Schauspiel studiert hatte, näher, und am 28. August heiratete das Paar.[97]

Zweieinhalb Wochen später feierte Schönberg mit der Uraufführung seines ersten großformatigen Zwölftonwerks, des 40-minütigen Bläserquintetts op. 26, seinen 50. Geburtstag nach.[98] Die historisch wirkungsmächtigste Festgabe war ein umfangreiches Schönberg-Sonderheft der *Musikblätter des Anbruch*. Es umfasste neben Gratulationen, Bekenntnissen, Erinnerungen und Anekdoten auch einige gewichtige Aufsätze seiner Schüler. Ziel dieser apologetischen Texte war es dabei offensichtlich, Schönbergs Musik und seine künstlerische Entwicklung nicht nur zu würdigen, sondern auch im Sinne ihres Schöpfers zu deuten und gegen Kritik zu verteidigen. In seinem Aufsatz »Neue Formprinzipien« stellte der Komponist, Dirigent und Musiktheoretiker Erwin Stein die neue Kompositionsmethode seines Lehrers erstmals der Öffentlichkeit vor und diskutierte unter anderem die Klavierstücke op. 23.[99] In einem Text mit dem Titel »Arnold Schönberg, der musikalische Reaktionär« etablierte Hanns Eisler wenige Seiten später das Narrativ vom »konservativen Revolutionär«. Als Ausgangspunkt diente dem gerade 26 Jahre alt gewordenen Komponisten, der im Frühjahr 1923 seine

Lehrzeit bei Schönberg abgeschlossen und seitdem auch schon erste kompositorische Erfahrungen mit der Zwölftontechnik gesammelte hatte, die in der Kritik weit verbreitete Auffassung, Schönbergs Musik hätte »mit den Werken der Klassiker nichts mehr gemeinsam. [...] Aus einem Bruch mit einer Konvention, wie es die Tonalität war, schloß man bei Schönberg auf eine allgemeine Negierung jeder musikalischen Vergangenheit.« Insbesondere seine neuesten Kompositionen bewiesen in ihrem expliziten Klassizismus aber genau das Gegenteil. Und so lautete Eislers ebenso pointiertes wie paradoxes Fazit: »Die musikalische Welt muß umlernen und Schönberg nicht mehr als einen Zerstörer und Umstürzler, sondern als Meister betrachten. Heute ist es uns klar: Er schuf sich ein neues Material, um in der Fülle und Geschlossenheit der Klassiker zu musizieren. *Er ist der wahre Konservative: er schuf sich sogar eine Revolution, um Reaktionär sein zu können.*«[100]

Den Abschluss bildete Alban Bergs Aufsatz »Warum ist Arnold Schönbergs Musik so schwer verständlich?«. Im Zentrum des vielzitierten Texts steht eine aufschlussreiche Detailanalyse der Anfangspassage von Schönbergs 1. Streichquartett op. 7. Dabei ging es Berg nicht nur darum, die im Titel gestellte Frage zu beantworten und den Traditionsbezug und die Kunstfertigkeit von Schönbergs Komponieren zu erweisen, sondern den Jubilar zugleich schon zu Lebzeiten aufs Podest zu heben und ihm eine bleibende Bedeutung zuzusprechen. So sei Schönberg aufgrund seiner »von keinem Zeitgenossen erreichten hohen Könnerschaft« nicht nur ein »Klassiker unserer Zeit«, sondern »einer der ganz wenigen [...], die die Bezeichnung Klassiker für alle Zeiten führen werden.« Deskription und Apologie werden hier – wie auch in vielen anderen Texten von Vertretern der Wiener Schule – auf eine Art und Weise vermischt, die Schönberg und seiner Musik langfristig wohl eher geschadet als genutzt hat. Wie stark Berg dabei Schönbergs eigenem Narrativ folgte, zeigt der Schlusssatz seines Beitrags, dessen Bedeutung durch die Platzierung am Ende des Sonderhefts zweifellos noch unterstrichen werden sollte: »Schon heute, an Schönbergs fünfzigstem Geburtstage«, könne man, »ohne ein Prophet zu sein, sagen, daß durch das Werk, das er der Welt bisher geschenkt hat, die Vorherrschaft nicht nur seiner persönlichen Kunst gesichert scheint, sondern, was noch mehr ist: die der deutschen Musik für die nächsten fünfzig Jahre.«[101]

Dass die Apologie in der Schönberg-Schule so massiv betrieben wurde, hängt zweifellos auch mit dem Verhalten der Gegenseite zusammen. Während man den Komponisten und seine zwölftönigen Werke in den *Anbruch*-Artikeln feierte, gingen die Angriffe aus konservativen und völkischen Kreisen in den 1920er-Jahren unvermindert weiter. »*Der Urheber dieser Klavierstücke op. 23 ist ein Kranker*, der den Konzertsaal zum psychiatrischen Hörsaal umgestaltet«, schrieb der Komponist und Musikschriftsteller Martin Friedland zum 50. Geburtstag Schönbergs in der *Allgemeinen Musik-Zeitung*: »Mit ihrem Verfasser kann man nur Mitleid und Bedauern empfinden, und die kleine Schönberg-Gemeinde, die diese und ähnliche Werke aufzuführen wünscht, möge es in einer irrenärztlichen *Privat-Klinik* geschehen lassen.«[102] Insbesondere im völkischen Lager bediente man sich dabei eines Vokabulars, das eine klare politische Stoßrichtung hatte. So wurde der politisch konservativ denkende Komponist Schönberg, der zumindest zeitweise auf die Wiederkehr der Habsburger hoffte, ab 1919 als »Musikbolschewist« beschimpft, und seine Werke wurden als Verkörperungen des »Bolschewismus in der Musik« gedeutet.[103] Hinzu kamen antisemitische Ressentiments, die im Lauf der 1920er-Jahre immer offener formuliert wurden.

Bereits 1920 hatte Hans Pfitzner in seinem Pamphlet *Die neue Ästhetik der musikalischen Impotenz*, einer Hetzschrift gegen die musikalische Moderne und ihre Verteidiger, klar gemacht, dass es sich bei den Revolutionären in Politik und Musik in seinen Augen um jüdische Umstürzler handle.[104] Durch einen grotesken Differenzierungsversuch bemühte er sich zugleich darum, seine offensichtliche Judenfeindschaft zu relativieren: »Ich sage: international-jüdisch, meine also nicht die Juden, als Individuen. [...] Der Grenzstrich der Scheidung in Deutschland geht nicht zwischen Jude und Nichtjude, sondern zwischen deutsch-national empfindend und international empfindend.«[105] In einer geistreichen Replik entgegnete der Musikschriftsteller Paul Bekker, in dem Pfitzner einen jener einflussreichen Fürsprecher der verhassten Moderne sah, sarkastisch: »Also: der Jude ist Nichtjude, sofern er deutsch-national empfindet, der Nichtjude ist Jude, sofern er nicht deutsch-national empfindet. Herr Professor Hans Pfitzner aber allein hat das Patent für deutschnationales Empfinden. Woher? Törichte Frage! Er hat es eben, er sagt es ja selbst! [...] Es ist wirklich weit gekommen mit uns, wenn ein ernsthafter Mann und Künstler mit solchen grotesken Ausführungen an die Oeffentlichkeit zu treten wagen darf, ohne ein allgemeines Gelächter befürchten zu müssen.«[106]

In den folgenden Jahren wurde Pfitzners abstruse Argumentation von Alfred Heuß, seit 1921 Hauptschriftleiter der Leipziger *Zeitschrift für Musik*, übernommen und explizit auf Schönberg und seine Musik übertragen. Auf dem Höhepunkt der deutschen Krise hatte er der einst von Robert Schumann gegründeten Zeitschrift im November 1923 den Titelzusatz »Kampfblatt für deutsche Musik und Musikpflege« gegeben.[107] Wenige Monate später behauptete Heuß in einer Artikelserie über neue Musik, Schönberg stelle mit seiner »atonalen Musik nicht nur die deutsche Musik, sondern deutsches Wesen überhaupt in Frage«.[108]

Als Schönberg 1925 als Nachfolger des verstorbenen Ferruccio Busoni an die Preußische Akademie der Künste in Berlin berufen wurde, um die Leitung einer Meisterklasse für Komposition zu übernehmen, sah Heuß die Zukunft der deutschen Musik dann endgültig in ernsthafter Gefahr. Aufgrund der Berufung komme es zu einer »Kraftprobe zwischen Deutschtum und [...] spezifisch jüdischem Musikgeist [...]. Denn darüber ist sich jeder, der in die Rassenunterschiede einen Einblick hat, klar, daß der Fanatismus Schönbergs, darin bestehend, auf einer engen Grundlage rücksichtslos die allerletzte Konsequenz zu ziehen, mit deutschem Wesen nichts gemein hat [...]. Über derartige fundamentale Dinge muß denn doch mit aller Unbefangenheit gesprochen werden, nicht nur zum Besten deutschen, sondern auch spezifisch jüdischen Wesens, das ja gerade Gefahr läuft, sich in Schönbergschen Fanatismen zu verlieren.«[109]

Im Sommer 1927 kam es zu einer zufälligen Wiederbegegnung von Schönberg und Kandinsky am Wörthersee. Man entschied sich zu einem gemeinsamen Bad und einem Foto. Das Arrangement mit Nina Kandinsky und Getrud Schönberg im Zentrum lässt die Distanz zwischen den ehemaligen Freunden erahnen.

Dass die politische Radikalisierung und das Anwachsen des Antisemitismus seinen Gegnern in die Hände spielte, war Schönberg früh bewusst. Bereits im Mai 1923 schrieb er in seinem Brief an Kandinsky: »Diese Leute, denen meine Musik und meine Gedanken unbequem waren, die konnten sich nur freuen, dass jetzt eine Möglichkeit mehr gezeigt wird, mich einstweilen los zu werden.«[110] Dass sie dabei allerdings so weit gingen, ihn nicht nur als »Kommunisten« zu verunglimpfen, sondern seine Musik als »undeutsch« abzuqualifizieren und ihm abzusprechen, die deutsche Kultur zu repräsentieren, traf ihn zweifellos besonders hart. Noch 1928 formulierte er in einer privaten Glosse: »Wenn man in Deutschland eine Spur von Verstand hätte, müsste man einsehen, dass der Kampf gegen mich nicht mehr und nicht weniger darstellt, als die Absicht, die deutsche Hegemonie in der Musik zu durchbrechen.«[111] Im August 1931 notierte er in Entwürfen zum Vorwort einer Kompositionslehre dann resigniert: »Die deutsche Musik wird nicht meinen Weg, nicht den Weg gehen, den ich ihr gewiesen habe.«[112]

Nach der Ernennung Adolf Hitlers zum Reichskanzler am 30. Januar 1933, der Reichstagswahl Anfang März und der endgültigen Machtübernahme der Nationalsozialisten ging dann alles ganz schnell. Mitte Mai emigrierte Schönberg nach Paris, am 24. Juli rekonvertierte er dort zum Judentum (einer der beiden Zeugen war Marc Chagall), und Ende Oktober kehrte er Europa endgültig den Rücken. Nach einem Jahr an der Ostküste ließ er sich mit seiner Familie in Los Angeles nieder und wurde 1941 amerikanischer Staatsbürger. An seinem Sendungsbewusstsein und seiner Kunstauffassung hielt er auch im Exil fest, doch auf den von seinen Gegnern korrumpierten Begriff der »deutschen Musik« griff er nicht länger zurück, um seine künstlerische Identität zu bestimmen und sich kulturell zu verorten.[113] Als er 1935 in einem Vortrag auf seine Jugend zurückblickte und über die Situation und die Dilemmata jüdischer Künstler und Intellektueller sprach, bezeichnete er sich nicht mehr als deutschen, sondern als »österreichisch-jüdischen Künstler«.[114]

Black music matters
Bessie Smith erobert den Tonträgermarkt

»We left our southern home« ··· *Vaudeville-Karriere in Zeiten des Umbruchs* ··· *Der Boom der »Race Record«-Industrie* ··· *»Down Hearted Blues«: Bessie Smiths Visitenkarte* ··· *»All my life white folks have been taking it«* ··· *»I am going to do just as I want to anyway«*

Im September 1923 konstatierte die amerikanische Musikzeitschrift *Metronome*: »The craze for ›Blues‹ is now at its height. [...] Mechanical companies are tumbling over each other in their eagerness to discover ›real Blues‹. [...] ›Blues‹ are distinctly the creation of the colored people. They live them, they breathe them, and they write them. A white man has about as much right to compose a ›blues‹ as a man without any knowledge of music would have to write a symphony.«[1]

Zu den Plattenfirmen, die erfolgreich auf der Blues-Welle ritten, gehörte auch die Columbia Graphophone Company. Einige Monate zuvor hatte die sogenannte »Race Devision« des Labels, die zur Erschließung des lange ignorierten afroamerikanischen Musikmarkts eingerichtet worden war, mit der Verpflichtung Bessie Smiths einen unerwarteten Coup gelandet. In einem Studio im Zentrum von New York machte die noch nicht Dreißigjährige, begleitet von Clarence Williams am Klavier, Mitte Februar 1923 ihre ersten Tonaufnahmen.[2] Die heute vorsintflutlich erscheinenden Aufnahmebedingungen entsprachen dem damaligen Standard. So sang Smith nicht in ein Mikrofon, sondern in einen konischen Tontrichter, der mit einem Aufnahmegerät verbunden war. (Der Umstieg von der akustisch-mechanischen zur elektrischen Tonaufzeichnung erfolgte erst zwei Jahre später.) Das Aufnahmeverfahren erlaubte keine Unterbrechungen und Korrekturen. Und auch die zeitnahe Kontrolle der Einspielung im Studio war nicht möglich, da sich die als Aufnahmemedium dienenden wachsbeschichteten Scheiben nicht direkt abspielen ließen: Sie wurden erst in Kupferplatten umgewandelt, mit denen dann die Schellackplatten gepresst wurden – ein Vorgang, der in der Regel einige Tage in Anspruch nahm. Der Ertrag von Smiths ersten Aufnahmesitzungen bei Columbia, die sich über zwei Tage erstreckten, waren rund 20 Takes von vier verschiedenen Songs. Zwei davon – *Down Hearted Blues* und *Gulf Coast Blues* – wurden für Smiths Debüt auf dem Tonträgermarkt ausgewählt und auf die beiden Seiten ihrer ersten Platte gepresst.

Welche enorme Wirkung diese im Lauf des Frühjahrs veröffentlichte Aufnahme kurz- und langfristig entfalten sollte, konnte sich zum

Zeitpunkt ihrer Produktion wohl keine(r) der Beteiligten vorstellen. Für das angeschlagene Plattenunternehmen, das im Zuge einer allgemeinen Krise des Tonträgermarkts zeitweilig unter Konkursverwaltung stand, stellte sich die Verpflichtung der afroamerikanischen Bluessängerin sowohl finanziell als auch markstrategisch als Glücksfall heraus. Für Smith selbst bedeutete der Einstand auf dem Tonträgermarkt einen eklatanten Karriereschub, der ihre Bekanntheit innerhalb kürzester Zeit wesentlich erhöhte und sie zur bestbezahlten schwarzen Musikerin der 1920er-Jahre und zu einem der ersten afroamerikanischen Superstars machte. Schon in den nächsten Monaten kehrte sie wiederholt ins Tonstudio zurück, spielte bis Jahresende mehr als 25 weitere Songs ein und produzierte bis zu ihrem frühen Unfalltod Ende September 1937 rund 160 Aufnahmen.[3]

Für die Hörerinnen und Hörer transportier(t)en Smiths Schallplatten nicht nur eine außergewöhnliche Stimme und eine spezifische Form des weiblichen Bluesgesangs, sondern auch die Kultur und Erfahrungswelt einer Frau, die einer unter vielfachen Formen der Diskriminierung leidenden, marginalisierten gesellschaftlichen Gruppe angehört. Dieses komplexe Zusammenspiel von Stimme und Botschaft, Musik und Text, Song und gesellschaftlichem Umfeld, kultureller, sozialer und geschlechtlicher Identität begründete Smiths Erfolg beim zeitgenössischen Publikum und erklärt zugleich das Interesse, das ihr bis heute entgegengebracht wird. So reicht die Reihe der Sängerinnen, die sich auf Smith bezogen, von Billie Holiday bis zu Beyoncé. Mahalia Jackson lernte beim Hören ihrer Aufnahmen zu singen. Dinah Washington, LaVern Baker und Nina Simone übernahmen Songs aus ihrem Repertoire, sangen sie bei ihren Auftritten und spielten einige davon auch ein.[4] Und Janis Joplin bekannte: »Bessie made me want to sing.«[5] Zugleich wurden und werden Smiths Songs nicht zuletzt von schwarzen Feministinnen wie Angela Davis als Dokumente einer kritischen Auseinandersetzung mit Rassismus sowie mit konservativen Vorstellungen von Geschlechterrollen und Sexualität gedeutet und als Ausdruck eines emanzipierten weiblichen Bewusstseins gefeiert.[6]

»We left our southern home«

»We left our southern home«, heißt es programmatisch zu Beginn eines Songs, den Bessie Smith 1923 sang. Anfang Oktober hat sie ihn im Duett mit ihrer Kollegin Clara Smith aufgenommen – einem anderen Star des Columbia-Katalogs, zu dem sie in einem damals noch freundschaftlichen Konkurrenzverhältnis stand.[7] Der *Far Away Blues* erzählt von jungen Frauen, die den Süden verlassen und nordwärts wandern, um dort frei wie ein Vogel umherzustreifen und neue Felder zu finden.[8] Ein Schwerpunkt liegt dabei auf den Schattenseiten der Migration: dem Verlust von Heimat, Freunden und Familie und den damit verbundenen Gefühlen der Entwurzelung und Einsamkeit.

>>We left our southern home and wandered north to roam
Like birds, went seekin' a brand new field of corn
We don't know why we are here
But we're up here just the same
And we are just the lonesomest girls that's ever born<<[9]

Thematisiert werden hier kollektive Erfahrungen, die mehrere Millionen Afroamerikanerinnen und Afroamerikaner im Zuge der »Great Migration« machten. In einer sich über mehrere Jahrzehnte erstreckenden Migrationsbewegung kehrten sie ab etwa 1910 den von Armut und Segregation geprägten ländlichen Südstaaten den Rücken, getrieben von der Hoffnung, insbesondere im urbanen Norden bessere Lebens- und Arbeitsbedingungen zu finden. In welchem Maße dieser Exodus die Geschichte des Blues und Jazz geprägt hat, ist unzählige Male beschrieben worden.[10] Louis Armstrong, Sidney Bechet und Joe »King« Oliver stammten aus New Orleans, wurden dort musikalisch sozialisiert und entwickelten den New Orleans Jazz in Chicago und anderen Metropolen der Ostküste weiter. Viele der großen Bluessängerinnen der 1920er-Jahre wie Alberta Hunter, Gertrude »Ma« Rainey, Clara Smith oder Bessie Smith wurden ebenfalls in den Südstaaten geboren, verbrachten zumindest einen Teil ihres Lebens im Norden und trieben dort ihre Karrieren insbesondere mit Plattenaufnahmen voran. Bessie Smith thematisiert, wenn sie den *Far Away Blues* singt, also nicht nur kollektive Erfahrungen, sondern auch ihre eigene Geschichte. Der Song ist deshalb ein interessanter Ausgangspunkt, um einen Blick auf ihr Leben bis 1923 zu werfen.

Geboren wurde Bessie Smith in der ersten Hälfte der 1890er-Jahre in Chattanooga, Tennessee, einer zwischen Nashville und Atlanta gelegenen Kleinstadt rund 1300 Kilometer südwestlich von New York. Dass bis heute Unklarheit über ihr genaues Geburtsdatum besteht, ist symptomatisch und hängt in erster Linie mit der institutionellen Geringschätzung afroamerikanischen Lebens in einer von systematischem Rassismus geprägten Gesellschaft, der daraus resultierenden prekären ökonomischen und sozialen Situation der Familie und ihrer Bildungsarmut zusammen. Aber auch die relativ spät einsetzende Professionalisierung der Jazzgeschichtsschreibung, die zunächst vor allem von Liebhabern betrieben wurde, die in der Regel keine umfangreichen Quellenstudien unternahmen und nicht selten den Prozess der Legendenbildung beförderten, mag dabei eine Rolle gespielt haben. Der Musikproduzent, Journalist und Jazzforscher Chris Albertson, der sich jahrzehntelang intensiv mit Smith beschäftigt hat, geht in seiner Biographie *Bessie* (1972, rev. 2003) davon aus, dass die Sängerin am 15. April 1894 geboren wurde.[11] Da anscheinend keine Geburtsurkunde existiert und auch andere Dokumente aus ihrer frühen Kindheit nicht aufzufinden waren, führte er als Beleg eine Anmeldung zur Eheschließung an, die Smith im Frühsommer 1923 ausfüllte, um kurz nach ihrem spektakulären Plattendebüt ihren zweiten Mann John (Jack) Gee zu heiraten. Der Historikerin Michelle R. Scott gelang es allerdings, einige Jahre nach Erscheinen der überarbeiteten Fassung von Albertsons Biographie doch noch eine Quelle aufzutreiben, die diese Selbstauskunft in Zweifel zieht und die Sängerin älter macht, als ihr vermutlich recht war. So legt eine Volkszählung aus dem Jahr 1900 nahe, dass Bessie Smith bereits zwei Jahre zuvor, nämlich 1892, das Licht der Welt erblickte.[12]

Obwohl über Smiths Kindheit und Jugend wenig bekannt ist, besteht kein Zweifel, dass sie wie die meisten der rund 15 000 in Chattanooga lebenden Afroamerikaner in extremer Armut aufwuchs.[13] Ihre Eltern, der Arbeiter und nebenberufliche Baptistenprediger William Smith und seine Frau Laura, hatten sich auf einer Plantage in Alabama kennengelernt und bewohnten drei Jahrzehnte nach der Abschaffung der Sklaverei mit ihren sechs Kindern eine »kleine baufällige Hütte«, die aus einem einzigen Raum bestand.[14] Nach dem Tod der Eltern – der Vater starb, als Bessie noch ein Kleinkind war, die Mutter einige Jahre später – übernahm die älteste Schwester die Verantwortung für die Familie. Um zum Lebensunterhalt beizutragen, begann Bessie, von ihrem Bruder Andrew auf der Gitarre begleitet, auf Chattanoogas Straßen zu singen. Wenn man den Erinnerungen eines Freundes der Familie Glauben schenkt, beeindruckte sie ihr Publikum dabei vor allem mit ihren schauspielerischen Fähigkeiten: »Ich habe immer gedacht, dass sie mehr Talent als Performerin hatte (du weißt schon, Tanzen und Clownerie) denn als Sängerin. Zumindest kann ich mich nicht erinnern, dass ich damals von ihrer Stimme besonders beeindruckt gewesen bin.«[15]

Parallel zu diesen Aktivitäten besuchte Smith bis zum Alter von 14 oder 15 Jahren die Main Street Colored School. Für ihre Zukunft entscheidend waren jedoch die schwarze Unterhaltungskultur und die populären Vaudeville-Shows. Nachdem die Moses Stoke Company, ein von Stadt zu Stadt ziehendes Ensemble, bei einem Gastspiel in Chattanooga um 1910 ihren älteren Bruder Clarence angeheuert hatte, nutzte Bessie vermutlich 1912 die Chance, ihrer Heimatstadt und der Perspektivlosigkeit des dortigen Lebens zu entkommen. Statt eine schlechtbezahlte Stelle im Dienstleistungssektor zu suchen, verdingte sie sich bei der Truppe als Tänzerin und verließ heimlich Chattanooga. Erst Jahre später, als sie im Vaudeville-Geschäft bereits zu einer Berühmtheit geworden war, kehrte sie in ihre Heimatstadt zurück, um am dortigen Liberty Theater Gastspiele zu geben.[16]

Vaudeville-Karriere in Zeiten des Umbruchs

Die Bedeutung der Vaudeville-Kultur für Bessie Smiths Entwicklung als Bühnenstar, Sängerin und »Empress of the Blues« lässt sich kaum überschätzen.[17] Als populäre Form des Massentheaters kombinierten die oft mehrere Stunden dauernden Shows nach dem Varieté-Prinzip unterschiedlichste Programmpunkte in rascher Folge: Sketche, Clownerien, Zaubertricks, akrobatische Einlagen, Auftritte von Tieren, Stummfilmvorführungen, verschiedene musikalische Nummern, darunter auch Bluesgesang, und vieles mehr. Insbesondere in den Südstaaten war das Vaudeville in den ersten Jahrzehnten des 20. Jahrhunderts das mit Abstand erfolgreichste und verbreitetste Unterhaltungsformat und zugleich der primäre Schauplatz für die Entwicklung und Rezeption des weiblichen Bluesgesangs.[18] In Vaudeville-Aufführungen lernte ein Großteil des amerikanischen Publikums, sowohl Schwarze als auch Weiße, den sogenannten klassischen Blues kennen, als theatralischen Akt, der in eine kommerzielle Bühnenshow eingebettet war.[19] Zu einer Veränderung dieser Rezeptionssituation kam es erst im Lauf der 1920er-Jahre, als der Vaudeville-Blues den Tonträgermarkt eroberte, Sängerinnen wie Mamie Smith, Gertrude »Ma« Rainey oder Bessie Smith Plattenstars wurden und zugleich neue Auftrittsmöglichkeiten entstanden.

Um ein möglichst breites Publikum zu erreichen, wurden die Vaudeville-Produktionen nicht nur in Theatern, sondern auch in Zelten – den sogenannten Tent Shows – gespielt. Eine Sängerin war unter diesen Bedingungen gleich mehrfach gefordert. Da keinerlei elektrische Verstärkung vorhanden war, musste sie über eine kraftvolle Stimme verfügen, um auch die Zuhörerinnen und Zuhörer in den hinteren Reihen eines Zeltes zu begeistern. Zugleich waren ausgeprägtes Schauspieltalent, tänzerische Kompetenzen und Bühnenpräsenz notwendig, um während der Gesangsnummern die Aufmerksamkeit des Publikums zu erhalten.

Auch wenn Smiths erste Jahre im Vaudeville-Betrieb weitgehend im Dunkeln liegen, kann man davon ausgehen, dass sie schon in dieser Zeit jene außergewöhnlichen performativen Fähigkeiten unter Beweis stellte und weiterentwickelte, die die Voraussetzung für ihre steile Karriere in den 1920er-Jahren bilden sollten. Im Zuge ausgedehnter Tourneen durch den Süden Amerikas arbeitete sie auch mit Gertrude

»Ma« Rainey zusammen – eine Zusammenarbeit, um die sich zahlreiche Legenden rankten.[20] So wurde behauptet, die um einige Jahre ältere Sängerin, die zu den Pionierinnen des weibliches Bluesgesangs zählt und unter dem Label »Mother of the Blues« vermarktet wurde, habe Smith das Singen beigebracht oder sie gar gemeinsam mit ihrem Mann – ebenfalls ein Vaudeville-Darsteller – aus Chattanooga entführt. Beide Geschichten stimmen so sicherlich nicht. Dennoch besteht kein Zweifel daran, dass Rainey für Smith – wie für viele andere Bluessängerinnen – eine wichtige Bezugsfigur und zugleich ein Rollenmodell gewesen ist. Zudem ist es nicht unwahrscheinlich, dass Rainey, die im Vaudeville-Geschäft damals schon Bekanntheit erlangt hatte, die talentierte junge Kollegin förderte und ihr wichtige Impulse gab. Rainey verfügte über eine faszinierende Bühnenpräsenz und über ein enormes Gespür für wirkungsvolle Inszenierungen. Sie war eine herausragende Sängerin,

Ma Rainey and Her Georgia Jazz Band um 1924. Bei der Band handelte es sich nicht um eine feste Gruppe, sondern um Musiker, die mit der charismatischen Bluessängerin temporär zusammenarbeiteten, darunter der junge Louis Armstrong.

begann ihre späte Schallplattenkarriere ebenfalls erst im Jahr 1923 und thematisierte in ihren Songs die Erfahrungs- und Gefühlswelten marginalisierter afroamerikanischer Frauen (und Männer). Wie Smith war sie auch im sexuellen Bereich eine Vorkämpferin für ein selbstbestimmtes Leben jenseits traditioneller Vorstellungen von Geschlechterrollen und heterosexueller Normen. Bekanntermaßen führte sie sowohl mit Männern als auch mit Frauen Liebesbeziehungen und schrieb mit *Prove It on Me Blues* (1928) einen Titel, der in der lesbisch-feministischen Bewegung der 1970er-Jahre aufgegriffen und als »kraftvolles Statement lesbischen Trotzes und Selbstwertgefühls« gedeutet wurde.[21]

Als in den Jahren nach Ende des Ersten Weltkriegs die Jazzbegeisterung rapide anwuchs und auch der afroamerikanische Bluesgesang zunehmend Beachtung fand, hatte Bessie Smith ihren Wirkungskreis bereits wesentlich erweitert. Sie tourte nicht mehr nur im Süden, sondern auch an der Ostküste und trat dort in angesagten Spielstätten wie dem Standard Theatre (Philadelphia) oder den Paradise Gardens (Atlantic City) auf.[22] Zugleich verlegte sie ihren Lebensmittelpunkt in die 1,8-Millionen-Metropole Philadelphia, deren schwarze Bevölkerung sich im Zuge der »Great Migration« zwischen 1900 und 1920 mehr als verdoppelt hatte.[23] In diesem extrem dynamischen urbanen Umfeld erlebte sie die Trends der Nachkriegszeit und die damit zusammenhängenden Modernisierungsschübe, Umbrüche und gesellschaftlichen Konflikte. Die Prohibitionsgesetzgebung, die ab Anfang 1920 die Herstellung sowie den Verkauf und Ausschank von Alkohol landesweit untersagte, kam nicht nur der Mafia zugute, sondern prägte auch den Lifestyle und das Lebensgefühl des »Jazz Age« mit seinen zahllosen »Flüsterkneipen« (»Speakeasys«), in denen man sich über das Verbot mehr oder weniger offen hinwegsetzte. (Für Smith, die zumindest zeitweise viel trank, fiel das Verbot von Alkohol nicht weiter ins Gewicht, da sie – wie viele aus ihrem Umfeld – auf selbstgemachten Schnaps setzte, dessen private Produktion sich kaum kontrollieren ließ.[24])

Die Ratifizierung des 19. Zusatzartikels zur Verfassung der Vereinigten Staaten von Amerika im Sommer 1920 war ein weiteres Schlüsselereignis. Nach jahrzehntelangem Kampf der Suffragetten-Bewegung, in der auch Afroamerikanerinnen aktiv waren, wurde Frauen endlich auf nationaler Ebene das Wahlrecht garantiert – eine Entscheidung, die nicht nur die politische Landschaft veränderte, sondern auch den Emanzipationsbestrebungen vieler, vor allem junger Frauen außerhalb der politischen Arena Auftrieb gab. Allerdings profitierten Afroamerikanerinnen von diesen Entwicklungen weitaus weniger als weiße Frauen, denn obwohl die »Jim Crow laws« und die damit verbundene strikte »Rassentrennung« nur in den Südstaaten angewendet wurden, bestimmte der systematische Rassismus auch im Norden das Leben der schwarzen Bevölkerung. Als Bürgerinnen und Bürger zweiter Klasse lebten die meisten von ihnen unter prekären ökonomischen Bedingungen, hatten kaum Aufstiegsmöglichkeiten und wurden aufgrund ihrer Hautfarbe in vielen Bereichen diskriminiert oder ausgeschlossen. Wie tief der Rassismus in den Strukturen und Denkweisen verankert war, in welchem Maße er auch das Musikgeschäft dominierte und welche Ambivalenzen und Widersprüche damit verbunden waren, zeigt die Entwicklung des »Race Record«-Markts, auf dem Bessie Smith bald zu einer wichtigen Akteurin werden sollte.[25]

Der Boom der »Race Record«-Industrie

Obwohl amerikanische Schallplattenfirmen bei der Entwicklung ihrer Produkte lange Zeit nahezu ausschließlich ein weißes Publikum im Blick hatten, trugen Schwarze bereits in der Frühgeschichte des neuen Mediums zum Tonträgermarkt bei. Als Pionier gilt dabei der ehemalige Sklave George W. Johnson. In den 1890er-Jahren erlangte er mit Aufnahmen von Vaudeville-Neuheiten mit teils rassistischen Texten Berühmtheit, bei denen er sang, in unterschiedlichen Ton- und Ausdruckslagen lachte und seine virtuosen Pfeifkünste unter Beweis stellte.[26] Auch wenn auf Johnson einige andere folgten (zum Beispiel die international gefeierten Fisk Jubilee Singers oder der Entertainer Bert Williams), blieb die Präsenz afroamerikanischer Musikerinnen und Musiker auf dem bis zum Ausbruch des Ersten Weltkriegs rasant wachsenden Tonträgermarkt eine Ausnahme. So monierte Anfang 1916 der *Chicago Defender*, eine der einflussreichsten afroamerikanischen Zeitungen des Landes, dass die schwarze Community (»our people«) mittlerweile Tausende von Dollar für Plattenspieler und Schallplatten ausgeben würden, auf dem Markt aber fast ausschließlich Aufnahmen von Weißen erhältlich seien.[27] Während man Enrico Carusos Platten in nahezu jedem Musikgeschäft finden könne, wären herausragende afroamerikanische Musiker wie der Tenor Roland Hayes auf dem Tonträgermarkt bislang überhaupt nicht vertreten. Dass sich diese Situation einige Jahre später zu ändern begann, ist in erster Linie marktstrategischen Überlegungen geschuldet. Das Interesse des weißen Managements der großen Plattenunternehmen richtete sich dabei bezeichnenderweise nicht auf jene vom Autor des *Defender*-Artikels angeführten klassisch ausgebildeten afroamerikanischen Künstlerinnen und Künstler, die sich im Bereich der »Hochkultur« bewegten, sondern auf den lukrativer erscheinenden Bereich der populären Musik.

Die »Spielmacher« bei der Entwicklung des »Race Record«-Marktes waren kleine Schallplattenfirmen. Um sich gegen die großen Tanker Victor, Edison und Columbia behaupten zu können, suchten sie nach vielversprechenden Marktnischen und waren bei der Ausrichtung ihres Katalogs offener und experimentierfreudiger als die Marktführer. Die Rolle des Vorreiters übernahmen die OKeh Records, ein in New York ansässiges Independent-Label, benannt nach den Initialen seines deutschamerikanischen Gründers Otto Karl Erich Heinemann.[28] Auf Betreiben des afroamerikanischen Pianisten, Bandleaders und Songwriters Perry Bradford wurde Anfang 1920 der Vaudeville-Star Mamie Smith (geb. Robinson) engagiert. Nach einem Testlauf mit zwei bluesbeeinflussten populären Songs entstand im August mit *Crazy Blues* jene legendäre Aufnahme, die Smith nationale Bekanntheit verschaffte und viele andere Firmen dazu veranlasste, nachzuziehen. Die im November 1920 veröffentlichte Platte gilt als erste kommerziell erfolgreiche Blues-Aufnahme einer afroamerikanischen Sängerin. Bereits in den ersten vier Wochen sollen 75 000 Exemplare verkauft worden sein. Und der schwarze Kritiker Tony Langston bilanzierte mit einer Mischung aus Genugtuung und bitterem Spott im *Chicago Defender*: »Nun, Sie [gemeint ist die afroamerikanische Leserschaft] haben die berühmten Stars der weißen Rasse gehört, wie sie auf den verschiedenen Schallplattenmarken ihr Zeug zwitschern ... Aber wir waren bis jetzt noch nie in der Lage, eine unserer Ladys zu hören, die ihre Ware in der Konservenbüchse anbietet. Jetzt haben wir das Vergnügen, sagen zu können, dass sie zumindest die Tatsache erkannt haben, dass wir ihnen zu Diensten stehen.«[29]

Mamie Smith selbst äußerte sich in einem Ende Januar 1921 publizierten Interview zu ihrer steilen Plattenkarriere. Dabei machte sie deutlich, dass der enorme Erfolg auf dem Tonträgermarkt bereits Rückwirkungen auf ihre Live-Auftritte habe: »Diese Tausende von Menschen, die mich in meinen Konzerten hören, erwarten viel, und ich beabsichtige nicht, sie zu enttäuschen. Sie haben meine Schallplatten gehört und wollen mich diese Lieder genauso singen hören, wie ich es in meinem eigenen Studio in New York mache.«[30] Während Mamie Smith mit ihrer »All Star Revue« kreuz und quer durchs Land tourte, heizten OKeh Records mit einer geschickten Werbekampagne die Nachfrage nach ihren Platten bei Händlern und Publikum an. Im Frühjahr 1923 war das Interesse an ihren Aufnahmen so groß geworden, dass das Label zwischenzeitlich in Lieferschwierigkeiten geriet (mittlerweile lagen sechs Platten zum Preis von je einem Dollar vor).[31] Und auch auf der Bühne selbst wurde Mamie Smiths mediale Karriere zum Thema gemacht. Im Dezember 1923 berichtet das einflussreiche Fachmagazin *The Talking Machine World* über das spektakuläre Entree ihrer neuen Bühnenshow: »Miss Smiths Auftritt beginnt mit einem riesigen Phonographen in der Mitte der Bühne, auf dem eine Aufschrift über OKeh Records angebracht ist, zu deren Exklusivkünstlerinnen Miss Smith zählt. Miss Smith steigt aus dem Phonographen und beginnt den Auftritt mit einigen der beliebten Blues-Nummern, die sie für die OKeh-Bibliothek aufgenommen hat.«[32]

Bemerkenswert ist diese Inszenierung in mehrfacher Hinsicht. Zum einen setzt sie Smiths Doppelkarriere als gefeierte Bühnendarstellerin und erfolgreichen Schallplattenstar auf eindrückliche Weise ins Bild. Zum anderen richtet sie den Blick der Zuschauerinnen und Zuschauer auf die magische Kraft des Grammophons. Der Reproduktionsapparat, der ihre körperlose Stimme an jeden Ort zu transportieren vermag, wird auf der Bühne gleichsam zur Muschel der Venus, aus der die Sängerin vor den Augen des staunenden Publikums heraussteigt. Das auf dem Phonographen angebrachte Markenzeichen und die Blues-Nummern, mit denen Smith ihre Show beginnt, geben zugleich unmissverständlich zu verstehen, dass die Szene als Teil einer äußerst professionell betriebenen Image- und Marketing-Kampagne des Schallplattenlabels zu verstehen ist. Ihren Aufstieg zum Schallplattenstar – so die implizite Botschaft – verdanke die Sängerin der Initiative von OKeh Records. So schaltete das Label zur selben Zeit eine Anzeigenkampagne, in der es seinen Führungsanspruch im Bereich der »Race Records« unterstrich und betonte, dieses »fruchtbare Feld« als erstes Unternehmen »entdeckt und entwickelt« zu haben.[33]

Dass der enorme Erfolg von Mamie Smiths ersten Blues-Aufnahmen andere Akteure auf den Plan rief und sie dazu animierte, in das neue Marktsegment einzusteigen, liegt auf der Hand. Vier Monate nach der Veröffentlichung von *Crazy Blues* gründeten der in Georgia geborene Geschäftsmann Harry Pace im März 1921 im New Yorker Stadtteil Harlem die Black Swan Records. Das Independent-Label, das allerdings Ende 1923 Insolvenz anmelden musste, war die erste einflussreiche Plattenfirma, die von Afroamerikanern geführt wurde und auch in ihrem Besitz war. Sowohl der Standort Harlem als auch der Name des Unternehmens verweisen auf das kulturpolitische Programm, das Pace und seine Mitstreiter verfolgten. So ist »Black Swan« eine Reminiszenz an Elizabeth Greenfield, die im 19. Jahrhundert unter diesem Beinamen

NEGRO RECORDS

A booming field discovered,
developed and led by OKeh

A LARGE demand always existed for records by negro artists—particularly in the South. But it remained for OKeh alone to first recognize and appreciate the possibilities that this field had to offer, and, as pioneers in the field, to release the first Negro Record. Since then, each succeeding year has shown a remarkably rapid increase in the popularity of OKeh Negro Records until today they are nationally famous.

SARA MARTIN
(Exclusive OKeh Artist)

MAMIE SMITH
(Exclusive OKeh Artist)

We are proud of this fruitful field which we discovered and developed. "The Original Race Records" are the best and most popular records of their kind today. Every effort is made to release promptly the latest hits that have the greatest appeal to those who buy Negro Records. These hits are recorded only by Negro artists whose fame and popularity are unquestionably established. Sara Martin, Mamie Smith, Eva Taylor, Esther Bigeou, Lucile Bogan, Clarence Williams and Handy's Orchestra are but a few of the famous colored artists whose talents are available on OKeh Records.

The growing tendency on the part of white people to hear their favorite "blues" sung or played by famous colored "blues" artists, added to the already immense demand by the colored race for such records, has made the Negro Record field more fertile than ever before. OKeh dealers are amply assured of getting their full share of this booming demand, for they alone have the privilege of offering to their customers "The Original Race Records."

CLARENCE WILLIAMS
(Exclusive OKeh Artist)

OKeh
The Record of Quality

OKeh Records

The Records of Quality

General Phonograph Corporation
OTTO HEINEMAN, President
25 West 45th St. New York

Angetrieben vom enormen Erfolg der »Race Records« und dem Einstieg größerer Plattenfirmen in den neuen Markt schaltete OKeh Records im Sommer 1923 eine Anzeigenkampagne. Geworben wurde nicht nur mit den Stars und der Vorreiterrolle des kleinen Labels, sondern auch mit dem steigenden Interesse einer weißen Hörerschaft an »Original Race Records« (*The Talking Machine World*, 15. 8. 1923).

als erfolgreichste schwarze Konzert- und Opernsängerin gefeiert wurde. Es sei das Ziel des Labels, »unsere besten Sänger und erstklassigen Musiker vorzustellen, die von den großen Firmen, die den Plattenmarkt dominieren, nicht berücksichtigt werden«, erklärte Pace.[34] Welche ästhetische Agenda er dabei verfolgte, machte er im Gespräch mit einem Korrespondenten von *The Talking Machine World* klar. So werde der Katalog zwar viele Titel aus dem Bereich der erfolgreichen afroamerikanischen Popularmusik enthalten (»›blue‹ numbers of the type that are in current favor«), »aber wir werden auch viele Nummern mit höherem Standard veröffentlichen.«[35] Black Swan stand also sowohl für die allgemeinen afroamerikanischen Emanzipationsbestrebungen als auch für das Anliegen, jene Musik besonders zu fördern, die von Vertretern der damaligen Eliten als ästhetisch höherwertig angesehen wurde. Den Hintergrund für das gesamte Projekt bildeten die komplexen Debatten, die im Zuge der sogenannten »Harlem Renaissance« über den »New Negro« geführt wurden.[36] Ziel war es, nicht nur den Kampf für politische und gesellschaftliche Gleichberechtigung voranzutreiben und sich für gleichberechtigte kulturelle Teilhabe einzusetzen, sondern auch die Vormacht der Weißen auf der Diskursebene zu brechen. Insbesondere unter Intellektuellen und Kunstschaffenden begann eine vielschichtige Diskussion über afroamerikanische kulturelle Identität und »Schwarz-Sein«. Dass es in diesen Debatten auch um Musik ging, ist naheliegend. Die neuen Formen des Jazz und Blues, die mit der Welle der »Great Migration« nach New York geschwappt waren, wurden dabei einerseits als Signatur des Harlemer (Nacht-)Lebens und des »New Negro« verstanden. Andererseits ist nicht zu übersehen, dass in den frühen 1920er-Jahren vielen bürgerlich sozialisierten und / oder bildungsorientierten Vertretern der Bewegung die aus der »Unterschicht« stammende Popularmusik (noch) suspekt war. Sie betrachteten sie als ästhetisch minderwertig oder sahen darin lediglich Rohmaterial, das veredelt oder zu einer afroamerikanischen Kunstmusik weiterentwickelt werden müsse. Exemplarisch zum Ausdruck gebracht wird diese Haltung in einem Essay des afroamerikanischen Schriftstellers und Philosophen Alain LeRoy Locke, einem der intellektuellen »Architekten« der »Harlem Renaissance«. Unter dem programmatischen Titel »Toward a Critique of Negro Music« konstatierte er 1934: »Es ist an der Zeit zu erkennen, dass wir zwar ein musikalisches Volk sind, aber nur wenige oder gar keine großen Musiker hervorgebracht haben; dass wir zwar eine Volksmusik mit Kraft und Potenzial entwickelt haben, diese aber noch nicht in eine Musiktradition integriert wurde; dass unsere Kreativität und Originalität auf volkstümlicher Ebene noch nicht auf der Ebene der instrumentalen Meisterschaft oder der kreativen Komposition erreicht worden ist.«[37]

Mit ihrem gemischten Katalog versuchten Pace und sein Label die kulturpolitische Agenda des kulturellen »Aufstiegs« zu befördern, ohne dabei auf populäre Titel zu verzichten. So verpflichtete man Vaudeville-Stars und bereits erfolgreiche Bluessängerinnen wie Ethel Waters, Alberta Hunter und Trixie Smith. Sie wurden rasch zu den bekanntesten Gesichtern von Black Swan, sprachen ein breites Publikum an und sorgten für Gewinne. Jene Sängerin, die dem Label möglicherweise am meisten eingebracht hätte, ließ sich das Management aufgrund seiner ambivalenten Haltung zum »ungeschliffenen« Bluesgesang und seiner ästhetischen Vorlieben allerdings entgehen: Als sich Bessie Smith 1921 bei Black Swan vorstellte, wurde sie aufgrund ihres zu »schwarzen« Klanges abgelehnt. Stattdessen entschied man sich, auf Ethel Waters zu setzen, deren Gesang kultivierter und gefälliger erschien und die darüber hinaus schon erste Aufnahmen vorzuweisen hatte. »Von den Künstlern, die den Blues dem anspruchsvolleren schwarzen [Negro] und weißen Publikum nähergebracht haben, ist Ethel Waters meiner Meinung nach die beste«, bemerkte einer ihrer einflussreichen weißen Bewunderer, der Kritiker Carl Van Vechten, 1926: »Ihre Methoden sind genau das Gegenteil von jenen [...] der authentischen Bluessänger [...]. Ihre Stimme und ihre Gesten sind ganz wesentlich schwarz [essentially Negro], aber sie sind durchdacht und zurückhaltend, nicht geschönt, sondern stilisiert.«[38]

Das Verdienst, Bessie Smith exklusiv engagiert zu haben, konnte sich zwei Jahre später dann Columbia ans Revers heften. 1922 war das Unternehmen als erstes der großen Labels in den »Race Record«-Markt eingestiegen. Wie die anderen Plattenfirmen in weißem Besitz führte das Management im Katalog dafür eine eigene Reihe ein. Diese Abtrennung erleichterte die separate Vermarktung der Platten für spezifische Zielgruppen. So ging man zunächst von der (irrigen) Annahme aus, dass »Race Records« fast ausschließlich von Schwarzen gekauft werden würden und konzentrierte die Werbemaßnahmen deshalb in erster Linie auf afroamerikanische Zeitungen und Zeitschriften. Zugleich manifestiert sich in dieser problematischen Unterteilung das Bedürfnis, die gesellschaftliche Segregation auch im Bereich der Musik zu zementieren. Statt afroamerikanische Musikerinnen und Musiker zu einem Bestandteil des regulären Angebots zu machen, wurden sie in eine separate Rubrik ausgelagert.

»Down Hearted Blues«: Bessie Smiths Visitenkarte

Dass Bessie Smith ihre Schallplattenkarriere bei Columbia mit *Down Hearted Blues* begann, ist in gewisser Hinsicht dem Zufall geschuldet.

Mitte Januar 1923 war der Direktor der neu gegründeten »Race Record«-Abteilung Frank B. Walker von Alberta Hunter auf den Titel aufmerksam gemacht worden.[39] Die erfolgreiche Bluessängerin aus Chicago hatte den Song im Vorjahr in Zusammenarbeit mit Cora »Lovie« Austin veröffentlicht, neben Lillian Hardin (Armstrong) eine der herausragenden Pianistinnen der frühen Jazzgeschichte, die auch als Bandleaderin, Arrangeurin und Komponistin wirkte, wie viele andere Frauen in diesem Feld aber im Schatten ihrer männlichen Kollegen stand und heute fast gänzlich in Vergessenheit geraten ist.[40] Schon 1922 hatte Hunter bei Paramount eine vielbeachtete Aufnahme von *Down Hearted Blues* herausgebracht. Nun war sie daran interessiert, dass andere Labels das Stück übernahmen, sicherlich auch, weil sie sich als Autorin eine Beteiligung an den Gewinnen erhoffte. Walker hätte Hunter gerne in seinen Katalog aufgenommen, signalisierte sein Interesse an dem Song und versuchte, sie von seinem Konkurrenten abzuwerben: »Sie wissen zweifellos, dass die Paramount-Gesellschaft tatsächlich sehr klein ist und das Prestige, das sie mit ihrem Singen dort gewinnen können, sehr begrenzt bleiben wird.«[41] Doch ein Wechsel kam für Hunter zu diesem Zeitpunkt offensichtlich nicht infrage, und Walker entschied sich kurz darauf, den Song mit Bessie Smith zu produzieren. Für Smiths Debüt auf dem Schallplattenmarkt war diese Entwicklung eine glückliche Fügung. So ermöglichte *Down Hearted Blues* ihr, sich nicht nur als Sängerin wirkungsvoll in Szene zu setzen und ihre schöpferische Individualität unter Beweis zu stellen, sondern bereits mit ihrer ersten Aufnahme deutlich zu machen, für welche Themen sie stand.

> »Gee, but it's hard to love someone
> When that someone don't love you
> I'm so disgusted, heartbroken too
> I've got those downhearted blues
>
> Once I was crazy 'bout a man
> He mistreated me all the time
> The next man I get has got to promise me
> To be mine, all mine
>
> Trouble, trouble, I've had it all my days
> Trouble, trouble, I've had it all my days
> It seem like trouble going to follow me to my grave
>
> I ain't never loved but three mens in my life
> I ain't never loved but three men in my life
> My father, my brother, the man that wrecked my life

It may be a week, it may be a month or two
It may be a week, it may be a month or two
But the day you quit me, honey, it's comin' home to you

I got the world in a jug, the stopper's in my hand
I got the world in a jug, the stopper's in my hand
I'm gonna hold it until you men come under my command«[42]

Wie viele Texte des klassischen Blues erzählt *Down Hearted Blues* aus
weiblicher Perspektive von Liebe, Gewalt, Verlassenheit, Depression,
aber auch von dem Wunsch, diese Zustände zu überwinden und das
Blatt zu wenden. Thematisiert werden subjektive Gefühle und kollektive
Erfahrungen, die unmittelbar mit den schwierigen Lebensbedingungen
einer afroamerikanischen Frau in einer segregierten und männlich dominierten Gesellschaft zusammenhängen. Formuliert in einer mit um-
gangssprachlichen Ausdrücken und Wendungen gespickten Sprache,[43]
werden diese Erlebnisse im Medium des Blues ins Scheinwerferlicht
einer größeren Öffentlichkeit gerückt. Im Zentrum steht die gespaltene
Beziehung der Protagonistin zu Männern. So heißt es gleich zu Beginn programmatisch: »It's hard to love someone / When that someone don't love you.« In den folgenden Versen wird allerdings klar, dass
die tiefe Niedergeschlagenheit der Protagonistin (»those downhearted
blues«) und das Gefühl des Ekels nicht allein aus der Erfahrung ent-
täuschter Liebe resultieren. So offenbart sie, dass der Mann, nach dem
sie einst verrückt gewesen sei, sie nicht nur verlassen, sondern auch
misshandelt habe (»Once I was crazy 'bout a man / He mistreated me
all the time«). Mit dem Einsatz des ersten Chorus folgt dann eine scho-
nungslose Bilanz der allgemeinen Situation: »Trouble, trouble, I've had
it all my days / [...] It seem like trouble going to follow me to my grave.«
Am Ende der Klage kommt es allerdings zu einer ebenso überraschenden wie entscheidenden Wendung, die das gesellschaftskritische und
subversive Potenzial des weiblichen Bluesgesangs offenbart. Statt sich
mit den Umständen abzufinden und zu resignieren, schließt die Protagonistin mit einem Aufruf zur Selbstermächtigung, der als eine »mu-
tige, vielleicht implizit feministische Anfechtung der patriarchalischen
Herrschaft«[44] verstanden werden kann: »I got the world in a jug, the
stopper's in my hand / I'm gonna hold it until you men come under my
command.« Skizziert wird mit diesen Schlussversen die Vision einer
grundlegenden Veränderung des Geschlechterverhältnisses: Die Hand-
lungsmacht geht in weibliche Hand über (ins Bild gesetzt als der »Pfrop-
fen«, der den »Krug« verschließt), und die Frauen halten daran fest, bis
die Männer bereit sind, die veränderte Situation zu akzeptieren und
sich ihnen zu fügen.

Hört man Smiths Debütplatte mit heutigen Ohren, mag zunächst der Eindruck historischer Ferne überwiegen. Im Vergleich mit ihren späteren elektronischen Aufnahmen – die ersten entstanden Ende Mai 1925[45] – sind die Unzulänglichkeiten des akustisch-mechanischen Aufnahmeverfahrens unüberhörbar. So ließen sich mithilfe des primitiven Tontrichters weder die überwältigende Kraft, noch der Farbreichtum und das breite dynamische Spektrum ihrer Stimme adäquat aufzeichnen. (Noch schlechter transportierte die Aufnahme den Klavierklang.) Darüber hinaus ist der Eindruck nicht von der Hand zu weisen, dass Smith bei ihrer ersten Aufnahmesitzung in den Columbia Studios musikalisch und stimmlich noch nicht ganz so frei agierte wie bei späteren Aufnahmen des Jahres 1923. Führt man sich vor Augen, unter welchen technischen Bedingungen ihr Debüt im Tonstudio stattfand, ist dies nur allzu verständlich. In einer Art Blackbox-Situation sang Smith mehrere Versionen von *Down Hearted Blues* in den Trichter.[46] Wie die akustisch-mechanische Reproduktion ihres Gesangs klang, erfuhr sie erst einige Tage später, da die Aufnahmeresultate in einem mehrstufigen Verfahren in abspielbare Schellackplatten umgewandelt werden mussten. Trotz dieser Einschränkungen ist bereits Smiths erste Platte ein eindrucksvolles Dokument ihrer künstlerischen Individualität und Interpretationskunst.[47]

Wie kreativ und differenziert Smith mit der Vorlage umgeht, wird deutlich, wenn man ihren Gesang mit dem Spiel des begleitenden Pianisten Clarence Williams vergleicht. Hört man nur ihm zu, klingt *Down Hearted Blues* wie einer jener unzähligen populären Songs, die alle nach demselben Muster gestrickt sind: Auf ein kurzes Klaviervorspiel und eine einleitende Strophe (Verse) folgt als Refrain ein Chorus. Gemäß der Standardform des Blues-Schemas umfasst er zwölf Takte. Die mehrfache Wiederholung dieses zentralen Formteils und seine Binnengliederung bieten dem Pianisten dabei reichlich Raum für Variation und improvisatorisches Spiel. So beantwortet das Klavier jeden Vers, den Smith singt, nach dem Call- und Response-Prinzip mit einem kurzen instrumentalen Kommentar. Doch das Spielfeld, das sich hier öffnet und ermöglicht, die eigene »Stimme« wirkungsvoll in Szene zu setzen, wird von Williams kaum genutzt. Statt den Gesang auf geistreiche Weise zu kontrapunktieren, begnügt er sich durchgehend mit der Rolle des Begleiters und spielt auch an solistischen Stellen formelhafte Wendungen.

Smith hingegen entwickelt eine durch und durch individuelle Lesart des Songs von Hunter und Austin und macht aus ihm einen hochexpressiven Blues. Sie schöpft die Möglichkeiten, die die Vorlage ihr bietet, voll aus und begreift die repetitiven Elemente und die Einfachheit des Songs als Chance. Statt melodische Phrasen unverändert zu wiederholen, variiert sie sie auf subtile Weise. Jeder Vers der vier direkt aufeinanderfolgenden Chorus-Strophen hat in Smiths Interpretation ein individuelles Profil und eine eigene Färbung. Als ästhetisch bedeutsam erweisen sich dabei zum einen der begrenzte Ambitus der Gesangslinie – fast die gesamte Melodie bewegt sich im engen Tonraum einer Quinte –, zum anderen das langsame Grundtempo. So ist Smiths Version von *Down Hearted Blues* deutlich langsamer als die meisten anderen Einspielungen des Stücks. Dass diese langsamen Tempi bereits von den zeitgenössischen Hörerinnen und Hörern als ein Charakteristikum ihres Bluesgesangs wahrgenommen wurden, belegt eine Platte von Ethel Waters aus dem Jahr 1925, auf der sie den Interpretationsstil der »Empress of the Blues« in einer Strophe des Songs *Maybe Not at All* augenzwinkernd parodiert.[48] In ihrem Zusammenspiel lenken beide Faktoren den Blick bzw. das Ohr auf charakteristische Merkmale von Smiths Gesangskunst. Statt die Töne »straight« zu singen, spielt sie virtuos mit Zwischentönen, Glissandi und Inflektionen. Einzelne Töne werden leicht erhöht oder erniedrigt gesungen, durch Melismen miteinander verbunden oder mittels des für den Jazz typischen »Bendings« angeschliffen und in der Tonhöhe dynamisch verändert. Ebenso kunstvoll ist Smiths subtile Zeitgestaltung. Statt rhythmische Pattern unverändert zu wiederholen, variiert sie sie. Zugleich werden einzelne Töne auf kaum notierbare Weise gekürzt oder gedehnt. Der differenzierte Einsatz all dieser Gestaltungsmittel steht dabei im Dienst des Ausdrucks und der Textausdeutung. So hebt Smith zentrale Botschaften mit musikalisch-expressiven Mitteln hervor. Besonders eindrückliche Beispiele hierfür sind der Beginn des ersten und letzten Chorus. Das Schlüsselwort »trouble«, das die Situation der Protagonistin in kondensierter Form zusammenfasst, unterstreicht Smith mit einer expressiven musikalischen Geste, die zum ersten und einzigen Mal im gesamten Stück den regulären Ambitus der Gesangsstimme überschreitet. Und auch die entscheidende Wendung am Schluss wird von ihr musikalisch vorbereitet und in Szene gesetzt. So beginnt sie den zentralen Vers »I got the world in a jug …«, der die Selbstermächtigung zum Ausdruck bringt, etwas früher als man erwarten würde. Zugleich steigert sie den Ausdruck der Phrase, indem sie deren Gestalt verändert und den abweichenden Schlusston durch ein expressives Anschleifen zusätzlich hervorhebt. Herausgemeißelt wird auf diese Weise das Schlüsselwort »jug«, das als Sinnbild für die herbeigesehnte Verschiebung des Machtgefüges verstanden werden kann.

Frank B. Walker und seinen Kollegen beim Columbia-Management dürfte bald klar geworden sein, was für einen »Fang« sie gemacht hatten. So entwickelten sich Smiths im Frühling 1923 veröffentlichte Aufnahme von *Down Hearted Blues* und ihre nächsten Schallplatten rasch zu Bestsellern, die sowohl den Gewinn des Unternehmens als auch den Boom des »Race Record«-Markts beförderten. »Columbia meldet einen außergewöhnlichen Anstieg der Plattenverkäufe von Miss Bessie Smith, einer der populärsten Sängerinnen von Blues-Songs, die derzeit Platten aufnimmt«,[49] berichtet das einflussreiche Fachmagazin *The Talking Machine World* im August 1923: »Ihre Schallplatten waren in allen Teilen des Landes, vor allem aber im Süden, sehr gefragt. Die Käufe wurden, wie es heißt, sowohl von Weißen als auch von Farbigen [colored people] getätigt, und die Zahl der Käufer war etwa gleichmäßig auf die beiden Rassen verteilt.«[50] Beflügelt von diesem überwältigenden Erfolg modifizierte Columbia seine Verkaufsstrategie und lancierte noch im Spätsommer eine große Werbeaktion. Mit »monatlichen Beilagen, Aufhängern für Hör-Räume und besonderen Flyern« wollte man zukünftig neben schwarzen auch weiße Käuferinnen und Käufer für die »Race Record«-Bibliothek des Labels begeistern.[51] Als Flaggschiffe der Kampagne fungierten Bessie Smith und ihre Kollegin Clara Smith. Welch immense Bedeutung ihre Aufnahmen mittlerweile für Columbia hatten, zeigt die Tatsache, dass man sie *trotz* ihrer Hautfarbe in die Riege der Starkünstlerinnen des Unternehmens aufnahm. So titelte *The Talking Machine World*: »Bessie Smith and Clara Smith Among Headliners of the Company«.[52]

Für Bessie Smith war die Zusammenarbeit mit einem führenden weißen Schallplattenlabel zweifellos ein zweischneidiges Schwert. Einerseits verfügte Columbia über eine effiziente Marketingmaschine und ein umfangreiches Vertriebsnetzwerk – zwei wichtige Voraussetzungen für ihren kometenhaften Aufstieg auf dem Tonträgermarkt. Andererseits wurde sie von dem Unternehmen und seinem Management nicht nur gefördert, sondern zugleich auch ausgenutzt, vereinnahmt und sogar in ihrer künstlerischen Freiheit eingeschränkt. Bereits nach ihrer zweiten Aufnahmesitzung Mitte April 1923 hatte Frank B. Walker der Sängerin einen einjährigen Exklusivvertrag angeboten.[53] Er garantierte ihr einmalig 125 Dollar pro eingespieltem Titel, sah die Produktion von mindestens zwölf Platten vor und stellte ihr eine Vertragsverlängerung nach einem Jahr in Aussicht, bei der das Honorar pro Plattenseite auf 150 Dollar erhöht werden sollte. Hinzu kam eine Entschädigung von 500 Dollar, weil Smith bei ihren ersten Columbia-Aufnahmen von ihrem gewieften Klavierbegleiter Clarence Williams um die Hälfte des Honorars betrogen worden war.[54] Smith empfand Walkers Vorschlag als äußerst großzügig, unterschrieb dankbar den Vertrag und vertraute ihm zudem das Management ihrer nächsten Konzerttournee an. Dass Walker vorab den regulären Paragraphen zu Tantiemenzahlungen aus dem Vertrag entfernt hatte, war der in diesen Dingen unerfahrenen Sängerin nicht aufgefallen. Von den Gewinnen der Platten, die 1923 für 75 Cent verkauft wurden, profitierte also ausschließlich das Label.[55] Auch wenn die Behauptung, dass es die Aufnahmen von Bessie Smith gewesen seien, die Columbia vor der Insolvenz gerettet hätten, wohl in den Bereich der Legenden fällt, müssen die Einnahmen aus diesem Geschäft enorm gewesen sein. Allein von Smiths erfolgreicher Debütplatte kamen im Lauf der 1920er-Jahre über 275 000 Exemplare in den Handel.[56] (Die selbst in der seriösen Literatur kolportierte Annahme, dass in weniger als sechs Monaten bereits 780 000 Exemplare verkauft worden seien,[57] ist offensichtlich stark übertrieben.) Der Gesamtverdienst der Sängerin an ihrer ersten Columbia-Platte beschränkte sich hingegen auf jene 125 Dollar, die ihr Clarence Williams nach Abschluss der Aufnahmen ausgezahlt hatte.

Als Bessie Smith im Februar 1923 die Columbia Studios erstmals betrat, war sie alles andere als ein unbeschriebenes Blatt. Sowohl in den Südstaaten als auch an der Nordostküste hatte sie sich einen Namen als herausragende Bluessängerin und Vaudeville-Star gemacht, bei anderen Labels bereits erste Probeaufnahmen absolviert und die Aufnahmesitzungen in New York intensiv vorbereitet. Dies hinderte jedoch weder Clarence Williams noch Frank B. Walker daran, später vollmundig zu behaupten, es sei in erster Linie ihnen zu verdanken, dass Smith »entdeckt« worden sei und den Weg ins Tonstudio gefunden habe.[58] Wie weit die Vereinnahmung gehen konnte und mit welcher Skrupellosigkeit die Legendenbildung mitunter betrieben wurde, zeigt ein Artikel, der im Oktober 1923 in der »weißen« Musikzeitschrift *Sheet Music News* erschien. In einer kaum zu überbietenden Folge von Falschbehauptungen wurde eine Geschichte erfunden, die an George Bernard Shaws *Pygmalion*, die dramatische Vorlage des Erfolgsmusicals *My Fair Lady*, denken lässt. Analog zu der armen Blumenverkäuferin Eliza Doolittle, aus der der selbstherrliche Sprachwissenschaftler Professor Higgins eine Gräfin machen möchte, wird Smith hier als ein »Geschöpf« des Columbia-Managements präsentiert – allerdings ohne jeglichen Sinn für Humor und ohne die emanzipatorische Botschaft von Shaws Komödie: »W. G. Monroe, Manager der Schallplattenabteilung der Columbia Phonograph Co. betonte, dass nur farbige Sänger [colored singers] aus dem Süden Blues-Nummern richtig wiedergeben können. Dazu sagte er: ›Eine unserer populärsten Bluessängerinnen ist Bessie Smith, die unbekannt und praktisch pleite war, als unser Mr. Walker sie entdeckte. Sie wurde in den Norden gebracht und durfte dort eine Probeaufnahme machen. Ihre ersten Versuche waren schrecklich, denn ihre Stimme war absolut unkultiviert. Sie hatte jedoch eine tiefe, kräftige Stimme, die sich besonders für Blues-Songs eignet, und Mr. Walker erkannte, dass sie ein verborgenes Talent besaß, und ließ sie ausbilden. Schließlich gelang es ihr, sich glänzend zu behaupten, und ihre Interpretationen des *Gulf Coast Blues*, des *Downhearted Blues* und einiger anderer Nummern wurden zu Bestsellern im Columbia-Katalog.«[59]

In welchem Maße Frank B. Walker selbst für diese Verdrehung der Tatsachen verantwortlich war oder ob die rassistische Legende von der »Kultivierung« einer afroamerikanischen Sängerin aus dem Süden durch einen weißen Talentscout zumindest in Teilen auf das Konto des zitierten Columbia-Managers W. G. Monroe ging und möglicherweise von dem anonymen Autor des Artikels noch ausgeschmückt wurde, ist ungewiss. Fest steht jedoch, dass Walker sich als Entdecker und wichtigster Förderer von Smith verstand und aufgrund seiner Position auch in der Lage war, ihre Produktion künstlerisch und inhaltlich zu kontrollieren. Dass der Direktor von Columbias »Race Record«-Abteilung Smith verpflichtete, nachdem sie von Black Swan und OKeh Records aufgrund ihrer Stimme und ihres Gesangsstils abgelehnt worden war (»too black« bzw. »too rough«), und dass er sie auch danach auf vielfältige Weise unterstützte, hat ihm die Sängerin hoch angerechnet. Allerdings fragt man sich vor dem Hintergrund des zitierten Artikels, ob ästhetische Bedenken des Managements dazu geführt haben könnten, dass Smith bei ihrer ersten Platte noch nicht so frei und expressiv sang, wie bei ihren späteren Aufnahmen.

Während auch diese Überlegung spekulativ bleibt, besteht kein Zweifel daran, dass die weißen Schallplattenlabels dafür sorgten, dass nicht alle Texte, die Bessie Smith und andere afroamerikanische Musikerinnen bei ihren Auftritten sangen, von ihnen auch eingespielt werden konnten.[60] Dies betraf vor allem jene Songs, die die Diskriminierung der afroamerikanischen Bevölkerung anprangerten oder sozialen Protest zu offen artikulierten. So ergaben die Aufnahmen von Smith kein vollständiges Bild ihres Repertoires und ihrer im Blues formulierten Kritik an den gesellschaftlichen Machtverhältnissen. Zu den Texten, die die Sängerin in Konzerten vorgetragen haben soll, aber niemals aufnahm, gehörte wohl auch ein Song, der die Ausbeutung ihres Talents und ihres Bluesgesangs thematisierte. Er enthielt laut Carman Moore die beiden folgenden Verse, die sich wie eine vernichtende Kritik an der Gewinnsucht und an den diskriminierenden Praktiken weißer Plattenlabels lesen: »All my life I've been making it / All my life white folks have been taking it.«[61]

Für Bessie Smith war das Jahr 1923 zweifellos eine der intensivsten Phasen ihres Lebens. Nachdem die ersten Platten erschienen waren und sie zum zweiten Mal geheiratet hatte, begab sie sich Ende Juni auf eine zehnwöchige Vaudeville-Tournee durch die Südstaaten. Schon am ersten Spielort, der vertrauten Bühne des 81 Theatre in Atlanta (Georgia), wurde sie in einer Art und Weise präsentiert und gefeiert, die keinen Zweifel daran ließ, dass ihre Karriere durch die Präsenz auf dem boomenden Tonträgermarkt eine qualitativ neue Stufe erreicht hatte. In einem ausführlichen Artikel berichtete *The Talking Machine World* seiner primär weißen Leserschaft über Smiths enorme Erfolge, das Zusammenspiel von Live-Auftritten und Schallplatten sowie neue (mediale) Formate: »Ihr Auftritt war zweifellos der erfolgreichste, der je in dieser Stadt stattfand. Das 81 Theatre war die ganze Woche über voll besetzt. Sie trug die Nummern vor, die sie für Columbia aufgenommen hat. Alle örtlichen Händler stellten eine enorme Nachfrage nach ihren Platten fest, während sie in der Stadt war. Die Ludden & Bates Piano Co. verkaufte ihre Platten im Theater und kassierte auf jede erdenkliche Weise, ebenso wie alle anderen lokalen Händler. Am Dienstagabend, dem 26. Juni, wurde ihr Auftritt vom Radiosender des Atlanta Journal, WSB, übertragen. Am Freitagabend [...] gab es im 81 eine Mitternachtsvorstellung für Weiße, und das Haus war bis auf den letzten Platz gefüllt. Die Verantwortlichen des Theaters schätzten, dass eintausend Menschen [...] keinen Einlass finden konnten.«[62] In den anderen Städten, die Smith im Sommer 1923 bereiste – darunter vermutlich auch ihre Heimatstadt Chattanooga[63] –, wurden ihre Auftritte ebenfalls enthusiastisch gefeiert. Und als sie Ende Oktober nach weiteren Schallplattenaufnahmen in New York und einer Radioübertragung aus Memphis im Koppin Theatre in Detroit, der zentralen Spielstätte für klassischen Blues in der Automobilmetropole, auftrat, hatte ihr Ehemann Jack Gee die Wochengage, die sie für die gesamte Revue bekam, auf 1.500 Dollar hochverhandelt.[64]

Während sich unter der Hörerschaft von Smiths Platten bereits 1923 zahlreiche Weiße befanden, bestand das Publikum ihrer Live-Auftritte – von Sonderveranstaltungen wie der segregierten »Mitternachtsvorstellung« in Atlanta abgesehen – größtenteils aus Afroamerikanerinnen und Afroamerikanern. Sie erlebten die Sängerin als Vaudeville-Star und feierten ihren Gesang und ihre Performance. Bewunderung erregte dabei nicht nur Smiths außergewöhnliche Stimme, ihre starke Persönlichkeit und ihr exzessiver Lebensstil, sondern auch ihr Mut, sich über Konventionen hinwegzusetzen, Missstände anzuklagen und in ihren Songs Situationen, Erfahrungen und Gefühle offen zu thematisieren, die viele im Publikum aus ihrem eigenen Leben kannten. Einen Eindruck von der Spannweite der Themen, über die sie sang, vermitteln die knapp 30 Titel, die sie 1923 aufnahm. In ihnen geht es um Migration und Entwurzelung, gesellschaftliche Ungerechtigkeiten und soziale Isolation, Depression und Auflehnung, sexuelles Begehren und materielles Verlangen, Liebe und Eifersucht, Sehnsucht und Verlassenheit und um die Erfahrung und den Umgang mit (männlicher) Gewalt.[65] Ins Auge springt dabei der selbstreferenzielle Zug vieler Songs, die das Wort »Blues« nicht nur im Titel tragen, sondern den Blues auch zum Thema machen. Blues steht dabei einerseits für einen emotionalen Zustand der Depression und Niedergeschlagenheit, für jenes »Gefühl, das dich erfasst, wenn du denkst, dass etwas nicht so sein sollte, oder jemand dir oder einigen deiner Leute Unrecht angetan hat«.[66] Andererseits wird dem Bluesgesang eine kathartische Funktion zugesprochen, denn er bringt diesen Gemütszustand nicht nur musikalisch zum Ausdruck, sondern kann auch ein Mittel sein, um sich von Depression und Niedergeschlagenheit zu befreien. Exemplarisch hierfür steht Clarence Williams' *Yodeling Blues*, den Smith Mitte Juni 1923 mit Fletcher Henderson am Klavier aufnahm. Dort heißt es programmatisch: »I'm gonna yodel, yodel my blues away (YEE HOO!) / I'm gonna yodel 'til things come back my way.«[67]

Für ihr Publikum war Smith also zugleich ein gefeierter Bühnenstar und eine Identifikationsfigur. Insbesondere schwarze Frauen sahen in ihr ein Rollenmodell, bewunderten ihren Stolz und Mut und verstanden sie als Sprachrohr für ihre eigenen Belange. Aufschlussreich ist in diesem Zusammenhang eine kleine Szene, die Carl Van Vechten bei einem von Smiths Auftritten erlebte und in einem 1925 in *Vanity Fair* veröffentlichten Artikel beschrieben hat. Auslöser war einer jener zahlreichen Songs, in denen Smith über männliche Gewalt sang: »Als Bessie verkündete: ›Es stimmt, dass ich dich liebe, aber ich lasse mich nicht mehr misshandeln‹, rief ein Mädchen, das unter unserer Loge saß: ›Dat's right! Say it, sister!‹«[68]

In welchem Maße Smith und ihr Bluesgesang mit der Vaudeville-Kultur identifiziert wurden, verrät ein leicht zu übersehender Begriff, der auf den Etiketten ihrer Schallplatten und den zugehörigen Werbematerialien erscheint. Statt sie – wie man es heute tun würde – als Sängerin zu bezeichnen, wird sie dort als »Comedienne« apostrophiert. Ins Spiel gebracht werden mit dieser Kennzeichnung der theatralische Rahmen, in dem Smith sang, und die performative Dimension ihrer Aufführungen. So waren ihre Live-Auftritte auf der Vaudeville-Bühne Spektakel, die über das Singen der ausgewählten Bluesnummern weit hinausreichten und mit einer herkömmlichen Konzertsituation nicht zu vergleichen sind.[69] In wechselnden Kostümen sang sie vor einem

zum Teil aufwendig gestalteten Bühnenbild eine Folge von Songs und schlüpfte dabei – je nach Text – in unterschiedliche Rollen. Das theatralische Setting ermöglichte Smith, ihre Bühnenpräsenz und ihre darstellerischen Fähigkeiten wirksam zur Geltung zu bringen und zugleich die Texte performativ zu deuten. Dass es dabei auch darum ging, mit Stereotypen und Vorurteilen zu brechen, zeigt der Blick auf eine ihrer Vaudeville-Produktionen aus dem Jahr 1923. Den Hintergrund bildete eine Szenerie mit Magnolienbäumen, einem orange gefärbten Himmel und dem runden Vollmond.[70] Doch spätestens als Smith die Bühne betrat, wurde diese Kulisse als Klischee entlarvt. Statt die Südstaatenromantik aufzugreifen und in die Rolle der »Blues Mammy« zu schlüpfen oder sich auf karikatureske Weise als schwarze Frau aus dem Süden zu kleiden, präsentierte sie sich als moderne Diva mit Sinn für Luxus, prächtige Kleider und ausgefallene Outfits.[71] Einen Eindruck von diesem extravaganten Kleidungsstil der »Queen of Blues«[72] vermitteln zu Werbe-

Nicht nur auf der Bühne, sondern auch auf Fotos inszenierte sich Bessie Smith gerne wie eine Filmschauspielerin in unterschiedlichen Rollen und Outfits. Die beiden Porträts entstanden um 1923.

zwecken aufgenommene Fotografien aus dieser Zeit. In Anlehnung an die Porträts berühmter Filmschauspielerinnen inszeniert sich Smith in unterschiedlichen Kostümen. Der Wechsel der Outfits dokumentiert dabei nicht nur ihre Wandlungsfähigkeit, sondern lässt zugleich die dahinterstehende Starpersönlichkeit wirksam zum Vorschein treten.[73] Zugleich machen die theatralischen Vaudeville-Auftritte und die inszenierten Fotografien deutlich, dass der Bühnenstar Bessie Smith, die Rollen, die sie verkörpert, und die dahinterstehende Privatperson nicht miteinander identisch sind und dass es insofern falsch wäre, das Subjekt des jeweiligen Blues mit der Person der Sängerin gleichzusetzen.

Zu den Songs, die in diesem Zusammenhang besonders interessant sind, gehört *'Tain't Nobody's Biz-ness If I Do* (»Es geht niemanden etwas an, wenn ich das/es tue«). Der 1922 entstandene Blues-Standard, der unter anderem von Alberta Hunter und Billie Holiday eingespielt wurde, nimmt im Repertoire von Bessie Smith eine herausgehobene Stellung ein.[74] Sie sang ihn über die Jahre in zahllosen Vaudeville-Vorstellungen, löste damit beim Publikum vielfach enthusiastische Reaktionen aus, brachte ihn Mitte Februar 1923 ins New Yorker Columbia Studio mit und hätte ihn vermutlich gerne auf ihrer Debütplatte gesehen. Doch erst nach zwei weiteren Aufnahmesitzungen und mindestens neun verworfenen Takes lag Ende April eine Version vor, die alle Beteiligten überzeugte und kurz darauf veröffentlicht wurde.[75]

> »There ain't nothin' I can do, or nothin' I can say
> That folks don't criticize me
> But I'm going to do just as I want to anyway
> And don't care if they all despise me
>
> If I should take a notion to jump into the ocean
> 'Tain't nobody's bizness if I do, do, do, do
> If I go to church on Sunday, then just shimmy down on Monday
> 'Tain't nobody's bizness if I do, if I do
>
> If my friend ain't got no money and I say take all mine, honey
> 'Tain't nobody's bizness if I do, do, do, do
> If I give him my last nickel and it leaves me in a pickle
> 'Tain't nobody's bizness if I do, if I do
>
> Well, I'd rather my man would hit me than to jump right up
>   and quit me
> 'Tain't nobody's bizness if I do, do, do, do
> I swear I won't call no copper if I'm beat up by my papa
> 'Tain't nobody's bizness if I do, if I do«[76]

Auf den ersten Blick lässt sich der Text des Songs als emanzipatorische Hymne auf ein freies Leben verstehen. Geleitet von der Maxime »'Tain't nobody's bizness if I do«, die sich wie ein Mantra durch den Song zieht, erklärt die Protagonistin selbstbewusst, sich von der Kritik an ihrem unkonventionellen Denken und Handeln nicht einschüchtern zu lassen. Auch wenn sie ihre Umwelt und die Gesellschaft dafür verachten sollte, werde sie immer genau das tun, was sie selbst wolle: spontan ins Meer springen, an einem Tag in die Kirche gehen und am nächsten Shimmy tanzen etc. Doch spätestens am Schluss des Songs wird deutlich, dass der Text weitaus uneindeutiger und komplexer ist, als es diese allzu simple Deutung suggeriert. So werfen die irritierenden Gedankenspiele der letzten Strophe eine Reihe von Fragen auf: Wie frei wäre eine Frau tatsächlich, die sich bewusst dazu entscheiden würde, bei ihrem gewalttätigen Partner zu bleiben und sich misshandeln zu lassen? Stünde dies nicht im Widerspruch zur vielbeschworenen weiblichen Selbstermächtigung? Bedient sich die Protagonistin dieser Extremfälle, um die Absolutheit ihrer Entscheidungsfreiheit zu demonstrieren, die ihr auch ermöglicht, sich »freiwillig« zu unterwerfen? Oder ist das Ganze gar nicht wörtlich zu verstehen, sondern vielmehr ein Fall komplexer Ironie?

Auf dem Papier lassen sich diese Fragen nicht beantworten. Denn welche Botschaften der Song transportiert, hängt in wesentlichem Maße davon ab, wie er vorgetragen wird, in welchem Kontext das geschieht, und natürlich auch davon, wer ihn wie hört und versteht. Hinzu kommt ein freier Umgang mit den Texten, die nicht ein für allemal gleichblieben, sondern sich veränderten und zum Teil auch im Akt der Aufführung kommentiert wurden. Wie weit dieses Spiel mit der ironischen Kommentierung und Umformung eines Songs gehen kann, lässt sich an einem späten Auftritt von Alberta Hunter in Washington studieren. Im November 1981 trug die mittlerweile 86-jährige Sängerin ihr durch Bessie Smith berühmt gewordenes Erfolgsstück *Down Hearted Blues* vor.[77] Nach einer knappen Anmoderation, deren ironische Anspielungen das Publikum darauf vorbereiten, wie der folgende Song zu hören sei, singt sie den Text der ersten Strophe in fast unveränderter Form. Nach den beiden ersten Versen »Gee, but it's hard to love someone / When that someone don't love you« ergänzt die Sängerin, die ihre eigene Homosexualität über Jahrzehnte weitgehend im Verborgenen lebte,[78] allerdings mit gespielter Beiläufigkeit das ironisch-doppeldeutige »It's amiss« bzw. »It's a Miss«. Mit dieser überraschenden Zwischenbemerkung eröffnet sie dem Song einen völlig neuen Bedeutungskontext.

Für Ruby Walker, die Nichte von Smiths zweitem Ehemann, stand fest, dass es sich bei *'Tain't Nobody's Biz-ness If I Do* um ein persönliches

Credo handle: »Das war ganz und gar Bessies Song. [...] Sie hat sich nie darum geschert, was andere dachten.«[79] Das mag so sein, doch bemerkenswert ist in diesem Zusammenhang, dass die unkonventionellen Handlungen nicht als Tatsachen, sondern als Möglichkeiten formuliert werden (»... if I do«). Was die Protagonistin tatsächlich macht, bleibt also in der Schwebe, genauso wie die Frage, in welchem Maße sich die Sängerin mit der Rolle, in die sie schlüpft, identifiziert und auf welche Aspekte ihres eigenen Lebens Smith möglicherweise anspielt, wenn sie singt: »But I'm going to do just as I want to anyway.«

New Orleans in Chicago
Louis Armstrong, Lillian Hardin und
Oliver's Creole Jazz Band

»Dance to the music of King Oliver's Creole Jazz Band« ··· Ein Abend in Lincoln Gardens ··· Weiße »Alligatoren« ··· Debüts im Tonstudio ··· Spiel im Schatten des »King«: »Canal Street Blues« ··· (K)ein Fall musikalischer Telepathie: Duo-Breaks ··· »Little Louis« und »Hot Miss Lil« ··· Aufbruch zu neuen Ufern ··· »Holding the ladder and watching him climb«

Konnte sich der Talentscout von Columbia Records Frank B. Walker brüsten, bei der Verpflichtung von Bessie Smith eine bessere Nase als die Konkurrenz bewiesen zu haben, so ließ ihn sein Gespür für neue Trends in einem anderen Fall im Stich. Als die Bluessängerin Alberta Hunter ihn Anfang 1923 kontaktierte, um *Down Hearted Blues* bei Columbia unterzubringen, beschränkte sie sich nicht darauf, Werbung in eigener Sache zu machen. Begeistert von einigen Musikern, die in einem der Tanzpaläste Chicagos regelmäßig auftraten, legte sie Walker nahe, Joe »King« Oliver und seine Creole Jazz Band für Schallplattenaufnahmen zu verpflichten. »Die Jungs aus New Orleans hatten etwas, was die Musiker aus Chicago zu dieser Zeit nicht hatten«, erinnerte sie sich später.[1] Bei Walker stieß dieser Vorschlag allerdings auf taube Ohren. Der Talentscout und Direktor der »Race Record«-Abteilung konnte sich zum damaligen Zeitpunkt offensichtlich nicht vorstellen, dass sich mit schwarzen Bands, die ohne Mitwirkung zugkräftiger Gesangsstars wie Hunter instrumentale Tanzmusik einspielten, Geld verdienen ließe. »Was Joe Oliver's Band betrifft, so war meine einzige Idee hierzu, sie als Begleitung für Sie zu nutzen«, antwortete er Hunter postwendend: »Wir werden sie daher vergessen müssen, bis Sie bereit sind, eine Testaufnahme für uns zu machen.«[2]

»Dance to the music of King Oliver's Creole Jazz Band«

Dass sich zentrale Entwicklungen der frühen Jazz-Geschichte in Chicago vollzogen, ist kein Zufall. Im Zuge der ersten Welle der »Great Migration« gehörte die Großstadt am Südwestufer des Lake Michigan zu den bevorzugten Destinationen der afroamerikanischen Zuwanderer aus den Südstaaten. Während um 1910 rund 40 000 Afroamerikaner in Chicago lebten, waren es zehn Jahre später schon weit über 100 000.[3] Allein zwischen 1916 und 1920 strömten mindestens 50 000 Männer und Frauen nach Chicago. Da in der Zweimillionen-Metropole kriegsbedingt Arbeitskräftemangel herrschte, war man dazu übergegangen, attraktive Arbeitsplätze in der Industrie, die Schwarzen bislang vorenthalten worden waren, erstmals für sie zu öffnen.[4] Ein Großteil der Neuankömmlinge ließ sich in der South Side nieder – ein Quartier, das für seine Cafés, Restaurants, Nachtclubs, Theater und Tanzhäuser und sein boomendes Nachtleben bekannt war und Musikerinnen und Musikern zahlreiche Auftritts- und Verdienstmöglichkeiten bot. »Jeder, den ich sah, war schwarz«, erinnerte sich der Jazzbassist und Fotograf Milt Hinton, der in den 1920er-Jahren in diesem Teil von Chicago aufwuchs: »Es gab kein ›Black-white‹-Problem, denn unsere gesamte Community war schwarz.«[5] Hinton hatte die ersten neun Jahre seines Lebens in Mississippi verbracht und in der Kleinstadt Vicksburg neben extremer Armut auch massiven Rassismus kennengelernt. Eine prägende Kindheitserinnerung war das Erlebnis eines Lynchmords. Als er 1919 mit einem Teil seiner Familie in den Norden zog und sich in Chicago niederließ, bot sich ihm dort ein anderes Bild afroamerikanischen Lebens: »Damals wurde mir klar, dass Schwarzsein nicht immer bedeutet, dass man arm sein muss.«[6] Und die Gospel-Sängerin Mahalia Jackson, die im Dezember 1928 im Alter von 17 Jahren ihrer Heimatstadt New Orleans den Rücken kehrte und sich in Chicago niederließ, bemerkte, dass es in der South Side möglich gewesen sei, »seine Bürde, ein Farbiger [colored person] in der Welt der Weißen zu sein, abzulegen und sein eigenes Leben zu führen«.[7] Dennoch war das Chicago der 1920er-Jahre keine Insel der Seligen. Auch hier gab es zahlreiche afroamerikanische Männer und Frauen, die unter schwierigen Bedingungen lebten und von Armut, prekären Arbeitsverhältnissen und Obdachlosigkeit betroffen waren.[8]

Eine der wichtigsten Spielstätten im Chicago der frühen 1920er-Jahre war der Tanzpalast Lincoln Gardens.[9] Für ein Eintrittsgeld von 25 Cent konnten sich hier jeden Abend bis zu tausend Menschen vergnügen. Spektakulär war bereits die Beleuchtung im größten Tanzhaus der South Side: »Wenn man den Saal betrat, wurde das Auge zunächst von einer großen Kristallkugel angezogen«, erinnerte sich einer der Stammgäste: »Sie hing mitten über der Tanzfläche und bestand aus kleinen reflektierenden Glasstücken.«[10] Von einigen Scheinwerfen angestrahlt rotierte diese Vorform der Discokugel, die in den 1920er-Jahren in Tanzpalästen auf beiden Seiten des Atlantiks in Mode kam, verteilte ihre Lichtpunkte im ganzen Raum und beleuchtete spotlichtartig die Tänzerinnen und Tänzer.

»Dance to the music of Joe Oliver's Creole Jazz Band« heißt es in einer Werbeanzeige, die im vielgelesenen *Chicago Defender* erschien.[11]

Seit Juni 1922 spielte der Bandleader aus New Orleans, der vermutlich Anfang 1919 nach Chicago übergesiedelt war,[12] allabendlich in Lincoln Gardens auf. Auf dem Kornett, einem mit der Trompete eng verwandten Blechblasinstrument, das in der frühen Geschichte des Jazz eine zentrale Rolle spielte, hatte sich Joe »King« Oliver (eigentlich Joseph Nathan Oliver) bereits in den Jahren zuvor einen Namen gemacht. Die anderen Mitglieder der insgesamt siebenköpfigen Band stammten ebenfalls aus den Südstaaten. Lillian Hardin, die mit Oliver bereits zuvor zusammengespielt hatte und Ende 1922 die heute nahezu vollständig vergessene Pianistin Bertha Gonsoulin ersetzte, hatte ihre Kindheit in Memphis verbracht. Die Brüder Johnny und Warren »Baby« Dodds (Klarinette bzw. Schlagzeug), der Posaunist Honoré Dutrey und der Bassist und Banjo-Spieler Bill Johnson kamen allesamt aus New Orleans.[13] Und auch das jüngste Bandmitglied, das schon bald zu einem der berühmtesten (afroamerikanischen) Musiker und Entertainer des 20. Jahrhunderts werden sollte, war in jener Stadt, die als Wiege des Jazz gilt, aufgewachsen und musikalisch sozialisiert worden. Anfang August 1922 verließ der 21-jährige Louis Armstrong New Orleans und reiste auf Olivers Einladung mit dem Zug nach Chicago. An der Seite seines Idols und Mentors spielte er für die nächsten zwei Jahre die Partie des zweiten Kornetts in der Creole Jazz Band. Für sein Spiel erhielt er dort pro Abend 7,50 Dollar, fünfmal so viel wie die Gage, die ihm in New Orleans

Exzentrisch und theatralisch. King Oliver's Orchestra 1921 in San Francisco. Am Kornett Joe Oliver, der den Klang seines Instruments mit einem Dämpfer verfremdet und der Pianistin Lillian Hardin in die Ohren bläst. ••• 225 bezahlt worden war. Sein Verdienst war damit mehr als doppelt so hoch wie der Durchschnittslohn eines amerikanischen Arbeiters. Hinzu kamen Trinkgelder, die das Festhonorar nicht selten verdoppelten.[14]

Ein Abend in Lincoln Gardens

Wer Anfang 1923 einen Abend in den Lincoln Gardens verbrachte, erlebte dort King Oliver's Creole Jazz Band mit einem gemischten Programm. Es umfasste gemeinsame Nummern mit Bluessängerinnen wie Ethel Waters, die Begleitung von Showeinlagen wie dem Auftritt einiger »hellhäutiger« Tänzerinnen und den Vortrag von zahlreichen Instrumentalstücken, in denen die Bandmitglieder ihr außergewöhnliches Ensemblespiel, ihr instrumentales Können und ihre performativen Fähigkeiten unter Beweis stellten. So gab es ähnlich wie im Vaudeville Slapstick-Einlagen, parodistische Spiele mit Rassenklischees und andere szenische Elemente, die häufig ein direkter Bestandteil der musikalischen Darbietung waren.

Ein Beispiel, das die essenzielle Rolle dieser theatralischen Elemente für die Entwicklung des frühen Jazz vor Augen und Ohren führt, war eine Nummer mit dem Titel *Eccentric*. Oliver hatte das Stück, das auf dem Bestseller *That Eccentric Rag* (1912) des Pianisten und Komponisten J. Russel Robinson basiert, bereits in New Orleans gespielt. In Lincoln Gardens gab er es in einer bejubelten Vaudeville-Version fast jeden Abend zum Besten. Hauptattraktionspunkt waren dabei die sogenannten Breaks, kurze Einlagen zwischen zwei Abschnitten oder Phrasen, in denen die Band pausierte und ein Instrument und sein(e) Spieler(in) solistisch in den Vordergrund traten. In *Eccentric* dehnte Oliver diese Plattform für individuelle Statements der Bandmitglieder auf bis zu vier Takte aus und erhöhte zugleich ihre Anzahl und Frequenz. Er selbst nutzte diese Soli mit teils slapstickartigem Charakter, um seine musikalischen Fähigkeiten unter Beweis zu stellen und das Publikum insbesondere durch die virtuose Verwendung verschiedener Dämpfer zu beeindrucken. Mit ihrer Hilfe imitierte er auf dem Kornett unterschiedlichste Klänge, zum Beispiel das Geschrei eines weißen und eines schwarzen Babys, das er im szenischen Zusammenspiel mit dem Bassisten Bill Johnson parodierte.[15]

Direkt vor der Band sowie an den Seiten des Saales und auf einem Balkon waren Bänke, Stühle und Tische platziert. Das Hauptgeschehen des Abends spielte sich allerdings größtenteils auf der Tanzfläche ab, wie sich Jahrzehnte später der Schlagzeuger Baby Dodds erinnerte: »The people came to dance. One couldn't help but dance to that band.

The music was so wonderful that they had to do something, even if there was only room to bounce around.«[16] Für Dodds und seine Kollegen war diese enge Verbindung von Musik und Bewegung, Jazz und Tanz eine Selbstverständlichkeit. Während Sängerinnen wie Gertrude »Ma« Rainey und Bessie Smith den sogenannten »klassischen Blues« im Kontext des Vaudevilles (weiter-)entwickelten, wurden Tanzpaläste wie Lincoln Gardens in den frühen 1920er-Jahren zum Schauplatz zentraler Innovationen im Bereich des instrumentalen Jazz. Am Rande der Tanzfläche entwickelten King Oliver's Creole Jazz Band und andere Akteure den New Orleans Jazz weiter, übertrugen das Blues-Idiom auf das Tanzbandrepertoire und spielten schnellere Tempi als in ihrer Heimatstadt, um das urbane Publikum zu begeistern und in Bewegung zu versetzen. »Wir hatten im Osten noch keine Gruppen gehört, die den Blues und Stomps so spielen konnten wie diese Jungs«, bemerkte der bei New York geborene afroamerikanische Jazzpianist Willie »The Lion« Smith in seinen Memoiren. Und der Posaunist Preston Jackson, der selbst aus New Orleans stammte, resümierte in einem 1958 geführten Interview kurz und knapp: »Mit dem Blues in der Tasche hatten die Musiker aus New Orleans Chicago fest im Griff.«[17]

Von den Auftritten der Creole Jazz Band in Lincoln Gardens gibt es leider keine Fotos. Der Blick auf die Tanzfläche eines anderen Clubs der South Side (Pythian Temple Roof Garden) lässt allerdings erahnen, wie voll es dort 1923 gewesen sein muss.

Die zahllosen Menschen, die King Oliver und seine Creole Jazz Band in Chicago hörten und zu ihrer Musik tanzten, waren größtenteils Afroamerikanerinnen und Afroamerikaner.[18] Im Zuge der kontinuierlich anwachsenden allgemeinen Jazzbegeisterung experimentierte man 1923 zwar auch in Lincoln Gardens mit Sonderveranstaltungen, die sich ausschließlich an ein weißes Publikum richteten; doch die mittwochs stattfindenden Mitternachtsshows zu erhöhten Eintrittspreisen brachten nicht den Erfolg, den das Clubmanagement sich erhofft hatte, und zogen offensichtlich nur wenige weiße Tänzer und Tänzerinnen an. Unter weißen Musikern hatte sich allerdings rasch herumgesprochen, dass in Lincoln Gardens eine besondere Jazzband zu erleben sei. Während der Großteil des Publikums tanzte und sich amüsierte, saßen sie an den Tischen direkt vor der Band, hörten gebannt zu und versuchten zu verstehen, was die einzelnen Bandmitglieder spielten und wie sie miteinander interagierten. »Nacht für Nacht machten wir den Ausflug«, berichtete der Gitarrist, Banjo-Spieler und Bandleader Eddie Condon, der im Chicago der 1920er-Jahre seine Karriere begann.[19] »Wenn man nicht das Glück hatte, die Band live zu hören, kann man sich nicht vorstellen, wie sie gespielt haben und welchen Swing sie hatten«, erinnerte sich der Schlagzeuger George Wettling.[20] Und der aus Chicago stammende Saxophonist, Bandleader und Komponist Lawrence »Bud« Freeman erklärte, dass er und seine Kollegen nach der Bekanntschaft mit der Creole Jazz Band kein Interesse mehr gehabt hätten, Auftritte weißer Jazzbands zu besuchen: »We realized that in hearing the King Oliver band we were listening to the real thing. [...] It was not only hearing a new form of music but was experiencing a whole new way of life.«[21]

Die Mitglieder der Creole Jazz Band betrachteten diese Besucher mit gemischten Gefühlen. Dass weiße Musiker aus Chicago und anderen Städten, darunter der junge Benny Goodman, Bix Beiderbecke und Mitglieder des berühmten Orchesters von Paul Whiteman, ihr Spiel bewunderten und sich für ihre Musizierweise interessierten, war schmeichelhaft. Der Spitzname »Alligators«, den sie ihren weißen Kollegen in ironischer Anspielung auf die im Mississippi verbreiteten Raubtiere verpassten, gibt allerdings unmissverständlich zu verstehen, dass sie sich über die Absichten, die viele von ihnen verfolgten, keinerlei Illusionen machten. »In gewisser Weise haben wir etwas weggegeben«, resümierte der Schlagzeuger der Band, Warren »Baby« Dodds.[22] Weitaus schärfer urteilte Buster Bailey, der Anfang 1924 als Klarinettist in die Creole Jazz Band eintrat, um Warrens Bruder Johnny Dodds zu ersetzen. Vor dem Hintergrund der Alligatoren-Metapher konstatierte er: »Das waren Typen, die alles schlucken wollten, was wir hatten.«[23] Wie verbreitet dieses Vorgehen unter weißen Musikern im Jazz- und Showgeschäft damals war, berichtet Alberta Hunter, die bei ihren Auftritten in benachbarten Clubs ganz ähnliche Erfahrungen machte: »Sie studierten uns so intensiv, dass man meinen könnte, sie seien im Unterricht. Die weißen Shows kamen aus New York, und alle waren da, um uns arbeiten zu sehen, die Stars, die Chormädchen, Al Jolson, Sophie Tucker, alle. Eines Abends sang ich ›A Good Man Is Hard to Find‹ und man gab mir eine kleine Notiz von Sophie Tucker. Sie wollte diesen Song haben.«[24]

Unter den »Alligatoren«, die Olivers Band bewunderten und regelmäßig ihre Auftritte in Lincoln Gardens besuchten, befanden sich auch einige weiße Musiker, die in wechselnden Kombinationen unter dem Namen New Orleans Rhythm Kings sowie als Friars Society Orchestra auftraten. Wie erpicht sie darauf waren, den Musizierstil der afroamerikanischen Vorbilder zu übernehmen, hat der Kornettist und Leiter der Ensembles, Paul Mares, später freimütig bekannt: »We did our best to copy the colored music we'd heard at home. We did the best we could, but naturally we couldn't play real colored style.«[25] In welchem Maße dieser Versuch kultureller Aneignung zugleich eine skrupellose Form der »Enteignung« war, zeigte sich bereits im Spätsommer 1922. Am 24. August spielte das Friars Society Orchestra für seine Debütplatte Joe Olivers Paradestück *Eccentric* ein.[26] Zu hören sind dabei genau jene Effekte und Spielweisen, mit denen die Creole Jazz Band und ihr Leiter allabendlich das Publikum in Lincoln Gardens in Begeisterung versetzten. Schenkt man dem Saxophonisten, Klarinettisten und Armstrong-Bewunderer Mezz Mezzrow Glauben, war die Differenz zwischen Original und Kopie in diesem Fall gar nicht so groß: »Ich hatte noch nie eine weiße Band gehört, die dem New-Orleans-Stil so nahe kam. Sie haben Olivers Riffs geklaut, und sie haben sie gut geklaut.«[27] Verschärfend hinzu kam die Tatsache, dass Joe Oliver und seine Creole Jazz Band zu diesem Zeitpunkt noch keine eigenen Platten aufgenommen hatten. Die Musiker um Paul Mares schmückten sich bei ihrem Debütalbum also gleich in mehrfacher Hinsicht mit fremden Federn: Sie raubten ihren afroamerikanischen »Lehrmeistern« nicht nur deren originelle Umsetzung von *That Eccentric Rag*, sondern präsentierten auf dem Tonträgermarkt zugleich einen angeeigneten Musizierstil, deren Urheber medial noch gar nicht präsent waren und zudem weder benannt noch an den Gewinnen beteiligt wurden. Als Joe Oliver und seine Band ein halbes Jahr später die Gelegenheit bekamen, ihre ersten Schallplatten aufzunehmen, machten sie um *Eccentric* bezeichnenderweise einen Bogen. Vor dem Hintergrund der Erfahrungen mit den »Alligatoren«

soll Oliver allerdings einem Freund vor dem ersten Studiobesuch gesagt haben: »Ich werde diesen weißen Jungs nicht mein bestes Zeug geben, darauf kannst du dich verlassen.«[28]

Die Creole Jazz Band im Tonstudio

Es wirkt wie eine Ironie der Geschichte, dass jenes Label, bei dem das Friars Society Orchestra im Sommer 1922 *Eccentric* einspielte, acht Monate später die ersten Platten von King Oliver's Creole Jazz Band produzierte. Nach Ende ihrer ersten Saison in Lincoln Gardens hatte sich die Band im Frühjahr 1923 auf eine Tournee durch Illinois, Ohio und Indiana begeben.[29] In der 400 Kilometer südöstlich von Chicago gelegenen Kleinstadt Richmond nahmen sie am 5. und 6. April für Gennett Records die ersten Stücke auf. Die äußeren Bedingungen waren nicht besonders einladend. In Indiana, einer Hochburg des Ku-Klux-Klans, der dort rund 250 000 Mitglieder hatte, mehr als in jedem anderen Bundesstaat, sahen sich Schwarze weitaus häufiger rassistischen Vorurteilen und Anfeindungen ausgesetzt als in vielen anderen Landesteilen. So konnte für afroamerikanische Ensembles, die durch Indiana reisten, bereits die Beschaffung von Essen zum Problem werden, da man sie in weißen Geschäften und Restaurants häufig weder bedienen, noch ihnen etwas verkaufen wollte.[30]

Auf dem Gelände der Starr Piano Company, die nicht nur Klaviere, sondern auch Schallplatten produzierte und dafür 1917 das nach einer der Eigentümerfamilien benannte eigenständige Label Gennett Records gründete, musste sich Olivers Band mit einer Reihe von akustischen und technischen Problemen auseinandersetzen. Zur Schalldämmung hatte man den Boden des schuhschachtelförmigen Studios (38 Meter lang und 9 Meter breit) mit dicken Teppichen ausgelegt und die Wände mit Vorhängen und Handtüchern behängt. Diese Maßnahmen führten zu einer solch trockenen Akustik, dass sich die Musiker zum Teil kaum hören konnten. Für Irritationen sorgten außerdem die Geräusche einer nahe gelegenen Eisenbahnlinie. Diese waren so massiv, dass die Aufnahmen immer wieder unterbrochen werden mussten. Hinzu kamen die Unzulänglichkeiten des mechanisch-akustischen Aufzeichnungsverfahrens. Aus einer der Studiowände, hinter der sich der Regieraum befand, ragte ein großer akustischer Trichter hervor. Den Klang der Band konnte dieser bescheidene Vorläufer des Mikrofons nur unzureichend einfangen. Wer wie aufgezeichnet wurde und was dann auf der Schallplatte zu hören war, hing zum einen von den akustischen Eigenschaften des jeweiligen Instruments ab, zum anderen von der Spielweise und Raumposition des Musikers bzw. der Musikerin. Nach einer in zahlreichen Varianten erzählten Anekdote soll Louis Armstrong in eine Ecke des Studios verbannt worden sein, um mit seinem starken Ton das Spiel von Joe »King« Oliver nicht zu übertönen[31] – eine Geschichte, die das Problem eindrücklich vor Augen führt, möglicherweise aber auch zu schön ist, um wahr zu sein. So kann man wohl davon ausgehen, dass Armstrong als geübter zweiter Kornettist die Fähigkeit besaß, seinen Ton so zu modulieren und zurückzunehmen, dass die Stimme seines Mentors adäquat zur Geltung kam, auch wenn er direkt neben ihm stand.[32] Besonders unbefriedigend müssen die Aufnahmesitzungen für Bill Johnson und Warren »Baby« Dodds gewesen sein. Da die Gefahr bestand, dass der energetische Klang von Kontrabass und Schlagzeug die Nadel des Aufnahmegeräts aus der Rille springen ließ, wurden diese Instrumente kurzerhand eliminiert. Während Johnson bei den frühen Platten auf das Banjo ausweichen musste, blieb Dodds nichts anderes übrig, als sich die meiste Zeit mit dem Spiel auf einem Woodblock (Holzblock) zu begnügen.

Wie alle Tondokumente aus der Ära der akustisch-mechanischen Klangaufzeichnung vermitteln die Schallplatten von King Oliver's Creole Jazz Band also nur einen unvollständigen Eindruck vom tatsächlichen Sound und Zusammenspiel des Ensembles. Verfälscht wird das Klangbild dabei insbesondere durch eine Verschiebung der Balance zwischen den verschiedenen Stimmen. So hat Armstrong in späteren Interviews stets betont, dass die beiden Kornette auf den Aufnahmen zu schwach seien und der klangliche Gesamteindruck dadurch verzerrt werde.[33] Die Unzulänglichkeiten der Technik fallen hier also noch weitaus stärker ins Gewicht als bei Bessie Smiths frühen Platten. Ist man sich dieser Problematik allerdings bewusst, so sind die ab dem Frühjahr 1923 entstandenen Aufnahmen der Creole Jazz Band nach wie vor faszinierende historische und ästhetische Dokumente. Sie lassen zumindest erahnen, wie die Band geklungen haben muss, und machen den in Chicago weiterentwickelten New Orleans Jazz sinnlich erfahrbar. Zugleich dokumentieren sie erstmals das Spiel von Joe Oliver und Louis Armstrong und verraten viel über das Verhältnis der beiden Musiker zueinander.

Auf dem Tonträgermarkt des Jahres 1923 entfachten die ersten Platten von King Oliver's Creole Jazz Band zwar nicht jene Breitenwirkung, die Bessie Smith mit ihrem sechs Wochen zuvor aufgezeichneten Debütalbum erzielte, doch der Blick auf das Schallplatten-Output der Band in ihrem ersten Aufnahmejahr, damit zusammenhängende Werbekampagnen sowie Artikel in Zeitungen und Fachjournalen zeigen, dass das Interesse an ihrer Musik beständig wuchs.[34] Ab April 1923 nahmen die Musiker in Richmond und Chicago 37 Titel für vier verschiedene

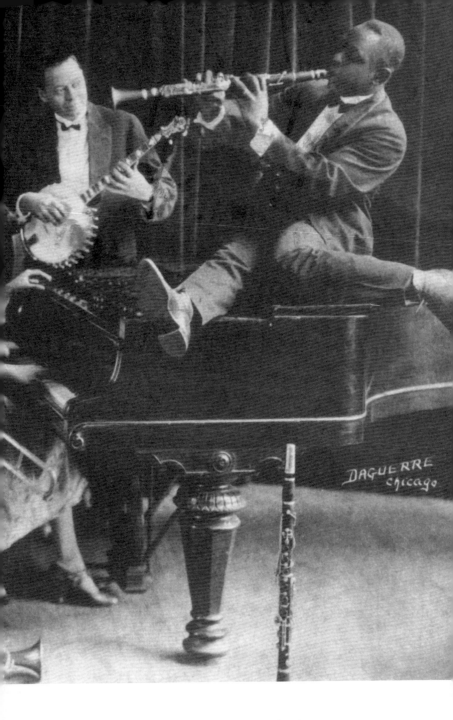

Werbefoto der King Oliver's Creole Jazz Band 1923. Von links nach rechts:
Honoré Dutrey, Warren Dodds, Joe Oliver, Lillian Hardin, Bill Johnson
und Johnny Dodds. Im Vordergrund kniend Louis Armstrong, der sein
Kornett gegen eine Zugtrompete eingetauscht hat. ••• **233**

Plattenfirmen auf. Neben Gennett, OKeh und Paramount kam mit Columbia auch jenes Label ins Spiel, dessen Management am Jahresanfang noch dafür plädiert hatte, Joe Olivers Band zu »vergessen«, solange sie nicht als Begleitung eines zugkräftigen Bluesstars wie Alberta Hunter in Erscheinung träte. Mitte Oktober 1923 absolvierten Oliver und seine Kollegen zwei Aufnahmesitzungen im Chicagoer Studio der Columbia Phonograph Company, die vier der eingespielten Titel veröffentlichte.[35] Möglicherweise war dies bereits der letzte gemeinsame Studiobesuch der Band in ihrer Erfolgsbesetzung.[36] Kurz bevor die Frühjahrstournee 1924 startete, stiegen der Posaunist Honoré Dutrey und die Dodds-Brüder aus. Ein gewichtiger Grund war dabei der Vorwurf, Oliver habe ihnen Tantiemenzahlungen von Gennett Records vorbehalten, die die Musiker nicht pro eingespielter Plattenseite honorierten, sondern prozentual am Gewinn beteiligten.[37]

Spiel im Schatten des »King«: »Canal Street Blues«

Louis Armstrong beteiligte sich nicht an diesen Protesten (»King Olivers Männer sprachen immer davon, gegen irgendetwas zu streiken«) und blieb gemeinsam mit Lillian Hardin noch bis zum Sommer 1924 in der Band.[38] Er empfand für den um fast zwei Jahrzehnte älteren Joe Oliver zeitlebens tiefe Dankbarkeit und große Bewunderung, die er in vielen seiner Interviews zum Ausdruck brachte.[39] Als herausragender Kornettist, Schlüsselfigur des frühen New Orleans Jazz und erfolgreicher Bandleader in Chicago war Oliver für den jungen Armstrong ein Idol und Rollenmodell. Als Lehrer hatte Oliver den begabten Jungen aus ärmlichen Verhältnissen, der sich damals mit dem Verkauf von Kohle in New Orleans' mythenumwobenem Rotlichtviertel Storyville, mit Straßenmusik und kleinen Auftritten über Wasser hielt, in die moderne Kunst »des Phrasierens auf dem Kornett« eingewiesen.[40] Als Mentor holte er den gerade 21-Jährigen nach Chicago, machte ihn zum Mitglied seiner Band und wurde zu einem wichtigen Wegbereiter seiner atemberaubenden Karriere. Dass Oliver dabei auch eigene Interessen verfolgte, ist nicht überraschend. Bereits gezeichnet von einem Zahnfleischleiden, das ihm das Spiel in den folgenden Jahren zunehmend erschweren sollte, benötigte er einen zweiten Kornettisten, der ihn unterstützte und zugleich bereit war, sich unterzuordnen. Was damit konkret gemeint war, hat der Pianist und Bandleader Earl Hines als »staying under« beschrieben. Hines, der 1928 bei zwei der berühmtesten Armstrong-Aufnahmen am Klavier saß (*Weather Bird* und *West End Blues*), wirkte damals ebenfalls in Chicago und begleitete dort zahlreiche Sänger und Sängerinnen, darunter Stars wie Ethel Waters: »When a person's in the spotlight, and you're accompanying, you're always supposed to be *under* what the artist is doing. I'd always listen to what she did, and listen to the changes she made, so that the next time I could really follow the channel she was in.«[41]

Der junge Armstrong beherrschte diese Kunst der Anpassung bis zur Perfektion. Obwohl er durchaus in der Lage gewesen wäre, mit Oliver in Wettstreit zu treten, überließ er ihm bereitwillig die Führungsrolle. Seine beeindruckende Fähigkeit, Olivers Spiel in allen Nuancen zu folgen, ihn zu unterstützen und dabei unterschiedliche Rollen einzunehmen, bezeugen bereits die ersten Platten der Band, darunter der am 5. April 1923 aufgezeichnete *Canal Street Blues*. Dass Joe Oliver und seine Band mit diesem am allerersten Aufnahmetag eingespielten Stück ihrer Heimatstadt ein Denkmal setzen wollten, macht schon der Titel deutlich. Bezug genommen wird damit auf eine der zentralen Achsen von New Orleans, mit der fast alle Bandmitglieder persönliche Erinnerungen verbanden. Die in südöstlicher Richtung verlaufende Canal Street bildet die historische Grenze zwischen der kreolisch geprägten kolonialen Altstadt (French Quarter) und dem neueren amerikanischen Geschäftsviertel (Business District). Armstrong hatte seine Kindheit in der nahe gelegenen South Rampart Street verbracht. Seine Mutter arbeitete zeitweise für eine in der Canal Street wohnende weiße Familie, wusch »in einer Zinkwanne über heißem Kohlenfeuer im Hof« deren Wäsche und erhielt dafür einen Dollar pro Tag – »gutes Geld damals«, wie sich Armstrong später erinnerte.[42]

Man kann davon ausgehen, dass die Dauer von *Canal Street Blues* bei Live-Auftritten der Band beträchtlich variierte. Abhängig von der Situation, ihren Ideen und ihrer Lust und Laune entschieden die Musiker, wie viele Chorusse eines Titels sie spielten. Während sie in Lincoln Gardens mitunter mehr als zehn aneinanderreihten,[43] waren ihnen im Aufnahmestudio zeitlich enge Grenzen gesetzt. Nach zweieinhalb Minuten blitzte ein rotes Licht auf und signalisierte der Band, dass die Speicherkapazität des Aufnahmemediums bald erschöpft sei und sie nun rasch zu einem Ende finden müssten.[44] An ihrem ersten Tag im Studio – »We were all very nervous«, erinnert sich Baby Dodds[45] – waren die Musiker offensichtlich darum bemüht, die zeitliche Begrenzung sklavisch zu befolgen. So ist *Canal Street Blues* auf der Debütplatte von King Oliver's Creole Jazz Band bereits nach zweieinhalb Minuten zu Ende, Zeit genug für eine kurze Einleitung, fünf Chorusse und einen äußerst komprimierten Schluss.[46]

Trotz der Unzulänglichkeiten des Aufnahmeverfahrens vermittelt die Einspielung von *Canal Street Blues* einen plastischen Eindruck von jener Kunst des Ensemblespiels und der kollektiven Improvisation, für die King Oliver und seine Creole Jazz Band stehen. Begleitet vom durchgehenden Puls der Rhythmusgruppe, Einwürfen der Posaune und einer girlandenförmigen Gegenmelodie in der Klarinette, werfen sich Oliver und Armstrong im ersten Chorus musikalisch die Bälle zu. In raschem Wechsel spielen sie nach dem Call- und Response-Prinzip kurze melodische Fragmente und finden sich punktuell zu aphoristischen Duetten zusammen. Im zweiten Chorus übernimmt Oliver dann die Führung. Mit ausdrucksvollem Ton intoniert er eine schnörkellose Version von *The Holy City*, begleitet vom parallel geführten zweiten Kornett, das die Lead-Stimme in tieferem Register unterstützt.

Dass die Melodie eines religiösen Liedes inmitten heißer Jazzrhythmen erklingt, die im Chicagoer Nachtleben die Menschen zum Tanzen brachten, mag auf den ersten Blick erstaunen. Doch auch in *Chimes Blues*, einem Titel, den Oliver und seine Band ebenfalls an jenem 5. April 1923 aufnahmen, spielt diese von Michael Maybrick zu Beginn der 1890er-Jahre komponierte Melodie eine zentrale Rolle. Der Text des Liedes beschreibt die heilige Stadt Jerusalem als Schauplatz der Leidensgeschichte von Jesus Christus und als postapokalyptischen himmlischen Sehnsuchtsort. An seinem Ende steht die Vision einer neu erstandenen heiligen Stadt, die im Licht Gottes erstrahlt und mit geöffneten Toren allen Einlass gewährt, die dies begehren. Im nordamerikanischen Kontext lag es nahe, diese Strophe metaphorisch zu verstehen. Bereits während der puritanischen Kolonialisierung Neuenglands im 16. Jahrhundert wurde das »Neue Jerusalem« als Chiffre für die »Neue Welt« gedeutet. Zugleich bemühte John Winthrop in einer berühmten Predigt die aus dem Matthäusevangelium entlehnte Formulierung »City upon a Hill«, um den besonderen Bund mit Gott zu beschwören und den Anspruch zu formulieren, Vorbild für andere zu sein.[47] Im Lauf der folgenden Jahrhunderte wurde diese Gedankenfigur dann zu einem zentralen Bestandteil der amerikanischen Zivilreligion und damit verbundener politischer, theologischer und kultureller Narrative.[48]

Für Joe Oliver hatte *The Holy City* offensichtlich eine besondere Bedeutung. Wie Alberta Hunter in einem späten Interview berichtete, trug er »Jerusalem! Jerusalem! Sing for the night is o'er«, begleitet von einigen anderen Musikern, ebenfalls bei seinen Live-Auftritten vor: »Wenn Louie dabei war, dann spielten nur er und Louie, und es war das Schönste, was du je in deinem Leben gehört hast.«[49] Verbunden war dieses gemeinsame Spiel vermutlich mit Erinnerungen an die eigene musikalische Sozialisation. Sowohl Oliver als auch Armstrong waren in New Orleans mit religiösen Liedern wie *The Holy City* aufgewachsen. In der Kirche hatten sie erste musikalische Erfahrungen gemacht, singen gelernt und bereits in ihrer Kindheit und Jugend erlebt, wie eng die Musik, die später unter den Begriffen »Blues« und »Jazz« bekannt wurde, mit musikalischen Praktiken zusammenhing, die dort eine wichtige Rolle spielten.[50] Ein eindrückliches Beispiel dafür ist das Prinzip der Heterophonie: das gemeinsame Singen oder Spielen einer Melodie, die gleichzeitig in verschiedenen rhythmischen und melodischen Varianten vorgetragen wird. Im kirchlichen Rahmen prägte diese partizipative musikalische Praktik den Gemeindegesang. Im New Orleans Jazz bildet sie die Grundlage des kollektiven Improvisierens, eröffnet Raum für Ausdrucksreichtum sowie ständige melodische und rhythmische Variation und führt zu jenem komplexen Ineinandergreifen der beteiligten Stimmen, das man auf den Aufnahmen der Creole Jazz Band hören und bewundern kann. Charakteristisch ist dabei auf der einen Seite die klare Funktionsteilung der Stimmen und eine daraus resultierende Staffelung des Klangbilds – ein Effekt, der bei den frühen Platten durch das technisch bedingte Ungleichgewicht der Stimmen allerdings konterkariert wird. So bringt die Aufnahme die Lead-Funktion des ersten Kornetts im zweiten und dritten Chorus trotz der Unterstützung durch Armstrong nicht adäquat zur Geltung, da die beiden Instrumente zu leise sind. Auf der anderen Seite ist das Verhältnis der Stimmen dynamisch beschaffen, und es kommt immer wieder zu Rollenwechseln. Im vierten Chorus übernimmt der Klarinettist Johnny Dodds mit einem virtuosen Solo die Führung, während die beiden Kornette und die Posaune pausieren. Ins akustische Scheinwerferlicht gerät dabei auch die energetische Begleitung der dezimierten Rhythmusgruppe: die erstaunlich abwechslungsreichen Gegenrhythmen, die Baby Dodds auf dem Woodblock spielt, und eine Bassfigur auf dem Banjo, die an die Pizzicato-Klänge des aus technischen Gründen nicht zum Einsatz kommenden Kontrabasses erinnert.

(K)ein Fall musikalischer Telepathie: Duo-Breaks

Dass in einer Band nicht nur ein, sondern zwei Kornettisten spielten, war im New Orleans Jazz nicht so ungewöhnlich, wie gelegentlich behauptet worden ist.[51] Verblüfft waren die Zeitgenossen jedoch von der Virtuosität, mit der Oliver und Armstrong das Duo-Spiel betrieben. Beim *Canal Street Blues* ist das Zusammenspiel der beiden Kornette mit Ausnahme des Schlusses in das Ensemble eingebunden. In anderen Stücken hingegen nutzten die beiden Musiker solistische Breaks, um ihre ungewöhnliche Interaktion und Synchronität publikumswirksam zur Schau zu stellen. Beispiele, die bereits im Zuge der ersten Aufnahmeserie im Gennett-Studio in Richmond auf Tonträger gebannt wurden, finden sich im letzten Drittel von *Weather Bird Rag*, in der Einleitung zu *Dippermouth Blues* oder in *Snake Rag*.

Armstrongs Gabe, dem Spiel seines Mentors auf solch virtuose Weise zu folgen und ohne erkennbare Mühe scheinbar telepathisch vorauszusehen, was genau er im nächsten Break spielen würde, hat nicht nur das breite Publikum, sondern auch zahlreiche Musiker und Musikerinnen fasziniert.[52] Als Armstrong in einem späteren Interview gefragt wurde, wie ihm das gelungen sei, erklärte er lapidar: »Während die Band gerade swingte, beugte sich der King zu mir herüber, bewegte die Ventile seiner Trompete und zeigte die Töne an, die er spielen wollte, wenn der Break in der Melodie kam. Ich hörte ihm zu und dachte mir gleichzeitig meine Begleitung zu seinem Lead aus. Wenn der Break kam, hatte ich meinen Part, der mit dem seinen gut harmonierte. Das Publikum war dann außer sich vor Begeisterung!«[53] Und Buster Bailey, der ab dem Frühjahr 1924 an der Seite von Oliver und Armstrong in der Band spielte, bemerkte: »Was Joe im mittleren Break machen wollte, spielte er während des ersten Endings. Louis hörte zu und merkte es sich. Wenn es dann so weit war, spielten Oliver und Louis gemeinsam den gleichen Break.«[54]

Die beeindruckenden Duo-Breaks, die auf der Bühne wie ein spontaner Akt musikalischer Telepathie wirkten, waren also das Produkt von Vorbereitung und Inszenierung. Dies schmälert Armstrongs musikalische Leistungen aber in keiner Weise. Die Geschwindigkeit, mit der er Olivers Impulse aufnahm, und die Leichtigkeit, mit der er musikalische Verläufe durchschaute und dazu eine eigene Stimme erfand, sind das Produkt unterschiedlicher Faktoren. Eine wesentliche Rolle spielt in diesem Zusammenhang neben musikalischer Begabung und einem scharfen Ohr Armstrongs musikalische Sozialisation. Gemeinsam mit drei Freunden sang er in einem Vokalquartett auf New Orleans' Straßen und lernte dort, als Teil eines Ensembles zu agieren, zu einer melodischen Hauptstimme eine Begleitstimme zu improvisieren, aufeinander zu hören, gemeinsam zu atmen und miteinander zu phrasieren.[55]

Auf den frühen Gennett-Aufnahmen von King Oliver's Creole Jazz Band bewegt sich Armstrong die meiste Zeit im Schatten seines Mentors. Während Johnny Dodds immer wieder mit virtuosen Klarinettensoli und obligaten Gegenstimmen in den Vordergrund tritt und auch Honoré Dutrey mit prägnanten Einwürfen (Fill-ins) und kurzen Posaunensoli auf sich aufmerksam macht, hält sich der zweite Kornettist merklich zurück und spielt in den Kornett-Breaks, an denen er beteiligt ist, fast durchgehend gemeinsam mit Oliver. Eine der wenigen Stellen, an denen er diese Zurückhaltung abstreift, findet sich in *Froggie Moore*.[56] In einer trioartigen Passage im zweiten Drittel des am 6. April 1923 aufgenommenen Titels löst sich Armstrong unerwartet aus der Gruppe. Für eine gute halbe Minute übernimmt er die Lead-Position und bringt die Hauptmelodie durch überraschende Synkopen und Figurationen zum Swingen.[57] Das anschließende Solo von Oliver steht dazu in scharfem Kontrast und wirkt in seiner rhythmischen und melodischen Einfachheit und Vorhersehbarkeit eher blass. Eine andere Passage, in der Armstrong ins Rampenlicht tritt, findet sich in *Chimes Blues*. Im zweiten Drittel des am ersten Studiotag aufgenommenen Titels spielt er vor der majestätischen Wiederkehr des »Holy City«-Themas ein längeres Solo. Die Aufmerksamkeit, die diese Passage auf sich gezogen hat, hängt vor allem damit zusammen, dass Armstrong hier zum ersten Mal allein zu hören ist. In musikalischer Hinsicht bringt das Solo hingegen keine wirklichen Überraschungen. Es ist melodisch und rhythmisch eher einfach gestrickt, wirkt einstudiert und vermittelt noch nicht jenen Eindruck von Spontaneität und überbordender Phantasie, für den seine Soli bald gefeiert werden sollten.

Die Rolle der Glocken übernimmt in Olivers Arrangement von *Chimes Blues* Lillian Hardin. Als Teil der Rhythmusgruppe beschränkte sich ihre Funktion normalerweise darauf, im Hintergrund zu bleiben und gemeinsam mit Schlagzeug und Bass bzw. Banjo für ein stabiles rhythmisches und harmonisches Fundament zu sorgen. Dass diese Aufgabe kaum Abwechslung brachte und auf die Dauer nicht sehr befriedigend war, liegt auf der Hand. So erinnerte sich Hardin später: »Manchmal verspürte ich den Drang, mich auf der gesamten Klaviatur frei auf und ab zu bewegen. Aber Oliver knurrte dann: ›Wir *haben* schon eine Klarinette in der Band.‹«[58] Auf die Gelegenheit zu virtuosem Spiel wartete Hardin in der Creole Jazz Band vergeblich. In *Chimes Blues* gestand ihr Oliver jedoch zu, zumindest für einen Moment hörbar in den Vordergrund zu treten. In pendelnden Akkordfolgen evoziert sie den Klang der Glocken, die die Erscheinung des Neuen Jerusalem feiern. Platziert ist dieses unspektakuläre Solo direkt vor dem Auftritt des zweiten Kornettisten, jenem Bandmitglied, dem sie in der ersten Jahreshälfte 1923 auch persönlich näherkam.

»Little Louis« und »Hot Miss Lil«

»I was very disgusted«, bemerkte Lillian Hardin, als sie sich einige Jahrzehnte später in Interviews an die erste Begegnung mit Armstrong im Spätsommer 1922 erinnerte.[59] »Als er in jener Nacht ins Dreamland kam, wog er 226 Pfund. […] Und ich fragte mich, warum sie ihn ›Little Louis‹

nennen, so fett wie er war. [...]. Ich war rundum enttäuscht, weil ich nicht mochte, wie er angezogen war. [...] Alles was er trug, war Secondhand. [...] Ich mochte seine Frisur nicht. Er hatte einen Pony. Das war die Mode in New Orleans, erzählte er mir später, einen Pony zu tragen.«[60] Und in einem anderen Gespräch resümierte sie: »I didn't have any romantic ideas at all at that time.«[61]

Tatsächlich waren Armstrong und Hardin, die im Sommer 1923 eine Liebesbeziehung begannen und am 5. Februar des folgenden Jahres heirateten, eines jener ungleichen Paare, die aus der sozialen Dynamik der »Great Migration« hervorgegangen sind.[62] Auf der einen Seite der 21-jährige Schützling von Joe Oliver, der mit elf Jahren die Schule verlassen hatte, auf New Orleans' Straßen und in einem Heim für minderjährige Straftäter musikalisch sozialisiert worden war, sich beim Spielen auf sein Ohr und sein Gedächtnis verließ, damals noch kein großes Selbstvertrauen besaß und in seinem neuen Umfeld laut Alberta Hunter zunächst wie »ein zu groß geratenes Kind« wirkte.[63] Auf der anderen Seite die um drei Jahre ältere »Miss Lil«, eine willensstarke, schlanke, elegante und modebewusste Frau, die seit 1917 in Chicago lebte,[64] in der dortigen Jazzszene bereits Fuß gefasst hatte und auf einen ganz anderen musikalischen Werdegang zurückblickte.[65] 1898 in Memphis geboren, erhielt Hardin eine klassische Instrumentalausbildung. Bereits als Kind begann sie mit dem Klavier- und Orgelunterricht, spielte vor allem Kirchenlieder und klassische Stücke und gewann im Alter von 16 Jahren einen lokalen Klavierwettbewerb.[66] Im Anschluss absolvierte sie kurzzeitig ein College Preparatory Program an der Fisk University in Nashville. Die private Hochschule war kurz nach Ende des Amerikanischen Bürgerkriegs gegründet worden, um jungen Menschen unabhängig von ihrer Hautfarbe den Zugang zu akademischer Bildung zu ermöglichen. Als Aushängeschild der starken musikalischen Tradition der Universität fungierten seit 1871 die berühmten Fisk Jubilee Singers, ein bis heute aktives afroamerikanisches Vokalensemble, das schon damals weit über die USA hinaus bekannt war und 1923 unter anderem durch Australien tourte.[67]

Für Hardins musikalische Karriere in Chicago erwiesen sich die traditionelle musikalische Ausbildung, ihre musiktheoretischen Kenntnisse und die Fähigkeit, Musik rasch zu notieren und mühelos vom Blatt zu spielen, als entscheidende Vorteile. Direkt nach dem Umzug begann sie in einem Musikgeschäft auf einer der zentralen Straßen der South Side zu arbeiten.[68] Für einen Wochenlohn von drei Dollar animierte sie die Kundschaft, Noten zu kaufen, indem sie ihnen klassische Klavierwerke, Unterhaltungsmusik und die neuesten Broadway Hits am Klavier vorspielte. Dort begegnete sie neben Jelly Roll Morton auch dem Klarinettisten Lawrence Duhé, der ihr anbot, als Pianistin Teil seiner neu gegründeten Band zu werden. Hardin nahm das lukrative Angebot an, steigerte ihren Wochenverdienst auf 22,50 Dollar und begann trotz mütterlichen Protests ihre Karriere in der Jazzwelt. Bekannt als »Hot Miss Lil«[69] spielte sie gemeinsam mit Duhé und Oliver schon bald in renommierten Clubs wie dem Dreamland, in dem sie mit Stars wie Alberta Hunter auftrat und im August 1922 zum ersten Mal »Little Louis« begegnete.[70]

Dass sich Hardin trotz ihres negativen ersten Eindrucks Anfang 1923 für Armstrong zu interessieren begann, lag nach einer unzählige Male erzählten Geschichte an einer Äußerung Joe Olivers. Eines Abends habe er ihr freimütig gestanden, dass sein Protegé besser spiele als er selbst, dann allerdings hinzugefügt: »›Aber solange ich ihn bei mir habe, kann er mich nicht überflügeln.‹ [...] Nachdem er mir das gesagt hatte, begann ich zuzuhören. Aber es war sehr schwierig, jemandem beim Spielen zuzuhören, der immer die Begleitstimme zu einem anderen spielt.«[71] Ob es sich tatsächlich genau so zugetragen hat, ist wie bei allen Anekdoten eine offene Frage. Fest steht jedoch, dass Lillian Hardin schon bald eine entscheidende Rolle in Armstrongs Leben übernahm, seine künstlerische Entwicklung förderte und seine Emanzipation von Oliver maßgeblich vorantrieb. »I thought the main thing to do was to get him away from Joe. I encouraged him to develop himself, which was all he needed. He's a fellow who didn't have much confidence in himself.«[72]

Aufbruch zu neuen Ufern

Für Armstrong war die Abnabelung von Oliver ein schwieriger Prozess, der mit widersprüchlichen Emotionen verbunden war. »Ich hatte das Gefühl, dass alle Ehre, die mir zuteilwurde, eigentlich ihm gebührte«, beschrieb er rückblickend seine damalige Gemütslage: »Ich wollte, dass er alle Anerkennung bekam.«[73] Zugleich empfand er die schrittweise Loslösung von seinem Idol und Mentor vermutlich schon damals als Befreiung und war sich bewusst, dass sein Leben an der Seite von Lil Hardin eine entscheidende Wendung nahm: »If she did engineer my life, she had a perfect right to.«[74] Erste Veränderungen zeigten sich schon im Sommer 1923. Als Oliver's Creole Jazz Band Ende Juni in Chicago Platten für OKeh Records einspielte, stand auch ein Stück auf der Aufnahmeliste, das Armstrong und Hardin gemeinsam verfasst hatten. Sein sprechender Titel lautete *Where Did You Stay Last Night?*. Anfang August verlobte sich das Paar und schrieb mit *When You Leave Me Alone* ein weiteres gemeinsames Stück. Ungefähr zur selben Zeit ließ sich Armstrong auf Betreiben Hardins neu einkleiden, erschien bei den abendlichen Auftritten sehr zum Missfallen Olivers nicht mehr im alten Second-Hand-Look, sondern im modischen Chicago-Outfit und setzte so auch äußerlich ein Zeichen für seine Neuorientierung.[75] Die für Armstrongs künstlerische Emanzipation entscheidenden Entwicklungen vollzogen sich zunächst allerdings weitgehend im Verborgenen – aus Loyalität zu Oliver und weil dieser, wie der Jazzpianist Willie »The Lion« Smith rückblickend berichtet, versuchte, seinen zweiten Kornettisten zu kontrollieren und die für ihn günstige Rollenverteilung aufrechtzuerhalten: »Louis begann zu dieser Zeit, seinen Chef zu übertrumpfen, und so versuchte Oliver, sie beide an diesen berühmten Kornett-Duetten arbeiten zu lassen, damit Armstrong ihn nicht in den Schatten stellen konnte.«[76]

Als Instrumentalist war Oliver für die Vokalität seines Klangs bekannt, für eine klare Melodieführung und den häufigen Einsatz von Dämpfern, mit denen der Ton sich unterschiedlich färben, verfremden und zum Sprechen bringen lässt. Mit welcher Virtuosität er dieses Dämpferspiel beherrschte, zeigt sein berühmtes Solo in *Dippermouth Blues*. Gemeinsam mit seiner Creole Jazz Band nahm er den Titel 1923 gleich zweimal auf, zunächst im Zuge des ersten Studiobesuchs im April für Gennett Records, dann Ende Juni für OKeh Records, die die neue Platte zwei Monate später großflächig auf Chicagos Straßen bewarben.[77] Der Titel des Stücks spielt auf den Spitznamen des zweiten Kornettisten an: Armstrong wurde aufgrund seines kraftvollen Tons »Dippermouth« (»Schöpfkellen-Mund«) genannt.[78] Außerdem erscheint Armstrong auf den Plattenetiketten als Co-Autor von Olivers Paradestück. »Louis wollte das Solo natürlich auch spielen«, erinnerte sich Hardin später: »Also übten wir es zu Hause mit Louis an der Trompete und mir am Klavier. Doch Louis konnte das Solo nie so spielen wie Joe. Und ich glaube, das hat ihn irgendwie entmutigt.«[79] Sich von seinem Idol zu emanzipieren, bedeutete für Armstrong also nicht nur aus der Rolle des zweiten Kornettisten herauszukommen, sondern sich auch stilistisch von ihm zu entfernen. Anstatt zu versuchen, charakteristische Merkmale seines Spiels zu übernehmen, galt es, eine Art und Weise des Instrumentalspiels zu finden, die Armstrongs eigene Stärken in Szene setzte und sich von Olivers »old style playing« unterschied.[80]

Wie sich diese Entwicklung eines neuen Stils im Detail vollzog, liegt weitgehend im Dunkeln. Klar ist jedoch, dass Armstrong dabei in vielfältiger Weise von den Fähigkeiten und dem Wissen seiner zukünftigen zweiten Frau profitierte. (Beide waren bereits einmal verheiratet gewesen.) Mit Hardin erweiterte er seine musiktheoretischen Kenntnisse, entdeckte neues Repertoire, darunter auch Werke der euro-

päischen Tradition, und lernte, Musik flüssiger zu notieren und zu lesen. Zugleich entwickelte er seine instrumentalen Fähigkeiten weiter, steigerte die Virtuosität seines Spiels in unterschiedlichen Klangregistern, insbesondere in der Höhe, und übte, sich mit noch größerer Leichtigkeit und »Präzision in den Skalen und Akkorden« der europäischen Musik zu bewegen.[81] Angeleitet wurde er dabei vermutlich auch von einem deutschen Musiklehrer, der im Gebäude der Kimball Hall in Chicago unterrichtete.[82] Parallel zu dieser Grundlagenarbeit entwickelten Armstrong und Hardin gemeinsam neue Stücke. Diese sollten Armstrong ermöglichen, aus dem Schatten Olivers zu treten, und durch das gemeinsame Copyright zugleich zum Verdienst und zur Bekanntheit des Paares beitragen.[83] Ein erstes Beispiel ist der im Spätsommer entstandene Titel *Tears*, den die beiden am 20. Oktober 1923 in der Handschrift Hardins zum Copyright anmeldeten und um dieselbe Zeit mit King Oliver's Creole Jazz Band bei einer Sitzung für OKeh Records einspielten.[84] Sowohl hinsichtlich der Rollenverteilung als auch im Hinblick auf Armstrongs Spiel markiert die Aufnahme von *Tears* einen Wendepunkt. Über insgesamt rund 40 Sekunden demonstriert der zweite Kornettist in neun unterschiedlich gestalteten kurzen Breaks seine Virtuosität und Erfindungskraft.[85]

Wie rasch Armstrong mit Hardins Unterstützung auf diesem Weg voranschritt, zeigt *Cornet Chop Suey*.[86] Das Wortspiel des Titels erinnert an einen Hit der Original Dixieland Jazz Band aus dem Jahr 1918 mit dem Titel *Clarinet Marmelade* und verspricht eine Musik, die ähnlich genussvoll ist wie das gleichnamige chinesische Gericht, das sich in der Chicagoer South Side damals großer Beliebtheit erfreute. *Cornet Chop Suey* gilt als Durchbruch und als das erste Dokument jenes neuen solistischen Stils, für den Armstrong in den nächsten Jahren berühmt werden sollte. Ohrenfällig wird dies bereits in den ersten Takten des Stücks, einem Kornett-Solo, das den Protagonisten wirkungsvoll in Szene setzt. Die Spielfigur – eine rasche Folge von gebrochenen Dreiklängen – unterscheidet sich in ihrer spielerischen Virtuosität und Idiomatik grundlegend von Olivers »preaching style«. Statt mit dem Instrument den Gesang der menschlichen Stimme zu imitieren, spielt Armstrong in erstaunlicher Geschwindigkeit Figuren auf dem Kornett, die man eher von einer Klarinette erwarten würde.[87] Der Kornettist und Trompeter Kid Rena, ein alter Rivale aus Armstrongs Zeiten in New Orleans, der seinen Aufstieg in Chicago neidisch beobachtete, bemerkte dazu kritisch: »He is not playing cornet on that horn; he is imitating a clarinet.«[88] Tatsächlich spricht viel dafür, dass sich Armstrong bei der Entwicklung seines neuen Stils an der Klarinette orientierte und typische Spielfiguren und idiomatische Wendungen des flexiblen Holzblasinstruments auf das schwerfälligere Kornett übertrug. Wie sehr er wohlgesonnene Zeitgenossen mit diesem instrumentalen Transfer klarinettentypischer Virtuosität verblüffte, verdeutlicht eine Geschichte, die Sidney Bechet in seiner Autobiographie erzählt. Auf den Straßen New Orleans' habe ihm der junge Armstrong eines Tages ein virtuoses Klarinettensolo aus dem späteren Jazzstandard *High Society* vorgespielt. »Es war auf der Klarinette sehr schwer zu spielen und für das Kornett zu dieser Zeit undenkbar. Aber Louis hat es geschafft.«[89] Bechet wusste, wovon er sprach, denn er spielte in seiner Jugend nicht nur hervorragend Klarinette, sondern war – wie Armstrong selbst berichtete – auch ein ausgezeichneter Kornettist.[90] Berühmt wurde er nach seinem Weggang aus New Orleans allerdings als Klarinettist und Saxophonist. Schon 1919 tourte er durch Europa und begeisterte mit seinem Spiel unter anderem den Dirigenten Ernest Ansermet. Sein relativ später Einstand auf dem Tonträgermarkt fand wie bei Bessie Smith, Gertrude »Ma« Rainey und Oliver's Creole Jazz Band vermutlich erst 1923 statt. Ende Juli nahm er mit Clarence Williams' Blue Five in New York den Titel *Wildcat Blues* auf und spielte auf dem Saxophon eine Folge virtuoser Solo-Breaks, die Maßstäbe setzten.

Auf dem Weg zum Weltstar. Louis Armstrong um 1930 mit Trompete,
auf die er Mitte der 1920er-Jahre vom Kornett umgestiegen war.
Ein wesentlicher Motor seiner Karriere war neben der Schallplatte das
Live-Medium Radio.

Wenige Wochen vor ihrer Hochzeit schickte das Paar *Cornet Chop Suey* nach Washington, um den Titel dort ins nationale Copyright-Register aufnehmen zu lassen. Der auf den 18. Januar 1924 datierte Eintrag führt Armstrong als Komponist der Melodie und Hardin als Autorin des Arrangements auf.[91] Welche Bedeutung Armstrong dem Stück beimaß und wie wichtig es ihm war, seine Autorschaft zu deklarieren und zu schützen, zeigt die Tatsache, dass er es nicht nur eigenhändig niederschrieb, sondern im Gegensatz zu früheren Titeln wie *Tears* auch einige der Breaks ausnotierte. Nach diesem Schritt verschwand die musikalische »Unabhängigkeitserklärung« des zweiten Kornettisten der Creole Jazz Band allerdings für zwei Jahre in der Schublade.[92] Erst im Februar 1926 spielte Armstrong den Titel im Zuge seiner berühmten »Hot Five«-Aufnahmen in Chicago für OKeh Records ein.[93] Zu diesem Zeitpunkt lag die einvernehmliche Trennung von Oliver und seiner Band bereits mehr als anderthalb Jahre zurück. In einem Setting, das er kontrollierte und das ihn selbst als neuen Star inszenierte, konnte er *Cornet Chop Suey* unter seinem Namen vermarkten, ohne dabei in Loyalitätskonflikte mit seinem einstigen Mentor zu geraten. Der Name seiner Frau, die laut dem zitierten Copyright-Eintrag von 1924 das Arrangement verfasst hatte, wird auf dem Etikett der Ersteinspielung hingegen unterschlagen. Akustisch tritt sie allerdings mit einem ausgedehnten Klaviersolo in Erscheinung.

Dass Lillian Hardin die treibende Kraft hinter Armstrongs atemberaubendem Aufstieg war, steht außer Frage. Ihrer Beharrlichkeit ist es zu verdanken, dass sich Armstrong im Sommer 1924 nach langem Zögern von Oliver löste: »You can't be married to Joe and married to me, too.«[94] Mit einem weiteren Ultimatum sorgte sie im Herbst 1925 dafür, dass ihr Mann, der mittlerweile im Orchester von Fletcher Henderson in New York spielte, nach Chicago zurückkehrte. Im Dreamland wurde er mit dem vollmundigen Werbeslogan »The World's Greatest Cornetist« empfangen, spielte dort für 75 Dollar die Woche, wurde bald auch im prestigeträchtigen Vendome Theater als neuer Star gefeiert und begann am 11. November 1925 mit den »Hot Five«-Recordings, die schon bald Kultstatus erlangten.[95] Mit Hardin arbeitete er bis Ende 1927 künstlerisch eng zusammen. Anfang der 1930er-Jahre ging das Paar nach diversen Krisen dann auch persönlich getrennte Wege. 1938 erfolgte schließlich die Scheidung, und Armstrong heiratete seine langjährige Geliebte Alpha Smith.

Louis Armstrong selbst hat freimütig eingeräumt, dass er seinen Durchbruch der Initiative seiner zweiten Frau verdankte: »I listened very carefully when Lil told me I should play first cornet. Play second to no one, she told me. They don't get great enough. She proved she was right, didn't she?«[96] Über Hardins Leistungen als Pianistin und Komponistin, ihren musikalischen Einfluss auf Armstrong und die künstlerische Zusammenarbeit des Paares zwischen 1923 und 1927 wurde hingegen lange Zeit kaum gesprochen. Während ihr Mann zum Weltstar aufstieg, blieb sie eine lokale Berühmtheit, führte in der Jazzliteratur ein Schattendasein und geriet nach ihrem Tod im Sommer 1971 weitgehend in Vergessenheit. Aufmerksamkeit erregte ihr Wirken und Schaffen erst (wieder), als die neuere Jazzgeschichtsschreibung sich für die Rolle von Frauen im frühen Jazz zu interessieren begann und die Bedeutung kollaborativer Prozesse in den Blick nahm.[97] Hardin selbst beschrieb die gemeinsamen Jahre mit Armstrong rückblickend in einer Reihe von Interviews. Am Ende eines kurzen Resümees lässt sie fast beiläufig eine Bemerkung fallen, die die Problematik ihrer Situation in einem einzigen Satz zusammenfasst: »I was sort of standing at the bottom of the ladder holding it, and watching him climb.«[98]

Aufbruch inmitten der Krise

Die Berliner Funk-Stunde und der Beginn des Rundfunkzeitalters in Deutschland

Angst vor Kontrollverlust und »deutsche Gründlichkeit«: Der späte Beginn des öffentlichen Rundfunks in der Weimarer Republik ··· Fritz Kreisler im Äther: Vom improvisierten Studiokonzert zur ersten Operetten-übertragung ··· Opern für die Ohren: Konkurrenzkampf ums Publikum, Stimulation der Phantasie und technische Unzulänglichkeiten ··· »Why on earth did you do this?«: Kontroversen um die Programmgestaltung bei der BBC ··· Grenzverschiebungen und mediale Experimente: Neue Musik im Rundfunk ··· »Drahtlos im Weltverkehr«: Störversuche und Austauschprozesse

»Es gibt nur eine Entschuldigung für mein langes Schweigen«, schreibt Kurt Weill im Oktober 1923 an Ferruccio Busoni: »Das ist der Wunsch, Sie vor Lamentationen zu bewahren. [...] Der Übergang von der Million zur Milliarde war so gewaltsam, dass er selbst Leute, denen Gelddinge gleichgültig sind, fassungslos machte. Jetzt hat man sich auch daran gewöhnt und greift nach neuen Strohhalmen.«[1] Während der schwerkranke Busoni im Spätsommer Berlin verlassen und für einige Monate in Paris Zuflucht gefunden hatte, erlebte sein 23-jähriger Meisterschüler die chaotischsten und bedrohlichsten Wochen des Krisenjahres 1923 in der Reichshauptstadt. Am 29. Oktober war der Preis für ein Kilo Roggenbrot auf über 5 Milliarden Mark geklettert, und auch die meisten anderen Lebensmittel kosteten drei bis fünf Mal so viel wie noch eine Woche zuvor. Am frühen Nachmittag desselben Tages zog die Reichswehr in Dresden bewaffnet vor dem Staatsministerium und dem Landtag auf, um eine befürchtete Revolution von links zu verhindern. Auf Weisung des neu ernannten Reichskommissars Rudolf Heinze sorgte sie dafür, dass die Minister das Gebäude verließen und das Parlament nicht zusammentreten konnte, und erzwang die Auflösung der sächsischen Einheitsfront von SPD und KPD.[2] Im Südosten der Republik trieben Nationalsozialisten und andere rechtsnationale Feinde der jungen Demokratie Putschpläne voran und träumten von einem »Marsch auf Berlin«, der angetreten werden sollte, sobald man in Bayern die »nationale Diktatur« ausgerufen habe: »Für mich ist die deutsche Frage erst dann gelöst, wenn die schwarzweißrote Hakenkreuzfahne vom Berliner Schloss weht«, erklärte Adolf Hitler am folgenden Tag vollmundig im Zirkus Krone in München.[3] Im Westen Deutschlands sahen

Separatisten die Chance gekommen, sich vom Reich zu lösen und ihre Vision von einer unabhängigen »Rheinischen Republik« zu verwirklichen. Ausgehend von einem ersten Aufstand in Aachen am 21. Oktober besetzten sie zahlreiche Rathäuser, hissten dort als Zeichen der »Befreiung« die grün-weiß-rote Flagge, wurden allerdings in den meisten Fällen innerhalb weniger Tage wieder vertrieben. Und in Berlin war die Koalitionsregierung von Reichskanzler Stresemann rund um die Uhr damit beschäftigt, den Kollaps der ökonomischen und politischen Ordnung zu verhindern, ohne dabei selbst zu zerbrechen. Am 2. November traten die sozialdemokratischen Minister geschlossen zurück und ließen Stresemann mit einem »Rumpfkabinett« ohne parlamentarische Mehrheit zurück.

Zu einem geschichtsträchtigen Datum wurde der 29. Oktober allerdings vor allem noch aus einem anderen Grund. Inmitten der prekären wirtschaftlichen und politischen Situation wurde um 20 Uhr in einem Bürogebäude am Potsdamer Platz mit einer einstündigen Radiosendung das Zeitalter des öffentlichen Rundfunks in Deutschland eingeläutet. Vier Jahre später blickte Weill auf dieses Ereignis zurück: »*Hier Sendestelle Berlin, Vox-Haus, Welle 400!* Diese Worte leiteten ein kleines Konzert ein, das aus Schallplatten und einigen Solovorträgen mit Klavierbegleitung bestand. Eine rapide, unvergleichliche Entwicklung hat der Rundfunk nach diesem bescheidenen Beginn durchgemacht.«[4] Die Erfolgsgeschichte des neuen Mediums war in der Tat atemberaubend. Binnen eines Jahres nahmen im Gefolge der Berliner Funk-Stunde acht weitere Sendegesellschaften in unterschiedlichen Teilen des Deutschen Reiches den Rundfunkbetrieb auf.[5] Den Anfang machten im März 1924 der Mitteldeutsche Rundfunk in Leipzig (MIRAG) und die in München ansässige Deutsche Stunde in Bayern. Zugleich kam es zu einem exponentiellen Wachstum der Zuhörerschaft. Aus den rund 500 angemeldeten Teilnehmern, die die Berliner Funk-Stunde zum Jahreswechsel 1923/24 vorweisen konnte, waren anderthalb Jahre später bereits 265 000 geworden. Bis 1926 war die Zahl der registrierten Hörerinnen und Hörer reichsweit auf über eine Million angewachsen. Zwei Jahre später waren es dann bereits mehr als zwei Millionen. Die tatsächliche Hörerzahl wird dabei noch weitaus größer gewesen sein. So gab es von Anfang an zahlreiche Menschen, die im Familien- und Freundeskreis oder als »Zaungäste« mithörten und deshalb nicht in den offiziellen Statistiken erscheinen. Und auch die tägliche Sendezeit vervielfachte sich innerhalb kurzer Zeit. In Berlin und München, wo man jeweils bescheiden mit einer Stunde angefangen hatte, wurde im Sommer 1925 täglich ein neun- bzw. siebenstündiges Programm ausgestrahlt.[6] Hinzu kam die Entwicklung des föderalistisch strukturierten Rundfunkwesens zu

einem »Instrument öffentlicher Unterhaltung, Belehrung und Nachrichtenübermittlung« von kaum zu überschätzender Bedeutung.[7]

Zu einem Schlüsseldatum der deutschen Mediengeschichte wurde der 29. Oktober 1923 allerdings erst in der historischen Rückschau. Obwohl die Ansage, mit der Funk-Stunden-Direktor Friedrich Georg Knöpfke die erste Sendung einleitete, im Lauf der Jahrzehnte tausendfach zitiert worden ist und in keiner Darstellung der Rundfunkgeschichte fehlt, kann man davon ausgehen, dass im Herbst 1923 kaum ein Zeitgenosse mit den Worten »Achtung, Achtung. Hier ist die Sendestelle Berlin im Vox-Haus auf Welle 400«, geschweige denn mit Knöpfkes Stimme etwas hätte anfangen können. So heißt es in einem nüchternen Bericht, der am folgenden Morgen im *Berliner Tageblatt* erschien, über die erste Radiosendung und ihre potenzielle Hörerschaft: »Nach langwierigen Vorbereitungen und Ueberwindung einiger Kompetenzstreitigkeiten ist gestern abend mit dem *offiziellen Unterhaltungsrundfunk begonnen* worden. Das gestrige Konzert galt zunächst auch nur einigen bevorzugten Deutschen und einer unberechenbaren Zahl ausländischer Hörer. Es gibt, wiewohl seit Monaten daran gearbeitet wird und wiewohl bei der Post die

Familienidylle um 1924 mit Buch und Rundfunkgerät. Inszeniert wird ein harmonisches Miteinander der beiden Medien. Während sich ein Teil der Familie in die Lektüre vertieft, hören die anderen mit den zeittypischen Kopfhörern Radio.

Anträge auf Bewilligung eines Empfangsapparates zahlreich einlaufen, noch *keinen Menschen in Berlin* mit einem rechtmäßig, das heißt postamtlich erworbenen Apparat. Dagegen wird es, wie auch in England, eine ganze Anzahl sogenannter *Schleichhörer* geben.«[8] Im sozialdemokratischen *Vorwärts* begrüßte man den Beginn des öffentlichen »Unterhaltungsrundfunks« am selben Tag mit bitterem Spott. In einem polemischen Artikel bezog sich der Autor ironisch auf die Erklärung der verantwortlichen Rundfunkmacher, ihr Angebot sei dazu da, um »in schwerster wirtschaftlicher Not und politischer Bedrängnis [...] dem deutschen Volke etwas Anregung und Freude in das Leben zu bringen«,[9] und machte keinen Hehl daraus, dass er das neue Medium für ein Luxusgut hielt, das für die normale Bevölkerung zu Krisenzeiten weder erschwinglich noch hilfreich sei: »Gewiß, es ist wahr, der Besuch von Kneipen, Konzerten, Kabaretts, Theater und Diele ist ein wenig teuer geworden, und auf den Straßen ist es dunkel und etwas unsicher außerdem. Aber nun haben wir den Rundfunk, bleiben hübsch zu Hause und hören die angenehmsten und schönsten Dinge. [...] Nur eine kleine Einschränkung sei gestattet einzuschalten. Bei manchen wird vielleicht die Stimme des hungernden Magens stärker sein als der strammste Tenor oder Baß, der durch den Rundfunk zu uns strömt.«[10]

Angst vor Kontrollverlust und »deutsche Gründlichkeit«: Der späte Beginn des öffentlichen Rundfunks in der Weimarer Republik

Bereits den Zeitgenossen war bewusst, dass das Zeitalter des öffentlichen Rundfunks in Deutschland erstaunlich spät einsetzte. So heißt es in einem Leitartikel, der 14 Tage nach Aufnahme des offiziellen Sendebetriebs in der wöchentlichen Auslandsausgabe der *Vossischen Zeitung* erschien: »Erst seit wenigen Wochen existiert bei uns der ›Unterhaltungs-Rundfunk‹, eine Einrichtung, die in anderen Ländern, besonders in den Vereinigten Staaten, zu den Selbstverständlichkeiten zählt, mit denen schon das moderne kleine Kind rechnet, wie mit Telephon, Automobil und Flugzeug.«[11] Tatsächlich gab es in den USA 1923 schon mehrere Hundert private Rundfunkstationen.[12] In Frankreich strahlten der öffentliche Hörfunksender Radio Tour Eiffel und sein privates Pendant Radiola tagtäglich Sendungen aus. In Großbritannien hatte die BBC im November 1922 mit dem Sendebetrieb in London begonnen und innerhalb eines Jahres Dependancen in acht verschiedenen Städten von Bournemouth bis Aberdeen errichtet. Und auch in Argentinien, Kanada, Chile, Neuseeland, der Tschechoslowakei und anderen Ländern gab es bereits offiziell anerkannte staatliche oder private Hörfunkanbieter. Dass der internationale Boom des Rundfunks gerade um 1920 einsetzte, war kein Zufall. So hatte man die um 1900 maßgeblich von Guglielmo Marconi entwickelte drahtlose Telegraphie und die darauf aufbauende Funktechnologie während des Ersten Weltkriegs nicht nur erprobt und ausgebaut, sondern auch zahlreiche Soldaten und Offiziere im Umgang mit dem Funk geschult.[13]

Auch in Deutschland stellte sich bereits direkt nach Kriegsende die Frage, wie die vorhandenen Technologien zur drahtlosen Übertragung von akustischen Signalen künftig genutzt, reguliert und weiterentwickelt werden sollten. Während die Telefunken Gesellschaft für drahtlose Telegraphie, die C. Lorenz AG und andere deutsche Firmen die Entwicklung im Bereich der Elektro- und Funktechnik vorantrieben und ihre Apparate auch ins Ausland exportierten, begann die Reichspost im südöstlich von Berlin gelegenen Städtchen Königs Wusterhausen 1920 mit systematischen Versuchen zur drahtlosen Übertragung von Musik und Sprache. Auf dem sogenannten Funkberg, einem Hügel, der zuvor als militärische Funkstelle genutzt worden war, errichtete man ein Sendehaus, übertrug am 22. Dezember 1920 ein improvisiertes Weihnachtskonzert und versuchte sich bereits sechs Monate später an einer ersten Opernübertragung (Puccinis *Madame Butterfly* aus der Staatsoper Unter den Linden). In den folgenden beiden Jahren arbeitete man an Technik und Qualität der Klangübertragung. Ab Mai 1923 wurden regelmäßig Sonntagskonzerte veranstaltet, die aufgrund des leistungsstarken Senders auch in anderen europäischen Ländern zu hören waren.[14] Dass man sich trotz dieser erfolgreichen eigenen Versuche und angesichts der Entwicklungen im Ausland erst im zweiten Halbjahr 1923 dazu durchringen konnte, mit dem öffentlichen Rundfunk zu beginnen, hatte verschiedene Gründe. Ein entscheidender Faktor war zweifellos die Angst der politisch Verantwortlichen, in Krisenzeiten die Kontrolle über den Funkverkehr zu verlieren. Als Menetekel galt dabei vielen der sogenannten »Funkerspuk«. Am 9. November 1919 hatten Vertreter der Berliner Arbeiter- und Soldatenräte die Zentrale des deutschen Pressenachrichtenwesens besetzt und per Funk den »unblutigen Sieg« der Revolution verkündet. Parallel dazu gründeten kriegsmüde Funker eine »Zentralfunkleitung« und versuchten, über den Sender Königs Wusterhausen »ein von der Post unabhängiges Nachrichtennetz aufzubauen«.[15] Vor dem Hintergrund dieser Erfahrung gab es zahlreiche Stimmen, die für eine restriktive Handhabung des Funkverkehrs plädierten. Bereits im Sommer 1919 – also noch vor Ausbruch der revolutionären Unruhen – hatte die Post in einer Denkschrift gewarnt, gegen die »allgemeine Freigabe der Benutzung von Empfangsapparaten« spräche, dass es dann »jedermann technisch möglich sei, alle in der Luft befindlichen Nachrichten anzuhören.«[16] Gebremst wurde die Entwicklung aber auch durch knappe Finanzmittel, wie die *Vossische Zeitung* in ihrer Auslandsausgabe konstatierte.[17] Hinzu kam eine monatelang andauernde und von »deutscher Gründlichkeit« geprägte Auseinandersetzung zwischen den zuständigen Behörden: Das Reichspostministerium verstand das neue Medium »vorwiegend als Wirtschafts- und ›Kulturfaktor‹«. Das Reichsinnenministerium hingegen sah »in ihm zuallererst ein neues politisches Instrument«.[18] Als schließlich eine Einigung in Sicht war, sollte alles ganz schnell gehen.

Während sich zu Herbstbeginn die allgemeine politische und ökonomische Krise von Tag zu Tag weiter zuspitzte, wurde im Zentrum der Reichshauptstadt »in aller Eile« ein Sender »zusammengezimmert«. Da die Devise lautete, dass dabei keine zusätzlichen Kosten entstehen dürften, musste der mit der Aufgabe betraute Postdirektor Friedrich Weichart auf bereits vorhandenes Material zurückgreifen. Als Standort hatte man den Hauptsitz der Vox-Schallplatten- und Sprechmaschinen AG in der Potsdamer Straße 4 gewählt. In »einem Dachkämmerchen von einigen Quadratmetern Grundfläche« begann Weicharts Team am 2. Oktober mit der Aufstellung der Sendeanlage.[19] Parallel dazu installierte das Telegraphenbauamt eine mehr als 30 Meter »lange Antenne, die sich vom Dache des Grundstücks [gemeint ist das Vox-Haus] über die Höfe und Seitengebäude hinweg bis zum Esplanade-Hotel in der Bellevuestraße ausspannte«.[20] Als erstes Aufnahmestudio diente ein freigeräumter »und durch Wolldecken etwa im Verhältnis 2:1« geteilter Büroraum. Dieses war ebenso provisorisch und unpraktisch wie die zwei Stockwerke höher gelegene zum Senderaum umfunktionierte Dachkammer: »Der größere Teil dieses Raumes, der zur Abdämpfung des Schalles zunächst locker mit violettem Kreppapier behängt wurde, war als der eigentliche ›Aufnahmeraum‹ gedacht; der kleinere Teil bot Platz zur Aufstellung der notwendigen technischen Einrichtung. Ein mit zwei Adreßbüchern belegter Stuhl diente zur Aufstellung der Mikrophone.«[21] Die Übertragung in den Senderaum erfolgte mittels eines »Bleikabels«.[22] Nach etwas mehr als zwei Wochen waren die Aufbauarbeiten abgeschlossen, und man begann am 18. Oktober umgehend, den neuen Sender und die Aufnahmeeinrichtungen zu testen.

Parallel zu den Aufbau- und Versuchsarbeiten liefen die Werbemaßnahmen für das neue mediale Angebot an. Am 14. Oktober erschien das erste Heft einer neuen Zeitschrift mit dem Titel *Der Deutsche Rundfunk. Rundschau und Programm für alle Funkteilnehmer*. Am Tag darauf – also genau zwei Wochen vor Ausstrahlung der ersten Sendung – lud das Reichspostministerium Pressevertreter zu »einer musikalischen Vorführung« ins Telegraphische Reichsamt ein. In Anwesenheit des Reichspostministers präsentierte Staatssekretär Hans Bredow die Pläne für den in Kürze beginnenden »Unterhaltungsrundfunk«. Der 44-jährige Ingenieur trieb seit 1919 auf staatlicher Seite die zivile Nutzung des Funks voran. Aufgrund seiner fachlichen Kompetenz, seiner Verbindungen zur Wirtschaft und seiner Visionskraft wurde er rasch zu einer Schlüsselfigur des frühen deutschen Rundfunkwesens und prägte es, bis die Nationalsozialisten die Macht übernahmen.[23] Damit sich die Anwesenden von der Funktionsweise des neuen Mediums selbst einen Eindruck machen konnten, hatte Bredow den Saal vorab in eine große Hörstation umwandeln lassen. Überall im Raum waren Telefone verteilt. Zudem hatte man einen großen Lautsprecher aufgestellt und im 30 Kilometer entfernten Sendehaus in Königs Wusterhausen einige Musiker platziert, die nach Bredows Einleitung zu spielen begannen. »Man saß zuerst mit dem Hörer am Ohr, der die Töne den einzelnen vermittelte«, berichtete einer der geladenen Journalisten am nächsten Tag in der *Vossischen Zeitung*: »Nachher aber wurde das weitere Programm durch Lautverstärker der Gesamtheit vernehmbar gemacht – man hörte die Vorlesung eines Textes, dann Gesang mit Klavierbegleitung (eine Arie aus ›Hans Heiling‹), Schuberts ›Deutsche Tänze‹ (Violine, Cello, Klavier), Griegs ›Solveigs Lied‹, einen Ländler (Klarinette) und endlich die ›Nationalhymne‹ (Violine, Cello, Klavier).«[24] Während der Berichterstatter der *Berliner Börsen-Zeitung* feststellte, dass die Klangqualität der musikalischen Darbietungen »etwa auf der Höhe mittelguter grammophonischer Vorführungen stand«, war der Korrespondent der *Vossischen Zeitung* offensichtlich enttäuscht.[25] Er konstatierte, dass die Klänge aus dem Äther nicht seinen Erwartungen entsprochen hätten, und berichtete, dass zur »Entschuldigung« von den Veranstaltern darauf hingewiesen worden sei, »daß der ganze Rundfunkdienst noch in den Kinderschuhen stecke, daß man aber bald von Verbesserungen hören werde.«[26] Am meisten Kopfschütteln und Kritik lösten allerdings die enormen Kosten und das komplizierte Prozedere aus, die mit dem Abschluss eines Rundfunkabonnements und der Anschaffung der notwendigen Technik verbunden waren: »Um *Teilnehmer an dem Unterhaltungsrundfunk zu werden*, müssen die Interessenten bei ihrem zuständigen Postamt persönlich sich einfinden, über ihre Person sich ausweisen und einen *Jahresbeitrag von 25 Goldmark* erlegen. Diese von der Post erhobene Summe gilt nur für den Anschluß an den Rundfunk. Mit der von der Postverwaltung ausgestellten Abonnementsquittung muß man alsdann in diejenigen *Verkaufsstellen* sich begeben, *die sich mit der Einrichtung von drahtlosen Empfangsstationen befassen.* Hier sucht man sich einen Empfänger aus, der je nach Größe und Stärke etwa *200 bis 400 Goldmark* kostet und läßt sich von der betreffenden Verkaufsstelle [...] den Empfänger montieren.«[27] Auf erhebliches Unverständnis stieß neben dem bürokratischen Hürdenlauf die Verfügung, dass nur »staatlich geprüfte und gestempelte Apparate zugelassen werden sollen und die Selbstherstellung bzw. der Ausbau von Apparaten untersagt ist«. Insbesondere die zahlreichen Funkamateure empfanden diese Maßnahme als Schikane und als Missachtung ihrer Interessen und Kompetenzen. Vor diesem Hintergrund ist es nicht erstaunlich, dass es bei der ersten offiziellen Rundfunksendung zwei Wochen später noch keinen einzigen Hörer »mit einem rechtmäßig [...] erworbenen Apparat« gab, dass der Abonnement- und Geräteverkauf bis zum Jahresende nur schleppend verlief und dass die Gruppe der Schwarzhörer in den ersten Monaten die gemeldeten Teilnehmer um ein Vielfaches überstieg.[28]

Fritz Kreisler im Äther: Vom improvisierten Studiokonzert zur ersten Operettenübertragung

»Auf keinem Gebiete hat der Rundfunk eine größere, tiefergehende und die Kultur mehr bestimmende Bedeutung gehabt als in der Musik«, konstatierte der Autor und Kritiker Rudolf Lothar 1926 zu Beginn eines Rückblicks auf die ersten Rundfunkjahre: »Es ist also ganz falsch, wenn immer wieder Leute den Anteil der Musik am Rundfunk beschränken und eindämmen wollen. [...] In der Musik vor allem liegt seine hohe kulturelle Mission.«[29] Tatsächlich war es die Musik, der insbesondere in der Anfangszeit der Funk-Stunde der mit Abstand größte Sendeanteil eingeräumt wurde. Zunächst setzte man dabei auf »einfachere Musik«, wie es in der kurzfristigen Ankündigung der ersten Sendung in der neubegründeten Rundfunkzeitschrift hieß.[30] So wurde den Hörerinnen und Hörern am 29. Oktober ein aus zwölf Stücken bestehendes buntes Programm geboten. Es kombinierte Lieder, Arien aus Opern und Oratorien, Salonstücke und andere Miniaturen sowie klavierbegleitete Konzertsätze, darunter erfolgversprechende Evergreens wie Schumanns *Träumerei* oder die langsamen Sätze aus dem Klarinettenkonzert von Mozart und dem Violinkonzert von Tschaikowsky. Das allererste Stück, das in den Äther geschickt wurde, war eine Bearbeitung: Fritz Kreislers

»Andantino im Stil von Padre Martini« in einer Fassung für Cello und Klavier. Vorgetragen wurde es mit vielen expressiven Portamenti von dem Cellisten Otto Urack.[31]

Ein Spezifikum des Berliner Radiosenders war die enge Zusammenarbeit mit der Vox Schallplatten- und Sprech-maschinen AG. Der noch junge Schallplattenkonzern stellte nicht nur die benötigten Räumlichkeiten in seinem Haupt-gebäude zur Verfügung, sondern war zugleich einer der An-teilseigner der späteren Funk-Stunde AG. Zudem gab es perso-nell und inhaltlich zahlreiche Verbindungen. So war der erste Leiter der Funk-Stunde, Friedrich Georg Knöpfke, der für das Programm maßgeblich verantwortlich war, zuvor als Werbe-fachmann für die Vox und für andere Schallplattenlabels tätig gewesen.[32] Und auch vier der sieben Musiker, die bei der ersten Radio-Stunde auftraten (sechs Männer und eine Frau), waren »Vox-Künstler«.[33] Eine herausgehobene Rolle übernahm Otto Urack. Der 39-jährige Allround-Musiker hatte als Cellist in berühmten Klangkörpern wie der Staatskapelle Berlin oder dem Boston Symphony Orchestra gespielt und wirkte als Kapellmeister unter anderem an der Staatsoper Unter den Linden. Auf den zahlreichen Platten, die er für die Vox seit 1921 einspielte, trat er nicht nur als Dirigent oder Cellist, sondern auch als Pianist in Erscheinung. In der ersten Radio-sendung wechselte er zwischen Cello und Klavier und war an allen neun live gespielten Titeln beteiligt. Darüber hinaus konnte man ihn auch auf einer der drei abgespielten Voxplatten hören.

Der Rundfunk in der Weimarer Republik war von Anfang an ein Medium, in dem in erster Linie live musiziert wurde. Dass man in der frühen Zeit der Funk-Stunde im Bereich der Musik dennoch gerne auf Schallplatten zurückgriff, um das Programm zu bestücken, hatte meh-rere Gründe. Zum einen konnte man auf diese Weise größer besetzte Werke senden, für deren Live-Übertragung in der Anfangsphase weder geeignete Räume noch eine adäquate Aufnahmetechnik zur Verfügung standen. In der ersten Sendung waren dies ein Salonstück für Klavier-trio sowie eine Arie aus Verdis *Il trovatore*, gesungen von dem britisch-amerikanischen Startenor Alfred Piccaver mit Orchesterbegleitung. Den krönenden Abschluss bildete um kurz vor 21 Uhr die deutsche National-hymne, gespielt von einem Infanterie-Regiment der Reichswehr.[34] Zum anderen gab es aber auch marktstrategische Interessen. So nutzte die Vox das neue Medium der Klangfernübertragung, um für die eigenen Pro-dukte zu werben und dabei zumindest indirekt auch auf das Programm Einfluss zu nehmen – eine Praxis, die die problematischen Aspekte

dieser Partnerschaft von öffentlicher Hand und privatem Unternehmen deutlich machte und in den späten 1920er-Jahren dazu führte, dass die Vox ihre Monopolstellung bei der Funk-Stunde verlor und die einstigen Partner getrennte Wege gingen.[35]

Vor dem Hintergrund des improvisierten Beginns und der schwierigen Rahmenbedingungen ist es erstaunlich, wie rasch das Programmangebot der Funk-Stunde ausgeweitet wurde. Zugute kamen den Beteiligten dabei zweifellos die Erfahrungen, die beim Versuchssender in Königs Wusterhausen gemacht worden waren, aber auch die Entwicklungen in der internationalen Radiowelt, die man in Deutschland zumindest partiell verfolgte und in der neuen Rundfunkzeitschrift auch (kritisch) diskutierte. In den ersten Wochen blieben die Radiomacher bei der einstündigen Abendsendung. Übertragen wurden zumeist Mischprogramme, in deren Zentrum eingängige Stücke aus dem Bereich der klassischen Musik standen. Zugleich war man offensichtlich darum bemüht, dem Titel »Unterhaltungsrundfunk« gerecht zu werden und das Programmspektrum zu erweitern. Den Anfang machte bereits am 1. November der Geiger Bernard Etté mit seinem Tanzorchester. Zwei Tage

Blick in das provisorische Aufnahmestudio der Berliner Funk-Stunde im Vox-Haus 1923. Zwischen den verschiedenen Musikbeiträgen gab es kurze Moderationen.　••••

später hielt das Kabarett Einzug in den Rundfunk. Verpflichtet hatte man dafür Mitglieder des populären Berliner Kabaretts Die Rampe.[36] Die Weihnachtsfeiertage nahm die Funk-Stunde dann zum Anlass, die Sendezeit und das Programm substanziell zu erweitern. Ab dem 23. Dezember konnte man den Berliner Sender täglich mehrere Stunden hören. Das Programm begann um 16.30 Uhr mit Unterhaltungsmusik und ging an einigen Tagen der Woche erst sechseinhalb Stunden später mit Tanzmusik zu Ende. Dazwischen gab es Vorträge, Nachrichten und als Kernstück ein Konzert, dessen genaue Programmfolge nun auch in der Rundfunkzeitschrift vorab veröffentlicht wurde.[37] Außerdem begann man damit, den enormen Vorteil auszuschöpfen, den der Rundfunk gegenüber dem Speichermedium Schallplatte besaß. Während die Spielzeit einer Plattenseite in den frühen 1920er-Jahren nicht mehr als drei bis vier Minuten betrug und man längere Werke wie eine Beethoven-Sinfonie auf mehrere Platten pressen und oft mitten im Satz zerteilen musste, waren solche »Verstümmelungen« im Live-Medium Rundfunk nicht mehr nötig. Als eines der ersten längeren Werke erklang am 23. Dezember Beethovens rund 20-minütiges »Gassenhauer-Trio«. Am 1. Januar 1924 begrüßte man das neue Jahr mit Konzerten von Bach. Am nächsten Abend gab es den »Gartenakt« aus Gounods *Faust*-Oper *Margarethe*, begleitet von einem »Kammerorchester, bestehend aus Herren der Staatskappelle, unter Leitung von Kapellmeister Otto Urack«.[38] Am 10. und 13. Januar versuchten sich Urack und seine Solisten – ebenfalls mit einem Kammerorchester – an Richard Wagner (Szenen aus *Tannhäuser* sowie der erste Akt aus der *Walküre*). Und am 18. Januar verließ man erstmals das Vox-Haus, um nach extrem knapper Vorbereitungszeit und einigen »funktechnischen Versuchen« aus dem Thalia-Theater Franz Lehárs Operette *Frasquita* unter der Leitung des Komponisten zu übertragen:[39] »Es wurde nur ein einziges Mikrophon verwendet, ein sogenanntes Tischdiktiermikrophon, das über dem zweiten Parkett, unterhalb des ersten Ranges, aufgehängt war«, erinnerte sich Rudolf Lothar 1926: »Einen restlosen Genuß werden die Hörer kaum gehabt haben, aber der Weg zur Opernübertragung war nun eingeschlagen.«[40]

Opern für die Ohren: Konkurrenzkampf ums Publikum, Stimulation der Phantasie und technische Unzulänglichkeiten

Bemerkenswert war die Radioübertragung von *Frasquita* nicht nur in technischer Hinsicht. So war das Thalia-Theater bereit, für die Sendung der Berliner Erstaufführung von Lehárs Operette der Rundfunkgesellschaft eine Gebühr zu bezahlen. Die Leitung des privaten Theaters sah in dem neuen Medium offenbar eine geeignete Plattform, um für das eigene Haus zu werben, und war überzeugt, durch die Rundfunkübertragung Publikum zu gewinnen. Andere Anbieter, in Deutschland insbesondere öffentliche Kulturinstitutionen, beobachteten diese Entwicklung hingegen argwöhnisch und fürchteten, dass das neue Medium mittelfristig zu einem massiven Publikumsschwund führen werde. Kurz nachdem die Deutsche Stunde in Bayern den Sendebetrieb aufgenommen hatte, entschied die Führung des Münchner Nationaltheaters, Musikern und Musikerinnen, die an Rundfunksendungen mitwirkten, die Gage zu kürzen. Häuser wie die Oper Leipzig gingen noch einen Schritt weiter und erließen zunächst ein allgemeines »Rundfunkverbot« für ihre Beschäftigten.[41] An der Berliner Staatsoper war man in diesem Punkt offenbar anderer Meinung. Neben Otto Urack arbeiteten auch viele weitere Orchester- und Ensemblemitglieder regelmäßig für die Funk-Stunde, darunter seit der ersten Sendung der Konzertmeister Rudolf Deman. Vor diesem Hintergrund ist es nicht überraschend, dass die erste Übertragung einer vollständigen Oper ein knappes Jahr nach Sendebeginn aus der Staatsoper erfolgte: Mozarts *Zauberflöte*. Im Rahmen eines »Monopolvertrags« zwischen der Funk-Stunde und der Staatsoper kam es bis Mai 1926 zu mehr als 30 weiteren Opernübertragungen aus dem Stammhaus an der Prachtstraße Unter den Linden und aus der neu eröffneten Krolloper am Platz der Republik.

Die Möglichkeit, eine Opernaufführung zu Hause live zu verfolgen, war an sich kein neues Phänomen. Bereits in den 1880er-Jahren hatte man damit begonnen, Opern- und Theateraufführungen sowie Konzerte mithilfe des Telefonnetzes zu übertragen. Eine zentrale Rolle spielte dabei der Erfinder Clément Ader. In Paris entwickelte er das sogenannte Théâtrophone, das ab 1890 als kommerzielles Produkt angeboten und vermarktet wurde. Zu den prominenten Nutzern der Opernübertragung via Fernsprecher gehörte Marcel Proust. Als er gesundheitlich nicht mehr in der Lage war, seine Wohnung zu verlassen und in die Opéra Garnier zu gehen, griff er auf die Opernübertragung via Fernsprecher zurück, um altbekannte und neue Werke zu hören. In Großbritannien wurde Mitte der 1890er-Jahre ein ähnliches System unter dem Namen Electrophone etabliert. Und in München war man sogar so verwegen, mit der telefonischen Opernübertragung zu einem Zeitpunkt zu beginnen, als die Deutsche Stunde in Bayern bereits den Sendebetrieb aufgenommen hatte. Ab dem 1. Oktober 1924 wurden ausgewählte Opernvorstellungen und Akademiekonzerte des Nationaltheaters über das Fernsprechnetz in die Wohnungen angemeldeter Teilnehmer in München und in anderen bayerischen Städten übertragen. Dass dieses scheinbar anachronistische Unternehmen sechs Jahre lang Bestand hatte, ist wohl in erster Linie der Tatsache geschuldet, dass das Radio in seinen frühen Jahren offenbar noch nicht in der Lage war, eine vergleichbare Klangqualität zu bieten.[42] Doch hinsichtlich der Bandbreite des Angebots wie auch preislich konnte das Theatertelefon schon bald nicht mehr mit dem Rundfunk konkurrieren.

Im Frühjahr 1924 hatte sich bei den Trägern und Aufsichtsbehörden des Rundfunks die Einsicht durchgesetzt, dass es für den nachhaltigen Erfolg des neuen Mediums unerlässlich war, die Teilnehmergebühr zu senken und die restriktive Politik bei der Gerätebeschaffung und -verwendung zu lockern. Rückwirkend zum 1. April stieg man von der jährlichen Rundfunkgebühr, die seit Januar bei 60 Mark lag (etwa ein Drittel des damaligen monatlichen Durchschnittsverdienstes), auf einen monatlich zu zahlenden Beitrag von 2 Mark um. Außerdem war es fortan erlaubt, »selber zusammengebaute Detektorapparate« zu benutzen, ein Entgegenkommen an die Funkliebhaber und andere »Zaungäste«, die bislang schwarz gehört hatten und denen »Straffreiheit« zugesichert wurde, wenn sie sich bis zum 16. April nachträglich anmeldeten.[43] Tatsächlich stieg nach diesen überfälligen Maßnahmen die offizielle Hörerzahl rapide an.

Diskutiert wurde in den frühen Rundfunkjahren nicht nur über die technischen Unzulänglichkeiten der drahtlosen Klangübertragung, sondern auch über die Frage, wie sinnvoll es überhaupt sei, Werke des Musiktheaters im Radio zu senden. So bemerkte der Korrespondent der *Vossischen Zeitung* in seiner Besprechung der ersten Rundfunkübertragung aus der Berliner Staatsoper apodiktisch: »Daran, daß das Fehlen des Bühnenbildes auf die Dauer doch ermüdend wirkt, wird auch die technisch beste Uebertragung nichts ändern können.«[44] Der junge Kurt Weill sah dies ganz anders. Ab Herbst 1924 gehörte er zum Autorenteam der seit Jahresbeginn wöchentlich erscheinenden Zeitschrift *Der Deutsche Rundfunk*. Als kritischer Chronist begleitete er den rasanten Aufstieg des Radios zum Massenmedium. In mehreren hundert Artikeln berichtete er bis 1929 über aktuelle Rundfunkproduktionen, diskutierte die Möglichkeiten des neuen Mediums zur Produktion, Verbreitung und Vermittlung von Musik, erörterte gegenwärtige und zukünftige Verwendungsweisen und reflektierte auf einer grundsätzlichen Ebene die kulturelle und gesellschaftliche Bedeutung des Rundfunks sowie rundfunkästhetische Fragen.[45] Nach Weills Dafürhalten war eine gelungene Opernübertragung in der Lage, die Imaginationskraft des am Rundfunkapparat sitzenden Zuhörers zu stimulieren und ihm ein ästhetisches Erlebnis ganz eigener Art zu verschaffen. So schrieb er nach einer hochkarätig besetzten *Carmen*-Aufführung an der Staatsoper mit Richard Tauber als Don José, die Mitte März 1925 dank der beträchtlichen Fortschritte in der deutschen Funktechnik »gleichzeitig in Berlin, Hamburg und Hannover« zu hören war: »Vor allen Dingen ist es jedesmal wieder eine Freude, zu beobachten, wie man schon durch das Geräusch des wartenden Publikums vor dem Vorhang, der stimmenden Orchestermitglieder, des lampenfiebernden Personals auf der Bühne, durch das ganze geheimnisvolle Flüstern und Rauschen vor Beginn der Vorstellung in gespannte Theaterstimmung versetzt wird, wie dann die dramatischen Höhepunkte plastisch vor unserem Auge erscheinen, wie der bloße Klang einer menschlichen Stimme unsere Phantasie befruchtet, uns mit sich reißt, das Bühnenbild, das Mienenspiel der Darsteller, den Dirigenten, ja die Logen des Theaters vor unser Auge zaubert und uns die mehr oder weniger nüchterne Umgebung unseres Raumes vergessen läßt.«[46] Doch auch Weill ließ keinen Zweifel daran, dass das Hörvergnügen durch die unzulängliche Technik massiv getrübt wurde. In einem »Rückblick auf die erste Opernsaison im Berliner Rundfunk« bemerkte er kritisch: »Sowohl die Singstimme als auch das Orchester wurden oft sehr unvollkommen übertragen. [...] Am günstigsten gelingt die Übertragung bei solchen Werken, wo die Sänger auf der Vorderbühne ihre Arien und Ensemblesätze singen und die Handlung sich dazwischen in Dialogen oder Rezitativen abrollt.«[47] Die Klage über die technischen Unzulänglichkeiten des Rundfunks und das daraus resultierende verzerrte Klangbild zieht sich wie ein roter Faden durch die frühe Rundfunkkritik. Obwohl man unermüdlich an technischen Verbesserungen arbeitete, wurden noch Ende der 1920er-Jahre das »omnipräsente Rauschen«, ein »starkes Klirren« bei lauten Passagen, die eingeschränkten Möglichkeiten zur klanglichen Differenzierung, die unzureichende Wiedergabe einzelner Instrumente und eine daraus resultierende Verfremdung des Orchesterklanges moniert.[48]

Eine interessante, heute weitgehend vergessene Alternative zu den herkömmlichen Opernübertragungen war das Format des Opern-Sendespiels. Nicht einmal vier Wochen nach der *Zauberflöten*-Sendung präsentierte die Funk-Stunde am Abend des 1. November 1924 eine medienspezifische Adaption von Mozarts *Figaro*. Als Produktionsort diente ein im »obersten Stockwerk des Vox-Hauses« neu eingerichteter Aufnahmesaal, ausgestattet mit leistungsfähigen »Kohle-Mikrophonen« von Eugen Reisz und »neuen, großzügig angelegten Verstärkereinrichtungen«.[49] Als Dirigenten hatte man Erich Kleiber, den Generalmusikdirektor der Staatsoper, gewonnen. Er leitete »das Solistenensemble (in der üblichen Besetzung)« sowie das von seinem Haus gestellte »Mozart Orchester und den Chor«.[50] Die Partie des Grafen übernahm der niederländisch-deutsche Bariton Cornelis Bronsgeest. Er war zugleich Spiritus Rector und Regisseur des Unternehmens. Durch »Aenderungen und

Einschiebsel im Dialog« hatte er das Gemeinschaftswerk von Mozart und seinem Librettisten Da Ponte »geschickt und mit der nötigen Diskretion« zu einer Oper für die Ohren bearbeitet und dafür gesorgt, dass es auch für jene Hörerinnen und Hörer verständlich wurde, die nicht mit der Bühnenhandlung vertraut waren.[51]

Bestärkt vom Erfolg dieses ersten Versuchs, die »Radioerfindung für die Oper« auf spezielle Weise nutzbar zu machen,[52] kreierte Bronsgeest allein in den nächsten anderthalb Jahren 50 Opern-Sendespiele, die sich großer Beliebtheit erfreuten. Dass das neue Format so rasch zu »einer festen Säule des Programms« werden konnte, hatte mehrere Gründe.[53] Zum einen waren die Aufnahmebedingungen im Studio deutlich günstiger als auf der Opernbühne. Zum anderen bemühte sich Bronsgeest darum, eine medienspezifische Umsetzung zu erarbeiten, in der Vermittlung von Anfang an mitgedacht wurde. So resümierte Weill in seinem »Rückblick auf die erste Opernsaison im Berliner Rundfunk« begeistert: »Es ist das Verdienst des Leiters Cornelis Bronsgeest, alle diese Werke so bearbeitet zu haben, daß sie auch in der bühnenlosen Fassung ihren ganzen Zauber ausüben konnten.« Zugleich machte er jedoch deutlich, dass diese neuartige Gattung noch ganz am Anfang stehe und aus seiner Sicht weitere Anstrengungen nötig seien, um auf der Basis von Bronsgeests bisherigen Versuchen zu einer wirklich überzeugenden Form der »Rundfunkoper« zu kommen: »Auch zahlreiche Schwierigkeiten der Bearbeitung, der Stilreinheit, der dramatischen Linie [...] sind nur durch völligen Verzicht auf die Gewohnheiten der Bühne zu beheben. Den Sendespielen steht eine große Zukunft bevor, wenn sie etwas Eigenes, Neues und Überraschendes leisten.«[54]

»Why on earth did you do this?«: Kontroversen um die Programmgestaltung bei der BBC

Für den jungen Kurt Weill, der im elitebewussten Umfeld Busonis maßgebliche Impulse erhalten hatte, stand fest, dass das neue Medium eine »kulturhistorische Bedeutung« habe, die häufig unterschätzt werde. Im April 1925 notierte er in einem Artikel, in dem er sich kritisch mit der Programmgestaltung der Berliner Funk-Stunde auseinandersetzt: »Vielleicht ist es unmöglich, allen Ansprüchen gerecht zu werden, vielleicht ist die Verfolgung einer Geschmacksrichtung – mag sie auch zunächst als Einseitigkeit gedeutet werden – viel wertvoller und fruchtbringender als dieses Hin- und Herpendeln zwischen Philharmonie und Café Vaterland. [...] Der Rundfunk [...] hätte die Mittel, [...] Pionierarbeit zu leisten, wenn er sich ganz, rückhaltlos, ohne Konzessionen zur Kunst bekennen würde, wenn er mit neuen Mitteln auch neue Taten vollbringt«.[55] Weills Vision von einem »Unterhaltungsprogramm von erlesenem Geschmack«, die damals wie heute sicherlich nicht mehrheitsfähig gewesen wäre, führt mitten in eine vielstimmige und komplexe Debatte, die bereits in den 1920er-Jahren kontrovers geführt wurde und in veränderter Form bis heute anhält. Ausgehend von der Grundfrage, was die Aufgabe des öffentlichen Rundfunks sei, wurde darüber gestritten, in welchem Verhältnis Bildung, Information und Unterhaltung zueinander stehen sollten, wie viel Sendezeit welchem Inhalt eingeräumt werden müsste und in welchem Maße und auf welche Weise man auf die Interessen unterschiedlicher Hörergruppen eingehen könne und wolle.

Während man in Deutschland noch damit beschäftigt war, die Rundfunkpläne endlich Wirklichkeit werden zu lassen, wurden diese Fragen in Großbritannien 1923 bereits heftig diskutiert.[56] »Wir wissen, dass es uns [...] niemals möglich sein wird, alle Teile unseres riesigen Publikums gleichzeitig zufrieden zu stellen«, bekannte Arthur Richard Burrows im Juni 1923 freimütig. Für den ersten Programmdirektor der BBC stand fest, dass die Aufgabe, mit nur einem Radioprogramm möglichst viele Menschen zu beglücken, einer Quadratur des Kreises gleichkam: »Im Gegensatz zu allen anderen Unterhaltungsanbietern, die nur den Teil des Publikums anziehen, der sich speziell für ihre Art der Unterhaltung interessiert, müssen wir alle Gesellschaftsschichten und praktisch alle Temperamente und Geschmäcker gleichzeitig ansprechen.«[57] Anders als der öffentliche Rundfunk in Deutschland war die im Oktober 1922 ins Leben gerufene British Broadcasting Company in den ersten Jahren eine private Kapitalgesellschaft. Gegründet wurde sie von britischen und amerikanischen Unternehmen, die im Bereich der Elektrotechnik tätig waren und darauf bauten, durch das Rundfunkprogramm ihren Absatzmarkt zu erweitern und mehr Radiogeräte zu verkaufen. Kontrolliert wurde das Konsortium von der Britischen Post. Diese hatte bereits in der Gründungsphase entschieden, keine weiteren Anbieter zuzulassen, um eine unübersichtliche Situation und einen unregulierten privaten Markt wie in den USA zu vermeiden. Die BBC erhielt so eine Monopolstellung, sah sich zugleich aber auch mit dem Anspruch konfrontiert, ein Programm von allgemeinem öffentlichem Interesse zu entwickeln.

Wie auch in Deutschland war Musik bei der BBC in den ersten Jahren mit Abstand der wichtigste Inhalt. Im Oktober 1923 lag die Musikquote bei über 66 Prozent, davon etwa ein Drittel klassische Musik. Gesendet wurde täglich von 19 bis circa 23 Uhr. Das Zentrum bildete ein Konzert, flankiert von Nachrichten, Vorträgen, der Wettervorhersage, Tanz- und Unterhaltungsmusik. Geprägt wurde das musikalische Programm von dem Komponisten und Operndirigenten Percy Pitt, der seit Mai als »Music advisor« fungierte, sowie dem Musikkritiker Percy Scholes. Beide begriffen und nutzten den Rundfunk als Vermittlungsmedium, bemühten sich darum, dass klassische Musik einen substanziellen Anteil am Programm hatte, und setzten sich dafür ein, dass auch zeitgenössische Werke gesendet und besprochen wurden.[58] In einem Vortrag mit dem Titel »Broadcasting Symphonies« erklärte Scholes Anfang September 1923: »Bis jetzt war die große Musik der Welt die Privatsache einer kleinen Schar von Menschen, die zufällig an den Orten lebten, wo sie gehört werden konnte, und die zufällig genug Geld hatten, um dafür zu bezahlen. Von nun an gehört sie allen. Das bedeutet eine immense Ausweitung des öffentlichen Interesses an der Musik und, wie ich glaube, auch eine große Verfeinerung des Publikumsgeschmacks.«[59] Für Scholes ging es also sowohl um Zugänglichkeit als auch um Geschmacksbildung. Geleitet war er dabei nicht nur von seinen eigenen ästhetischen Überzeugungen und Vorlieben, sondern auch von einem bildungsbürgerlich geprägten Verständnis des Rundfunks als Medium der Volksbildung. Der damals 34-jährige Generaldirektor der BBC, John Reith, stand in exemplarischer Weise für dieses Programm des Rundfunks als Bildungsinstitution.[60] »Wir behaupten, dass das Radio durch die Popularisierung guter Musik der Musikwelt einen wichtigen Dienst erweist«, schrieb er in einem Artikel, in dem er seine Programmpolitik erläuterte.[61]

Dass der anspruchsvolle Teil des Programmangebots der BBC und die dahinterstehenden bildungsbürgerlichen Ideen nicht bei allen Rundfunkteilnehmern Anklang fanden, liegt auf der Hand. So erklärte ein erboster Hörer in einem Leserbrief, der in der ersten Ausgabe des neuen Magazins *Radio Times* Ende September 1923 abgedruckt wurde, zur Programmpolitik der Verantwortlichen: »Glauben sie wirklich, dass die Mehrheit ihrer ›Hörer‹ an solchen Vorträgen wie jenem über den Rückgang der Malaria in Großbritannien interessiert ist? [...] Würde es nicht ausreichen, nur einen Abend mit klassischer Musik in der Woche zu haben? [...] Offen gesagt scheint mir, dass die BBC vor allem jene ›Hörer‹ bedient, die teure Geräte besitzen und vorgeben, nur anspruchsvolle Musik und hochtrabende Bildungsinhalte [im englischen Original »education ›snob stuff‹«] zu schätzen und zu verstehen. Eigentlich wäre es doch ihre Aufgabe, wie ein Theatermanager Programme auf die Beine zu stellen, die jene Mehrheit ansprechen, die für den Hauptteil ihrer Einnahmen sorgt.«[62] Ähnlich argumentierte W. W. Burnham, eines der Mitglieder des Direktionsgremiums der BBC. Der Repräsentant kleiner Produktionsfirmen von Radiogeräten beschwerte sich Ende 1925 in einem persönlichen Brief an Reith über dessen »elitäre« Programmplanung, mahnte populärere Inhalte an und forderte zudem eine grundlegende

Reform des Abendprogramms: »Zu viele uninteressante Stücke, wie elisabethanische Musik, neumodische Lieder, seltsame Quartette und Quintette, stöhnende Kammermusik, die vom Publikum nicht geschätzt wird.«[63] Doch Reith ließ die Kritik an sich abprallen. Unbeirrt setzte er seine Linie fort, die Bildungsfunktion des Rundfunks stark zu machen. Der Beschwerdebrief des Wirtschafsvertreters war dem Generaldirektor in seinem Notizbuch lediglich einen Halbsatz wert: »silly letter from W. W. Burnham on programmes, but of the sort to be expected from him.«[64] Bereits im Jahr zuvor hatte er in seinem Buch *Broadcast over Britain* erklärt: »Auf jeden Fall ist es besser, den Geschmack des Publikums zu überschätzen, als ihn zu unterschätzen.«[65]

Die Programmverantwortlichen der BBC scheuten also nicht davor zurück, ein Programm zu entwickeln, das ihre persönliche Handschrift trug. Der Rundfunk sollte die Zuhörerinnen und Zuhörer unterhalten, informieren und bilden und sich dabei in den Dienst der Kultur stellen. Gleichzeitig gab es jedoch – und das mag paradox erscheinen – von Anfang an die Praxis, die Hörerinnen und Hörer nach ihrer Meinung zu fragen, und das Bemühen, ihre Wünsche zumindest partiell auch aufzugreifen. »Wir möchten gerne wissen, ob wir in unserem gegenwärtigen Programm zu viel oder zu wenig klassische Musik von weniger populärem Charakter anbieten«, erklärte Programmdirektor Burrows im Juni 1923: »Bitte schreiben Sie uns Ihre Meinung, bevor wir weitermachen, und schicken Sie uns diese so rasch wie möglich.«[66] In derselben Sendung berichtete er, dass diese Möglichkeit ein gutes halbes Jahr nachdem die BBC mit dem Sendebetrieb begonnen hatte, bereits von vielen genutzt werde: »Next morning, or rather within 48 hours, we receive some hundreds, and at times, some thousands of letters, a number congratulating us and a number, happily more often a much smaller number, asking us, ›why on earth we did it‹.«[67]

Allein bis Ende 1923 gingen 16 000 Hörerbriefe bei der BBC ein. Hinzu kamen all jene Reaktionen, die direkt an das Magazin *Radio Times* geschickt wurden. Damit diese Hörerzuschriften nicht folgenlos blieben, hatte das Unternehmen bis Anfang 1924 ein ausgeklügeltes System entwickelt, das es ermöglichte, die Kritik in den Prozess der Programmgestaltung einfließen zu lassen.[68] Im Jahr 1925 war die Zahl der Briefzuschriften an die BBC auf 25 000 gestiegen. In einem Artikel, der im Januar 1926 erschien, berichtete *The Musical Times* über die Auswertung der Leserbriefe und über die Erkenntnisse, die die Rundfunkgesellschaft daraus gewonnen hatte: »Vor anderthalb Jahren war die klassische Musik definitiv unpopulär. Heute gibt es in unserer Korrespondenz mehr Feinde der Tanzmusik als der Klassik.«[69] Der Autor des Berichts – ein Fürsprecher der Kunstmusik – vermutete, dass man diesen »erfreulichen

Zustand« zum Teil auf die erfolgreiche Bildungsarbeit der BBC zurückführen könne. Zudem sei es im Lauf der Zeit gelungen, immer mehr Musiker für das neue Medium zu begeistern und damit auch das Publikum für klassische Musik zu erweitern. Inwieweit diese Analyse zutrifft und ob die genannten Punkte tatsächlich die entscheidenden Faktoren waren, bleibt jedoch ungewiss. Schaut man sich die Sendestatistiken in diesem Zeitraum an, wird nämlich deutlich, dass der Anteil an Tanzmusik gestiegen und jener der Kunstmusik gesunken war. Außerdem ist es gut möglich, dass die Liebhaber klassischer Musik direkt an die BBC schrieben, während ihre Verächter den angestauten Unmut über »Vorträge« und »highbrow‹ music« im Massenblatt *Daily Mail* ungefiltert zum Ausdruck brachten.[70]

Grenzverschiebungen und mediale Experimente: Neue Musik im Rundfunk

Der rasche Aufstieg des Rundfunks zum Massenmedium und die enorme Wirkung, die er entfaltete, erstaunte und beeindruckte nicht nur die Zeitgenossen, sondern ist auch aus historischer Distanz faszinierend. Bereits im Laufe der 1920er-Jahre transformierte er nachhaltig das bestehende Mediensystem, wurde zu einem zentralen Bestandteil des Alltags von Millionen von Menschen in der Stadt und auf dem Land und übte einen stetig wachsenden Einfluss auf die verschiedenen Bereiche des Musiklebens aus.[71] Ob man es wollte oder nicht: Im Zusammenspiel und in Konkurrenz mit der Schallplatte veränderte und prägte das neue Medium tiefgreifend die Art und Weise, wie Musik gehört und gespielt, produziert und verkauft, vermittelt und diskutiert wurde. Selbst die technik- und zivilisationskritischen Vertreter der Jugendmusikbewegung, die dem Rundfunk vorwarfen, den Drang zum eigenen Musizieren zu unterdrücken und den Geschmack zu verderben, konnten sich diesem Sachverhalt nicht entziehen. Während Walther Hensel, charismatische Leitfigur der Finkensteiner Singbewegung, beklagte, das Grammophon und der Rundfunk würden »das letzte Fünklein Musikalität, das noch in uns schlummert«, auslöschen, versuchte Fritz Jöde aus der Not eine Tugend zu machen.[72] 1927 rief der Begründer des anderen Zweigs der Jugendmusikbewegung im Rundfunk eine »Offene Singstunde« ins Leben. Erklärtes Ziel war es dabei, das Medium für die eigenen Zwecke zu nutzen und den vor dem Rundfunkgerät sitzenden »angeschlossenen Teilnehmer […] mit seiner Familie, seinen Freunden, Verwandten und Bekannten« zum Mitsingen zu animieren.[73] Wie viele Hörerinnen und Hörer Jödes Aufforderung tatsächlich folgten, ist nicht bekannt, zumal die Mehrheit damals noch keine Radios mit eingebautem Lautsprecher besaß, sondern Geräte mit Kopfhörer benutzte. Aufschlussreich ist dieses Beispiel jedoch, weil es den Blick auf das Potenzial des neuen Mediums lenkt, in unterschiedlichen Feldern Grenzen zu überschreiten: ästhetisch und kulturell, gesellschaftlich und politisch oder – wie im Fall von Jödes Rundfunkmusikstunde – medial-kommunikativ. So stand hinter der »Offenen Singstunde« die auch von Bertolt Brecht und anderen verfolgte Idee, die Differenz zwischen Sender und Empfänger aufzubrechen, den Hörer vom passiven Rezipienten zu einem aktiven Mitgestalter zu machen und ihn auf diese Weise zugleich zu einem bewussten und verantwortungsvollen Umgang mit dem neuen Medium zu erziehen.

Der Versuch, ästhetische Schranken zu überwinden und »Hörer-Communitys« zu erweitern, zeigt sich in der frühen Rundfunkgeschichte in Deutschland wie in Großbritannien besonders deutlich im Bereich der »Neuen Musik«. In den ersten Jahren ging es dabei primär darum, das Radio als Präsentations- und Vermittlungsplattform zu nutzen. Den Anfang machte im Sommer 1923 der BBC-Musikkritiker Percy Scholes. In einer zunächst im Wochentakt ausgestrahlten Sendung besprach er besondere Ereignisse in diesem Feld, sowohl in Großbritannien als auch auf dem Kontinent. In einer seiner ersten Sendungen widmete er sich im August 1923 dem Kammermusikfest der Internationalen Gesellschaft für Neue Musik in Salzburg. Im November berichtete er den Hörerinnen und Hörern dann ausführlich über die englische Erstaufführung von Schönbergs *Pierrot lunaire*.[74] Bemerkenswert ist in diesem Zusammenhang die ambivalente Haltung von Ernest Newman. Nachdem der einflussreiche englische Musikkritiker das komplexe Stück eingehend studiert und mehrfach gehört hatte, bemerkte er in der *Sunday Times* freimütig: »Ich kann mir nicht vorstellen, dass jemand, der das Werk zwei- oder dreimal gehört hat, es jemals wieder hören möchte. Ich jedenfalls nicht.«[75] Dieses persönliche Urteil hinderte Newman jedoch nicht daran, sich sechs Wochen später in derselben Zeitung für die Verbreitung von Schönbergs Komposition und anderer schwer zugänglicher Werke zeitgenössischer Musik im Rundfunk einzusetzen: »Vor einigen Wochen haben vielleicht fünf- oder sechshundert Menschen den ›Pierrot lunaire‹ gehört [...]. Warum kann die BBC bei solchen Gelegenheiten nicht ein wenig vorausschauen und die Aufführung eines Werkes wie ›Pierrot lunaire‹ im Rundfunk übertragen? [...] Es ist eher die unbekannte als die bekannte Musik, die die BBC ihren Abonnenten derzeit bieten könnte.«[76]

Bei der Berliner Funk-Stunde sollte es etwas länger dauern. Während die in Frankfurt ansässige Südwestdeutsche Rundfunkdienst AG unter ihrem Gründungsintendanten Hans Flesch und seinem Mitarbeiter

Ernst Schoen von Anfang an anstrebte, als »Pfadfinder und Wegberei-
ter der Moderne« zu wirken, begann man beim Berliner Sender erst im
Oktober 1925, der »modernen und allermodernsten Musik« ein eigenes
Format zu widmen.[77] In der »Stunde der Lebenden« wurden am Sonn-
tagvormittag zeitgenössische Werke vorgestellt. Den Anfang machte
Schönbergs Streichsextett *Verklärte Nacht*. Im März 1926 präsentierte
Kurt Weill mit dem 1. Streichquartett op. 7 erstmals ein Werk von Béla
Bartók. Und im September desselben Jahres kam es zu einer Rund-
funkaufführung von Strawinskys *Geschichte vom Soldaten*.[78] Der mittlerweile 25-jährige Weill begrüßte das neue Sendeformat begeistert und
verstand es als einen längst überfälligen Schritt. Dass er bereits weiter-
dachte, hatte er im Juni 1925 in einem Essay mit dem programmatischen
Titel »Möglichkeiten absoluter Radiokunst« klargemacht. In dem Text
entwarf er die Vision einer neuen Form von Musik, die das Radio nicht
als bloßes Vermittlungsmedium versteht, sondern die technischen Möglichkeiten des Rundfunks nutzt, um eine neue Klang- und Ausdruckswelt zu erschaffen.[79] In den folgenden Jahren versuchten Weill und andere – vor allem jüngere – Komponisten, die Idee einer radioeigenen
Musik zu verwirklichen. In Zusammenarbeit mit den Rundfunkgesell-
schaften entstand in den späten 1920er-Jahren eine Reihe von Radio-
kompositionen, die auf die spezifischen Bedingungen des Mediums zu-
geschnitten waren, darunter Weills *Berliner Requiem* und das Lehrstück
Der Lindbergh-Flug, das Weill gemeinsam mit Paul Hindemith, Bertolt
Brecht und Elisabeth Hauptmann verfasste (UA 1929 in Baden-Baden).[80]
In der Weimarer Radiokultur war diese Suche nach einer rundfunk-
spezifischen Musik Teil einer größeren Bewegung. So unternahm man
beim Frankfurter Sender bereits 1924 erste Versuche, im Bereich des
Hörspiels eine radiophone Kunst zu schaffen, und nutzte dort und anderswo das neue Medium, um das Verhältnis von Musik und Geräusch
auszuloten und mit den Mitteln des Radios neu zu bestimmen.[81]

Béla Bartók, Igor Strawinsky und Arnold Schönberg gehörten nicht
zu den Komponisten, die sich für solche radiophonen Experimente
begeisterten. Sie verstanden und nutzten das neue Medium in erster
Linie als wirksame Präsentations- und Vermittlungsplattform ihrer
Musik. Bartók wirkte seit den mittleren 1920er-Jahren regelmäßig an
Radiosendungen mit, spielte seine Klavierwerke im Studio und nahm
gelegentlich auch an Radiogesprächen teil. Strawinsky kam im Oktober
1931 nach Berlin, um mit dem Geiger Samuel Dushkin und dem Funk-
Orchester sein unter anderem von der Funk-Stunde beauftragtes Violinkonzert aus der Taufe zu heben. Die mit Spannung erwartete Uraufführ-
rung in der »bis auf den letzten Platz« gefüllten Philharmonie wurde live
im Radio übertragen.[82] Anderthalb Jahre zuvor hatte Hans Flesch, der

als Intendant vom Frankfurter Sender nach Berlin gewechselt war und dort die Rolle der zeitgenössischen Musik stärkte, Arnold Schönberg ins Studio gelockt. Ende Februar 1930 dirigierte dieser die Rundfunkpremiere seiner Zwölfton-Oper *Von heute auf morgen*. Zu den Hörerinnen, die dieses Ereignis gespannt verfolgten, gehörte Schönbergs Tochter Gertrud. Mit ihrem Mann und einigen Freunden saß sie in Wien vor einem geliehenen Radiogerät. »Was wir gehört haben, war herrlich!«, schrieb sie am nächsten Tag an ihren Vater. Doch das Vergnügen scheint aufgrund der »schlechten Übertragung« und den nach wie vor nicht zufriedenstellenden Aufnahmebedingungen ziemlich begrenzt gewesen zu sein: »Obwohl wir den ganzen Nachmittag aus lauter Angst, es könnte im letzten Moment nicht gehen, bei dröhnenden Männerchören und Blasorchester, Wacht am Rhein, etc. verbracht haben, wars vom Augenblick an, wo die Oper war, leise und fortwährend wechselnd.«[83] Ob der Komponist über diese musikalische Rahmung seines Werkes glücklich war, lässt sich bezweifeln. In der Übersicht zum Rundfunkprogramm des Tages, die in der *Berliner Börsen-Zeitung* erschien, heißt es lapidar: »21 Uhr: Erstaufführung ›Von heute auf morgen‹, Oper von Schönberg. Danach Tanzmusik.« In den zwei Stunden davor gab es »Volks- und volkstümliche Lieder« und ein »Blasorchesterkonzert«.[84]

»Drahtlos im Weltverkehr«: Störversuche und Austauschprozesse

Dass das grenzübergreifende Radiohören trotz aller Übertragungsprobleme schon 1923 praktiziert, diskutiert und auch technisch und kommerziell vorangetrieben wurde, lässt sich der internationalen Ausgabe der *Vossischen Zeitung* entnehmen. In ihrer thematischen Sonderausgabe zum späten Rundfunkstart in Deutschland berichtete *Die Voss* im November 1923 unter dem Titel »Drahtloser Empfang englischer Musik in Deutschland«: »Die elektrischen Wellen machen vor den politischen Grenzen der einzelnen Staaten und Länder nicht halt, sie fluten über sie hinweg. Darum sind drahtlose Darbietungen im vollsten Sinne des Wortes international – man braucht in Zukunft, um die künstlerische Kultur eines Landes kennen zu lernen, keine weiten Reisen mehr zu machen, und sich keiner Unbequemlichkeiten mehr zu unterziehen. Man bleibt zu Hause, legt sich die Kopfhörer über die Ohren und stellt mit Hilfe des Drehkondensators den Empfänger auf die richtige Wellenlänge ein. So kann man in Deutschland hören, was in Holland, in der Schweiz, in England, in Frankreich sowie in zahlreichen anderen Ländern dargeboten wird, man kann vielleicht sogar die amerikanischen Stationen vernehmen. Das hängt zum Teil von der Witterung ab.« Im weiteren

Verlauf des Artikels wurde ein neues Gerät der in Berlin-Köpenick ansässigen Deutschen Radiophon AG angepriesen, mit dem der »einwandfreie Empfang« englischer Stationen möglich sei: 15 mal 14 mal 11 Zentimeter groß, 700 Gramm schwer und damit »so klein, dass er bequem von der zarten Hand einer Dame oder eines Kindes getragen werden kann.« Bereits eine geringe Drehung des Steuerungsknopfes genüge, um »von der bekannten Londoner Station 2 LO auf Glasgow oder Newcastle on Tyne oder auf eine der übrigen sechs englischen Stationen umzuschalten. So hört man bald ein Orchesterkonzert in London oder einen Vortrag in Glasgow oder Gesang aus Newcastle usw. usw.«[85]

Auch der deutsche Rundfunk war im Ausland zu hören. Im Rahmen der systematischen Funkversuche in Königs Wusterhausen arbeitete man seit 1920 an leistungsstarken Sendern, erreichte bereits 1921 Reichweiten von knapp 4000 Kilometern und freute sich über begeisterte Hörerzuschriften aus verschiedensten Ländern. Wie der Direktor der Versuchsstelle später berichtete, musste die Welle, auf der gesendet wurde, »wegen starker Störungen durch die Telegraphiesender des Eiffelturms« allerdings mehrfach gewechselt werden, »bis wir schließlich mit 4000 m einigermaßen störungsfrei lagen.«[86] In Friedenszeiten wurde das grenzübergreifende Radiohören grundsätzlich begrüßt, und man war auf ein möglichst störungsfreies Nebeneinander bedacht. Nach dem Einmarsch der französischen Truppen im Ruhrgebiet und dem Beginn des »passiven Widerstands« in Deutschland kam es jedoch zu einer Politisierung des Äthers. So titelte die nationalkonservative *Deutsche Allgemeine Zeitung* am 6. März 1923: »Auch der Eiffelturm kämpft ... / Gegen die drahtlose Telefonübertragung deutscher Lieder«. In dem Artikel wurde von Sendeversuchen aus Königs Wusterhausen berichtet, die aus Frankreich immer genau dann gestört worden seien, wenn es politisch wurde. Als Beleg wurden zwei Briefe zitiert, die aus dem Ausland eingegangen waren. So schrieb ein Hörer aus der Schweiz: »Beim Empfang [...] ertönte kurz nach Beginn ihrer Ausführungen über das Ruhrgebiet die französische Röhrensenderstation Eiffelturm, und zwar ganz ausnahmsweise mit derselben Wellenlänge. [...] Die französische Station berichtete ebenfalls über die Ruhrbesetzung, aber in französischer Beleuchtung. Kaum begannen sie mit Grammophonmusik, so setzte auch der Franzose mit Grammophonplatten ein.« Als man in Königs Wusterhausen mit dem Vortrag »der Gesangsnummer *Deutschland, Deutschland über alles*« begann, erklang laut einer Zuschrift aus den Niederlanden dann nur noch ein durchgehendes Störgeräusch.[87]

Die geschilderte Situation erinnert an die berühmte Szene aus Michael Curtiz' politischem Filmdrama *Casablanca*, in der der tschechoslowakische Widerstandskämpfer Victor László das Orchester in Rick's

Café dazu animiert, die Marseillaise anzustimmen und damit die deutschen Besatzer zu übertönen, die die »Wacht am Rhein« singen. Ob sich die Ereignisse tatsächlich so zugetragen haben, wie der Artikel beschreibt, oder ob hier auch eine gehörige Portion Propaganda im Spiel war, lässt sich nicht mit Sicherheit sagen. Dass es zu Störungen kam, wird allerdings auch an anderer Stelle mitgeteilt. So berichtet der nationalkonservative Musikkritiker Max Chop im November 1923, dass der Eiffelturm auch bei den ersten Funkstunden-Sendungen »dazwischengefunkt« habe, wenn am Schluss die deutsche Nationalhymne abgespielt worden sei. Die Rundfunkmacher ließen sich aber dadurch nicht stören und hätten »den ›lieben Nachbar‹ mit deutscher Ausdauer zum Schweigen« gebracht. »Möchte dieser Erfolg sich auch auf die politische Hochspannung zwischen beiden Ländern übertragen und endlich Ruhe schaffen!«[88] Während Chop die Gewohnheit, am Ende der Sendung die »Hymne ›Deutschland über alles‹« abzuspielen, als »Ausdruck eines gesunden völkischen Bewußtseins« pries, fand zumindest ein Teil der Hörer, dass man dem politisch vereinnahmten Nationallied im öffentlichen Rundfunk zu viel Raum gebe. In einem ironischen Leserbrief, der am 23. Dezember 1923 im neuen Rundfunkjournal erschien und mit dem ominösen Absendervermerk »Klub der Zaungäste, Ortsgruppe Berlin« versehen war, heißt es: »Daß Sie zum Schluß dreimal hintereinander die deutsche Nationalhymne spielen, das ist ein bißchen zu viel [...]. Sie könnten ruhig ein wenig Rücksicht auf die Leute nehmen, die sich die drei Verse entblößten Hauptes aufrecht vor ihrem Lautsprecher stehend anhören müssen. Einmal genügt vollkommen.«[89]

Dass die Radiowellen auch über gesellschaftliche und soziale Grenzen »hinwegfluteten«, wird beim Blick in die USA deutlich. So zeigte sich dort schon 1923 das Potenzial des Rundfunks, afroamerikanische Musikerinnen und Musiker einem breiten Publikum vorzustellen. Eine zentrale Rolle in diesem Prozess spielte Bessie Smith. Auf ihrer Erfolgstournee durch die Südstaaten hatte sie bereits Ende Juni 1923 in Atlanta ihren ersten Radioauftritt. An den Empfangsgeräten saßen größtenteils weiße Hörerinnen und Hörer, denn das Medium hatte damals vor allem aufgrund der relativ hohen Kosten noch ein primär weißes Publikum.[90] Wie enthusiastisch viele dieser Menschen, von denen die meisten sicherlich nicht von sich aus auf die Idee gekommen wären, in einem Plattenladen »Race Records« zu kaufen, geschweige denn einen Auftritt von Smith zu besuchen, auf das Gehörte reagierten, bezeugt der Bericht über ein Konzert in Memphis. Im Oktober 1923 übertrug der lokale Radiosender WMC, der vor allem von weißen Südstaatlern gehört wurde, den Auftritt des Blues-Stars in einem Theater der Stadt: »Der vielleicht größte Hit, den Bessie gestern Abend bei WMC landete, war ›Outside of That He's All Right with Me‹. Sie wiederholte die Nummer auf Wunsch vieler, die im Studio anriefen und aus dem Gebiet von Memphis telegrafierten.«[91]

Bei Louis Armstrong setzte die Radiokarriere etwas später ein. Seine ersten Erfahrungen mit dem neuen Medium sammelte er ab Herbst 1924 als Mitglied von Fletcher Hendersons Band – einem der wenigen schwarzen Ensembles aus dem Bereich des instrumentalen Jazz, die damals im amerikanischen Rundfunk Auftrittsmöglichkeiten erhielten.[92] Als Armstrong im Frühjahr 1928 im Savoy Ballroom in Chicago zu spielen begann, wurden seine Auftritte jede Nacht ab 23 Uhr von dem populären Arbeitersender WCFL »The Voice of Labor« übertragen. In den frühen 1930er-Jahren wurde das Radio dann zu einem zentralen Motor seines Aufstiegs zum Weltstar. Wie vielschichtig und ambivalent dieser Prozess war, lässt ein Vorfall erahnen, der sich im Frühsommer 1931 ereignete. Neun Jahre nachdem Armstrong dem Ruf King Olivers nach Chicago gefolgt war, kehrte er für ein mehrmonatiges Gastspiel in seine Heimatstadt zurück. Nach einer triumphalen Begrüßung begann er am 8. Juni seine Auftrittsserie. »Fast ganz New Orleans war da«, berichtete eine weiße Zeitung über den Eröffnungsabend.[93] Der größte Teil des Publikums hielt sich allerdings im Freien auf, denn Suburban Gardens war eine jener Spielstätten, die Schwarzen nach der Devise »whites only« den Zutritt verwehrten. So blieb mehreren Tausend Menschen aus der afroamerikanischen Community nichts anderes übrig, als sich auf einem nahegelegenen Deich niederzulassen. Dort picknickten sie und hofften, die Musik durch die geöffneten Fenster zu hören. Wer sich damit nicht zufriedengeben wollte, war auf New Orleans' ersten Radiosender WSMB angewiesen, der Armstrongs Auftritte allabendlich übertrug. Und tatsächlich stiegen in den nächsten Wochen die Verkaufszahlen von Rundfunkgeräten rapide. Doch auch das Radio war kein neutrales Übermittlungsmedium, sondern reproduzierte teils offen, teils verdeckt, den alle Gesellschaftsbereiche durchziehenden strukturellen Rassismus.[94] Offensichtlich wurde dies bereits am Eröffnungsabend. So begann der weiße Moderator die Live-Sendung mit einer rassistischen Beleidigung, legte direkt im Anschluss das Mikrophon aus der Hand und verließ ohne weitere Erklärungen den Saal. Armstrong, der sich zu diesem Zeitpunkt noch hinter der Bühne befand, machte gute Miene zum bösen Spiel, schlüpfte spontan in die Moderatorenrolle und führte durch den gesamten Abend. Es sei wohl das erste Mal gewesen, dass ein Afroamerikaner in New Orleans im Rundfunk sprach, vermutete er später.

Dank

Dieses Buch hat zahlreiche Geburtshelferinnen und Geburtshelfer. Mein erster Dank gilt Ursula Reimann, ihrem Vertrauen und ihrer großzügigen Förderung. Aus geteiltem Interesse und aus Begeisterung für die Sache hat sie es möglich gemacht, dass ich dieses Projekt auf unorthodoxe Weise verwirklichen konnte. Franz Xaver Ohnesorg hat die Umsetzung auf vielfältige Weise unterstützt und mir die notwendige Zeit dafür eingeräumt. Mit der Veranstaltungsreihe »1923: Musik im Zeitalter der Extreme«, die ich gemeinsam mit Birgit Glasow entwickeln konnte, hat er die Thematik im letzten Jahr seiner Intendanz außerdem zu einem integralen Bestandteil des Klavier-Festivals Ruhr 2023 gemacht. Auch dafür möchte ich ihm herzlich danken.

Weit mehr als eine Geburtshelferin war Meret Forster. In zahlreichen Gesprächen haben wir nicht nur gemeinsam über mein Vorhaben nachgedacht, sondern auch über die Frage, wie sich Musikgeschichte crossmedial darstellen lässt. Über die Zusammenarbeit mit ihr und ihren Kolleginnen und Kollegen im Rahmen des diesjährigen Programmschwerpunkts »Der wilde Sound der 20er« bei BR-KLASSIK bin ich besonders glücklich.

Ein wichtiger Ausgangspunkt war der Wunsch, eine kultur- und musikinteressierte Leserschaft ohne besondere Fachkenntnisse anzusprechen und zugleich so differenziert und fundiert über die behandelten Themen und die Musik zu schreiben, dass das Buch auch für ein wissenschaftliches Publikum von Interesse sein kann. Deswegen war es für mich wichtiger denn je, von Menschen aus dem Freundes-, Kollegen- und Familienkreis unterstützt zu werden, die den Text aus unterschiedlichen Perspektiven gelesen haben und bereit waren, mir eine ungefilterte Rückmeldung zu ihren Lektüreeindrücken zu geben. Für Rat, Zuspruch, Kritik, weiterführende Anregungen und zahllose Gespräche danke ich Claire Badiou, Johannes Bilstein, Brigitte und Johannes Bleek, Camilla Bork, Herbert Brückmann, Reinhart Meyer-Kalkus, Brigitta und Wilfried Kleffken, Ulrich Mosch, Carla Pavel, Yaara Tal und Gesine Tiefuhr-Diesselhorst. Danken möchte ich in diesem Zusammenhang auch Studierenden der Humboldt-Universität zu Berlin, mit denen ich die Musikgeschichte des Jahres 1923 in einem Seminar erkunden konnte, sowie Andreas Meyer. Er befasst sich seit Langem mit Fragen der synchronen Musikgeschichtsschreibung, arbeitet derzeit an einem Buchprojekt zum Jahr 1913 und hat sein Wissen dazu mit mir geteilt.

In dieses Buch sind zahlreiche Quellenmaterialien aus unterschiedlichen Institutionen sowie die Expertise der dort tätigen Menschen eingeflossen. Besonders danken möchte ich an dieser Stelle den Mitarbeiterinnen und Mitarbeitern der Paul Sacher Stiftung, des Bärenreiter-Verlags, des Arnold Schönberg Center, des Archivs der Berliner Philharmoniker, des Deutschen Rundfunkarchivs sowie des Ruhr Museums in Essen. Materialien, Auskünfte, wertvolle Hinweise und Übersetzungen verdanke ich Christiane Kühner, Johannes Mundry, Therese Muxeneder, Beáta Nagy, Gudula Schütz, Katja Vobiller und Heidy Zimmermann.

In entscheidenden Phasen des Projekts konnte ich in Berlin, am Thiersee, aber auch in Essen Ruhe zum Nachdenken und Schreiben finden. Für ihre Gastfreundschaft danke ich Eva Bermig, Günter Forster sowie Hanne Wegmann-Uepping und Johannes Uepping. Danken möchte ich außerdem meinen Kolleginnen und Kollegen beim Klavier-Festival Ruhr, die mir geholfen haben, mein Vorhaben zu realisieren und mich dazu auch zurückziehen zu können, insbesondere Maroussia Aurich-Fromonteil, Patricia Cahn, Birgit Glasow, Alexandra Palamaroudas und Hannah Schütz. Den Druck dieses Buches haben die Kunststiftung NRW, Ursula Reimann und die Landgraf-Moritz-Stiftung ermöglicht. Auch ihnen gilt mein herzlicher Dank.

Eine besondere Freude war die Zusammenarbeit mit dem Bärenreiter-Verlag. Dass seine Anfänge genau 100 Jahre zurückreichen, ist einer von mehreren glücklichen Zufällen, die dieses Buch geprägt haben. Der Verlegerin Barbara Scheuch-Vötterle danke ich für wichtige Gespräche und Informationen, Clemens Scheuch für die engagierte Unterstützung. Daniel Lettgen möchte ich für sorgfältige Korrekturarbeiten, wertvolle Hinweise, konstruktive Kritik und die Erstellung des Registers danken, Dorothea Willerding für die schöne Gestaltung und ihren unfehlbaren Blick. Jutta Schmoll-Barthel hat dieses Buch in allen Phasen seiner komplexen Genese begleitet. Für ihr inspirierendes Lektorat, den Zuspruch, die zahllosen Anregungen, die weiterführende Kritik und nicht zuletzt auch ihre Geduld bin ich unendlich dankbar.

Am Ende des Dankesreigens stehen Claire, Raphael und Adrian. Sie haben dieses Projekt vom ersten Gedanken bis zum letzten geschriebenen Wort begleitet, auf vielfältige Weise unterstützt und die Fertigstellung des Buches in den letzten Monaten – wie ich selbst – immer stärker herbeigesehnt. Dass dies gelungen ist, habe ich ihnen zu verdanken.

Anmerkungen

Auftakt

1 Hierzu gehören Volker Ullrich, *Deutschland 1923. Ein Jahr am Abgrund*; Christian Bommarius, *Im Rausch des Aufruhrs. Deutschland 1923*; Peter Longerich, *Außer Kontrolle. Deutschland 1923;* Mark Jones, *1923. Ein deutsches Trauma.*

2 Vgl. zu einer ironisch-kritischen Auseinandersetzung mit der Gattung den Essay von Gustav Seibt, »Mit dem Bus zu den Genies. Warum Jahresbücher so enorm erfolgreich sind. Eine Vermutung«, in: *Süddeutsche Zeitung*, 2. 5. 2022.

3 John Alan Haughton, »Darius Milhaud. A Missionary of the Six«, in: *Musical America* 37 (13. 1. 1923), S. 3, zit. nach Oja, *Making Music Modern*, S. 296.

4 *Musical Observer*, March 1923, zit. nach Koenig (Hg.), *Jazz in Print*, S. 235.

5 Vgl. zu Milhauds Nordamerikatournee Bleek, »›Take jazz seriously!‹« sowie die Autobiographie des Komponisten *Notes sans musique*, S. 137–142.

6 Vgl. Milhauds Berichte in seiner Autobiographie *Notes sans musique* (S. 141 f.) und in dem direkt nach der Tournee verfassten Aufsatz »L'Évolution du jazz band et la musique des nègres d'Amérique du Nord«, der zwischen 1923 und 1925 in mindestens sieben verschiedenen Zeitschriften in französischer, englischer und deutscher Sprache erschien (wiederabgedruckt in: Milhaud, *Notes sur la musique*, S. 99–105). Vgl. zum Capitol Palace die Erinnerungen von Cecil Scott in Shapiro / Hentoff (Hg.), *Hear Me Talkin' to Ya*, S. 171 f.

7 Milhaud an Jean Wiéner, New York, 9. 1. 1923, Archives Jean Wiéner.

8 »Casella on Jazz«, in: *The Music Courier*, 12. 7. 1923, zit. nach Koenig (Hg.), *Jazz in Print*, S. 245.

9 Vgl. hier und im Folgenden Bleek, »Die *Concerts Jean Wiéner*«.

10 Am 15. Dezember 1921 wurde lediglich der erste Teil von *Pierrot lunaire* gespielt, der im Lauf des Konzertes zweimal erklang. Am 16. Januar 1922 kam es dann zur ersten vollständigen Aufführung des Werkes in Frankreich.

11 Maurice Brillant in *Le Correspondant*, April 1922, Pressemappe Archives Jean Wiéner, ohne genauen Datumsvermerk.

12 Kritik in der *New York Tribune*, Pressemappe Archives Jean Wiéner, ohne genauen Datumsvermerk.

13 Louis Vuillemin, »Notes sans mesures. Concerts métèques«, in: *Le Courrier musical* 25/1 (1. 1. 1923), S. 4.

14 »MM. Maurice Ravel, Albert Roussel, André Caplet interviennent … L'affaire des poisons ! …«, in: *Le Courrier musical* 25/7 (1. 4. 1923), S. 123. Unterzeichnet wurde der offene Brief ebenfalls von Roland-Manuel.

15 Vgl. Gioia, »Jazz and the Primitivist Myth«.

16 Vgl. Mawer, *French Music and Jazz in Conversation*, S. 103–108 sowie Bleek, »›Take jazz seriously!‹«, S. 126–129.

17 Schlögel, *Terror und Traum*, S. 24.

18 Vgl. Leonhard, *Die Büchse der Pandora*, S. 997–1014 sowie ders., *Der überforderte Frieden*, insbesondere S. 1254–1277.

19 Vgl. dazu Brüstle / Heldt / Weber, *Von Grenzen und Ländern, Zentren und Rändern. Der Erste Weltkrieg und die Verschiebungen in der musikalischen Geographie Europas.*

20 Vgl. ebd. sowie Kershaw, *Höllensturz*, S. 139–214.

Im Taumel der Krisen

1 Pringsheim, *Tagebücher*, Bd. 7, S. 114.

2 Ebd., Bd. 6, S. 335.

3 »Die Bilanz der Silvesternacht«, in: *Vossische Zeitung*, 2. 1. 1923, Morgenausgabe. Die folgenden Zitate stammen aus diesem Artikel.

4   Ebd.

5   Peukert, *Die Weimarer Republik*, S. 71.

6   Vgl. hier und im Folgenden Ullrich, *Deutschland 1923*, S. 71–104; Longerich, *Außer Kontrolle*, S. 107–153; Craig, *Deutsche Geschichte*, S. 391–399.

7   Vgl. Kershaw, *Höllensturz*, bes. S. 142 f.

8   Tagebucheintrag vom 7.11.1922, in: Kessler, *Das Tagebuch*, S. 567.

9   Klemperer, *Leben sammeln*, S. 751 f.

10 Georg Grosz, *Ein kleines Ja und ein großes Nein. Sein Leben von ihm selbst erzählt*, Reinbek bei Hamburg 1974, S. 120 f.; zitiert nach Ullrich, *Deutschland 1923*, S. 10.

11 Vgl. Ullrich, *Deutschland 1923*, S. 308 f.

12 »George Groß verurteilt. Das ›normale Empfinden siegt‹«, in: *Vossische Zeitung*, 17.2.1924, Sonntagsausgabe.

13 Vgl. z. B. Holtfrerich, *Die deutsche Inflation 1914–1923*; Kerstingjohänner, *Die deutsche Inflation 1919–1923*; Taylor, *Der Untergang des Geldes*, aber auch die Inflationskapitel in den kürzlich erschienenen Monographien über das Jahr 1923 von Peter Longerich, Volker Ullrich und anderen. Vgl. zu einer Bilanz des Jahres 1923 den Abschnitt »Nachwirkungen des Inflationstraumas« in: Ullrich, *Deutschland 1923*, S. 350–352.

14 Vgl. das Geleitwort von Karl Vötterle zum ersten Verlagskatalog. *Das erste Jahr*. Bärenreiter-Verlag, Augsburg-Aumühle 1924.

15 Gerhard Tischer, »Umstellung«, in: *Rheinische Musik- und Theater-Zeitung* XXIV/7–8 (24.2.1923), S. 37.

16 Ders., »Sorgen der Konzertvereine«, in: *Rheinische Musik- und Theater-Zeitung* XXIV/5–6 (10.2.1923), S. 25.

17 Dr. Leon, »Was darf ein Konzertplatz kosten? Das Elend der Musikerhonorare«, in: *Vossische Zeitung*, 27.2.1923, Morgenausgabe.

18 Zit. nach Muck, *Einhundert Jahre Berliner Philharmonisches Orchester*, Bd. 2, S. 10.

19 Eine Grundlage dafür bieten die im Archiv der Berliner Philharmoniker enthaltenen Ausgaben der *Berliner Philharmonie-Zeitung*, Programmhefte und Programmzettel sowie die Quellen, die im zweiten Band der Dokumentation von Muck abgedruckt sind.

20 »Erhöhung der Brotpreise«, *Berliner Tageblatt*, 28.4.1923, Abendausgabe.

21 Vgl. von Marcard, »Auf zu neuen Ufern«, S. 165.

22 Klemperer, *Leben sammeln*, S. 711.

23 Vgl. den Theaterzettel zur Vorstellung der Bayerischen Staatsoper am 20.11.1923, abgedruckt in: Irion, »Der Charakter des Spielplans bestimmt das Wesen des Theaters«, S. 117. Eine Kritik der Neueinstudierung brachten am 21.11.1923 die *Münchner Neuesten Nachrichten*.

24 *Vossische Zeitung*, 20.11.1923, Abendausgabe.

25 *Münchner Neueste Nachrichten*, 21.11.1923, Einzelpreis 100 Milliarden.

26 *Le Ménestrel* 85/5 (2.2.1923), S. 57.

27 Longerich, *Außer Kontrolle*, S. 114.

28 Vgl. Ullrich, *Deutschland 1923*, S. 80–83 sowie Adolf Heuß, »Zur Schaffung einer Musiknothilfe«, in: *Zeitschrift für Musik* 90/5 (1. Märzheft), S. 109–111.

29 Gerhard Tischer, »Sorgen der Konzertvereine«, in: *Rheinische Musik- und Theater-Zeitung* XXIV/5–6 (10.2.1923), S. 25.

30 Vgl. *Rheinische Musik- und Theater-Zeitung* XXIV/7–8 (24.2.1923), S. 40.

31 Vgl. die Anzeige in: *Führer durch die Konzertsäle Berlins* 4/3 (8.–21.10.1923).

32 *Zeitschrift für Musik* 90/15–16 (Augustheft 1923), S. 336.

33 Vgl. Klenke / Lilje / Walter, *Arbeitersänger und Volksbühnen in der Weimarer Republik*.

34 Vgl. ebd., S. 152–167.

35 Vgl. ebd., S. 157.

36 »Die Familie im Kampf mit der Not«, in: *Vorwärts*, 12.8.1923, Sonntagsausgabe.

37 Vgl. Klenke / Lilje / Walter, *Arbeitersänger und Volksbühnen in der Weimarer Republik*, S. 142 und 158.

38 Vgl. die Chronik auf der Website des Musikvereins Schnelten e. V. (www.schnelten.com/chronik).

39 Vgl. die Chronik auf der Website der Musikkapelle Unterreitnau 1823 e. V. (www.mk-unterreitnau.de/chronik).

40 Max Chop, »Missa Solemnis«, in: *Signale für die Musikalische Welt* 81/10 (7.3.1923), S. 332 f.

41 Otto Steinhagen, »Konzerte«, in: *Berliner Börsen-Zeitung*, 6.3.1923, Morgenausgabe.

42 Ostwald, *Sittengeschichte der Inflation*, S. 99.

43 Max Marschalk, »Konzerte«, *Vossische Zeitung*, 3.1.1923, Sonntagsausgabe.

44 Adolf Weißmann, »Die musikalische Internationale in Berlin«, in: *Die Voss*, 20.1.1923, S. 7.

45 Niels Otto Raasted, »Valuta-Konzerte«, in: *Rheinische Musik- und Theater-Zeitung* XXIV/11–12 (24.3.1923), S. 53.

46 Zit. nach Muck, *Einhundert Jahre Berliner Philharmonisches Orchester*, Bd. 2, S. 10.

47 Niels Otto Raasted, »Valuta-Konzerte«, in: *Rheinische Musik- und Theater-Zeitung* XXIV/11–12 (24.3.1923), S. 53.

48 Alle Zitate ebd.

49 Vgl. Ullrich, *Deutschland 1923*, S. 94.

50 Vgl. Adolf Weißmann, »Die musikalische Internationale in Berlin«, in: *Die Voss*, 20.1.1923, S. 7.

51 Vgl. Karlheinz Weber, *Vom Spielmann zum städtischen Kammermusiker*, S. 704.

52 Vgl. den Dokumentenbestand im Archiv der Berliner Philharmoniker.

53 L. B., »Die Philharmoniker auf Reisen«, in: *Berliner Volkszeitung*, 3.5.1923, Abendausgabe.

54 Vgl. Hellsberg, *Demokratie der Könige*, S. 402–406.

55 Ebd., S. 406.

56 *Berliner Börsen-Zeitung*, 2.10.1923, Morgenausgabe.

57 Max Marschalk, »Die ersten Konzerte«, *Vossische Zeitung*, 27.9.1923, Morgenausgabe.

58 *Führer durch die Konzertsäle Berlins* 4/5 (22.10.–4.11.1923).

59 Vgl. hierzu die Meldungen im *Führer durch die Konzertsäle Berlins* im Herbst 1923.

60 Joseph Roth, »Reise durch Deutschlands Winter«, zit. nach, ders., *Werke I*, S. 1076 f.

61 Vgl. Aster, *Staatsoper*, S. 58–60.

62 Friedrich Adolf Geissler, »Das neue Publikum«, in: *Die Musik* XV/12 (September 1923), S. 874. Vgl. aber auch die abweichende Einschätzung von Max Marschalk, der bereits zu Saisonbeginn erklärte, dass »die Ausländer bei uns nicht mehr so zahlreich erscheinen werden.« In: *Vossische Zeitung*, 27.9.1923, Morgenausgabe.

63 Nicht genannter Autor, »Konzertflucht. Das Fehlen der Ausländer«, in: *Vossische Zeitung*, 25.10.1923, Morgenausgabe.

64 Brief von Gregor Piatigorsky an Alexander Cores, Charlottenburg, 7.11.1923, Piatigorsky Archives at the Colburg School, CO.RU.0001, Box 116, Digitalisat unter: https://cdm17029.contentdm.oclc.org.

65 Joseph Roth, »Berlin im Taumel der Verzweiflung«, zit. nach, ders., *Werke I*, S. 1040 f. Vgl. auch »Die Familie im Kampf mit der Not«, in: *Vorwärts*, 12.8.1923, Sonntagsausgabe.

66 »Der Kampf um das Brot. Plünderungen und Zurückhaltung der Ware«, *Berliner Tageblatt*, 20.10.1923, Abendausgabe.

67 *Berliner Börsen-Zeitung*, 23.10.1923, Abendausgabe.

68 *Berliner Börsen-Zeitung*, 25.10.1923, Morgenausgabe. Vgl. auch den Programmzettel zum Konzert am 22.10.1923 im Archiv der Berliner Philharmoniker.

69 *Berliner Tageblatt*, 26.10.1923, Morgenausgabe.

70 *Vossische Zeitung*, 26.10.1923, Morgenausgabe.

71 Max Marschalk, »Die ersten Konzerte«, in: *Vossische Zeitung*, 27.9.1923, Morgenausgabe.

72 Nicht genannter Autor, »Konzertflucht. Das Fehlen der Ausländer«, in:
Vossische Zeitung, 25. 10. 1923, Morgenausgabe.

73 Alfred Einstein, »Die Not der Deutschen Musiker und Deutscher Musik«,
in: *Musikblätter des Anbruch* 6/1 (Januar
1924), S. 24–26.

74 Ebd., S. 25.

75 Klemperer, *Leben sammeln*, S. 758.

76 Ebd., S. 26.

77 Zweig, *Die Welt von gestern*, S. 304 f.

78 Wilhelm Matthes, in: *Die Musik* XVI/3
(Dezember 1923), S. 222.

79 Alexander Eisenmann, in: ebd., S. 223.

80 Albert Hartmann, in: *Die Musik* XVI/4
(Januar 1924), S. 299.

81 Vgl. *Musikblätter des Anbruch* 5/9
(November 1923), S. 279.

82 *Rheinische Musik- und Theater-Zeitung*
XXIV/27–28 (27. 10. 1923), S. 163; *Die
Musik* XV/12 (September 1923), S. 896.

83 *Musikblätter des Anbruch* 5/8 (Oktober
1923), S. 245.

84 Max Haase, in: *Die Musik* XVI/4 (Januar 1924), S. 300.

85 *Berliner Börsen-Zeitung*, 24. 10. 1923,
Morgenausgabe.

86 *Die Musik* XVI/3 (Dezember 1923),
S. 219.

87 Klaus Pringsheim, »Gustav Mahler
und die deutsche Gegenwart«, in: *Blätter
der Philharmonie* I/2 (15. 9. 1923), zit. nach
Hilmes, *Im Fadenkreuz*, S. 79.

88 Pringsheim, *Tagebücher*, Bd. 7, S. 95
und 98 f.

89 Vgl. Egon Wellesz, »Händel-Fest
in Hannover«, in: *Musikblätter des Anbruch* 5/9 (November 1923), S. 268.

90 Rudolf Steglich, »Händels Saul in
szenischer Darstellung«, in: *Zeitschrift
für Musik* 90/17 (November 1923), S. 15.

91 Ebd.

92 Egon Wellesz, »Händel-Fest in Hannover«, in: *Musikblätter des Anbruch* 5/9
(November 1923), S. 269.

93 *Die Musik*, XVI/3 (Dezember 1923),
S. 220 f.

94 *Berliner Börsen-Zeitung*, 25. 10. 1923,
Morgenausgabe.

95 Vgl. Ullrich, *Deutschland 1923*,
S. 226–228.

96 Vgl. Stephanie Kleiner, »Klänge von
Macht und Ohnmacht«, S. 75–77.

97 *Musikblätter des Anbruch* 6/1 (Januar
1924), S. 46.

98 Paul Stefan, »Kroll und die österreichischen Staatstheater«, in: *Musikblätter
des Anbruch* 6/1 (Januar 1924), S. 22.

99 Klemperer, *Leben sammeln*, Tagebuch-
einträge vom 18. 8., 28. 3. und 24. 10. 1923,
vgl. S. 735, 676 und 754.

100 Kurt Weill an Ferruccio Busoni,
Oktober 1923, zit. nach www.busoni-
nachlass.org.

101 Vgl. u. a. *Die Musik* XVI/2 (November 1923), S. 142 f. sowie *Berliner Börsen-
Zeitung*, 24. 10. 1923, Morgenausgabe.

102 Zweig, *Die Welt von gestern*, S. 305 f.

103 Klemperer, *Leben sammeln*, Tagebucheintrag vom 27. 8. 1923, S. 740.

104 Vgl. Longerich, *Außer Kontrolle*,
S. 118.

105 Vgl. hier und im Folgenden insbesondere Ziemer, »The Crisis of Listening
in Interwar Germany«; Brendan Fay,
»Conservative Music Criticism«.

106 Alfred Einstein, »Die Not der Deutschen Musiker und Deutscher Musik«,
in: *Musikblätter des Anbruch* 6/1 (Januar
1924), S. 24 f.

107 Friedrich Adolf Geissler, »Das neue
Publikum«, in: *Die Musik* XV/12 (September 1923), S. 873.

108 *Berliner Zeitung*, 2. 9. 1923, Morgenausgabe.

109 Ebd.

110 Fritz Jaritz, »Der Künstler und der
Konzertsaal im Spiegel der gegenwär-
tigen Zeit«, in: *Signale für die Musikalische
Welt* 81/15 (11. 4. 1923), S. 338 f. Vgl. zu
diesem Thema auch Edwin Janetschek,
»Konzertunarten«, in: *Zeitschrift für
Musik* 87/9 (1920), S. 99–101.

111 Max Butting, *Musikgeschichte, die ich
miterlebte*, S. 148.

112 Vgl. Longerich, *Außer Kontrolle*, S. 128–137; Ullrich, *Deutschland 1923*, S. 99–101; Jähner, *Höhenrausch*, S. 233–239.

113 Klaus Mann, *Der Wendepunkt*, bes. S. 168–177.

114 Ebd., S. 170 f.

115 *Berliner Tageblatt*, 1. 1. 1919, Morgenausgabe.

116 *Le Ménestrel* 85/5 (2. 2. 1923), S. 57.

117 Klemperer, *Leben sammeln*, Tagebucheintrag vom 2. 3. 1923, S. 666.

118 Ebd., Eintrag vom 14. 5. 1923, S. 691.

119 Vgl. Robinson, »Jazz reception in Weimar Germany«, insbesondere S. 113–117; Bleek, »›Take jazz seriously!‹«, insbesondere S. 121–124.

120 Prof. Dr. Gaupp, »Markthallenpsychose. Zur Psychologie der Teuerungskrawalle«, in: *Berliner Tageblatt*, 8. 8. 1923, Morgenausgabe. Vgl. auch Longerich, *Außer Kontrolle*, S. 137–147.

121 Klaus Mann, *Der Wendepunkt*, S. 168.

122 Vgl. hier und im Folgenden Longerich, *Außer Kontrolle*, S. 130–137. Eine detaillierte Auflistung der einschlägigen Orte des erotischen Hauptstadtnachtlebens gibt es in: Gordon, *Voluptuous Panic*, S. 218–259.

123 Vgl. Fischer, *Anita Berber*, u. a. S. 191–193; Bommarius, *Im Rausch des Aufruhrs*, S. 31–33.

124 Haffner, *Geschichte eines Deutschen*, S. 64.

125 Hans Siemsen, »Jazz-Band«, in: *Weltbühne* 17/10, S. 288.

126 Vgl. zu Cuno und seinen Maßnahmen Longerich, *Außer Kontrolle*, S. 20–25.

127 Zit. nach Akten der Reichskanzlei. Weimarer Republik. Das Kabinett Cuno, Bd. 1, Nr. 46, »Der Reichskanzler an die Landesregierungen, 16. Januar 1923«, online unter: bundesarchiv.de/akten reichskanzlei.

128 *Vossische Zeitung*, 18. 1. 1923, Abendausgabe.

129 *Berliner Tageblatt*, 20. 2. 1923, Morgenausgabe.

130 Roth, »Ruhr-Totenfeier mit Shimmyklang«, zit. nach, ders., *Werke I*, S. 993 f.

131 »Damenboxkämpfe und Nackttänze. Ein neues Polizeiverbot«, in: *Berliner Tageblatt*, 2. 9. 1923, Morgenausgabe.

132 Sling. (Paul Schlesinger), »›Drunter und drüber‹. Revue im Admiralspalast«, in: *Vossische Zeitung*, 8. 9. 1923, Abendausgabe.

133 F. E., »›Drunter und drüber‹. Die Revue im Admiralspalast«, in: *Berliner Tageblatt*, 8. 9. 1923, Abendausgabe.

134 Ostwald, *Sittengeschichte der Inflation*, S. 217.

135 Vgl. zum vierteiligen Ufa-Film Ullrich, *Deutschland 1923*, S. 281 f.

136 Vgl. Danielczyk, *Diseusen in der Weimarer Republik*, Zitat auf S. 92.

137 Zit. nach ebd., S. 147.

138 Vgl. www.otto-reutter.de.

139 Haffner, *Geschichte eines Deutschen*, S. 64.

140 Ostwald, *Sittengeschichte der Inflation*, S. 222 f. sowie Klaus Mann, *Der Wendepunkt*, S. 169.

141 Vgl. hier und im Folgenden Denscher / Peschina, *Kein Land des Lächelns*, S. 73–103; Hall, »Ausgerechnet Bananen«; Krankenhagen, »1923. Bananen«, in: ders., *All These Things*, S. 145–165.

142 Beda, »Die Geburt des Schlagers«, in: *Neues Wiener Journal*, 18. 10. 1929.

143 Erzählt wird die Geschichte bereits am 20. 2. 1924 in einem Artikel in der *Neuen Freien Presse*: D. S., »Was man in Berlin spielt, singt und tanzt«.

144 Vgl. Krankenhagen, *All These Things*, S. 148–151 sowie Denscher / Peschina, *Kein Land des Lächelns*, S. 94.

145 Vgl. »Die unsittliche Melodie im sittlichen Budapest«, in: *Arbeiter-Zeitung*, 17. 1. 1924, Morgenblatt; Notiz »Neuer Nationalgesang«, in: *Neues Wiener Journal*, 9. 9. 1924 sowie Hall, »›Ausgerechnet Bananen‹«, S. 19–30.

146 D. S., »Was man in Berlin spielt, singt und tanzt«, in: *Neue Freie Presse*, 20. 2. 1924. Vgl. auch Hauptmann von Bronfart, »Berliner Notzeit«, in: *Neues Wiener Journal*, 27. 1. 1924.

147 Ostwald, *Sittengeschichte der Infla-tion*, S. 218.

148 Vgl. Hans Walter Hütter, »Vorwort« zum Katalog *Melodien für Millionen*, hg. von der Stiftung Haus der Geschichte der Bundesrepublik Deutschland, Biele-feld / Leipzig: Kerber 2008, S. 6.

149 Kurt Tucholsky, »Ein deutsches Volkslied«, veröffentlicht unter dem Pseudonym »Peter Panter« in: *Die Welt-bühne* 18/50 (14. 12. 1922), S. 623 f.

150 Brief von Hermann Scherchen an seine Frau Auguste Maria Jansen, 30. 7. 1923, in: ders., »... alles hörbar machen«, S. 53.

151 Erläuterung Walter Hensels zum Schönhengstgau in: ders. (Hg.), *Finken-steiner Liederbuch*, S. 27.

152 Hensel, *Lied und Volk*, S. 5 und 7.

153 Ebd., S. 6.

154 Vgl. Gruhn, *Geschichte der Musik-erziehung*, S. 225.

155 Vgl. Mogge, »Jugendbewegung«, in: Kerbs / Reulecke (Hg.), *Handbuch der deutschen Reformbewegungen*, S. 181–196.

156 Vgl. Leonhard, *Der überforderte Friede*, S. 1203–1206.

157 Hensel (Hg.), *Finkensteiner Lieder-buch*, S. 27.

158 Vgl. Höckner, *Die Musik in der deut-schen Jugendbewegung*, S. 188.

159 Vgl. Kolland, »Jugendmusikbewe-gung«, in: Kerbs / Reulecke (Hg.), *Hand-buch der deutschen Reformbewegungen*, S. 379–394, hier S. 381–388, sowie Gruhn, *Geschichte der Musikerziehung*, S. 221–232.

160 Vgl. hier und im Folgenden den von der Wochenleitung herausgegebenen Aufruf, der unter anderem in der Zeit-schrift die *Musikantengilde* 7/22 veröffent-licht wurde. Wieder abgedruckt in: Archiv der Jugendmusikbewegung (Hg.), *Die Deutsche Jugendmusikbewegung*, S. 228 f. und Klein (Hg.), *Die Finkensteiner Singwoche*, S. 35–38.

161 Vgl. hier und im Folgenden Vötterle, *Haus unterm Stern*, S. 53–61.

162 Zit. nach Archiv der Jugendmusikbe-wegung (Hg.), *Die Deutsche Jugendmusik-bewegung*, S. 228.

163 Ausführlich beschrieben wird der gesamte Wochenverlauf in Klein (Hg.), *Die Finkensteiner Singwoche*.

164 Vgl. ebd., S. 25 f.

165 Zit. nach Archiv der Jugendmusikbe-wegung (Hg.), *Die Deutsche Jugendmusik-bewegung*, S. 229.

166 Vgl. Kolland, »Jugendmusikbewe-gung«, in: Kerbs / Reulecke (Hg.), *Hand-buch der deutschen Reformbewegungen*, S. 379–394, bes. S. 383 ff.

167 Karl Vötterle, *Haus unterm Stern*, S. 82.

168 Ebd., S. 55.

169 Vötterle, Ansprache »Fünfzig Jahre Finkensteiner Singwoche«, München, letzte Fassung März 1974, unveröffent-lichtes Typoskript, Archiv des Bären-reiter-Verlags, S. 4.

170 Karl Vötterle, Vorwort zu: *Das Bärenreiter-Jahrbuch*, Dritte Folge 1927, hg. von dems., Augsburg: Bärenreiter-Verlag 1927, S. 7.

171 Hermann Hesse, »Sehnsucht unse-rer Zeit nach einer Weltanschauung«, in: *Uhu* 3/2 (November 1926), S. 3–14, Zitat auf S. 8. Vgl. hierzu auch den Abschnitt »Flucht in ›verkappte Religionen‹« in: Kolland, *Außer Kontrolle*, S. 147–151.

172 Vgl. Ullrich, *Deutschland 1923*, S. 88–90.

173 Walther Hensel, »Volkslied und Jugend«, in: ders. (Hg.), *Finkensteiner Liederbuch*, S. 1.

174 Vgl. zur Gemeinschaftsideologie der Jugendmusikbewegung Kolland, *Die Jugendmusikbewegung*, S. 12–54.

175 Kurt Sontheimer, *Antidemokratisches Denken in der Weimarer Republik*, S. 315.

176 Thomas Mann, »Geist und Wesen der deutschen Republik. (Dem Gedächt-nis Walter Rathenaus)«, in: ders., *Von deutscher Republik*, S. 199 f.

177 Klaus Mann, *Der Wendepunkt*, S. 138.

178 Vötterle, *Haus unterm Stern*, S. 65.

179 »In Deutschlands wirtschaftlich schlimmster Zeit, im Herbst 1923, gerade als die Geldentwertung heftig einsetzte, begann der Verlag seine Tätigkeit.« Vorwort von Karl Vötterle zum Verlagskatalog *Das erste Jahr. Bärenreiter-Verlag.* Augsburg-Aumühle, Dezember 1924.

180 Vötterle, Ansprache »Fünfzig Jahre Finkensteiner Singwoche«, München, letzte Fassung März 1974, Typoskript, Archiv des Bärenreiter-Verlags, S. 9. Die Ansprache, die Vötterle am 15. März 1974 in München hielt, wurde unter dem Titel »Fünfzig Jahre Finkensteiner Singen« im *Jahrbuch des Archivs der Deutschen Jugendbewegung* 1975 veröffentlicht (7. Bd., S. 98–108).

181 Vgl. für einen Überblick Dorothea Kolland, »Jugendmusikbewegung«, in: Kerbs / Reulecke (Hg.), *Handbuch der deutschen Reformbewegungen*, S. 392–394. Die von Theodor W. Adorno bereits in den 1950er-Jahren formulierte scharfe Kritik an der Jugendmusikbewegung wurde von Johannes Hodeck in seiner 1977 veröffentlichten Dissertation *Musikalisch-pädagogische Bewegungen zwischen Demokratie und Faschismus* aufgegriffen und weitergeführt. Eine differenzierte Auseinandersetzung mit den Aktivitäten des Bärenreiter-Verlags zwischen 1933 und 1945 leistet Sven Hiemke in seinem Beitrag »Folgerichtiges Weiterschreiten. Der Bärenreiter-Verlag im ›Dritten Reich‹«.

182 Einen knappen Überblick über die Rezeption der Jugendmusikbewegung in der zweiten Hälfte des 20. Jahrhunderts gibt Dorothea Kolland, »Jugendmusikbewegung«, in: Kerbs / Reulecke (Hg.), *Handbuch der deutschen Reformbewegungen*, S. 392–394.

183 Vötterle, *Haus unterm Stern*, S. 41.

184 Vgl. das von Robert Reuß ausgestellte Arbeitszeugnis vom 2.1.1924 im Archiv des Bärenreiter-Verlags.

185 Vgl. Vötterle, *Haus unterm Stern*, S. 47–52.

186 Ebd., S. 57.

187 *Börsenblatt für den Deutschen Buchhandel*, Nr. 218 (18.9. 1923), S. 896.

188 Vgl. hierzu Haffner, *Geschichte eines Deutschen*, S. 63 f.

189 Vötterle, *Haus unterm Stern*, S. 60 f.

190 Vgl. ebd., S. 71 f.

191 Ebd., S. 64.

192 Ebd., S. 66.

193 Vorwort von Karl Vötterle zum Verlagskatalog *Das erste Jahr. Bärenreiter-Verlag.* Augsburg-Aumühle, Dezember 1924.

194 Vötterle, Ansprache »Fünfzig Jahre Finkensteiner Singwoche«, München, letzte Fassung März 1974, unveröffentlichtes Typoskript, Archiv des Bärenreiter-Verlags, S. 10.

195 Vgl. *Das Bärenreiter-Jahrbuch* 1930, Sechste Folge, hg. von Karl Vötterle, Kassel 1930, Anhang »Neuerscheinungen, Neuauflagen und in Vorbereitung befindliche Werke des Bärenreiter-Verlages und Neuwerk-Verlages zu Kassel im Jahre 1929«, S. 19; sowie *Das Bärenreiter-Jahrbuch*, Dritte Folge 1927, Anhang »Drei Jahre Bärenreiter-Verlag Augsburg. Gesamtverzeichnis nach dem Stand vom 1. Dezember 1926«, S. 30.

196 *Das Bärenreiter-Jahrbuch* 1927, S. 30.

197 Verlagskatalog *Das erste Jahr. Bärenreiter-Verlag.* Augsburg-Aumühle, Dezember 1924.

198 Höckner, *Die Musik in der deutschen Jugendbewegung*, S. 189.

199 Kolland, *Die Jugendmusikbewegung*, S. 59.

200 Vgl. Brusniak, »Zu den Anfängen des Bärenreiter-Verlages 1923/1924«, S. 158–160.

201 Vötterle, *Haus unterm Stern*, S. 62.

202 Vgl. das von Robert Reuß ausgestellte Arbeitszeugnis vom 2.1.1924 im Archiv des Bärenreiter-Verlags.

203 Eine Kopie der auf den 25.4.1924 datierten Anmeldung aus der Gewerbekartei der Stadt Augsburg befindet sich im Archiv des Bärenreiter-Verlags.

Selbsterneuerung eines Immigranten

1 Maurice Ravel an Maurice Delage, ca. 25.6.1910, in: Ravel, *L'intégrale*, S. 240.

2 Maurice Ravel an Roland-Manuel, 16.6.1923, in: ebd, S. 902.

3 Dukas, »Les Noces de Stravinsky«, in: *Le Quotidien* (Juni 1923), zit. nach ders., *Écrits*, S. 314.

4 Vuillermoz, »Noces de Stravinsky«, in: *Excelsior*, 18.6.1923.

5 Copland, »Music Between the Wars 1918–1939«, in: ders., *A Reader*, S. 52.

6 Vgl. zu den sogenannten »Philosophen-Dampfern« und zur russischen Diaspora Schlögel, *Das sowjetische Jahrhundert*, S. 78.

7 Vgl. Cross, *Igor Stravinsky*, S. 85–87.

8 Vgl. Figes, *Nataschas Tanz*, S. 544–605.

9 Vgl. Schlögel, *Das sowjetische Jahrhundert*, S. 87.

10 Strawinsky an Ansermet, Paris, 14.5.1923, in: Tappolet (Hg.), *Correspondance Ernest Ansermet – Igor Strawinsky*, Bd. II, S. 55. Vgl. zu Strawinskys finanzieller Situation 1923 und zum Engagement Stokowskis Walsh, *Igor Stravinsky*, S. 367.

11 Vgl. Walsh, *Igor Stravinsky*, S. 323 sowie 361.

12 Vgl. hier und im Folgenden ebd., S. 334–355 sowie Cross, *Igor Stravinsky*, S. 82–84.

13 Craft (Hg.), *Dearest Bubushkin*, S. 18–20, Zitat auf S. 18.

14 Igor Strawinsky an Ernest Ansermet, Biarritz 9.9.1923, in: Tappolet (Hg.), *Correspondance Ernest Ansermet – Igor Strawinsky*, Bd. II, S. 67

15 Zit. nach Craft, *Dearest Bubushkin*, S. 18.

16 Arthur Moss, »The Passing of the Ballet Russe«, in: *Freeman*, 27.6.1923, S. 375 f. Vgl. zur Situation der Ballets Russes in den 1920er-Jahren in Paris Garafola, *Diaghilev's Ballets Russes*, bes. S. 211–236 sowie 344–355.

17 Vgl. Davis, *Classic Chic*, S. 202–254, Zitate auf S. 206 und 251.

18 Vgl. Schlögel, *Der Duft der Imperien*, S. 71–96; Davis, *Classic Chic*, S. 153–201.

19 Vgl. Walsh, *Igor Stravinsky*, S. 318–320.

20 Vgl. ebd., S. 364.

21 Davis, *Classic Chic*, S. 241.

22 Vgl. Bommarius, *Im Rausch des Aufruhrs*, S. 96 f.

23 Vgl. Kahan, *Music's Modern Muse*, S. 223–252, Zitat auf S. 235.

24 Zit. nach Olivia Mattis, »Les Enfants du Jazz. The Murphys and Music«, in: Rothschild (Hg.), *Making It New*, S. 165–179, Zitat auf S. 169.

25 Ebd.

26 Vgl. Cross, *Igor Stravinsky*, S. 61–118; Mazo, »Igor Stravinsky's Les Noces« und Walsh, *Igor Stravinsky*, S. 238–374.

27 Strawinsky, *Erinnerungen*, S. 73.

28 Zit. nach Figes, *Nataschas Tanz*, S. 306.

29 Zit. nach Walsh, *Igor Stravinsky*, S. 275 und 245.

30 Vgl. ebd., S. 285, 294–297 et al.

31 Strawinsky, *Erinnerungen*, S. 83.

32 Kundera, »Improvisation zu Ehren Strawinskys«, S. 93.

33 Vgl. Mazo, »Igor Stravinsky's Les Noces«, x–xvii.

34 Igor Stravinsky, *Les Noces* (2 Versions 1917 and 1923), Hungaroton, HCD 12989.

35 Cocteau, *Hahn und Harlekin*, S. 32, 46, 48 et al.

36 Ebd., S. 46 und 48.

37 Briefe von Ernest Ansermet an Igor Strawinsky vom 18.7. und 4.5.1919, in: Tappolet (Hg.), *Correspondance Ernest Ansermet – Igor Strawinsky*, Bd. I, S. 134 f. und 88.

38 Stravinsky / Craft, *Expositions and Developments*, S. 118.

39 M. B. [Maurice Brillant], »›Noces‹ d'Igor Strawinsky à la Gaîté-Lyrique«, in: *Comœdia*, 12.6.1923, S. 1.

40 Vgl. zu *Les Biches* und dem französischen »lifestyle modernism« Taruskin, *Music in the Early Twentieth Century*, S. 567–572.

41 Francis Poulenc an Paul Collaer, 12. 6. 1923, in: Poulenc, *Correspondance*, S. 136.

42 Vgl. Mazo, »Igor Stravinsky's *Les Noces*«.

43 Igor Strawinsky an Ernest Ansermet, 23. 7. 1919, in: Tappolet (Hg.), *Correspondance Ernest Ansermet – Igor Strawinsky*, Bd. I, S. 141.

44 Vgl. zu Nijinska und ihrer Choreographie Garafola, *Diaghilev's Ballets Russes*, S. 124–129 sowie Jordan, *Stravinsky Dances*, S. 327–379.

45 Vgl. hier und im Folgenden ebd.

46 Zit. nach Garafola, *Diaghilev's Ballets Russes*, S. 127.

47 Nijinska, »Creation of *Les Noces*«, zit. nach ebd., S. 129.

48 Garafola, *Diaghilev's Ballets Russes*, S. 128.

49 Strawinsky, *Erinnerungen*, S. 112.

50 Vuillermoz, *Noces*, Igor Strawinsky, in: *La Revue musicale* 4/10 (1. 8. 1923), S. 69–72.

51 Milhaud, »Concerts Koussevitzky«, in: ders., *Notes sur la musique*, S. 78.

52 Vgl. Stravinsky / Craft, *Expositions and Developments*, S. 133, dt. Übersetzung zit. nach Dömling, »Das neue Alte«, S. 112.

53 Vgl. Taruskin, *Stravinsky and the Russian Traditions*, Bd. 2, S. 1607.

54 Prokofjew an Nikolai Mjaskowski, Briefe vom 5. 3. 1925 und 1. 6. 1924, zit. nach Taruskin, *Stravinsky and the Russian Traditions*, Bd. 2, S. 1607.

55 Stravinsky / Craft, *Expositions and Developments*, S. 133, dt. Übersetzung zit. nach Dömling, »Das neue Alte«, S. 112.

56 *The Arts* (Januar 1924), abgedruckt in: White, *Stravinsky*, S. 374–377, Zitate auf S. 375 und 377.

57 De Schloezer, »Igor Stravinsky« (1923), S. 92–141.

58 De Schloezer, *Igor Stravinsky* (1929).

59 Zit. nach de Schloezer, »Igor Stravinsky« (1923), S. 121.

60 Vgl. dazu Taruskin, *Stravinsky and the Russian Traditions*.

61 Zit. nach de Schloezer, »Igor Stravinsky« (1923), S. 131.

62 Zit. nach Taruskin, *Stravinsky and the Russian Traditions*, Bd. I, S. 13.

63 Kundera, »Improvisation zu Ehren Strawinskys«, S. 95.

64 Stravinsky / Craft, *Expositions and Developments*, S. 51, zit. nach Cross, *Igor Stravinsky*, S. 21.

65 André Schaeffner, »*Noces* d'Igor Stravinsky«, in: *Le Ménestrel* (29. 6. 1923), S. 287.

66 De Schloezer, »Igor Stravinsky« (1923), S. 127.

67 Zit. nach Walsh, *Igor Stravinsky*, S. 367.

68 Vgl. Cross, *Igor Stravinsky*, S. 23 f., Mazo, »Igor Stravinsky's *Les Noces*«, S. vii.

69 Vgl. hier und im Folgenden Schlögel, *Das sowjetische Jahrhundert*, S. 728–738, Zitat auf S. 731.

70 Vgl. Kahn / Whitehead (Hg.), *Wireless Imagination*, darin: Mel Gordon, »Songs from the Museum of the Future. Russian Sound Creation (1910–1930)«, S. 197–243, bes. S. 220 f. sowie Arseni Avraamov, »The Symphony of Sirens« (1923), S. 245–252.

71 Zit. nach Schlögel, *Das sowjetische Jahrhundert*, S. 728.

72 Zit. nach ebd., S. 732 f.

73 Kundera, »Improvisation zu Ehren Strawinskys«, S. 95 f.

Komponieren und kultureller Austausch in Zeiten des Nationalismus

Vgl. zu Bartóks Schriften auch die Datenbank des Budapester Bartók Archives (https://zti.hu/index.php/en/ba). Dort sind Digitalisate der jeweiligen Erstveröffentlichung abrufbar.

1 »Ein Jubelfest ohne Jubel«, in: *Pester Lloyd*, Nr. 260, 17. 11. 1923, S. 1.

2 Ebd.

3 Vgl. hier und im Folgenden Leonhard, *Der überforderte Frieden*, S. 470–475 sowie 1072–1088.

4 Kershaw, *Höllensturz*, S. 172.

5 Leonhard, *Der überforderte Frieden*, S. 1084.

6 Zit. nach Bónis, *Zoltán Kodály. Psalmus Hungaricus*, S. III.

7 Vgl. hier und im Folgenden ebd., S. III f.

8 *Pester Lloyd*, 17. 11. 1923, S. 1.

9 Vgl. hier und im Folgenden Bónis, *Béla Bartók. Tanz-Suite.*

10 Vgl. die Kritiken von Aurél Kern in *Magyarság* sowie von Izor Béldi in *Pesti Hírlap*, beide erschienen am 20. 11. 1923. Zit. nach ebd., S. 43 und 44.

11 Aladár Tóth, »Az ötvenéves Budapest zenei ünnepe« (»Das Musikfest des fünfzigjährigen Budapest«), in: *Pesti Napló*, 20. 11. 1923, S. 6, zit. nach ebd., S. 47.

12 Zit. nach Bónis, *Béla Bartók. Tanz-Suite* S. 43 sowie 47.

13 Zit. nach ebd., S. 10.

14 Bartók an Emil Hertzka, 13. 1. 1924, zit. nach ebd., S. 10.

15 Bartók an Hertzka, 20. 4. 1923, zit. nach ebd., S. 8 f.

16 Bartók, »Selbstbiographie« (1921), abgedruckt in: Dille (Hg.), *Documenta Bartókiana 2*, S. 118.

17 Brief Bartóks an seine Mutter, 8. 9. 1903, zit. nach Szabolcsi (Hg.), *Béla Bartók*, S. 226.

18 Vgl. zu *Kossuth* u. a. Cooper, *Béla Bartók*, S. 31–34.

19 Zoltán Kodály, »Béla Bartók« (1921), abgedruckt in: Szabolcsi (Hg.), *Béla Bartók*, S. 68.

20 *Magyarország*, 14. 1. 1904, zit. nach Schneider, *Hungarian Nationalism*, S. 179.

21 Bartók, »Selbstbiographie« (1923), abgedruckt in: Dille (Hg.), *Documenta Bartókiana 2*, S. 118. Zitiert wird die deutsche Fassung des Textes, die Bartók 1921 verfasst und 1923 bei der Übersetzung ins Ungarische geringfügig überarbeitet hat. Vgl. ebd., S. 123 f.

22 Bartók / Kodály, *Magyar Népdalok*, Budapest, Rozsnyai. Die Lieder 1–10 der Sammlung hat Béla Bartók bearbeitet.

23 Kodály, »Bartók als Folklorist«, abgedruckt in: Szabolcsi (Hg.), *Béla Bartók*, S. 86.

24 Vgl. zu Bartóks musikethnologischer Tätigkeit Erdely, »Bartók and Folk Music«.

25 Bartók, »Ungarische Volksmusik und neue ungarische Musik« (1927/28), zit. nach Szabolcsi (Hg.), *Béla Bartók*, S. 160. Vgl. auch Meyer, »Die deutsche Originalfassung«.

26 Bartók an Irmy Jurkovics, 15. 8. 1905, zit. nach Bartók, *Briefe I*, S. 75.

27 Bartók an János Buşiţia, 14. 8. 1909, zit. nach Szabolcsi (Hg.), *Béla Bartók*, S. 241.

28 Bartók, »Ungarische Volksmusik und neue ungarische Musik« (1927/28), zit. nach Szabolcsi (Hg.), *Béla Bartók*, S. 161.

29 Bartók, »Harvard Lectures«, in: ders., *Essays*, S. 363.

30 Zitiert in einer englischen Übersetzung in: Schneider, *Hungarian Nationalism*, S. 180.

31 Vgl. hier und im Folgenden Schneider, *Hungarian Nationalism*, S. 181 sowie Frigiyesi, *Béla Bartók*, S. 55–60.

32 Bartók an János Buşiţia, 31. 1. 1919, zit. nach Bartók, *Briefe I*, S. 185.

33 Bartók an János Buşiţia, 8. 5. 1921, zit. nach Bartók, *Briefe II*, S. 26.

34 Vgl. hier und im Folgenden Cooper, *Béla Bartók*, S. 194–202.

35 Bartók an Paula Bartók (geb. Voit) und Irma Voit, 28. 11. 1919, zit. nach, Bartók, *Briefe I*, S. 192.

36 Bartók, »Selbstbiographie« (1921), abgedruckt in: Dille (Hg.), *Documenta Bartókiana 2*, S. 119. Bemerkenswert sind die kleinen, aber politisch bedeutsamen Formulierungsänderungen, die Bartók für die 1923 veröffentlichte ungarische Fassung der »Selbstbiographie« vornahm. So spricht er hier nicht vom »ehemaligen Ungarn«, sondern von »Großungarn« und streicht zudem die Bemerkungen zu den »wechselseitigen Feindseligkeiten«. Vgl. hierzu die textkritischen Anmerkungen in: ebd., S. 124.

37 Bartók, »Die Volksmusik der Völker Ungarns«, abgedruckt in: Dille (Hg.), *Documenta Bartókiana 4*, S. 112.

38 Bartók, »Der Musikdialekt der Rumänen von Hunyad«, in: *Zeitschrift für Musikwissenschaft* 2/6 (März 1920), S. 352–360.

39 Die Zitate stammen aus Bartóks Replik, die am 26. 5. 1920 in der Tageszeitung *Szózat* veröffentlicht wurde. Wieder abgedruckt in: Bartók, *Briefe I*, S. 10–13 sowie 192 f.

40 Ebd., S. 12.

41 Vgl. z. B. den bereits zitierten, vermutlich um die Jahreswende 1920/21 verfassten Aufsatz »Die Volksmusik der Völker Ungarns«, abgedruckt in: Dille (Hg.), *Documenta Bartókiana 4*, bes. S. 112.

42 Bartók, »Volksliedforschung und Nationalismus« (1937), zit. nach Szabolcsi (Hg.), *Béla Bartók*, S. 205 f.

43 Bartók, »Hungary in the Throes of Reaction«, in: *Musical Courier* LXXX/18 (April 1920), S. 42 f. Die folgenden Zitate stammen aus dem von Bartók verfassten Konzept des Artikels, abgedruckt in: Somfai, »Vierzehn Bartók-Schriften aus den Jahren 1920/21«, S. 35–38.

44 Bartók an Bușiția, 30. 3. 1920, zit. nach Bartók, *Briefe II*, S. 9.

45 Bartók, »To Celebrate the Birth of the Great Bonn Composer, Dohnanyi Gives Ten Beethoven Recitals in Budapest« (1920). Der Artikel aus dem *Musical Courier* und Bartóks deutsches Konzept sind abgedruckt in: Somfai, »Vierzehn Bartók-Schriften aus den Jahren 1920/21«, S. 55–60.

46 Zit. nach der deutschen Fassung von Bartóks Rezension des Abends, abgedruckt in: ebd., S. 68.

47 Bartóks Besprechung wurde am 21. 2. 1921 im *Musical Courier* veröffentlicht. Zitiert nach ebd.

48 Izor Béldi, in: *Pesti Hírlap*, 20. 11. 1923, zit. nach Bónis, *Béla Bartók. Tanz-Suite*, S. 44.

49 Vgl. hier und im Folgenden Dalos, *Zoltán Kodály*, S. 10–12 sowie 88–102;

Bónis, *Zoltán Kodály. Psalmus Hungaricus*, S. III.

50 Vgl. Bónis, *Die Tanz-Suite*, S. 43 f. Vgl. zu Pálma Ottlik: *Ungarischer Künstler-Almanach. Das Kunstleben Ungarns in Wort und Bild. Musik*, Bd. 1, hg. von Béla Diósy, Budapest 1929, S. 118.

51 Zit. nach Bónis, *Béla Bartók. Tanz-Suite*, S. 47.

52 Dalos, *Zoltán Kodály*, S. 97 f.

53 *Magyar Színpad*, 19. 11. 1923, Online abrufbar auf der Website des Bartók-Archivs unter http://bartok-irasai.zti. hu/en/irasok/tanc-suite-2: Eine dt. Übersetzung findet sich in: Bónis, *Béla Bartók. Tanz-Suite*, S. 24. Wie bereits Bónis betont, treffen Bartóks knappe Erläuterungen nicht in allen Punkten zu. So kehren im Finale nicht »alle vorherigen Themen« wieder.

54 In: *Az Újság*, 20. 11. 1923, zit. nach ebd., S. 45.

55 Emil Haraszti, in: *Budapesti Hírlap*, 20. 11. 1923 sowie Andor Cserna, in: *Magyarország*, 19./20. 11. 1923, zit. nach ebd., S. 45.

56 Vgl. Bónis, *Béla Bartók. Tanz-Suite*, S. 12–20. Das Zitat stammt aus einem Brief von Hertzka an Bartók vom 7. 6. 1925, abgedruckt in: ebd., S. 15.

57 Vgl. Bartók, »Vom Einfluß der Bauernmusik auf die Musik unserer Zeit« (1931), abgedruckt in: Szabolcsi (Hg.), *Béla Bartók*, S. 168–173.

58 Zit. nach ebd., S. 24. Vgl. auch die leicht abweichende Übersetzung bei Tallián, der das Dokument im Budapester Bartók-Archiv entdeckt hat (*Quellenschichten der Tanz-Suite*, S. 216).

59 Bartók, »›Rassenreinheit‹ in der Musik«, abgedruckt in: Szabolcsi (Hg.), *Béla Bartók*, S. 209. Die englische Originalfassung erschien 1942 in *Modern Music* XIC/3, S. 153–155.

60 Vgl. Cooper, *Béla Bartók*, S. 257 f. sowie Leonhard, *Der überforderte Frieden*, S. 1088.

61 Zit. nach Bartók, *Briefe II*, S. 81.

»Deutsche Treue … und deutscher Sang«

1 Vgl. zur Vorgeschichte und zum Verlauf der Ruhrbesetzung Jones, *1923*; Ullrich, *Deutschland 1923*, S. 15–70; Krumeich / Schröder (Hg.), *Der Schatten des Weltkriegs*; Winkler, *Weimar*, S. 186–243.

2 *Berliner Tageblatt*, 10. 1. 1923, Morgenausgabe.

3 »Machtvolle Protestkundgebung der Essener Bürgerschaft«, in: *Essener Allgemeine Zeitung*, 11. 1. 1923. Alle Zitate stammen aus diesem Artikel. Vgl. auch die Wochenausgabe des *Berliner Tageblatts*, die am 17. 1. 1923 auf ihrer Titelseite über die Veranstaltung berichtete.

4 Ebd.

5 Ebd.

6 *Essener Allgemeine Zeitung*, 12. 1. 1923.

7 *Deutsche Allgemeine Zeitung*, 12. 1. 1923.

8 *Berliner Tageblatt*, 12. 1. 1923, Morgenausgabe.

9 Ebd.

10 Ebd.

11 Vgl. Winkler, *Weimar*, S. 188 sowie Jones, *1923*, S. 77 f.

12 Zit. nach Jones, *1923*, S. 77 f.

13 Vgl. Zalfen / Müller (Hg.), *Besatzungsmacht Musik* (dort insbesondere Kleiner, »Klänge von Macht und Ohnmacht«); Trieloff, »Die Nationalhymne als Protest?«; Niemöller, »Kultur als nationale Selbstvergewisserung«.

14 Bekanntmachung des Preußischen Staatsministeriums vom 11. 1. 1923, abgedruckt in: *Berliner Tageblatt*, 12. 1. 1923, Morgenausgabe.

15 Xammar, »Berlin und die Besetzung des Ruhrgebiets«, veröffentlicht am 20. 1. 1923 in *La Veu de Catalunya*. Zit. nach ders., *Das Schlangenei*, S. 42.

16 Vgl. zur ursprünglichen Planung *Berliner Tageblatt*, 12. 1. 1923, Morgenausgabe.

17 Xammar, *Das Schlangenei*, S. 42.

18 Vgl. *Deutsche Allgemeine Zeitung*, 16. 1. 1923, aber auch Xammar, *Das Schlangenei*, S. 42.

19 *Vossische Zeitung*, 15. 1. 1923, Abendausgabe.

20 Vgl. zu den angekündigten Rednern *Berliner Tageblatt*, 12. 1. 1923, Morgenausgabe.

21 *Berliner Tageblatt*, 15. 1. 1923, Abendausgabe.

22 Zit. nach ebd. Vgl. auch *Deutsche Allgemeine Zeitung*, 16. 1. 1923.

23 *Deutsche Allgemeine Zeitung*, 16. 1. 1923.

24 *Berliner Tageblatt*, 15. 1. 1923, Abendausgabe.

25 Ebd.

26 Vgl. die »Einleitung« von Heinrich von Berenberg zu Xammar, *Das Schlangenei*, S. 7–13.

27 Ebd., S. 43.

28 Veröffentlicht in: *Berliner Tageblatt*, 12. 1. 1923, Morgenausgabe.

29 *Deutsche Allgemeine Zeitung*, 14. 1. 1923.

30 Vgl. Programmzettel zum 6. Philharmonischen Konzert der Saison 1922/23 mit Wilhelm Furtwängler, Archiv der Berliner Philharmoniker.

31 *Signale für die musikalische Welt* 81/4, 24. 1. 1923, S. 111 f.

32 Vgl. die entsprechenden Mitteilungen in der *Vossischen Zeitung*, 14. 1. 1923, Sonntagsausgabe.

33 Xammar, *Das Schlangenei*, S. 43.

34 Anzeige in der *Essener Allgemeinen Zeitung*, 14. 1. 1923.

35 Ebd.

36 Xammar, *Das Schlangenei*, S. 43 f.

37 Paul Schlesinger, »Die Trauer und das Vergnügen«, in: *Vossische Zeitung*, 16. 1. 1923, Abendausgabe.

38 Ebd.

39 Xammar, *Das Schlangenei*, S. 44.

40 *Berliner Börsen-Zeitung*, 16. 1. 1923, Morgenausgabe.

41 *Essener Allgemeine Zeitung*, 16. 1. 1923.

42 *Berliner Börsen-Zeitung*, 15. 1. 1923, Abendausgabe.

43 »Protestnote der deutschen Regierung«, abgedruckt in: *Vossische Zeitung*, 21. 1. 1923, Sonntagsausgabe.

44 Vgl. *Berliner Börsen-Zeitung*, 16.1.1923 (Abendausgabe) sowie die Ausgaben der *Vossischen Zeitung* (Morgenausgabe) und des *Berliner Tageblatts* (Abendausgabe) vom 20.1.1923.

45 »Protestnote der deutschen Regierung«, abgedruckt in: *Vossische Zeitung*, 21.1.1923, Sonntagsausgabe.

46 *Berliner Tageblatt*, 16.1.1923, Morgenausgabe.

47 *Berliner Börsen-Zeitung*, 16.1.1923, Morgenausgabe.

48 *Vossische Zeitung*, 20.1.1923, Morgenausgabe.

49 *Essener Allgemeine Zeitung*, 19.1.1923.

50 Vgl. hierzu Jones, *1923*, bes. S.92–112.

51 Rainer Maria Rilke an Gudi Nölke, 12.2.1923, zit. nach Ullrich, *Deutschland 1923*, S.31.

52 Vgl. Jeannesson, »Übergriffe der französischen Besatzung und deutsche Beschwerden«, in: Krumeich/Schröder (Hg.), *Der Schatten des Weltkriegs*, S.207–231.

53 Zit. nach *Vossische Zeitung*, 16.1.1923, Abendausgabe.

54 Vgl. hier und im Folgenden Kleiner, »Klänge von Macht und Ohnmacht«, bes. S.51–55; Trieloff, »Die Nationalhymne als Protest«, S.317–320; Hermand, »On the History«, Borchmeyer, Kapitel »Nationalhymne und Nationalmythos«, in: *Was ist deutsch?*, S.494–536; Koch, *Einigkeit und Recht und Freiheit*; Knopp/Kuhn, *Das Lied der Deutschen*; Bleek, *Vormärz*, S.257–259.

55 *Vorwärts*, 25.1.1923, Morgenausgabe.

56 Thea Sternheim, Tagebucheintrag vom 14.1.1923, zit. nach Ullrich, *Deutschland 1923*, S.31.

57 Vgl. Borchmeyer, *Was ist deutsch?*, S.522–524.

58 Vgl. Hermand, »On the History«, S.257.

59 Zit. nach Borchmeyer, *Was ist deutsch?*, S.526.

60 Vgl. Hüppauf, »Schlachtenmythen« sowie Krumeich, »Langemarck«.

61 Zit. nach Hüppauf, S.45.

62 Ebd., S.47f. Vgl. auch Weinrich, »Kult der Jugend«.

63 Hermand, »On the History«, S.252; Bleek, *Vormärz*, S.258f. Im Widerspruch dazu Borchmeyer, *Was ist deutsch?*, S.526.

64 Vgl. Hermand, »On the History«, S.259; Koch, *Einigkeit und Recht und Freiheit*, S.103f.

65 Vgl. Koch, *Einigkeit und Recht und Freiheit*, S.107–112.

66 Vgl. *Berliner Tageblatt*, 11.8.1922, Abendausgabe.

67 *Vossische Zeitung*, 11.8.1922, Abendausgabe.

68 *Berliner Tageblatt*, 11.8.1922, Abendausgabe.

69 Ansprache des Reichspräsidenten zum Verfassungstage, zit. hier und im Folgenden nach *Vossische Zeitung*, 11.8.1922, Morgenausgabe.

70 Vgl. Borchmeyer, *Was ist deutsch?*, S.516f.

71 Vgl. hier und im Folgenden Jones, *1923*, S.82–91.

72 Zitate hier und im Folgenden aus *Essener Allgemeine Zeitung*, 26.1.1923.

73 Ebd.

74 *Vorwärts*, 26.1.1923, Abendausgabe.

75 Zit. nach Akten der Reichskanzlei. Weimarer Republik. Das Kabinett Cuno, Bd.1, Nr.54, »Bericht des hessischen Gesandten v. Biegeleben über nationalistische Ausschreitungen, 25. Januar 1923«, online unter: bundesarchiv.de/akten reichskanzlei.

76 Ebd.

77 Vgl. Jones, *1923*, S.92–112 sowie Ullrich, *Deutschland 1923*, S.43–50.

78 Vgl. Jones, *1923*, S.144–163 sowie Jeannesson, »Übergriffe der französischen Besatzung und deutsche Beschwerden«, in: Krumeich/Schröder (Hg.), *Der Schatten des Weltkriegs*, S.207–231.

79 Vgl. Jones, *1923*, S.164–178.

80 Vgl. zu Schlageter und dem Schlageter-Kult hier und im Folgenden ebd., S.179–193 sowie Ullrich, *Deutschland 1923*, S.50–53.

81 *Vorwärts*, 9.6.1923.

82 Ebd.

83 *Essener Allgemeine Zeitung*, 9.6.1923.

84 *Berliner Börsen-Zeitung*, 11.6.1923, Abendausgabe.

85 Ebd.

86 Ebd. Vgl. zur gesamten Rede, Hitler, *Sämtliche Aufzeichnungen*, S. 934 f.

87 Vgl. Jones, *1923*, S. 189–193.

88 Vgl. Ullrich, *Deutschland 1923*, S. 51 f.

89 Zit. nach ebd.

90 Ebd.

91 *Essener Allgemeine Zeitung*, 20.1.1923. Vgl. außerdem Programmzettel im Archiv der Essener Philharmoniker.

92 Im Laufe des Frühjahrs veranstalteten die »vereinigten Ruhrorchester« noch eine zweite Konzertreise nach München. Vgl. hierzu Cunz, »Rheinisch-Westfälische Musikkultur«, S. 69 ff.

93 Vgl. zum Städtischen Orchester Bochum Schmidt / Weber (Hg.), *Keine Experimentierkunst*, bes. S. 37–43.

94 Ebd., S. 168–174 sowie 257.

95 Vgl. Ullrich, *Deutschland 1923*, S. 45 f. sowie 78 f.

96 Handzettel »Orchesterfahrt der städtischen Musiker aus Essen, Dortmund und Bochum nach Berlin«, Stadtarchiv Bochum, ZGS V G 1, abgedruckt in: Schmidt / Weber (Hg.), *Keine Experimentierkunst*, S. 172.

97 Vgl. ebd.

98 *Deutsche Allgemeine Zeitung*, 6.3.1923.

99 *Vorwärts*, 4.3.1923, Morgenausgabe.

100 *Deutsche Allgemeine Zeitung*, 6.3.1923.

101 *Berliner Börsen-Zeitung*, 5.3.1923, Abendausgabe.

102 *Deutsche Allgemeine Zeitung*, 6.3.1923.

103 *Berliner Börsen-Zeitung*, 5.3.1923, Abendausgabe.

104 *Berliner Tageblatt*, 5.3.1923, Abendausgabe.

Ein Beitrag zur »Hegemonie der deutschen Musik«?

Zitiert werden Schönbergs Korrespondenz und seine Schriften, sofern nicht anders angegeben, aus den online verfügbaren Quellen des digitalen Archivs des Arnold Schönberg Center Wien (www.schoenberg.at).

1 *Neues Wiener Journal*, 13.3.1923, S. 9.

2 Ebd., S. 10.

3 Das teure Gerät, das Schönberg die mühsame Schreibarbeit erleichterte, sein schriftliches »Output« signifikant erhöhte und der Nachwelt zugleich die Lektüre erleichterte, wurde dem »verehrten Meister ARNOLD SCHÖNBERG zu Weihnachten 1922« unter anderem von Hanns Eisler, Rudolf Kolisch und Eduard Steuermann geschenkt. Vgl. Dümling, »Schönberg und sein Schüler Hanns Eisler«, S. 434 f.

4 Schönberg an Emil Hertzka, 13.3.1923.

5 Vgl. John, *Musikbolschewismus*, S. 109.

6 Vgl. Schönbergs Kritik des Begriffs »atonal« in der revidierten Neuauflage seiner *Harmonielehre*, S. 486, Anmerkung 1921.

7 Ebd., S. 478.

8 Vgl. Leon Bottstein, »Schönberg und das Publikum«, bes. S. 189.

9 Schönberg, *Harmonielehre*, S. 495.

10 Paul Stefan, zitiert nach Matthias Schmidt, »Quartett (d-Moll) für 2 Violinen, Viola und Violoncello op. 7«, www.schoenberg.at.

11 »Ein Skandal im Bösendorfersaale«, in: *Neues Wiener Tagblatt*, 22.12.1908, S. 9.

12 »Großer Skandal im Musikvereinssaal. Ein abgebrochenes Konzert«, in: *Reichspost*, Morgenblatt, 1.4.1913, S. 7.

13 Weißmann, *Die Musik in der Weltkrise*, S. 184 und 190.

14 Karol Szymanowski, »Zur Frage der ›zeitgenössischen Musik‹« (1926), zit. nach Bottstein, »Schönberg und das Publikum«, S. 209.

15 Schönberg, »Mein 50ter Geburtstag«, unveröffentlichtes Typoskript, 17. 2. 1924, S. 2.

16 Vgl. u. a. John, *Musikbolschewismus*, S. 119.

17 Vgl. Oja, *Making Music Modern*, S. 387–390.

18 Zit. nach Meyer u. a. (Hg.), *Varèse*, S. 121.

19 Vgl. Krones, *Arnold Schönberg*, S. 45–48.

20 Schönberg an Edgard Varèse, 23. 10. 1922.

21 Ebd.

22 Vgl. V. Balaiev, »Neue Musik in Moskau«, in: *Musikblätter des Anbruch* 5/10, S. 306 f.

23 Boris de Schloezer, »Le couple Schoenberg – Stravinski«, in: *La Revue musicale* 4/5 (1. 3. 1923), S. 189.

24 Paul Landormy, »Schönberg, Bartók und die französische Musik«, in: *Musikblätter des Anbruch* 4/9–10 (Mai 1922), S. 142f.

25 Schönberg an Hertzka, 13. 3. 1923.

26 Vgl. hier und im Folgenden insbesondere Ulrich Krämer, »Une grande portée morale ...« sowie ders., »Schönbergs Mission zur Rettung der Tonkunst«; Therese Muxeneder, »Arnold Schönbergs Verkündung der Zwölftonmethode« sowie dies., »Arnold Schönbergs Konfrontation mit dem Antisemitismus (III)«.

27 Vgl. Kandinskys ersten Brief an Schönberg vom 3. 7. 1922.

28 Schönberg an Kandinsky, 20. 7. 1922.

29 Adorno, »Schönberg: Serenade, op. 24 (I)« (1925), in: ders., *Gesammelte Schriften* 18, S. 324. Schönberg, »Neue Musik« (1923), abgedruckt in ders., *Stile herrschen, Gedanken siegen*, S. 379–381.

30 Erwin Schulhoff an Arnold Schönberg, 23. 5. 1919. Zu Schulhoff vgl. John, *Musikbolschewismus*, S. 146–152.

31 Schönberg an Schulhoff, 20. 6. 1919.

32 Schulhoff an Schönberg, 29. 6. 1919.

33 Vgl. Danuser, »Arnold Schönberg und die Idee einer deutschen Musik«.

34 Vgl. hier und im Folgenden John, *Musikbolschewismus*; Danuser, »Arnold Schönberg und die Idee einer deutschen Musik«.

35 Vortrag »When we young Austrian-Jewish artists«, Typoskript, 29. 3. 1935 (T25.03), dt. Übersetzung unter dem Titel »Wir jungen jüdischen Künstler« in: Schönberg, *Stil und Gedanke*, S. 333.

36 Weißmann, »Einige Worte zu Salzburg«, in: *Musikblätter des Anbruch* 5/6–7 (Juni / Juli 1923), S. 169–172, hier S. 170.

37 Vgl. John, *Musikbolschewismus*, bes. S. 106–110.

38 Schönberg an Friedrich Ritter von Wiesner, 12. 9. 1918. Vgl. Krämer, »Une grande portée morale ...«, S. 27, Anm. 9.

39 Vgl. ebd.

40 Prospekt des *Vereins für musikalische Privataufführungen*, verfasst von Alban Berg (S. 1). Zit. nach Weber, »Melancholisch düstrer Walzer«, S. 4.

41 Schönberg an Busoni, 26. 2. 1919.

42 Prospekt des *Vereins für musikalische Privataufführungen«* (S. 1). Zit. nach Weber, »Melancholisch düstrer Walzer«, S. 4.

43 Zit. nach Weber, »Melancholisch düstrer Walzer«, S. 87, Anm. 4.

44 Vgl. Rosteck, »Von ›sinnlicher Süße‹ und ›spröden Wundern‹«, S. 321–332.

45 Zit. nach John, *Musikbolschewismus*, S. 117.

46 Vgl. hier und im Folgenden Krämer, »Une grande portée morale ...«.

47 Henry Prunières an Schönberg, 30. 6. 1920, dt. Übersetzung zit. nach ebd., S. 25 f.

48 Nicht abgeschickter Brief Schönbergs an Prunières, vermutlich nach dem 8. 8. 1920. Abgedruckt in ebd., S. 27 ff.

49 »Alfredo Casella's Festrede beim Mahlerfest in Amsterdam«, abgedruckt in frz. Sprache in: *Musikblätter des Anbruch*, 2/11–12 (Juni 1920), S. 415–419, Zitate auf S. 416.

50 Schönberg an Alma Mahler, 19. 7. 1920, zit. nach Krämer, »Une grande portée morale ...«, S. 39.

51 Egon Wellesz an Schönberg, 19.8.1920.

52 Vgl. z. B. die Texte »Composing with Twelve Tones«, abgedruckt in: Schönberg, *Stile herrschen, Gedanken siegen*, S. 161–188 sowie 212–214.

53 Vgl. Muxeneder, »Arnold Schönbergs Verkündung der Zwölftonmethode« sowie Krämer, »Schönbergs Mission zur Rettung der Tonkunst«.

54 Schönberg an Hauer, 1.12.1923.

55 Schönberg an Zemlinsky, 12.2.1923.

56 Schönberg, »Hauers Gesetz«, Textfragment vom 8.5.1923.

57 Vgl. Brinkmann, »Der Narr als Modell«, bes. S. 225–240.

58 Schönberg an Werner Reinhart, 9.7.1923.

59 Vgl. Schönberg, »Wie man einsam wird« (1937), in: ders., *Stil und Gedanke*, S. 355.

60 Schönberg, »Nationale Musik« (1931).

61 Schönberg, »Neue Musik«, Typoskript, 29.9.1923, Bl. 1.

62 Schönberg schloss die Arbeit an der Neuauflage der 1911 erstmals veröffentlichten *Harmonielehre* im Juni 1921 in Mattsee ab. Die revidierte Edition erschien 1922 bei der Universal Edition. Zitat auf S. 479 f.

63 Schönberg, »Gedanken zur Geschichte der Habsburger« (1923), Typoskript, S. [2].

64 Josef Rufer an Schönberg, 29.9.1923.

65 Vgl. Schönbergs Brief an Zemlinsky vom 5.1.1924.

66 Vgl. zu Hauer sowie zu dessen Beziehung zu Schönberg Szmolyan, *Josef Matthias Hauer*, bes. S. 40–50.

67 Schönberg an Hauer, 1.12.1923.

68 Vgl. Schönbergs Brief an Hauer vom 7.12.1923.

69 Hauer an Heinrich Burkard, 23.6.1924, zit. nach Szmolyan, S. 49.

70 Vgl. ebd., S. 50.

71 Vgl. zu einer ausführlichen Auseinandersetzung die bereits im November 1923 verfassten Aufzeichnungen »Hauers Theorien« sowie den 1932 entstandenen biographischen Text »Die Prioritäten«.

72 Vgl. Danuser, *Die Musik des 20. Jahrhunderts*, S. 130–134.

73 Vgl. Dave Headlam, »Fritz Heinrich Klein«.

74 Vgl. Neil Boynton, »Compositional Technique 1923–6«, S. 189–194.

75 Klein an Berg, März 1922, zit. nach Baier, »ich hätte noch soviel im kopf«, S. 36 f.

76 Muxeneder, »Arnold Schönbergs Konfrontationen mit Antisemitismus (III)«, S. 209.

77 Umfassend aufgearbeitet wurde diese Thematik von Therese Muxeneder. Vgl. hier und im Folgenden ebd.

78 Ebd., S. 179.

79 Ebd., S. 182.

80 Vgl. Krämer, »Schönbergs Mission zur Rettung der Tonkunst«, insbesondere S. 47–53.

81 Schönberg an Alma Mahler, 26.7.1923, Abendausgabe.

82 Schönberg an Erwin Stein, 7.7.1922. Vgl. dazu auch Muxeneder, »Arnold Schönbergs Konfrontationen mit Antisemitismus (III)«, S. 200–202.

83 Kandinsky an Schönberg, 15.4.1923. Vgl. zu den Ereignissen des Frühjahrs 1923 und Schönbergs Bruch mit Kandinsky ebd., S. 204–218.

84 Vgl. ebd., S. 207–209.

85 Schönberg an Kandinsky, 19.4.1923.

86 Abgedruckt in Hitler, *Sämtliche Aufzeichnungen*, S. 906–909. Vgl. auch Jones, *1923*, S. 113–115.

87 Schönberg, »November-Verbrecher«, 26.4.1923, Typoskript. Vgl. hierzu Muxeneder, »Arnold Schönbergs Konfrontationen mit Antisemitismus (III)«, S. 210–212.

88 *Neues Wiener Tagblatt*, 25.4.1923, S. 3.

89 Vgl. zu Kandinskys Brief vom 24.4.1923 und zu Schönbergs Antwortschreiben Muxeneder, »Arnold Schönbergs Konfrontationen mit Antisemitismus (III)«, S. 212–217.

90 Schreibweise Schönbergs; eigentlich »tachiniert«. Der Begriff bedeutet »blau-

machen, fernbleiben, schwänzen, eine Krankheit simulieren«.

91 Schönberg an Kandinsky, 4. 5. 1923. Abgedruckt in: Schönberg, »Stile herrschen, Gedanken siegen«, S. 268–273.

92 »Krawalle im Berliner Zentrum«, in: Vossische Zeitung, 6. 11. 1923, Morgenausgabe.

93 Vgl. Wildt, Volksgemeinschaft als Selbstermächtigung, S. 72–80 sowie Ullrich, Deutschland 1923, S. 247.

94 Thea Sternheim, Tagebucheintrag vom 8. 11. 1923, zit. nach Ullrich, Deutschland 1923, S. 247.

95 Betty Scholem an Gershom Scholem, 20. 11. 1923, zit. nach ebd.

96 Schönberg an Zemlinsky, 5. 1. 1924.

97 Vgl. den Eintrag »Gertrud Schönberg« von Michèle Wolter im Lexikon Musik und Gender im Internet (https://mugi.hfmt-hamburg.de).

98 Die Uraufführung fand am 16. September – drei Tage nach Schönbergs Geburtstag – im Kleinen Musikvereinssaal statt.

99 Erwin Stein, »Neue Formprinzipien«, in: Arnold Schönberg zum fünfzigsten Geburtstage. 13. September 1924. Sonderheft der Musikblätter des Anbruch, 6/7–8 (August / September 1924), S. 286–303.

100 Hanns Eisler, »Arnold Schönberg, der musikalische Reaktionär«, in: ebd., S. 312 f.

101 Alban Berg, »Warum ist Arnold Schönbergs Musik so schwer verständlich?«, in: ebd., S. 329–341, Zitate auf S. 341.

102 Martin Friedland, »Konzertsaal oder Psychatrischer Hörsaal? Die Geburtstagsfeier eines lebenden Toten«, in: Allgemeine Musik-Zeitung 51/41 (1924), S. 741–743, zit. nach Hilmes, Der Streit ums »Deutsche«, S. 43.

103 Vgl. John, Musikbolschewismus, S. 30–50.

104 Vgl. ebd., S. 58–89.

105 Pfitzner, Die neue Ästhetik der musikalischen Impotenz, S. 124.

106 Paul Bekker, »›Impotenz‹ – oder Potenz. Eine Antwort auf Herrn Professor Dr. Hans Pfitzner«, in: Frankfurter Zeitung, 16. 1. 1920, Erstes Morgenblatt.

107 Bis August 1923 lautete der Titel »Zeitschrift für Musik. Halbmonatsschrift für Musik und Freunde der Tonkunst«, ab November dann »Zeitschrift für Musik. Kampfblatt für deutsche Musik und Musikpflege«. In der Zwischenzeit war aufgrund der schwierigen ökonomischen Lage keine Ausgabe erschienen. Vgl. zu Heuß' Aktivitäten und Positionen Hilmes, Der Streit ums »Deutsche«.

108 Alfred Heuß, »Auseinandersetzungen über das Wesen der neuen Musik III. Über Arnold Schönberg«, in: Zeitschrift für Musik 91/3 (März 1924), S. 110–114.

109 Ders., »Arnold Schönberg – Preußischer Kompositionslehrer«, in: Zeitschrift für Musik 92/10 (Oktober 1925), S. 584.

110 Schönberg an Kandinsky, 4. 5. 1923.

111 Glosse zu einem Brief Emil Hertzkas, Dezember 1928.

112 Schönberg, Entwürfe zum Vorwort einer Kompositionslehre, 17. 8. 1931 (T.35.41).

113 Vgl. Danuser, »Arnold Schönberg und die Idee einer deutschen Musik«, S. 355–357.

114 Vortrag »When we young Austrian-Jewish artists«, Typoskript, 29. 3. 1935 (T25.03), dt. Übersetzung unter dem Titel »Wir jungen jüdischen Künstler« in: Schönberg, Stil und Gedanke, S. 333.

Black music matters

1 »Quality in ›Blues‹«, zitiert nach Koenig (Hg.), Jazz in Print, S. 260.

2 Vgl. hier und im Folgenden Albertson, Bessie, S. 30–38.

3 Ebd., bes. S. 56 und 13; Mahon, »How Bessie Smith Influenced« sowie die Einträge zu Bessie Smith in der Discography

of American Historical Recordings (https://adp.library.ucsb.edu).

4 Mahon, »How Bessie Smith Influenced«.

5 Albertson, *Bessie*, S. 278.

6 Davis, *Blues Legacies and Black Feminism*. Vgl. auch Yurechenco, »Mean Mama Blues«.

7 Vgl. Albertson, *Bessie*, S. 43, zum späteren Bruch S. 117 f.

8 Der Text ist abgedruckt in Davis, *Blues Legacies and Black Feminism*, S. 278. Autor des Songs ist George Brooks. Die Aufnahme mit Bessie Smith und Clara Smith entstand am 4. 10. 1923 in New York und erschien als Columbia 13007-D.

9 Zit. nach ebd.

10 Vgl. exemplarisch Gioia, *The History of Jazz*, bes. S. 45–48.

11 Vgl. Albertson, *Bessie*, S. 7. Eine erste Fassung der Biographie, für die Albertson zahlreiche Interviews mit Zeitzeugen führte und Quellenstudien betrieb, erschien 1972, die revidierte und erweiterte Neuauflage, die im vorliegenden Buch zumeist zitiert wird, 2003.

12 Vgl. Scott, *Blues Empress in Black Chattanooga*, S. 152, Anm. 1 zu Kapitel 3.

13 Vgl. hier und im Folgenden Albertson, *Bessie*, S. 7–11 sowie Scott, *Blues Empress*, S. 55–80.

14 Albertson, *Bessie*, S. 8.

15 Will Johnson, zit. nach ebd., S. 8.

16 Laut Chris Albertson fand Smiths triumphale Rückkehr nach Chattanooga erst im Februar 1925 statt (*Bessie*, S. 91–94). Im Widerspruch dazu steht ein Artikel, der im Juli 1923 im Magazin *The Talking Machine World* erschien. Dort wird berichtet, dass Smith Chattanooga im Rahmen einer zehnwöchigen Tournee durch die Südstaaten im Sommer 1923 besuchen werde. *The Talking Machine World* 19/7 (15. 7. 1923), S. 142.

17 Vgl. hier und im Folgenden McGinley, *Staging the Blues*, bes. S. 31–47.

18 Vgl. Hähnel, »›Down in a Great Big Rathskeller‹. Vaudeville Shows zu Beginn des 20. Jahrhunderts«, in: Pfleiderer u. a. (Hg.), *Stimme, Kultur, Identität*, S. 75–109 sowie https://vaudevilleamerica.org.

19 Vgl. McGinley, *Staging the Blues*, S. 34.

20 Vgl. Albertson, *Bessie*, S. 11–14.

21 Vgl. Davis, *Blues Legacies and Black Feminism*, S. 3–41, bes. 39 f. Das Zitat stammt aus Lieb, *Mother of the Blues*, S. 125.

22 Vgl. hier und im Folgenden Albertson, *Bessie*, S. 16–20.

23 Vgl. James Wolfingers Essay, »African American Migration«, in: *The Encyclopedia of Greater Philadelphia*, https://philadelphiaencyclopedia.org/essays/african-american-migration.

24 Albertson, *Bessie*, S. 17.

25 Vgl. hier und im Folgenden Barnett, *Record Cultures*, S. 67–107.

26 Zum Beispiel in »Laughing Song« und »The Whistling Coon«.

27 Vgl. Barnett, *Record Cultures*, S. 67.

28 Vgl. ebd., S. 70–77.

29 Zit. nach Barnett, *Record Cultures*, S. 73. Der nur schwer zu übersetzende Text lautet im Original: »Well, you've heard the famous stars of the white race chirping their stuff on the different makes of phonograph records ... But we have never – up to now – been able to hear one of our own ladies deliver the canned goods. Now we have the pleasure of being able to say that at least they have recognized the fact that we are here for their service.«

30 Norfolk, *Virginia Journal and Guide*, 29. 1. 1921, zit. nach ebd., S. 76.

31 Vgl. *The Talking Machine World* 17/4 (15. 4. 1921), S. 134 sowie die einseitige farbige Werbeanzeige von OKeh Records zu Mamie Smith im selben Heft (S. 35).

32 *The Talking Machine World* 19/12 (15. 12. 1923), S. 59.

33 Abgedruckt ist diese Anzeige u. a. in *The Talking Machine World* 19/8 (15. 8. 1923), S. 50.

34 Zit. nach Barnett, *Record Cultures*, S. 79.

35 »Demand for Ethel Waters Record«, in: *The Talking Machine World* 17/8 (15.8.1921), S.89.

36 Vgl. hierzu Davis, *Blues Legacies and Black Feminism*, S.138–160.

37 Zit. nach ebd., S.150.

38 »Of the artists who have communicated the Blues to the more sophisticated Negro and white public, I think Ethel Waters is the best. [...] Her methods are precisely opposed to those of the [...] authentic Blues singer [...]. Her voice and her gestures are essentially Negro, but they have been thought out and restrained, not prettified, but stylized.« Carl Van Vechten, »Negro ›Blues‹ Singers. An Appreciation of Three Coloured Artists Who Excel an Unusual and Native Medium«, in: *Vanity Fair* 26/1 (1926), zit. nach ebd., S.153.

39 Vgl. Albertson, *Bessie*, S.32–34.

40 Vgl. Jeffrey Taylor, »With Lovie and Lil«.

41 Brief von Frank B. Walker an Alberta Hunter, 19.1.1923, zit. nach ebd., S.33.

42 Zit. nach Davis, *Blues Legacies and Black Feminism*, S.273f.

43 Vgl. Mahon, »How Bessie Smith Influenced«.

44 »A bold, perhaps implicitly feminist contestation of patriarchal rule«. Davis, *Blues Legacies and Black Feminism*, S.21.

45 Die erste Aufnahme mit Mikrofon, eine ebenso faszinierende wie überraschende Interpretation von *Cake Walkin' Babies from Home*, wurde erst nach Smiths Tod von Columbia veröffentlicht. Vgl. Albertson, *Bessie*, S.98f.

46 Laut der *Discography of American Historical Recordings* wurden insgesamt fünf Takes von *Down Hearted Blues* aufgenommen und das letzte von ihnen als Master für die Platte »Columbia A3844 ausgewählt (https://adp.library.ucsb.edu/index.php/matrix/detail/2000028630/80863-Down_hearted_blues). Chris Albertson hingegen spricht von lediglich drei Takes, die alle erst am zweiten Aufnahmetag (16.2.1923) entstanden seien (Albertson, *Bessie*, S.35).

47 Vgl. die Analyse von Alona Sagee, auf deren Transkription der vier Chorusse ich mich im Folgenden stütze (Sagee, »Bessie Smith«, S.119–122).

48 Ethel Waters / Sidney Easton, *Maybe Not at All*, Ethel Waters and her Ebony Four, aufgenommen am 28.10.1923, Columbia 14112-D/W141209.

49 *The Talking Machine World* 19/8 (15.8.1923), S.22.

50 Ebd., S.142.

51 Vgl. hier und im Folgenden den Bericht »Special Columbia Publicity. Complete Advertising Campaign Features Race Records by Race Artists – Bessie Smith and Clara Smith Among Headliners of the Company«, in: *The Talking Machine World* 19/10 (15.10.1923), S.136.

52 Ebd.

53 Vgl. hier und im Folgenden Albertson, *Bessie*, S.35–37.

54 Clarence Williams enorme Produktivität beruhte zum Teil auch auf seinen skrupellosen Geschäftspraktiken. So gibt es zahlreiche Berichte über Fälle, in denen er seine musikalischen Partner betrog, indem er sich beispielsweise das Copyright an Songs sicherte, die er nicht selbst geschrieben hatte. Vgl. ebd., S.35.

55 So kündigt der *New Britain Daily Herald* die Platte am 18.5.1923 unter der Überschrift »Columbia New Process Records« zum Preis von 75 Cent an. Für eine Platte aus der »Symphony and Concert Selection« musste hingegen ein Dollar bezahlt werden.

56 Vgl. Allan Sutton, »Columbia Race Record Shipments (1921–1923)«. Compiled from the Original Documentation, https://78records.wordpress.com/2021/03/31/columbia-race-record-shipments-1921-1923 sowie den Eintrag »Columbia Repertoire History: Popular Recordings, 1901–1925« in der *Discography of American Historical Recordings*, https://adp.library.ucsb.edu/index.php/resources/detail/118.

57 Vgl. z.B. Albertson, *Bessie*, S.38.

58 Vgl. ebd., S. 30–32.
59 »Origins of Blues Numbers«, in: *Sheet Music News* 2/5 (Oktober 1923), S. 8f., zit. nach Koenig, *Jazz in Print*, S. 262.
60 Vgl. Davis, *Blues Legacies and Black Feminism*, S. 94–97.
61 Zit. nach ebd., S. 95.
62 *The Talking Machine World* 19/7 (15. 7. 1923), S. 142.
63 Ebd.
64 Vgl. Albertson, *Bessie*, S. 49–53.
65 Eine Übersicht über die Songs, die Smith 1923 aufgenommen hat, bietet die *Discography of American Historical Recordings* (https://adp.library.ucsb.edu). Die Texte sind abgedruckt in: Davis, *Blues Legacies and Black Feminism*, S. 258–358.
66 So der Blues-Gitarrist und -Sänger Melvin »Lil' Son« Jackson, zit. nach ebd., S. 114.
67 Vgl. ebd., S. 135 sowie S. 355.
68 »When Bessie proclaimed, ›It's true I loves you, but I won't take mistreatment any mo,‹ a girl sitting beneath our box called ›Dat's right! Say it, sister!‹« Zit. nach Albertson, *Bessie*, S. 119.
69 Vgl. hier und im Folgenden insbesondere McGinley, *Staging the Blues*, S. 31–69.
70 Vgl. Albertson, *Bessie*, S. 42.
71 McGinley, *Staging the Blues*, S. 52–54.
72 In einer im Sommer 1923 geschalteten Werbeanzeige der Columbia Graphophone Co. wird Smith als »by common consent uncrowned queen of blues« bezeichnet. *The Talking Machine World* 19/7 (15. 7. 1923), S. 93.
73 Vgl. McGinley, *Staging the Blues*, S. 54–58.
74 Vgl. Albertson, *Bessie*, S. 42–44.
75 Laut der *Discography of American Historical Recordings* (https://adp.library. ucsb.edu) existieren insgesamt zehn Takes. Folgt man hingegen Chris Albertson, wurden allein an Smiths erstem Tag im Columbia-Studio (15. 2. 1923) neun Takes aufgenommen (*Bessie*, S. 35). Sofern das korrekt ist, kommt man auf insgesamt 15 Takes.

76 Zit. nach Davis, *Blues Legacies and Black Feminism*, S. 342f.
77 Alberta Hunter. Jazz at the Smithsonian, 29. 11. 1981, abrufbar auf YouTube unter: https://www.youtube.com/watch ?v=zi94O8aqqQI.
78 Vgl. K. T. Ewing, »What Kind Of Woman?«.
79 Zit. nach Albertson, *Bessie*, S. 42.

New Orleans in Chicago

1 Zit. nach Brothers, *Louis Armstrong*, S. 58.
2 »Regarding Joe Oliver's Band, my only idea in this respect was to use them as an accompaniment for you in case you did work for us. It will therefore be necessary for us to forget them until such time as you will be ready to put through a test record for us.« Brief von Frank B. Walker an Alberta Hunter, 19. 1. 1923, zit. nach Albertson, *Bessie*, S. 33.
3 Laut eines Artikels aus *The Talking Machine World* lebten 1923 bereits um die 200 000 »Farbige« (»colored populace«) in Chicago. Vgl. *The Talking Machine World* 19/7 (15. 7. 1923), S. 93.
4 Christopher Manning, »African Americans«, in: https://encyclopedia. chicagohistory.org.
5 Zit. nach Brothers, *Louis Armstrong*, S. 43.
6 Hinton (u. a.), *Playing the Changes*, S. 11.
7 Jackson, *Movin' On Up*, S. 46.
8 Laut einer zeitgenössischen Studie gab es im Chicago der frühen 1920er-Jahre je nach konjunktureller Lage zwischen 30 000 und 75 000 Obdachlose. Vgl. Oakley, *The Devil's Music*, S. 87.
9 Vgl. hier und im Folgenden Brothers, *Louis Armstrong*, S. 13–33.
10 George Wettling, in: Shapiro / Hentoff, *Hear Me Talkin' to Ya*, S. 99 f.
11 Brothers, *Louis Armstrong*, S. 24.
12 Vgl. Anderson, »The Genesis«, S. 288.

13 Vgl. zur komplexen Entstehungs-geschichte von King Oliver's Creole Jazz Band ebd.

14 Vgl. Knauer, *Black and Blue*, S. 39.

15 Vgl. Brothers, *Louis Armstrong*, S. 27.

16 Zit. nach ebd., S. 31.

17 Zit. nach ebd., S. 58.

18 Vgl. hier und im Folgenden Brothers, *Louis Armstrong*, S. 33–39.

19 Eddie Condon, *We Called It Music. A Generation of Jazz*, S. 111. Zit. nach ebd., S. 35.

20 George Wettling, in: Shapiro / Hentoff, *Hear Me Talkin' to Ya*, S. 100.

21 Zit. nach ebd., S. 36 und 38.

22 Zit. nach ebd., S. 36.

23 Zit. nach ebd., S. 36.

24 So Alberta Hunter in einem Interview aus dem Jahr 1976. Zit. nach Albertson, *Bessie*, S. 21.

25 Zit. nach ebd., S. 523 f.

26 Die Aufnahme entstand am 24. 8. 1922 im Genette-Studio in Richmond und wurde unter dem Titel »Eccentric (Fox Trott)« auf der Platte Genette 5009-B veröffentlicht.

27 Zit. nach Brothers, *Louis Armstrong*, S. 63.

28 »I ain't gonna give these white boys my best stuff, you better believe it.« Zit. nach ebd.

29 Vgl. hier und im Folgenden Brothers, *Louis Armstrong*, S. 60–64 sowie Knauer, *Black and Blue*, S. 42–47.

30 Vgl. Brothers, *Louis Armstrong*, S. 60.

31 Vgl. beispielsweise Hardin, »Satchmo and Me«, S. 112.

32 Vgl. Knauer, *Black and Blue*, S. 47.

33 Vgl. Brothers, *Louis Armstrong*, S. 62.

34 Vgl. z. B. den aufschlussreichen Bericht über die Jahresversammlung des »Improved Benevolent Order of Elks« Ende August 1923 in Chicago, die OKeh Records dazu nutzte, um ihre afroamerikanischen Musiker und Musikerinnen, darunter »King Oliver and His Jazz Band« zu featuren (*The Talking Machine World*, 15. 7. 1923, S. 93).

35 Columbia 13003-D mit *Chattanooga Stomp* und *New Orleans Stomp* sowie Columbia 14003-D mit *London (Café) Blues* und *Camp Meeting Blues*. Vgl. https://adp.library.ucsb.edu/index.php/mastertalent/detail/110700/King_Olivers_Jazz_Band.

36 Umstritten ist die Datierung der Paramount-Aufnahmen. Während einige Autoren davon ausgehen, dass sie erst im Dezember entstanden sind, datiert sie Jos Willems in seiner Armstrong-Diskographie auf September 1923, eine Einschätzung, die auch von anderen Spezialisten geteilt wird. Vgl. Willems, *All of Me*, S. 5 sowie https://michaelminn.net/discographies/armstrong/early-years/index.html.

37 Vgl. Brothers, *Louis Armstrong*, S. 116.

38 Ebd.

39 Vgl. z. B. das Fernsehinterview mit R. L. Gleason, das am 23. 1. 1963 im Rahmen der Sendereihe »Jazz Casual« im San Francisco TV ausgestrahlt wurde. www.youtube.com/watch?v=Dc3Vs3q6tiU.

40 Vgl. ebd., S. 5 sowie Knauer, *Black and Blue*, S. 26.

41 Zit. nach Brothers, *Louis Armstrong*, S. 81.

42 Knauer, *Black and Blue*, S. 21 (hier heißt es wohl fälschlich »Zinnwanne«).

43 Vgl. ebd., S. 51.

44 Brothers, *Louis Armstrong*, S. 60.

45 Zit. nach ebd., S. 62.

46 Veröffentlicht wurde *Canal Street Blues* zusammen mit dem am selben Tag aufgenommenen Titel *Just Gone* (Gennett 5133). Die Chorusse beginnen bei ca. 0 : 06 (I), 0 : 37 (II: »The Holy City«), 1 : 08 (III), 1 : 23 (IV), 1 : 52 (IV).

47 So heißt es in der berühmten Predigt *A Model of Christian Charity* des puritanischen Juristen und zweiten Gouverneurs der Massachusetts Bay Colony John Winthrop aus dem Jahr 1630: »For wee must Consider that wee shall be as a Citty upon a Hill, the eies of all people are uppon us.« Vgl. auch Reithel, *Geschichte der nordamerikanischen Kultur*, Bd. I, S. 58.

48 Vgl. hierzu insbesondere Van Engen, *City on a Hill*.

49 Zit. nach Brothers, *Louis Armstrong*, S. 489, Anm. 4.

50 Vgl. ebd., S. 4 sowie S. 84 f.

51 Vgl. ebd., S. 90.

52 Vgl. z. B. den Bericht des Schlagzeugers George Wettling in: Shapiro / Hentoff, *Hear Me Talkin' to Ya*, S. 100.

53 Louis Armstrong, in: ebd., S. 104.

54 Buster Bailey, in: ebd., S. 103.

55 Vgl. Knauer, *Black and Blue*, S. 20–22.

56 Vgl. hier und im Folgenden Harker, »Louis Armstrong and the Clarinet«, S. 147–149.

57 Armstrongs Solo beginnt auf der Aufnahme bei ca. 1 : 49, das Solo von Oliver bei ca. 2 : 26. Vgl. außerdem die Transkription der beiden Soli von Harker (ebd., S. 148).

58 »Sometimes, I'd get the urge to run up and down the piano. But Oliver growled, ›We [already] *have* a clarinet in the band.‹« Zit. nach Brothers, *Louis Armstrong*, S. 86.

59 Zit. nach ebd., S. 70.

60 Hardin, »Satchmo and Me«, S. 111.

61 Lillian Hardin, in: Shapiro / Hentoff, *Hear Me Talkin' to Ya*, S. 101.

62 Vgl. Brothers, *Louis Armstrong*, S. 115.

63 Zit. nach ebd., S. 70.

64 Vgl. Anderson, »The Genesis«, S. 286.

65 Vgl. zu Hardin hier und im Folgenden Berrett, *Louis Armstrong & Paul Whiteman*, S. 41–46 sowie 68–75.

66 Vgl. Brothers, *Louis Armstrong*, S. 71 f.

67 Vgl. die Ankündigung eines Konzerts, das das Ensemble am 22. September 1923 im Majestic Theatre in Perth gab, in: *The West Australian*, 21. 9. 1923, S. 10.

68 Vgl. Hardin, »Satchmo and Me«, S. 109–111.

69 Ebd., S. 110.

70 Oliver spielte vermutlich ab 1919 in Duhés Band und übernahm diese nach dessen Weggang aus Chicago im folgenden Jahr. Vgl. Anderson, »The Genesis«, S. 292 f.

71 Ebd., S. 112.

72 Lillian Hardin, in: Shapiro / Hentoff, *Hear Me Talkin' to Ya*, S. 101.

73 Zit. nach Brothers, *Louis Armstrong*, S. 81.

74 Zit. nach Berrett, *Paul Whiteman & Louis Armstrong*, S. 46.

75 Vgl. Brothers, *Louis Armstrong*, S. 99 f. sowie Hardin, »Satchmo and Me«, S. 113.

76 Zit. nach ebd., S. 98.

77 Vgl. *The Talking Machine World*, 15. 7. 1923, S. 93.

78 Vgl. Knauer, *Black and Blue*, S. 52.

79 Hardin, »Satchmo and Me«, S. 114.

80 Vgl. Harker, »Louis Armstrong and the Clarinet«, S. 138.

81 Vgl. Brothers, *Louis Armstrong*, S. 10.

82 Vgl. ebd., S. 104 f.

83 Vgl. ebd., S. 101.

84 Vgl. ebd., S. 83 f. sowie S. 493, Anm. 22.

85 »Tears. Fox trot«, OKeh 40000, ca. 1 : 35–2 : 15.

86 Vgl. hier und im Folgenden Brothers, *Louis Armstrong*, S. 98–115.

87 Vgl. hierzu Harker, »Louis Armstrong and the Clarinet«.

88 Zit. nach ebd., S. 137.

89 Bechet, *Treat it Gentle*, S. 92 f.

90 Vgl. Harker, »Louis Armstrong and the Clarinet«, S. 140.

91 Vgl. Berrett, *Paul Whiteman & Louis Armstrong*, S. 74 sowie Anm. 18 auf S. 219.

92 Vgl. Brothers, *Louis Armstrong*, S. 111 f.

93 »Cornet Chop Suey. Fox trot.«, OKeh 8230.

94 Hardin, »Satchmo and Me«, S. 114.

95 Vgl. Brothers, *Louis Armstrong*, S. 165–167.

96 Zit. nach Berrett, *Paul Whiteman & Louis Armstrong*, S. 46.

97 Vgl. exemplarisch Taylor, »With Lovie and Lil«; Berrett, *Paul Whiteman & Louis Armstrong*, S. 41–46 sowie 68–75.

98 Lillian Hardin, in: Shapiro / Hentoff, *Hear Me Talkin' to Ya*, S. 101.

Aufbruch inmitten der Krise

1 Kurt Weill an Ferruccio Busoni, Oktober 1923, zit. nach https://busoni-nachlass.org.

2 Vgl. Ullrich, *Deutschland 1923*, S. 161–164.

3 Hitler, *Sämtliche Aufzeichnungen*, Nr. 592, zit. nach Ullrich, *Deutschland 1923*, S. 191.

4 Weill, »Vier Jahre Rundfunk in Deutschland«, zitiert nach: ders., *Musik und musikalisches Theater*, S. 364.

5 Die Betreibergesellschaft wurde am 10. Dezember 1923 unter dem Namen »Radio-Stunde« gegründet und bereits kurz darauf in »Funk-Stunde AG Berlin« umbenannt. Vgl. Dussel, *Deutsche Rundfunkgeschichte*, S. 30.

6 Vgl. die Beiträge »Sendegesellschaften und Rundfunkordnungen« von Horst O. Halefeldt und »Programmstruktur und Tagesablauf der Hörer« von Renate Schumacher, in: Leonhard (Hg.), *Programmgeschichte des Hörfunks in der Weimarer Republik*, bes. S. 26–38 und 353–366.

7 Weill, »Fünf Jahre ›Der deutsche Rundfunk‹«, zit. nach ders., *Musik und musikalisches Theater*, S. 388.

8 »Rundfunk zur Unterhaltung. Die offizielle Eröffnung«, in: *Berliner Tageblatt*, 30. 10. 1923, Morgenausgabe.

9 Hans Bredow, »Dem ›Deutschen Rundfunk‹ zum Geleit!«, in: *Der Deutsche Rundfunk* 1/1 (14. 10. 1923), S. 1.

10 Karl Fischer, »Der Rundfunk«, in: *Vorwärts*, 29. 10. 1923, Abendausgabe.

11 NR., »Drahtlos im Weltverkehr. Der ›Unterhaltungs-Rundfunk‹«, in: *Die Voss*, 10. 11. 1923 (Nr. 45), S. 2.

12 So berichtet die amerikanische Fachzeitschrift *Radio Broadcast* im April 1923: »There were 570 active and 67 discontinued broadcasting stations in the United States as of December 1, 1922« (*Radio Broadcast* 2/6, S. 522).

13 Vgl. Dussel, *Deutsche Rundfunkgeschichte*, S. 19–28.

14 Vgl. Gerlach, »Wie Königs Wusterhausen zum ersten deutschen Rundfunksender wurde«.

15 Vgl. Dussel, *Deutsche Rundfunkgeschichte*, S. 22–25, Zitat auf S. 23.

16 Zit. nach Dussel, *Deutsche Rundfunkgeschichte*, S. 25.

17 Vgl. NR., »Drahtlos im Weltverkehr. Der ›Unterhaltungs-Rundfunk‹«, in: *Die Voss*, 10. 11. 1923 (Nr. 45), S. 2.

18 Vgl. Horst O. Halefeldt, »Sendegesellschaften und Rundfunkordnungen«, in: Leonhard (Hg.), *Programmgeschichte des Hörfunks in der Weimarer Republik*, S. 24. Vgl. auch Weichart, »In 14 Tagen einen Sender für Berlin«, S. 46.

19 Weichart, »In 14 Tagen einen Sender für Berlin«, S. 46–48.

20 Max Chop, »Hinter den Kulissen eines Rundfunk-Konzerts«, in: *Der Deutsche Rundfunk* 1/4 (25. 11. 1923), S. 59.

21 Weichart, »In 14 Tagen einen Sender für Berlin«, S. 48.

22 Ders., »Der Berliner Unterhaltungs-Rundfunksender«, in: *Der Deutsche Rundfunk* 1/3 (11. 11. 1923), S. 35.

23 Vgl. Dussel, *Deutsche Rundfunkgeschichte*, S. 24 f.

24 »Rundfunk-Unterhaltung. Vorführung im Telegraphen-technischen Reichsamt«, in: *Vossische Zeitung*, 16. 10. 1923, Morgenausgabe.

25 »Unterhaltungsrundfunk«, in: *Berliner Börsen-Zeitung*, 16. 1. 1923, Morgenausgabe.

26 »Rundfunk-Unterhaltung. Vorführung im Telegraphen-technischen Reichsamt«, in: *Vossische Zeitung*, 16. 10. 1923, Morgenausgabe.

27 »Abonnements auf den ›Unterhaltungsrundfunk‹«, in: *Berliner Tageblatt*, 16. 10. 1923, Morgenausgabe.

28 »Rundfunk zur Unterhaltung. Die offizielle Eröffnung«, in: *Berliner Tageblatt*, 30. 10. 1923, Morgenausgabe.

29 Lothar, »Die Musik«, S. 3, 4 und 6.

30 »Der Beginn des deutschen Unterhaltungsrundfunks«, in: *Der Deutsche Rundfunk* 1/2 (28.10.1923), S.19.

31 Bezeugt wird Uracks Portamento-Spiel durch eine Plattenaufnahme von Kreislers Andantino, die im Mai 1923 bei Vox erschien (VOX 06100). Vgl. www.lotz-verlag.de/Online-Disco-Vox.html. Ein Ausschnitt der Aufnahme ist zu hören auf www.dra.de/de/entdecken/der-klang-der-weimarer-zeit/andantino-von-fritz-kreisler-das-erste-musikstueck-im-deutschen-rundfunk. (Beim Portamento-Spiel auf einem Streichinstrument werden zwei Töne durch hörbares Gleiten der Finger auf expressive Weise miteinander verbunden.)

32 Vgl. Horst O. Halefeldt, »Sendegesellschaften und Rundfunkordnungen«, in: Leonhard (Hg.), *Programmgeschichte des Hörfunks in der Weimarer Republik*, S.39.

33 Vgl. www.lotz-verlag.de/Online-Disco-Vox.html.

34 Kapelle des Infanterie-Regiments III/9, Adolf Becker (Dirigent), »Deutschland, Deutschland über alles«, aufgenommen am 9.8.1922 (VOX 1217). Vgl. ebd.

35 Vgl. Horst O. Halefeldt, »Sendegesellschaften und Rundfunkordnungen«, in: Leonhard (Hg.), *Programmgeschichte des Hörfunks in der Weimarer Republik*, S.32, sowie Ludwig Stoffels, »Kunst und Technik«, in: dass., S.712–724.

36 Vgl. *Der Deutsche Rundfunk* 1/3 (11.11.1923), S.37.

37 Erstmals in *Der Deutsche Rundfunk* 1/6 (23.12.1923), S.100f.

38 Vgl. ebd., S.102.

39 Vgl. Friedrich Weichart, »Die erste deutsche Operettenübertragung durch Rundfunk«, in: *Der Deutsche Rundfunk* 2/4 (27.1.1924), S.77.

40 Lothar, »Die Musik«, S.9.

41 Vgl. Susanne Großmann-Vendrey, »Rundfunk und etabliertes Musikleben«, in: Leonhard (Hg.), *Programmgeschichte des Hörfunks in der Weimarer Republik*, S.789f.

42 Vgl. Sonja Neumann, »The Opera-Telephone in Munich«, in: Thorau / Ziemer (Hg.), *The Oxford Handbook of Music Listening in the Nineteenth and Twentieth Centuries*, S.357–372.

43 Vgl. »Rundfunkansprache des Staatssekretär Dr. Bredow an die Zaungäste«, in: *Helios*, Beilage zu Nr.19 (29.6.1923), S.110f.

44 C.S., »Die ›Zauberflöte‹ im Rundfunk«, in: *Vossische Zeitung*, 9.10.1924, Abendausgabe.

45 Vgl. die »Editorischen Vorbemerkungen« zur Auswahl von Weills Beiträgen für *Der Deutsche Rundfunk*, in: Weill, *Musik und musikalisches Theater*, S.208–211.

46 Kurt Weill, »[*Carmen*-Übertragung aus der Staatsoper]«, zitiert nach ebd., S.229.

47 Weill, »Rückblick auf die erste Opernsaison im Berliner Rundfunk«, in: ebd., S.278.

48 Bork, »Die Angst vor dem Geräusch«, S.41f.

49 Weichart, »In 14 Tagen einen Sender für Berlin«, S.50.

50 L.S., »Die erste Sendespruchoper«, in: *Berliner Tageblatt*, 4.11.1924, Morgenausgabe.

51 Ebd.

52 Ebd.

53 Lothar, »Die Musik«, S.13 und 11.

54 Weill, »Rückblick auf die erste Opernsaison im Berliner Rundfunk«, in: ders., *Musik und musikalisches Theater*, S.276f.

55 Weill, »[Der Mittelweg]«, in: ebd., S.238f.

56 Vgl. hier und im Folgenden Doctor, *The BBC and Ultra-Modern Music* sowie Briggs, *The BBC*, S.3–106.

57 A.R. Burrows, »Broadcast from 2 LO«, zit. nach Doctor, *The BBC and Ultra-Modern Music*, S.32.

58 Vgl. Doctor, *The BBC and Ultra-Modern Music*, S.22–25, 39–44 und 57–66.

59 Scholes, »Broadcasting Symphonies«, 4.10.1923, zit. nach ebd., S.22.

60 Vgl. Briggs, *The BBC*, S.53–56.

61 J. C. W. Reith, »Wireless on Music«, *Radio Times* 2 (29. 2. 1924), zit. nach Doctor, *The BBC and Ultra-Modern Music*, S. 28.

62 *Radio Times* 1/1 (28. 9. 1923), zit. nach Briggs, *The BBC*, S. 61.

63 Brief von W. Witt Burnham an J. C. W. Reith, 7. 12. 1925, zit. nach Doctor, *The BBC and Ultra-Modern Music*, S. 29.

64 J. C. W. Reith, Diary, 7. 12. 1925, zit. nach ebd., S. 29 f.

65 Ders., *Broadcast over Britain*, zit. nach ebd., S. 28.

66 A. R. Burrows, »Broadcast from 2 LO«, 24./25. 6. 1923, zit. nach ebd., S. 33.

67 Ebd.

68 Vgl. Doctor, *The BBC and Ultra-Modern Music*, S. 34–37.

69 »Ariel«, »Wireless Notes«, in: *The Musical Times* 67, Nr. 995 (1. 1. 1926), S. 37.

70 Vgl. ebd., S. 36.

71 Vgl. Grosch, »Medienwelten«, S. 219 f.

72 Vgl. Kolland, *Die Jugendmusikbewegung*, S. 75–77, Zitat auf S. 75.

73 Fritz Jöde, »Volksliedsingen im Rundfunk«, zit. nach ebd., S. 76.

74 Vgl. Doctor, *The BBC and Ultra-Modern Music*, S. 73–77.

75 Ernest Newman, »The Schönberg Case«, in: *Sunday Times*, 25. 11. 1923, zit. nach ebd., S. 76.

76 Ders., »The World of Music. Broadcasting Music: Some Reflections and a Suggestion: Wireless as a Pioneer«, in: *Sunday Times*, 13. 1. 1924, zit. nach ebd., S. 77.

77 Zitate aus Lothar, »Die Musik«, S. 32 und 29. Vgl. zur Rolle von Flesch und Schoen im Rundfunk der Weimarer Republik Ottmann, *Im Anfang war das Experiment*.

78 Eine Auflistung der ersten 13 Sendungen gibt es bei Lothar, »Die Musik«, S. 29–31.

79 Weill, »Möglichkeiten absoluter Radiokunst«, in: *Der Deutsche Rundfunk* 3/26 (28. 6. 1925), S. 1625–1628, wiederabgedruckt in: ders., *Musik und musikalisches Theater*, S. 262–270.

80 Vgl. zu den Originalkompositionen für den Rundfunk Grosch, *Die Musik der Neuen Sachlichkeit*, S. 181–257.

81 Vgl. Bork, »Die Angst vor dem Geräusch« sowie Ottmann, *Im Anfang war das Experiment*, S. 203–262.

82 Vgl. Max Marschalks Kritik in der *Vossischen Zeitung*, 24. 10. 1923, Morgenausgabe sowie Walsh, *Igor Stravinsky*, S. 510 f.

83 Gertrud Schönberg an Arnold Schönberg, 28. 2. 1930.

84 »Rundfunkprogramm«, in: *Berliner Börsen-Zeitung*, 22. 2. 1930, Morgenausgabe.

85 »Drahtloser Empfang englischer Musik in Deutschland«, in: *Die Voss*, Nr. 45 (11. 11. 1923), S. 4.

86 Vgl. Gerlach, »Wie Königs Wusterhausen zum ersten deutschen Rundfunksender wurde«, Zitat auf S. 30.

87 »Auch der Eiffelturm kämpft … Gegen die drahtlose Telefonübertragung deutscher Lieder«, in: *Deutsche Allgemeine Zeitung*, 6. 3. 1923, Morgenausgabe.

88 Max Chop, »Hinter den Kulissen eines Rundfunk-Konzerts«, in: *Der Deutsche Rundfunk* 1/4 (25. 11. 1923), S. 59.

89 Leserbrief des »Klub der Zaungäste, Ortsgruppe Berlin«, in: *Der Deutsche Rundfunk* 1/6 (23. 12. 1923), S. 106.

90 Vgl. Albertson, *Bessie*, S. 41 f.

91 »Hit on Radio«, in: *Chicago Defender*, 6. 10. 1923, zit. nach ebd., S. 45.

92 Vgl. hier und im Folgenden Brothers, *Louis Armstrong*, S. 131, 290 f. und 409 f.

93 Vgl. hier und im Folgenden ebd., S. 418–421, Zitat auf S. 420.

94 Vgl. Stoever, *The Sonic Color Line*, bes. S. 229–275.

Literatur- und Quellenverzeichnis

I. Literatur

Adorno, Theodor W.: *Gesammelte Schriften*, hg. von Rolf Tiedemann, Bd. 18 (Musikalische Schriften V), Frankfurt am Main: Suhrkamp 1997

Albertson, Chris: *Bessie*, Revised and Expanded Edition, New Haven und London: Yale University Press 2003

Anderson, Gene: »The Genesis of King Oliver's Creole Jazz Band«, in: *American Music* 12/3 (1994), S. 283–303

Archiv der Jugendmusikbewegung e. V. Hamburg (Hg.): *Die Deutsche Jugendmusikbewegung in Dokumenten ihrer Zeit von den Anfängen bis 1933*, Wolfenbüttel und Zürich: Möseler 1980

Baier, Christian: »›Ich hätte noch soviel im Kopf‹. Zum Prioritätenstreit zwischen Schönberg, Hauer und Fritz Heinrich Klein«, in: *Neue Zeitschrift für Musik* 160/3 (Mai / Juni 1999), S. 34–39

Balzer, Jens: *Ethik der Appropriation*, Berlin: Matthes & Seitz 2022

Bartók, Béla: *Weg und Werk. Schriften und Briefe*, hg. von Bence Szabolcsi, Kassel: Bärenreiter 1972

Bartók, Béla: *Briefe*, 2 Bde., hg. von János Demény, Budapest: Corvina 1973

Bartók, Béla: *Essays*, hg. von Benjamin Suchoff, London: Faber & Faber 1976

Barnett, Kyle: *Record Cultures. The Transformation of the U. S. Recording Industry*, Ann Arbor: University of Michigan Press 2020

Bechet, Sidney: *Treat it Gentle. An Autobiography*, New York: Twayne 1960

Berg, Alban: »Prospekt des Vereins für musikalische Privataufführungen«, abgedruckt in: *Schönbergs Verein für musikalische Privataufführungen*, hg. von Horst Weber u. a., München: Edition text + kritik 1984 (Musik-Konzepte 36), S. 4–7

Alban Berg – Helene Berg. *Briefwechsel*, Gesamtausgabe, hg. von Herwig Knaus und Thomas Leibnitz, Bd. 3 (1920–1935), Wilhelmshaven: Florian Noetzel 2014

Berrett, Joshua: *Louis Armstrong & Paul Whiteman. Two Kings of Jazz*, New Haven und London: Yale University Press 2004

Bleek, Tobias: »Die Concerts Jean Wiéner. Eine Begegnungsstätte unterschiedlicher Musikkulturen im Paris der 1920er Jahre«, in: *Musik und kulturelle Identität*, Bericht über den XIII. Internationalen Kongress für Musikforschung, Weimar 2004, hrsg. von Detlef Altenburg und Rainer Bayreuther, Bd. 3, Kassel u. a.: Bärenreiter 2012, S. 314–320

Bleek, Tobias: »›Take Jazz Seriously!‹ American Tours by European Composers in the 1920s«, in: *Crosscurrents. American and European Music in Interaction, 1900–2000*, hg. von Felix Meyer (u. a.), Suffolk und Rochester: The Boydell Press 2014, S. 119–131

Bleek, Wilhelm: *Vormärz. Deutschlands Aufbruch in die Moderne. Szenen aus der deutschen Geschichte 1815–1848*, München: C. H. Beck 2019

Bommarius, Christian: *Im Rausch des Aufruhrs. Deutschland 1923*, München: dtv 2022

Bónis, Ferenc (Hg.): *Zoltán Kodály. Psalmus Hungaricus op. 13*, Faksimile-Ausgabe der Originalhandschrift mit einer Studie von Ferenc Bónis, Budapest: Helikon 1987

Bónis, Ferenc (Hg.): *Béla Bartók. Tanz-Suite*, Faksimile und Kommentar, Budapest: Balassi Kiadó 1998

Borchmeyer, Dieter: *Was ist deutsch? Die Suche einer Nation nach sich selbst*, Berlin: Rowohlt 2017

Bork, Camilla: »Die Angst vor dem Geräusch – Zum Verhältnis von Musik und Geräusch im radiophonen Komponieren der Weimarer Republik«, in: *Radiophonic Cultures*, hg. von Ute Holl, Heidelberg: Kehrer 2018, S. 39–52

Bottstein, Leon: »Schönberg und das Publikum. Modernität, Musik und Politik im 20. Jahrhundert«, in: ders., *Von Beethoven zu Berg. Das Gedächtnis der Moderne*, aus dem Englischen von Sven Hiemke, Wien: Paul Zsolnay Verlag 2013, S. 174–211

Boynton, Neil: »Compositional Technique 1923–6. The Chamber Concerto and the *Lyric Suite*«, in: *The Cambridge Companion to Berg*, hg. von Anthony Pople, Cambridge: Cambridge University Press 1997, S. 189–203

Briggs, Asa: *The BBC. The First Fifty Years*, Oxford und New York: Oxford University Press 1985

Brinkmann, Reinhold: »Der Narr als Modell«, in: *Vom Pfeifen und von alten Dampfmaschinen. Aufsätze zur Musik von Beethoven bis Rihm*, Wien: Paul Zsolnay Verlag 2006, S. 206–240

Brothers, Thomas: *Louis Armstrong. Master of Modernism*, New York und London: W. W. Norton & Company 2014

Brusniak, Friedhelm: »Zu den Anfängen des Bärenreiter-Verlages 1923/1924«, in: *Bärenreiter-Almanach. Musik-Kultur heute. Positionen – Profile – Perspektiven*, Kassel: Bärenreiter 1998, S. 157–160

Brüstle, Christa / Heldt, Guido / Weber, Eckhard (Hg.): *Von Grenzen und Ländern, Zentren und Rändern. Der Erste Weltkrieg und die Verschiebungen in der musikalischen Geographie Europas*, Schliengen: Edition Argus 2006

Butting, Hans: *Musikgeschichte, die ich miterlebte*, Berlin: Henschel 1955

Carpenter, Alexander: »A Bridge to a New Life. Waltzes in Schoenberg's Chamber Music«, in: *Schoenberg's Chamber Music, Schoenberg's World*, hg. von James K. Wright und Alan M. Gillmor, Hillsdale: Pendragon Press 2009, S. 25–51

Cocteau, Jean: *Hahn und Harlekin. Aufzeichnungen über Musik*, München: Langen / Müller [1958]

Collaer, Paul: *Correspondance avec des amis musiciens*, hg. von Robert Wangermée, Sprimont: Mardaga 1994

Cooper, David: *Béla Bartók*, New Haven und London: Yale University Press 2015

Copland, Aaron: *A Reader. Selected Writings 1923–1972*, hg. von Richard Kostelanetz u. a., New York und London: Routledge 2004

Craft, Robert (Hg.): *Dearest Bubushkin. The Correspondence of Vera and Igor Stravinsky 1921–1954, with Excerpts from Vera Stravinsky's Diaries, 1922–1971*, London: Thames and Hudson 1985

Cross, Jonathan: *Igor Stravinsky*, London: Reaktion Books 2015

Cunz, Rolf: »Rheinisch-Westfälische Musikkultur«, in: *Deutsches Jahrbuch für Musik 1* (1923), S. 69–91

Danielczyk, Sandra: *Diseusen in der Weimarer Republik. Imagekonstruktionen im Kabarett am Beispiel von Margo Lion und Blandine Ebinger*, Bielefeld: transcript Verlag 2017

Danuser, Hermann: *Die Musik des 20. Jahrhunderts*, Laaber: Laaber 1984 (Neues Handbuch der Musikwissenschaft 7)

Danuser, Hermann: »Arnold Schönberg und die Idee einer deutschen Musik«, wieder-abgedruckt in: ders., *Gesammelte Vorträge und Aufsätze*, Bd. 3, hg. von Hans-Joachim Hinrichsen u. a., Schliengen: Argus 2014, S. 347–357

Dalos, Anna: *Zoltán Kodály's World of Music*, Oakland: University of California Press 2020

Davis, Angela Y.: *Blues Legacies and Black Feminism. Gertrude »Ma« Rainey, Bessie Smith and Billie Holiday*, New York: Random House 1998

Davis, Mary E.: *Classic Chic. Music, Fashion, and Modernism*, Berkeley u. a.: University of California Press 2006

Denscher, Barbara / Peschina, Helmut: *Kein Land des Lächelns. Fritz Löhner-Beda, 1883–1942*, Salzburg: Residenz Verlag 2002

Dille, Denijs (Hg.): *Documenta Bartókiana 2*, Budapest und Mainz: Akadémia Kiadó und Schott 1965

Dille, Denijs: »Bartók und die Volksmusik«, in: *Documenta Bartókiana 4*, Budapest und Mainz: Akadémia Kiadó und Schott 1970, S. 70–128

Doctor, Jennifer: *The BBC and Ultra-Modern Music, 1922–1936*, Cambridge und New York: Cambridge University Press 1999

Dömling, Wolfgang: »Das neue Alte. Über ›néo-classicisme‹ und anderes«, in: *Klassizistische Moderne. Eine Begleitpublikation zur Konzertreihe im Rahmen der Veranstaltung »10 Jahre Paul Sacher Stiftung«*, hg. von Felix Meyer, Winterthur: Amadeus 1996, S. 105–120

Dukas, Paul: *Écrits sur la musique*, Bd. 1, hg. von Pauline Ritaine, Château-Gontier-sur-Mayenne: Éditions Aedam Musicae 2019

Dümling, Albrecht: »Schönberg und sein Schüler Hanns Eisler. Ein dokumentarischer Abriß«, in: *Die Musikforschung* 29/4 (1976), S. 431–461

Dussel, Konrad: *Deutsche Rundfunkgeschichte*, 2., überarbeitete Auflage, Konstanz: UVK Verlagsgesellschaft 2004

Erdely, Stephen: »Bartók and Folk Music«, in: *The Bartók Companion*, hg. von Malcolm Gillies, London: Faber and Faber 1993, S. 24–42

Ewing, K. T.: »What Kind of Woman? Alberta Hunter and Expressions of Black Female Sexuality«, in: *Black Female Sexualities*, hg. von Trimiko Melancon und Joanne M. Braxton, Ithaca: Rutgers University Press 2015, S. 100–112

Figes, Orlando: *Nataschas Tanz. Eine Kulturgeschichte Russlands*, Berlin: Berlin Verlag 2003

Fischer, Lothar: *Anita Berber. Göttin der Nacht. Collage eines kurzen Lebens*, Berlin: edition ebersbach 2007

Frigiyesi, Judit: *Béla Bartók and Turn-of-the-Century Budapest*, Berkeley: University of California Press 1998

Fulcher, Jane F.: *The Composer as Intellectual. Music and Ideology in France 1914–1940*, Oxford u. a.: Oxford University Press 2005

Garafola, Lynn: *Diaghilev's Ballets Russes*, New York u. a.: Oxford University Press 1989

Gerlach, Hans: »Wie Königs Wusterhausen zum ersten deutschen Rundfunksender wurde«, in: *Rundfunk-Jahrbuch* 1930, hg. von der Reichs-Rundfunk-Gesellschaft, Berlin: Union Deutsche Verlagsgesellschaft 1930, S. 27–41

Gillies, Malcolm (Hg.): *The Bartók Companion*, London: Faber and Faber 1993

Gioia, Ted: »Jazz and the Primitivist Myth«, in: *The Musical Quarterly* 73/1 (1989), S. 130–143

Gioia, Ted: *The History of Jazz*, New York und Oxford: Oxford University Press 1997

Glatzer, Ruth (Hg.): *Berlin zur Weimarer Zeit. Panorama einer Metropole 1919–1933*, Berlin: Siedler 2000

Gordon, Mel: *Voluptuous Panic. The Erotic World of Weimar Berlin*, Venice: Feral House 2000

Grosch, Nils: *Die Musik der Neuen Sachlichkeit*, Stuttgart und Weimar: Metzler 1999

Grosch, Nils: »Medienwelten«, in: *Geschichte der Musik im 20. Jahrhundert: 1900–1925*, hg. von Siegfried Mauser und Matthias Schmidt, Laaber: Laaber 2005, S. 201–227 (Handbuch der Musik im 20. Jahrhundert 1)

Gruhn, Wilfried: *Geschichte der Musikerziehung. Eine Kultur- und Sozialgeschichte vom Gesangsunterricht der Aufklärungspädagogik zu ästhetisch-kultureller Bildung*, 2., überarbeitete und erweiterte Auflage, Hofheim: Wolke 2003

Gumbrecht, Hans Ulrich: *1926. Ein Jahr am Rand der Zeit*, Frankfurt am Main: Suhrkamp 2001

Haedlam, Dave: »Fritz Heinrich Klein's ›Die Grenzen der Halbtonwelt‹ und ›Die Maschine‹«, in: *Theoria* 6 (1992), S. 55–96

Haffner, Sebastian: *Geschichte eines Deutschen. Die Erinnerungen 1914–1933*, Deutsche Verlags-Anstalt: München 2020

Hall, Murray G.: »›Ausgerechnet Bananen …‹ Zur Geschichte des Wiener Bohème-Verlags«, in: *Mitteilungen der Gesellschaft für Buchforschung in Österreich* 2018/2, S. 7–40

Hardin Armstrong, Lil[lian]: »Satchmo and Me«, in: *American Music* 25/1 (2007), S. 106–118

Harker, Brian: »Louis Armstrong and the Clarinet«, in: *American Music* 21/2 (2003), S. 137–158

Harker, Brian: *Louis Armstrong's Hot Five and Hot Seven Recordings*, Oxford und New York: Oxford University Press 2011

Hellsberg, Clemens: *Demokratie der Könige. Die Geschichte der Wiener Philharmoniker*, Zürich und Wien: Schweizer Verlagshaus und Kremayr & Scheriau 1992

Hensel, Walther: *Lied und Volk. Eine Streitschrift wider das falsche deutsche Lied*, 4. Auflage, Kassel: Bärenreiter 1931

Hensel, Walther (Hg.): *Finkensteiner Liederbuch*, Erster Band, Erster bis fünfter Jahrgang der Finkensteiner Blätter, Neuauflage, Kassel: Bärenreiter 1962

Hermand, Jost: »On the History of the ›Deutschlandlied‹«, in: *Music and German National Identity*, hg. von Celia Applegate und Pamela Potter, Chicago und London: The University of Chicago Press 2002, S. 251–268

Hiemke, Sven: »›Folgerichtiges Weiterschreiten‹. Der Bärenreiter-Verlag im ›Dritten Reich‹«, in: *Bärenreiter-Almanach. Musik-Kultur heute. Positionen – Profile – Perspektiven*, Kassel: Bärenreiter 1998, S. 161–170

Hilmes, Oliver: *Der Streit ums »Deutsche«. Alfred Heuß und die Zeitschrift für Musik*, Hamburg: von Bockel Verlag 2003

Hilmes, Oliver: *Im Fadenkreuz. Politische Gustav-Mahler-Rezeption 1919–1945. Eine Studie über den Zusammenhang von Antisemitismus und Kritik an der Moderne*, Frankfurt am Main: Lang 2003

Hinton, Milt / Berger, David / Maxson, Holly: *Playing the Changes. Milt Hinton's Life in Stories and Photographs*, Nashville: Vanderbilt University Press 2008

Hitler, Adolf: *Sämtliche Aufzeichnungen. 1905–1924*, hg. von Eberhard Jäckel zusammen mit Axel Kuhn, Stuttgart: Deutsche Verlagsanstalt 1980

Höckner, Hilmar: *Die Musik in der deutschen Jugendbewegung*, Wolfenbüttel: Georg Kallmeyer 1927

Hodek, Johannes: *Musikalisch-pädagogische Bewegung zwischen Demokratie und Faschismus. Zur Konkretisierung der Faschismus-Kritik Th. W. Adornos*, Weinheim und Basel: Beltz 1977

Holtfrerich, Carl-Ludwig: *Die deutsche Inflation 1914–1923. Ursachen und Folgen in internationaler Perspektive*, Berlin und New York: de Gruyter 1980

Hüppauf, Bernd: »Schlachtenmythen und die Konstruktion des ›Neuen Menschen‹«, in: *»Keiner fühlt sich mehr als Mensch«. Erlebnis und Wirkung des Ersten Weltkriegs*, hg. von Gerhard Hirschfeld, Gerd Krumeich und Irina Renz, Essen: Klartext 1993, S. 43–84

Irion, Claudia: »*Der Charakter des Spielplans bestimmt das Wesen des Theaters*«. *Die Bayerische Staatsoper in München zwischen 1918 und 1943*, Frankfurt am Main: PL Academic Research 2014

Jackson, Jeffrey H.: *Making Jazz French. Music and Modern Life in Interwar Paris*, Durham und London: Duke University Press 2003

Jackson, Mahalia mit Evan McLeod Wylie: *Movin' On Up*, New York: Hawthorn Books 1966

Jähner, Heinrich: *Höhenrausch. Das kurze Leben zwischen den Kriegen*, Berlin: Rowohlt 2022

John, Eckhard: *Musikbolschewismus. Die Politisierung der Musik in Deutschland 1918–1938*, Stuttgart und Weimar: Metzler 1994

Jones, Mark: *1923. Ein deutsches Trauma*, Berlin: Propyläen 2022

Jordan, Stephanie: *Stravinsky Dances. Re-Visions across a Century*, Alton: Dance Books 2007

Kahan, Sylvia: *Music's Modern Muse. A Life of Winnaretta Singer, Princesse de Polignac*, Rochester: University of Rochester Press 2003

Kahn, Douglas / Whitehead, Gregory (Hg.): *Wireless Imagination. Sound, Radio, and the Avant-Garde*, Cambridge und London: MIT Press 1992

Kerbs, Diethart / Reulecke, Jürgen (Hg.): *Handbuch der deutschen Reformbewegungen 1880–1933*, Wuppertal: Peter Hammer Verlag 1998

Kershaw, Ian: *Höllensturz. Europa 1914 bis 1949*, München: Pantheon 2017

Kerstingjohänner, Helmut: *Die deutsche Inflation 1919–1923. Politik und Ökonomie*, Frankfurt: Peter Lang 2004

Kessler, Harry Graf: *Das Tagebuch. Siebter Band 1919–1923*, hg. von Angela Rheinthal unter Mitarbeit von Janna Brechmacher und Christoph Hilse, Stuttgart: Cotta 2007

Kinderman, William: »Folklore Transformed in Bartók's *Dance Suite*«, in: ders., *The Creative Process in Music from Mozart to Kurtág*, Urbana: University of Illinois Press 2012, S. 138–162

Klein, Hans (Hg.): *Die Finkensteiner Singwoche*, Augsburg: Bärenreiterverlag 1924

Kleiner, Stephanie: »Klänge von Macht und Ohnmacht. Musikpolitik und die Produktion von Hegemonie währen der Rheinlandbesetzung 1918 bis 1930«, in: Sarah Zalfen und Sven Oliver Müller (Hg.), *Besatzungsmacht Musik. Zur Musik- und Emotionsgeschichte im Zeitalter der Weltkriege (1919–1949)*, Bielefeld: transcript Verlag 2012, S. 51–83

Klemperer, Victor: *Leben sammeln, nicht fragen wozu und warum. Tagebücher 1918–1924*, hg. von Walter Nowojski, Berlin: Aufbau-Verlag 1996

Klenke, Dietmar / Lilje, Peter / Walter, Franz: *Arbeitersänger und Volksbühnen in der Weimarer Republik*, Bonn: J. H. W. Dietz Nachf. 1992

Knauer, Wolfram: *Black and Blue. Louis Armstrong – sein Leben und seine Musik*, Stuttgart: Reclam 2021

Knopp, Guido / Kuhn, Ekkehard: *Das Lied der Deutschen. Schicksal einer Hymne*, Berlin und Frankfurt: Ullstein 1988

Koch, Jörg: *Einigkeit und Recht und Freiheit. Die Geschichte der deutschen Nationalhymne*, Stuttgart: Kohlhammer 2021

Koenig, Karl: *Jazz in Print (1856–1929). An Anthology of Selected Early Readings in Jazz History*, Hillsdale: Pendragon Press 2002

Kolland, Dorothea: *Die Jugendmusikbewegung. »Gemeinschaftsmusik« – Theorie und Praxis*, Stuttgart: Metzler 1979

Krämer, Ulrich: »»Une grande portée morale pour l'union entre artistes du monde entier‹. Schönbergs Tombeau für Debussy und die Anfänge des Parteienstreits um die musikalische Moderne«, in: *Journal of the Arnold Schönberg Center* 16 (2019), S. 23–49

Krämer, Ulrich: »Schönbergs Mission zur Rettung der Tonkunst: Vom ›Komponieren mit Tönen‹ zur Zwölftonkomposition«, in: *Journal of the Arnold Schönberg Center* 17 (2020), S. 39–64

Krankenhagen, Stefan: *All these things. Eine andere Geschichte der Popkultur*, Stuttgart: Metzler 2021

Krones, Hartmut: *Arnold Schönberg. Werk und Leben*, Wien: Edition Steinbauer 2005

Krumeich, Gerd: »Langemarck«, in: *Deutsche Erinnerungsorte III*, hg. von Etienne François und Hagen Schulze, München: Beck 2001

Krumeich, Gerd / Schröder, Joachim (Hg.): *Der Schatten des Weltkriegs. Die Ruhrbesetzung 1923*, Essen: Klartext 2004

Kundera, Milan: »Improvisation zu Ehren Strawinskys«, in: ders., *Verratene Vermächtnisse. Essay*, München und Wien: Hanser 1994, S. 57–96

Lawson, Rex: »Stravinsky and the Pianola«, in: *Confronting Stravinsky. Man, Musician, and Modernist*, hg. von Jann Pasler, Berkeley u. a.: University of California Press 1986, S. 284–301

Leonhard, Joachim-Felix (Hg.): *Programmgeschichte des Hörfunks in der Weimarer Republik*, 2 Bde., München: dtv 1997

Leonhard, Jörn: *Die Büchse der Pandora. Geschichte des Ersten Weltkriegs*, München: C. H. Beck 2014

Leonhard, Jörn: *Der überforderte Frieden. Versailles und die Welt 1918–1923*, München: C. H. Beck 2018

Lieb, Sandra: *Mother of the Blues. A Study of Ma Rainey*, Amherst: University of Massachusetts Press 1981

Longerich, Peter: *Außer Kontrolle. Deutschland 1923*, Wien und Graz: Molden 2022

Lothar, Rudolf: »Die Musik«, in: *Drei Jahre Berliner Rundfunkdarbietungen. Ein Rückblick 1923–1926*, Berlin, Funk-Stunde A.-G., S. 3–33

Mahon, Maureen: »How Bessie Smith Influenced A Century Of Popular Music«, auf: https://npr.org/2019/08/05/747738120/how-bessie-smith-influenced-a-century-of-popular-music

Mann, Klaus: *Der Wendepunkt. Ein Lebensbericht*, Reinbek bei Hamburg: Rowohlt [3]2012

Mann, Thomas: *Von deutscher Republik. Politische Reden und Schriften in Deutschland*, hg. von Peter de Mendelssohn, in: *Gesammelte Werke in Einzelbänden*, Bd. 16, Frankfurt am Main: Fischer 1984

Marcard, Alexandra von: »Auf zu neuen Ufern. Die preußischen Staatstheater der Weimarer Republik«, in: *Apollini et musis. 250 Jahre Opernhaus unter den Linden*, hg. von Georg Quander, Frankfurt am Main: Propyläen 1992, S. 147–186

Mawer, Deborah: *French Music and Jazz in Conversation*, Cambridge: Cambridge University Press 2014

Mazo, Margarita: »Igor Stravinsky's Les Noces, The Rite of Passage«, in: Igor Stravinsky, *Les Noces (Svadebka). Scènes chorégraphiques russes avec chant et musique*, rev. und korr. Ausgabe, hg. von ders., London: Chester 2005, S. x–xxiii

McGinley, Paige A.: *Staging the Blues. From Tent Shows to Tourism*, Durham and London: Duke University Press 2014

Meyer, Felix / Zimmermann, Heidy (Hg.): *Edgard Varèse. Komponist, Klangforscher, Visionär*, Mainz u. a.: Schott 2006

Meyer, Felix: »Die deutsche Originalfassung von Bartóks Pro-Musica-Vortrag. Anmerkungen aus Anlass eines Quellenfunds«, in: *Dissonance* 121 (März 2013), S. 17–27

Milhaud, Darius: *Notes sans musique*, Édition revue, Paris 1969: René Julliard 1969

Milhaud, Darius: *Notes sur la musique. Essais et chroniques*, hg. von Jeremy Drake, Paris: Flammarion 1982

Moßmann, Walter / Schleuning, Peter: »Die Wacht am Rhein. Überlegungen zu drei Liedern«, in: dies., *Alte und neue politische Lieder. Entstehung und Gebrauch, Texte und Noten*, Reinbek bei Hamburg: Rowohlt 1978, S. 17–80

Muxeneder, Therese: »Arnold Schönbergs Verkündung der Zwölftonmethode. Daten, Dokumente, Berichte, Anekdoten«, in: *Journal of the Arnold Schönberg Center* 7 (2005), S. 301–313

Muxeneder, Therese: »Arnold Schönbergs Konfrontationen mit Antisemitismus (III)«, in: *Journal of the Arnold Schönberg Center* 16 (2019), S. 164–254

Niemöller, Klaus Wolfgang: »Kultur als nationale Selbstvergewisserung. Die Musik und die Jahrtausendfeiern im Rheinland 1925«, in: *Nationale Musik im 20. Jahrhundert*, hg. von Helmut Loos und Stefan Keym, Leipzig: Gudrun Schröder 2004, S. 447–456

Oakley, Giles: *The Devil's Music. A History of the Blues*, New York: Da Capo Press 1997

Oja, Carol J.: *Making Music Modern. New York in the 1920s*, Oxford u. a.: Oxford University Press 2000

Ostwald, Hans: *Sittengeschichte der Inflation. Ein Kulturdokument aus den Jahren des Marktsturzes*, Berlin: Neufeld & Henius 1931

Ottman, Solveig: *Im Anfang war das Experiment. Das Weimarer Radio bei Hans Flesch und Ernst Schoen*, Berlin: Kadmos 2013

Peukert, Detlev J. K.: *Die Weimarer Republik. Krisenjahre der Klassischen Moderne*, Frankfurt am Main: Suhrkamp 1987

Pfitzner, Hans: *Die neue Aesthetik der musikalischen Impotenz. Ein Verwesungssymptom?*, München: Verlag der Süddeutschen Monatshefte 1920

Pfleiderer, Martin u. a. (Hg.): *Stimme, Kultur, Identität. Vokaler Ausdruck in der populären Musik der USA 1900–1960*, Bielefeld: transcript Verlag 2015

Philip, Robert: *Performing Music in the Age of Recording*, New Haven und London: Yale University Press 2004

Pringsheim, Hedwig: *Tagebücher*, Bd. 6: 1917–1922, Bd. 7: 1923–1928, hg. und kommentiert von Christina Herbst, Göttingen: Wallstein Verlag 2017/18

Pollack, Howard: *Aaron Copland. The Life and Work of an Uncommon Man*, Urbana: University of Illinois Press 2000

Poulenc, Francis: *Correspondance 1910–1963*, hg. von Myriam Chimènes, Paris: Fayard 1994

Raeithel, Gert: *Geschichte der nordamerikanischen Kultur*, 3 Bde., Weinheim: Parkland 1988

Rathert, Wolfgang / Ostendorf, Berndt: *Musik der USA. Kultur- und musikgeschichtliche Streifzüge*, Hofheim: Wolke Verlag 2018

Ravel, Maurice: *L'intégrale. Correspondance (1895–1937), écrits et entretiens*, hg. von Manuel Cornejo, Paris: Le Passeur 2018

Robinson, J. Bradford: »Jazz Reception in Weimar Germany. In Search of a Shimmy Figure«, in: *Music and Performance During the Weimar Republic*, hg. von Bryan Gilliam, Cambridge u. a.: Cambridge University Press 1994, S. 107–134

Ross, Alex: *The Rest is Noise. Listening to the Twentieth Century*, New York: Farrar, Straus and Giroux 2007

Rosteck, Jens: »Von ›sinnlicher Süße‹ und ›spröden Wundern‹. Die Pariser ›Groupe des Six‹ und der Wiener Schönberg-Kreis – Stationen einer Begegnung zwischen zwei europäischen Avantgarden«, in: *Studien zur Musikwissenschaft 44* (1995), Tutzing: Schneider 1995, S. 303–348

Roth, Joseph: *Werke I. Das journalistische Werk 1914–1923*, hg. von Klaus Westermann, Köln: Kiepenheuer & Witsch 1989

Rothschild, Deborah (Hg.): *Making It New. The Art and Style of Sara and Gerald Murphy*, Berkeley: University of California Press 2007

Sagee, Alona: »Bessie Smith: *Down Hearted Blues* and *Gulf Coast Blues* Revisited«, in: *Popular Music 26/1* (2007), S. 117–127

Saxer, Marion (Hg.): *Spiel (mit) der Maschine. Musikalische Medienpraxis in der Frühzeit von Phonographie, Selbstspielklavier, Film und Radio*, Bielefeld: transcipt 2016

Scherchen, Hermann: »... alles hörbar machen«. *Briefe eines Dirigenten 1920 bis 1939*, hg. von Eberhardt Klemm, Berlin: Henschelverlag 1976

Schloemann, Adelheid / Woldt, Claudia (Hg.): *150 Jahre Dresdner Philharmonie*, Dresden 2020

Schloezer, Boris de: »Igor Stravinsky«, in: *La Revue musicale 3/2* (1.12.1923), S. 97–141

Schloezer, Boris de: *Igor Stravinsky*, Paris: Éditions Claude Aveline 1929

Schlögel, Karl: *Terror und Traum. Moskau 1937*, Frankfurt am Main: Fischer 2010

Schlögel, Karl: *Das sowjetische Jahrhundert. Archäologie einer untergegangenen Welt*, München: C. H. Beck 2017

Schlögel, Karl: *Der Duft der Imperien. Chanels N° 5 und Rotes Moskau*, München: Hanser 2020

Schmidt, Dörte / Weber, Brigitta (Hg.): *Keine Experimentierkunst. Musikleben an städtischen Theatern in der Weimarer Republik*, Stuttgart u. a.: Metzler 1995

Schneider, David E.: »Hungarian Nationalism and the Reception of Bartók's Music, 1904–1940«, in: *The Bartók Companion*, hg. von Malcolm Gillies, London: Faber and Faber 1993, S. 177–189

Schönberg, Arnold: *Briefe*, hg. von Erwin Stein, Mainz: Schott 1958

Schönberg, Arnold: *Stil und Gedanke. Aufsätze zur Musik*, hg. von Ivan Vojtěch, Frankfurt am Main, S. Fischer 1976

Schönberg, Arnold: *Harmonielehre*, revidierte Neuauflage 1922, Wien: Universal Edition 1986

Schönberg, Arnold: »*Stile herrschen, Gedanken siegen*«. *Ausgewählte Schriften*, hg. von Anna Maria Morazzoni u. a., Mainz u. a.: Schott 2007

Scott, Michelle R.: *Blues Empress in Black Chattanooga. Bessie Smith and the Emerging Urban South*, Urban u. a.: University of Illinois Press 2008

Shapiro, Nat / Hentoff, Nat (Hg.): *Hear Me Talkin' to Ya. The Story of Jazz as Told by the Men Who Made It*, London: Peter Davies 1955

Somfai, László: »Vierzehn Bartók-Schriften aus den Jahren 1920/21. Aufsätze über die zeitgenössische Musik und Konzertberichte aus Budapest«, in: *Documenta Bartókiana 5*, Budapest und Mainz: Akadémia Kiadó und Schott 1977, S. 15–138

Sontheimer, Kurt: *Antidemokratisches Denken in der Weimarer Republik*, München: Nymphenburger Verlagshandlung 1962

Stoever, Jennifer Lynn: *The Sonic Color Line. Race and Cultural Politics of Listening*, New York, NY: New York University Press 2016

Stratford, Charles: »›Old Forms in New Music‹. (Neo)classicism in Arnold Schönberg's *Serenade*, op. 24«, in: *Journal of the Arnold Schönberg Center* 13 (2016), S. 239–252

Strawinsky, Igor / Craft, Robert: *Expositions and Developments*, London: Faber and Faber 1962

Strawinsky, Igor: *Erinnerungen (Chroniques de ma vie)*, in: ders., *Schriften und Gespräche I*, Mainz: Schott 1983, S. 25–172

Szmolyan, Walter: *Josef Matthias Hauer. Eine Studie*, Wien: Lafite u. a. 1965

Tallián, Tibor: »Quellenschichten der Tanz-Suite Bartóks«, in: *Studia Musicologica Academiae Scientiarum Hungaricae* 25/1 (1983), S. 211–219

Tappolet, Claude (Hg.): *Correspondance Ernest Ansermet – Igor Strawinsky (1914–1967)*, édition complète, 3 Bde., Genf: Georg 1990–1992

Taruskin, Richard: *Stravinsky and the Russian Traditions. A Biography of the Works Through Mavra*, 2 Bde., Berkeley u. a.: University of California Press 1996

Taruskin, Richard: *The Oxford History of Western Music*, Bd. 4, *Music in the Early Twentieth Century*, Oxford u. a.: Oxford University Press 2005

Taylor, Frederic: *Der Untergang des Geldes in der Weimarer Republik und die Geburt eines deutschen Traumas*, München: Siedler 2013

Taylor, Jeffrey: »With Lovie and Lil. Rediscovering two Chicago Pianists of the 1920s«, in: *Big Ears. Listening for Gender in Jazz Studies*, hg. von Nichole T. Rustin u. a., Durham und London: Duke University Press 2008, S. 48–63

Thiele, Ulrike: *Mäzen und Mentor. Werner Reinhart als Wegbereiter der musikalischen Moderne*, Kassel u. a.: Bärenreiter 2019

Thorau, Christian / Ziemer, Hansjakob: *The Oxford Handbook of Music Listening in the Nineteenth and Twentieth Centuries*, Oxford: Oxford University Press 2019

Trieloff, Karin: »Die Nationalhymne als Protest? Das *Deutschlandlied* im besetzten Rheinland nach dem Ersten Weltkrieg«, in: *Lied und populäre Kultur / Song and Popular Culture* 60/61 (2015/16), S. 313–331

Ullrich, Volker: *Deutschland 1923. Ein Jahr am Abgrund*, München: C. H. Beck 2022

Van Engen, Abraham C.: *City on a Hill. A History of American Exceptionalism*, New Haven und London: Yale University Press 2020

Vötterle, Karl: *Haus unterm Stern. Ein Verleger erzählt*, Kassel u. a.: Bärenreiter [4]1969

Walsh, Stephen: *Igor Stravinsky. A Creative Spring: Russia and France 1882–1934*, London: Pimlico 2002

Watkins, Glenn: *Pyramids at the Louvre. Music, Culture, and Collage from Stravinsky to the Postmodernists*, Cambridge: Harvard University Press 1994

Weber, Horst: »Melancholisch düstrer Walzer, kommst mir nimmer aus den Sinnen!«, in: *Schönbergs Verein für musikalische Privataufführungen*, hg. von dems. u. a., München: Edition text + kritik 1984 (Musik-Konzepte 36), S. 86–100

Weber, Karlheinz: *Vom Spielmann zum städtischen Kammermusiker. Zur Geschichte des Gürzenich Orchesters*, Bd. 1, Kassel: Merseburger 2009

Webern, Anton: *Briefe an Heinrich Jalowetz*, hg. von Ernst Lichtenhahn, Mainz: Schott 1999

Weichart, Friedrich: »In 14 Tagen einen Sender für Berlin«, in: *Rundfunk Jahrbuch 1930*, hg. von der Reichs-Rundfunk-Gesellschaft Berlin, Berlin 1930: Union Deutsche Verlagsgesellschaft 1930, S. 43–52

Weill, Kurt: *Musik und musikalisches Theater. Gesammelte Schriften. Mit einer Auswahl von Gesprächen und Interviews*, erweiterte und revidierte Neuausgabe, hg. von Stephen Hinton und Jürgen Schebera, Mainz: Schott 2000

Weinrich, Arndt: »Kult der Jugend – Kult des Opfers. Der Langemarck-Mythos in der Zwischenkriegszeit«, in: *Historical Social Research* 34/4 (2009), S. 319–330

Weißmann, Adolf: *Die Musik in der Weltkrise*, Stuttgart und Berlin: Deutsche Verlags-Anstalt 1922

White, Eric Walter: *Stravinsky. The Composer and His Works*, Berkeley: University of California Press [2]1979

Wildt, Michael: *Volksgemeinschaft als Selbstermächtigung. Gewalt gegen Juden in der deutschen Provinz 1919 bis 1939*, Hamburg: Hamburger Edition 2007

Wildt, Michael: *Zerborstene Zeit. Deutsche Geschichte 1918–1945*, München: C. H. Beck 2022

Willems, Jos: *All of Me. The Complete Discography of Louis Armstrong*, Lanham, Maryland u. a.: The Scarecrow Press 2006

Winkler, Heinrich August: *Weimar 1918–1933. Die Geschichte der ersten Deutschen Demokratie*, München: C. H. Beck 2018

Xammar, Eugeni: *Das Schlangenei. Berichte aus dem Deutschland der Inflationsjahre 1922–1924*, Berenberg: Berlin 2007

Yurchenco, Henrietta: »Mean Mama Blues. Bessie Smith and the Vaudeville Era«, in: *Music, Gender, and Culture*, hg. von Marcia Herndon und Susanne Ziegler, Wilhelmshaven: Florian Noetzel 1990, S. 241–251

Zalfen, Sarah / Müller, Sven Oliver (Hg.): *Besatzungsmacht Musik. Zur Musik- und Emotionsgeschichte im Zeitalter der Weltkriege (1919–1949)*, Bielefeld: transcript Verlag 2012

Zemlinsky, Alexander: *Briefwechsel mit Arnold Schönberg, Anton Webern, Alban Berg und Anton Webern*, hg. von Horst Weber, Darmstadt: Wissenschaftliche Buchgesellschaft 1995

Ziemer, Hansjakob: »The Crisis of Listening in Interwar Germany«, in: *The Oxford Handbook of Music Listening in the Nineteenth and Twentieth Centuries*, hg. von Christian Thorau und dems., Oxford: Oxford University Press 2019, S. 97–121

II. Zeitungen und Zeitschriften

Allgemeine Zeitung (München) ··· Arbeiter-Zeitung. Zentralorgan der Sozialdemokratie Deutschösterreichs ··· Berliner Börsen-Zeitung ··· Berliner Tageblatt ··· Börsenblatt für den Deutschen Buchhandel ··· Comœdia ··· Der Deutsche Rundfunk ··· Deutsche Allgemeine Zeitung ··· Die Musik ··· Die Voss. Wochen-Auslands-Ausgabe der Vossischen Zeitung ··· Die Weltbühne ··· Excelsior ··· Essener Allgemeine Zeitung ··· Frankfurter Zeitung ··· Führer durch die Konzertsäle Berlins ··· La Revue musicale ··· Le Ménestrel ··· Münchner Neueste Nachrichten ··· Musical Courier ··· Musikblätter des Anbruch ··· Neue Freie Presse ··· Neues Wiener Journal ··· Neues Wiener Tagblatt ··· Pester Lloyd ··· Radio Broadcast ··· Reichspost ··· Rheinische Musik- und Theater-Zeitung ··· Signale für die musikalische Welt ··· The Musical Times ··· The Talking Machine World ··· Vorwärts ··· Vossische Zeitung ··· Zeitbilder. Beilage der Vossischen Zeitung ··· Zeitschrift für Musik

III. Digitale Archive

Akten der Reichskanzlei. Weimarer Republik: https://bundesarchiv.de/aktenreichskanzlei ··· ANNO (AustriaN Newspapers Online). Historische Zeitungen und Zeitschriften. Digitale Plattform der Österreichischen Nationalbibliothek: https://anno.onb.ac.at ··· Archiv des Arnold Schönberg Center: https://schoenberg.at ··· Béla Bartók Archiv: https://zti.hu/index.php/en/ba ··· digiPress – Das Zeitungsportal der Bayerischen Staatsbibliothek: https://digipress.digitale-sammlungen.de ··· Discography of American Historical Recordings: https://adp.library.ucsb.edu ··· Gallica: Digitale Bibliothek der Französischen Nationalbibliothek. Sélections Presse et revues: https://gallica.bnf.fr ··· ZEFYS. Das Zeitungsinformationssystem der Staatsbibliothek zu Berlin: https://zefys.staatsbibliothek-berlin.de ··· zeit.punktNRW. Digitalisate historischer Zeitungen aus Nordrhein-Westfalen 1801–1945: https://zeitpunkt.nrw

IV. Archive

Archiv des Arnold Schönberg Center ··· Archiv des Bärenreiter-Verlags ··· Archiv der Berliner Philharmoniker ··· Archiv der Essener Philharmoniker ··· Archives Jean Wiéner ··· Deutsches Rundfunkarchiv (DRA) ··· Paul Sacher Stiftung, Basel

Register

Abbildungsnachweis

akg-images: 28, 46–47, 54, 57, 108, 114, 150, 164, 202, 219, 232–233, 245, 250

Archiv der Berliner Philharmoniker: 139

Arnold Schönberg Center: 178, 179, 186, 195

Bärenreiter-Bildarchiv: 61, 63, 68, 69, 70

bpk-Bildagentur / Deutsches Historisches Museum / Heinrich Hoffmann: 188–189

Costa smeralda: 81

Edward Lyman Bill / The talking machine world: 207

Hogan Jazz Archive, Special Collections, Howard-Tilton Memorial Library, Tulane University: 227

Jazzinstitut Darmstadt: 225, 243

Library of Congress, Music Division: 95

Paul Sacher Stiftung, Basel, Sammlung Igor Strawinsky: 76, 79, 84, 102

Peter Palm, Berlin: 106

Ruhr Museum, Fotoarchiv: 133

Voxhaus Berlin, DRA / rbb media: 257

Gernot Gruber

Kulturgeschichte der europäischen Musik

Von den Anfängen bis zur Gegenwart

- Historisches Panorama Europas und der „abendländischen Welt" anhand der Musik
- Geschichte der Musik von ihren Anfängen in vorgeschichtlicher Zeit bis in die jüngste Gegenwart mit ihrer globalisierten E- und U-Musikszene

Gebunden, 832 Seiten
Auch als **eBook** erhältlich.

Christoph Wolff

Bachs musikalisches Universum

Die Meisterwerke in neuer Perspektive

- Das ganze Spektrum der Werke Bachs
- Bachs Vermächtnis als musikalische Autobiografie
- Mit zahlreichen Abbildungen und Notenbeispielen

Gebunden, 357 Seiten
Auch als **eBook** erhältlich.

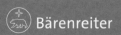